KOLEKCJA GAZETY WYBORCZEJ
4

Kolekcja Gazety Wyborczej
4

MISTRZ I MAŁGORZATA
Michaił Bułhakow

Tytuł oryginału: *Mastier i Margarita*
Tłumaczenie z oryginału: *Irena Lewandowska i Witold Dąbrowski*

ISBN 83-89651-53-X
ISBN 84-9789-542-8

Printed in EU

Mediasat Poland Sp. z o.o.
ul. Mikołajska 26
31-027 Kraków

Skład i łamanie:
MAGRAF, s.c., Bydgoszcz

MICHAIŁ
BUŁHAKOW
Mistrz
i Małgorzata

Przekład Irena Lewandowska i Witold Dąbrowski

KOLEKCJA GAZETY WYBORCZEJ

... Więc kimże w końcu jesteś?

– Jam częścią tej siły,
która wiecznie zła pragnąc,
wiecznie czyni dobro.

J.W. Goethe, *Faust*

CZĘŚĆ
PIERWSZA

1

Nigdy nie rozmawiaj z nieznajomymi

Kiedy zachodziło właśnie gorące wiosenne słońce, na Patriarszych Prudach zjawiło się dwóch obywateli. Pierwszy z nich, mniej więcej czterdziestoletni, ubrany w szary letni garnitur, był niski, ciemnowłosy, zażywny, łysawy, swój zupełnie przyzwoity kapelusz zgniótł wpół i niósł w ręku; jego starannie wygoloną twarz zdobiły nadnaturalnie duże okulary w czarnej rogowej oprawie. Drugi – rudawy, barczysty, kudłaty młody człowiek w zsuniętej na ciemię kraciastej cyklistówce i w kraciastej koszuli – szedł w wymiętych białych spodniach i czarnych płóciennych pantoflach.

Ten pierwszy był to Michał Aleksandrowicz Berlioz we własnej osobie, redaktor miesięcznika literackiego i prezes zarządu jednego z największych stowarzyszeń literackich Moskwy, w skrócie Massolit, towarzyszył mu zaś poeta Iwan Nikołajewicz Ponyriow, publikujący pod pseudonimem Bezdomny.

Kiedy pisarze znaleźli się w cieniu lip, które zaczynały się już zazieleniać, natychmiast ostro ruszyli ku jaskrawo pomalowanej budce z napisem „Piwo i napoje chłodzące".

Tu musimy odnotować pierwszą osobliwość tego straszliwego majowego wieczoru. Nie tylko nikogo nie było koło budki, ale i w równoległej do Małej Bronnej alei nie widać było żywego ducha. Choć wydawało się, że nie ma już czym oddychać, choć słońce, rozprażywszy Moskwę, zapadało w gorącym suchym tumanie gdzieś za Sadowoje Kolco – nikt nie przyszedł pod lipy, nikogo nie było na ławkach, aleja była pusta.

– Butelkę mineralnej – poprosił Berlioz.

– Mineralnej nie ma – odpowiedziała kobieta w budce i z niejasnych powodów obraziła się.

– A piwo jest? – ochrypłym głosem zasięgnął informacji Bezdomny.

– Piwo przywiozą wieczorem – odpowiedziała kobieta.

– A co jest? – zapytał Berlioz.

– Napój morelowy, ale ciepły – powiedziała.

– Może być. Niech będzie!

Morelowy napój wyprodukował obfitą żółtą pianę i w powietrzu zapachniało wodą fryzjerską. Literaci wypili, natychmiast dostali czkawki, zapłacili i zasiedli na ławce zwróceni twarzami do stawu, a plecami do Bronnej.

Wtedy wydarzyła się następna osobliwość, tym razem dotycząca tylko Berlioza. Prezes nagle przestał czkać, serce mu zadygotało i na moment gdzieś się zapadło, potem wróciło na miejsce, ale tkwiła w nim tępa igła. Zarazem ogarnął Berlioza strach nieuzasadniony, ale tak okropny, że zapragnął uciec z Patriarszych Prudów, gdzie oczy poniosą.

Żałośnie rozejrzał się dookoła, nie mogąc zrozumieć, co go tak przeraziło. Pobladł, otarł czoło chusteczką i pomyślał: „Co się ze mną dzieje? Nigdy jeszcze to mi się nie zdarzyło. Serce nawala. Jestem przemęczony... chyba czas najwyższy, żeby rzucić wszystko w diabły i pojechać do Kisłowodzka...".

I wtedy skwarne powietrze zgęstniało przed Berliozem, i wysnuł się z owego powietrza przezroczysty, nad wyraz przedziwny obywatel. Malutka główka, dżokejka, kusa kraciasta marynareczka utkana z powietrza... Miał ze dwa metry wzrostu, ale w ramionach wąski był i chudy niepomiernie, a fizys, proszę zauważyć, miał szyderczą.

Życie Berlioza tak się układało, że nie był przyzwyczajony do nadprzyrodzonych zjawisk. Pobladł więc jeszcze bardziej, wytrzeszczył oczy i pomyślał w popłochu: „Nic takiego istnieć nie może...".

Ale coś takiego niestety istniało. Wydłużony obywatel, przez którego wszystko było widać, wisiał w powietrzu przed Berliozem, chwiejąc się w lewo i w prawo.

Berlioza opanowało takie przerażenie, że aż zamknął oczy. A kiedy je otworzył, zobaczył, że już po wszystkim, widziadło rozpłynęło się, kraciasty zniknął, a jednocześnie tępa igła wyskoczyła z serca.

– Uff, do diabła! – zakrzyknął redaktor. – Wiesz, Iwan, od tego gorąca przed chwilą o mało co nie dostałem udaru! Miałem nawet coś w rodzaju halucynacji. – Spróbował się roześmiać, ale w jego oczach jeszcze ciągle migotało przerażenie, a ręce mu się trzęsły. Jednak uspokoił się z wolna, otarł twarz chusteczką, dość dziarsko oświadczył: „No więc tak...", i jął prowadzić dalej wykład przerwany piciem napoju morelowego.

Wykład ów, jak się potem dowiedziano, dotyczył Jezusa Chrystusa. Chodziło o to, że do kolejnego numeru pisma redaktor zamówił poemat antyreligijny. Iwan Bezdomny poemat ów stworzył, i to nadzwyczaj szybko, ale, niestety, utwór ani trochę nie usatysfakcjonował redaktora. Główną osobę poematu, to znaczy Jezusa, Bezdomny odmalował wprawdzie w nad wyraz czarnej tonacji, niemniej jednak cały poemat należało zdaniem redaktora napisać od nowa. I właśnie teraz redaktor wygłaszał wobec poety coś w rodzaju odczytu o Jezusie, w tym jedynie celu, aby unaocznić twórcy jego podstawowy błąd.

Trudno powiedzieć, co właściwie zgubiło Iwana – jego niezwykły plastyczny talent czy też całkowita nieznajomość zagadnienia, ale cóż tu ukrywać, Jezus wyszedł mu żywy, Jezus ongiś istniejący rzeczywiście, choć, co prawda, obdarzony wszelkimi najgorszymi cechami charakteru.

Berlioz zaś chciał dowieść poecie, że istota rzeczy zasadza się nie na tym, jaki był Jezus, dobry czy zły, ale na tym, że Jezus jako taki w ogóle nigdy nie istniał i wszystkie opowieści o nim to po prostu zwyczajne mitologiczne wymysły, czyli bujda na resorach.

Dodajmy, że redaktor był człowiekiem oczytanym i z wielką znajomością rzeczy powoływał się w swym przemówieniu na starożytnych historyków, na przykład na sławnego Filona z Aleksandrii i na niezmiernie uczonego Józefa Flawiusza, którzy nigdzie ani słowem nie wspomnieli o istnieniu Jezusa. Wykazując solidną erudycję, Michał Aleksandrowicz oznajmił poecie między innymi również i to, że owo miejsce w księdze piętnastej, w rozdziale czterdziestym czwartym słynnych *Roczników* Tacyta, gdzie wspomina się o straceniu Chrystusa, jest po prostu późniejszą wstawką apokryfistów.

Poeta, dla którego wszystko, o czym go informował redaktor, było nowością, wlepił w Michała Aleksandrowicza swe roztropne zielone oczy i słuchał uważnie, z rzadka tylko czkając i przeklinając szeptem morelowy napój.

– Nie ma takiej wschodniej religii – mówił Berlioz – w której dziewica nie zrodziłaby boga. Chrześcijanie nie wymyślili nic nowego, stwarzając swojego Jezusa, który w rzeczywistości nigdy nie istniał. I właśnie na to należy położyć nacisk.

Wysoki tenor Berlioza rozlegał się w pustej alei i im dalej Michał Aleksandrowicz zapuszczał się w gąszcz, w który bez ryzyka skręcenia karku zapuścić się może tylko człowiek niezmiernie wykształcony, tym więcej ciekawych i pożytecznych wiadomości zdobywał poeta. Dowiedział się na przykład o łaskawym bogu egipskim Ozyrysie, synu Nieba i Ziemi, o sumeryjskim bogu Tammuzie, o Marduku i nawet o mniej znanym groźnym Huitzilopochtli, którego niegdyś wielce poważali meksykańscy Aztekowie. I akurat wtedy, kiedy Berlioz opowiadał poecie o tym, jak Aztekowie lepili z ciasta figurki Huitzilopochtli, w alei ukazał się pierwszy człowiek.

Potem, kiedy prawdę mówiąc, było już za późno, najróżniejsze instytucje opracowały rysopisy owego człowieka. Porównanie tych rysopisów musi zadziwić każdego. I tak na przykład pierwszy z nich stwierdza, że człowiek ów był niskiego wzrostu, miał złote zęby i utykał na prawą nogę. Drugi zaś twierdzi, że człowiek ten był wręcz olbrzymem, koronki na jego zębach były z platyny, a utykał na lewą nogę. Trzeci oznajmia lakonicznie, że wymieniony osobnik nie miał żadnych znaków szczególnych. Musimy, niestety, uznać, że wszystkie te rysopisy są do niczego.

Przede wszystkim opisywany nie utykał na żadną nogę, nie był ani mały, ani olbrzymi, tylko po prostu wysoki. Co zaś dotyczy zębów, to z lewej strony koronki były platynowe, a z prawej złote. Miał na sobie drogi popielaty garnitur i dobrane pod kolor zagraniczne pantofle. Szary beret fantazyjnie załamał nad uchem, pod pachą niósł laskę z czarną rączką w kształcie głowy pudla. Lat na oko miał ponad czterdzieści. Usta jak gdyby krzywe. Gładko wygolony. Brunet. Prawe oko czarne, lewe nie wiedzieć czemu zielone. Brwi czarne, ale jedna umieszczona wyżej niż druga. Słowem – cudzoziemiec. Przechodząc obok ławki, na której siedzieli redaktor i poeta, cudzoziemiec spojrzał na nich, przystanął i nagle usiadł na sąsiedniej ławce, o dwa kroki od naszych przyjaciół.

„Niemiec…" – pomyślał Berlioz. „Anglik… – pomyślał Bezdomny. – Taki upał, a ten siedzi w rękawiczkach!".

A cudzoziemiec objął spojrzeniem wysokie domy, z czterech stron okalające staw, przy czym stało się oczywiste, że miejsce to widzi po raz pierwszy i że wzbudziło ono jego zainteresowanie.

Zatrzymał wzrok na górnych piętrach, w których oślepiająco połyskiwało w szybach okien potrzaskane i dla Berlioza na zawsze zachodzące słońce, potem przeniósł spojrzenie niżej, gdzie ciemniał w szybach nadciągający wieczór, do czegoś tam uśmiechnął się z politowaniem, zmrużył oczy, wsparł brodę na dłoniach, a dłonie na rączce laski.

– A ty – mówił Berlioz do poety – bardzo dobrze i satyrycznie pokazałeś na przykład narodziny Jezusa, syna bożego, ale dowcip polega na tym, że jeszcze przed Jezusem narodziło się mnóstwo synów bożych, jak powiedzmy fenicki Adonis, frygijski Attis, perski Mitra. A tymczasem, krótko mówiąc, żaden z nich się w ogóle nie narodził, żaden z nich nie istniał, nie istniał także i Jezus. Musisz koniecznie zamiast narodzin Jezusa czy też, powiedzmy, hołdu trzech króli, opisać nonsensowne wieści rozpowszechniane o tym hołdzie. Bo z twego poematu wynika, że Jezus narodził się naprawdę.

W tym właśnie momencie Bezdomny próbował opanować nękającą go czkawkę i wstrzymał oddech, na skutek czego czknął jeszcze boleściwiej i głośniej, i Berlioz przerwał swój wykład, ponieważ cudzoziemiec wstał nagle i zbliżył się do pisarzy. Ci spojrzeli nań ze zdumieniem.

– Proszę mi wybaczyć – zaczął nieznajomy. Mówił z cudzoziemskim akcentem, ale słów nie kaleczył – że nie będąc znajomym panów, ośmielam się... ale przedmiot naukowej dyskusji panów jest tak interesujący, iż...

Tu nieznajomy uprzejmie zdjął beret i pisarzom nie pozostawało nic innego, jak wstać i ukłonić się.

„Nie, to raczej Francuz..." – pomyślał Berlioz.

„Polak..." – pomyślał Bezdomny.

Należy od razu podkreślić, że na poecie cudzoziemiec od pierwszego słowa zrobił odpychające wrażenie, natomiast Berliozowi raczej się spodobał, a może nie tyle się spodobał, ile, jak by tu się wyrazić... zainteresował go czy co...

– Panowie pozwolą, że się przysiądę? – uprzejmie zapytał cudzoziemiec i przyjaciele jakoś mimo woli się rozsunęli, a on zwinnie wcisnął się pomiędzy nich i natychmiast włączył się do rozmowy.

– Jeśli dobrze usłyszałem, to był pan łaskaw stwierdzić, że Jezus w ogóle nie istniał? – zapytał, kierując na Berlioza swoje lewe zielone oko.

– Tak jest, nie przesłyszał się pan – grzecznie odpowiedział Berlioz. – To właśnie powiedziałem.

– Ach, jakie to ciekawe! – wykrzyknął cudzoziemiec.

„Czego on tu szuka?" – pomyślał Bezdomny i zasępił się.

– A pan zgodził się z kolegą? – zainteresował się nieznajomy i odwrócił się w prawo, do Bezdomnego.

– Na sto procent! – potwierdził poeta, który lubił wyrażać się zawile i metaforycznie.

– Zdumiewające! – zawołał nieproszony dyskutant, nie wiedzieć czemu rozejrzał się dokoła jak złodziej, ściszył swój niski głos i rzekł: – Proszę mi wybaczyć moje natręctwo, ale jeśli dobrze zrozumiałem, panowie na dodatek nie wierzycie w Boga? – w jego oczach pojawiło się przerażenie, dodał: – Przysięgam, że nikomu nie powiem!

– Zgadza się, nie wierzymy – z lekkim uśmiechem, wywołanym przerażeniem zagranicznego turysty, odpowiedział Berlioz – ale o tym można mówić bez obawy.

Cudzoziemiec opadł na oparcie ławki i głosem piskliwym z ciekawości zapytał:

– Panowie jesteście ateistami?!

– Tak, jesteśmy ateistami – z uśmiechem odpowiedział Berlioz, a Bezdomny rozeźlił się i pomyślał: „Ale się przyczepił zagraniczny osioł!".

– Och! Jakie to cudowne! – wykrzyknął zdumiewający cudzoziemiec i pokręcił głową, wpatrując się to w jednego, to w drugiego literata.

– W naszym kraju ateizm nikogo nie dziwi – z uprzejmością dyplomaty wyjaśnił Berlioz. – Znakomita większość ludności naszego kraju dawno już świadomie przestała wierzyć w bajeczki o Bogu.

Wtedy cudzoziemiec wykonał taki numer: wstał, uścisnął zdumionemu redaktorowi dłoń i oświadczył, co następuje:

– Niech pan pozwoli, że mu z całego serca podziękuję.

– Za co pan mu dziękuje? – mrugając oczyma, zapytał Bezdomny.

– Za niezmiernie ważną informację, dla mnie, podróżnika, nadzwyczaj interesującą – wieloznacznie wznosząc palec, wyjaśnił zagraniczny dziwak.

Niezmiernie ważna informacja najwidoczniej istotnie wywarła silne wrażenie na podróżniku, bo z przerażeniem rozejrzał się po domach, jak gdyby się obawiał, że w każdym oknie zobaczy co najmniej jednego ateistę.

„Nie, to nie Anglik" – pomyślał Berlioz, Bezdomnemu zaś przyszło do głowy: „Ciekawe, gdzie on się nauczył tak gadać po rosyjsku!" – i poeta znowu się zasępił.

– Ale pozwólcie, że was, panowie, zapytam – po chwili niespokojnej zadumy przemówił zagraniczny gość – co w takim razie począć z dowodami na istnienie Boga, których, jak wiadomo, istnieje dokładnie pięć?

– Niestety – ze współczuciem odpowiedział Berlioz. – Żaden z tych dowodów nie ma najmniejszej wartości i ludzkość dawno odłożyła je ad acta. Przyzna pan chyba, że w kategoriach rozumu nie można przeprowadzić żadnego dowodu na istnienie Boga.

– Brawo! – zawołał cudzoziemiec. – Brawo! Pan dokładnie powtórzył pogląd nieokiełznanego staruszka Immanuela w tej materii. Ale zabawne, że stary najpierw doszczętnie rozprawił się z wszystkimi pięcioma dowodami, a następnie, jak gdyby szydząc z samego siebie, przeprowadził własny, szósty dowód.

– Dowód Kanta – z subtelnym uśmiechem sprzeciwił się wykształcony redaktor – jest również nieprzekonujący. I nie na darmo Schiller powiada, że rozważania Kanta na ten temat mogą zadowolić tylko ludzi o duszach niewolników, a Strauss je po prostu wyśmiewa.

Berlioz mówił, a zarazem myślał przez cały czas: „Ale kto to może być? I skąd on tak dobrze zna rosyjski?".

– Najlepiej byłoby posłać tego Kanta na trzy lata na Sołowki za te jego dowody! – palnął nieoczekiwanie Iwan.

– Ależ, Iwanie! – wyszeptał skonfundowany Berlioz.

Propozycja zesłania Kanta na Sołowki nie tylko nie zdumiała cudzoziemca, ale nawet wprawiła go w prawdziwy zachwyt.

– Otóż to! – zawołał i jego lewe, zielone, zwrócone na Berlioza oko zabłysło. – Tam jest jego miejsce! Przecież mówiłem mu wtedy, przy śniadaniu: „Jak pan tam, profesorze, sobie chce, ale wymyślił pan coś, co się kupy nie trzyma. Może to i mądre, ale zbyt skomplikowane. Wyśmieją pana".

Berlioz wybałuszył oczy. „Przy śniadaniu… do Kanta! Co on plecie?" – pomyślał.

– Ale – mówił dalej cudzoziemiec do poety, niespeszony zdumieniem Berlioza – zesłanie go na Sołowki jest niemożliwe z tej przyczyny, że Kant już od stu z górą lat przebywa w miejscach znacznie bardziej odległych niż Sołowki i wydobycie go stamtąd jest zupełnie niemożliwe, zapewniam pana.

– A szkoda! – agresywnie oświadczył poeta.

– Ja również żałuję – błyskając okiem, przytaknął mu niewyjaśniony podróżnik i ciągnął dalej: – Ale niepokoi mnie następujące zagadnienie: skoro nie ma Boga, to kto kieruje życiem człowieka i w ogóle wszystkim, co się dzieje na świecie?

– O tym wszystkim decyduje człowiek – Berlioz pospieszył z gniewną odpowiedzią na to, trzeba przyznać, niezupełnie jasne pytanie.

– Przepraszam – łagodnie powiedział nieznajomy – po to, żeby czymś kierować, trzeba bądź co bądź mieć dokładny plan, obejmujący jakiś możliwie przyzwoity czas. Pozwoli więc pan, że go zapytam, jak człowiek może czymkolwiek kierować, skoro pozbawiony jest nie tylko możliwości planowania na choćby śmiesznie krótki czas, no, powiedzmy, na tysiąc lat, ale nie może ponadto ręczyć za to, co się z nim samym stanie następnego dnia? Bo istotnie – tu nieznajomy zwrócił się do Berlioza – proszę sobie wyobrazić, że zaczyna pan rządzić, sobą i innymi, że tak powiem – dopiero zaczyna się pan rozsmakowywać i nagle okazuje się, że ma pan… kche… kche… sarkomę płuc… – I cudzoziemiec uśmiechnął się słodko, jak gdyby myśl o sarkomie płuc sprawiła mu przyjemność. – Tak, sarkoma – po kociemu mrużąc oczy, powtórzył dźwięczne słowo – i pańskie rządy się skończyły! Interesuje pana już tylko los własny, niczyj więcej! Krewni zaczynają pana okłamywać. Pan czuje, że coś jest nie w porządku, pędzi pan do uczonych lekarzy, potem do szarlatanów, a w końcu, być może, idzie pan nawet do wróżki. Zarówno to pierwsze, jak drugie i trzecie nie ma żadnego sensu, sam pan to rozumie. I cała historia kończy się tragicznie – ten, który jeszcze niedawno sądził, że o czymś tam decyduje, spoczywa sobie w drewnianej skrzynce, a otoczenie, zdając sobie sprawę, że z leżącego żadnego pożytku mieć już nie będzie, spala go w specjalnym piecu.

A bywa i gorzej – człowiek dopiero co wybierał się do Kisłowodzka – tu cudzoziemiec zmrużonymi oczyma popatrzył na Berlioza – zdawałoby się, głupstwo, ale nawet tego nie może dokonać, bo nagle, nie wiedzieć czemu, poślizgnie się i wpadnie pod tramwaj! Czy naprawdę uważa pan, że ten człowiek sam tak sobą pokierował? Czy nie słuszniej byłoby uznać, że pokierował nim ktoś zupełnie inny? – Tu nieznajomy zaśmiał się dziwnie.

Berlioz z wielką uwagą słuchał nieprzyjemnego opowiadania o sarkomie i tramwaju, zaczęły go dręczyć jakieś trwożne myśli. „Nie, to nie cudzoziemiec... to nie cudzoziemiec... – myślał – to jakiś przedziwny facet... ale kim on w takim razie jest?".

– Ma pan, jak widzę, ochotę zapalić? – nieznajomy zwrócił się niespodziewanie do Bezdomnego. – Jakie pan pali?

– A co ma pan do wyboru? – ponuro zapytał poeta, któremu skończyły się papierosy.

– Jakie pan pali? – powtórzył nieznajomy.

– „Naszą Markę" – z nienawiścią odpowiedział Bezdomny.

Nieznajomy niezwłocznie wyciągnął z kieszeni papierośnicę i podał ją Bezdomnemu:

– „Nasza Marka".

I redaktorem, i poetą wstrząsnął nie tyle fakt, że w papierośnicy znalazła się właśnie „Nasza Marka", ile sama papierośnica. Była olbrzymia, z dukatowego złota, a kiedy się otworzyła, na jej wieczku zaiskrzył błękitnymi i białymi ogniami trójkąt z brylantów.

Każdy z literatów pomyślał co innego. Berlioz: „Nie, to jednak cudzoziemiec!", a Bezdomny: „O, cholera!...".

Poeta i właściciel papierośnicy zapalili, a niepalący Berlioz podziękował.

„Trzeba mu będzie odpowiedzieć tak – zdecydował Berlioz. – Tak, człowiek jest śmiertelny, nikt temu nie przeczy. Ale rzecz w tym...".

Jednak nie zdążył nawet zacząć, kiedy cudzoziemiec powiedział:

– Tak, człowiek jest śmiertelny, ale to jeszcze pół biedy. Najgorsze, że to, iż jest śmiertelny, okazuje się niespodziewanie, w tym właśnie sęk! Nikt nie może przewidzieć, co będzie robił dzisiejszego wieczora.

„Jakieś głupie podejście do zagadnienia..." – pomyślał Berlioz i zaprotestował:

– No, to to już przesada. Wiem mniej więcej dokładnie, co będę robił dziś wieczór. Oczywista, jeśli na Bronnej nie spadnie mi cegła na głowę...

– Cegła – z przekonaniem przerwał mu nieznajomy – nigdy nikomu nie spada na głowę ni z tego, ni z owego. W każdym razie panu, niech mi pan wierzy, cegła nie zagraża. Pan umrze inną śmiercią.

– A może wie pan jaką? – ze zrozumiałą ironią w głosie zasięgnął informacji Berlioz, dając się wciągnąć w tę rzeczywiście raczej idiotyczną rozmowę. – I może mi pan to powie?

– Chętnie – przystał na to nieznajomy. Zmierzył Berlioza spojrzeniem, jakby zamierzał uszyć mu garnitur, wymruczał przez zęby coś w rodzaju: „raz, dwa... Merkury w drugim domu... księżyc wzeszedł... sześć – nieszczęście... wieczór – siedem..." – i głośno, radośnie oznajmił: – Utną panu głowę!

Bezdomny dziko wytrzeszczył oczy na bezczelnego cudzoziemca, a Berlioz zapytał z kwaśnym uśmiechem:

– A któż to zrobi? Wrogowie? Interwenci?

– Nie – odpowiedział cudzoziemiec. – Rosjanka, komsomołka.

– Hm... – zamruczał zdegustowany żartem nieznajomego Berlioz. – No, pan daruje, ale to mało prawdopodobne.

– I ja proszę o wybaczenie – odpowiedział cudzoziemiec – ale tak właśnie będzie. Czy mógłby mi pan powiedzieć, jeśli to oczywiście nie tajemnica, co pan będzie robił dziś wieczorem?

– To żadna tajemnica. Teraz wpadnę do siebie, na Sadową, a potem o dziesiątej wieczorem w Massolicie odbędzie się zebranie, któremu będę przewodniczył.

– To się nie da zrobić – stanowczo zaprzeczył obcokrajowiec.

– A to dlaczego?

– Dlatego – odpowiedział cudzoziemiec i zmrużonymi oczyma zapatrzył się w niebo, po którym w przeczuciu wieczornego chłodu bezgłośnie śmigały czarne ptaki – że Annuszka już kupiła olej słonecznikowy, i nie dość, że kupiła, ale już go nawet rozlała. Tak więc zebranie się nie odbędzie.

Pod lipami zapanowało zrozumiałe milczenie.

– Przepraszam – odezwał się Berlioz po chwili, spoglądając na cudzoziemca, który najwyraźniej gadał od rzeczy – co ma do tego olej słonecznikowy... i jakaś Annuszka?

– Olej słonecznikowy tyle ma do tego... – nagle odezwał się Bezdomny, który najwyraźniej postanowił wypowiedzieć nieproszonemu cudzoziemcowi wojnę. – Czy nie byliście kiedyś, obywatelu, na leczeniu w szpitalu dla umysłowo chorych?

– Iwan! – cichutko zawołał Berlioz.

Ale cudzoziemiec, ani trochę nie urażony, roześmiał się wesolutko.

– Byłem, byłem, i to nie raz! – wykrzyknął ze śmiechem, ale wpatrzone w poetę oko nie śmiało się. – Gdzież to ja nie bywałem! Szkoda tylko, że nie zdążyłem zapytać profesora, co to takiego schizofrenia. Więc niech już go pan sam o to zapyta, Iwanie Nikołajewiczu.

– Skąd pan wie, jak ja się nazywam?

– No, wie pan, któż by pana nie znał! – Nieznajomy wyciągnął z kieszeni wczorajszy numer „Litieraturnej Gaziety" i Bezdomny zobaczył od razu na pierwszej kolumnie swoją podobiznę, a pod nią własne wiersze. Ale ten dowód sławy i popularności, który jeszcze wczoraj tak cieszył poetę, tym razem jakoś ani trochę go nie uradował.

– Przepraszam – powiedział, a twarz mu spochmurniała. – Czy mógłby pan chwilę poczekać? Chciałem powiedzieć koledze kilka słów.

– O, z przyjemnością! – zawołał nieznajomy. – Tu jest tak miło pod tymi lipami, a mnie się nigdzie nie spieszy.

– Słuchaj, Misza – szeptał poeta, odciągając Berlioza na bok – to nie żaden turysta, tylko szpieg. To rosyjski emigrant, któremu udało się do nas przedostać. Wylegitymuj go natychmiast, bo zwieje.

– Tak myślisz? – szepnął z niepokojem Berlioz i pomyślał: „Przecież on ma rację...".

– Możesz mi wierzyć – zachrypiał mu do ucha poeta. – Udaje głupiego, żeby wypytać o to i owo. Słyszałeś, jak on gada po rosyjsku – poeta mówił i zarazem zezował, pilnując, żeby nieznajomy nie uciekł. – Chodź, zatrzymamy go, bo da nogę...

I poeta pociągnął Berlioza za rękę w stronę ławki. Nieznajomy już nie siedział, ale stał obok niej, trzymając w ręku jakąś książeczkę w ciemnoszarej oprawie, sztywną kopertę w dobrym gatunku i bilet wizytowy.

– Zechcą mi chyba panowie wybaczyć, że w ferworze dyskusji zapomniałem się przedstawić. Oto moja wizytówka, oto paszport i zaproszenie do Moskwy na konsultację – z naciskiem powiedział nieznajomy, patrząc przenikliwie na obu literatów.

Ci się zmieszali. „Do diabła, on wszystko słyszał..." – pomyślał Berlioz i uprzejmym gestem dał do zrozumienia, że nie ma potrzeby okazywania dokumentów. Kiedy cudzoziemiec podsunął je redaktorowi, poeta zdążył spostrzec wydrukowane na wizytówce zagranicznymi literami słowo „profesor" i pierwszą literę nazwiska – „W".

– Bardzo mi przyjemnie – niewyraźnie mruczał tymczasem skonfundowany redaktor i cudzoziemiec schował dokumenty do kieszeni.

W ten sposób stosunki dyplomatyczne zostały znów nawiązane i cała trójka usiadła na ławce.

– Więc zaproszono pana do Moskwy w charakterze konsultanta, profesorze? – zapytał Berlioz.

– Tak, mam być konsultantem.

– Pan jest Niemcem? – zainteresował się Bezdomny.

– Ja? – odpowiedział profesor pytaniem na pytanie i nagle popadł w zadumę. – Tak, chyba jestem Niemcem.

– Pan świetnie mówi po rosyjsku – stwierdził Bezdomny.

– O, w zasadzie jestem poliglotą. Znam bardzo wiele języków – odparł profesor.

– A jaka jest pańska specjalność? – zapytał Berlioz.

– Jestem specjalistą od czarnej magii.

„Masz tobie!" – coś załomotało w głowie Berlioza.

– I… zaproszono pana do nas jako specjalistę? – lekko zająknął się redaktor.

– Tak, jako specjalistę – potwierdził profesor i wyjaśnił: – W waszej bibliotece narodowej znaleziono oryginalne rękopisy Gerberta z Aurillac, z dziesiątego wieku. Poproszono mnie, żebym je odcyfrował. Jestem w tej dziedzinie jedynym specjalistą na świecie.

– A! Więc jest pan historykiem? – z szacunkiem i z ogromną ulgą zapytał Berlioz.

– Jestem historykiem – potwierdził uczony i dodał ni w pięć, ni w dziewięć: – Dziś wieczorem na Patriarszych Prudach wydarzy się nadzwyczaj interesująca historia.

I znów poeta i redaktor ogromnie się zdziwili, profesor zaś pokiwał palcem, przywołując ich bliżej, a kiedy obaj nachylili się do niego, wyszeptał:

– Nie zapominajcie, że Jezus istniał naprawdę.

– Widzi pan, profesorze – powiedział Berlioz z wymuszonym uśmiechem – szanujemy, oczywiście, pańską ogromną wiedzę, ale na tę sprawę mamy zupełnie odmienny pogląd.

– A tu nie trzeba mieć żadnych poglądów – odparł dziwny profesor. – Jezus po prostu istniał i tyle.

– Ale potrzebne są na to jakieś świadectwa… – zaczął Berlioz.

– Nie trzeba żadnych świadectw – odpowiedział konsultant i jął mówić niezbyt głośno, przy czym jego cudzoziemski akcent nie wiadomo dlaczego znikł. – Wszystko jest bardzo proste: W białym płaszczu z podbiciem koloru krwawnika posuwistym krokiem kawalerzysty wczesnym rankiem czternastego dnia wiosennego miesiąca nisan…

2

Poncjusz Piłat

W białym płaszczu z podbiciem koloru krwawnika posuwistym krokiem kawalerzysty wczesnym rankiem czternastego dnia wiosennego miesiąca nisan pod krytą kolumnadę łączącą oba skrzydła pałacu Heroda Wielkiego wyszedł procurator Judei Poncjusz Piłat. Procurator ponad wszystko nienawidził zapachu olejku różanego, a dziś wszystko zapowiadało niedobry dzień, ponieważ woń róż prześladowała procuratora od samego rana.

Miał wrażenie, że różany aromat sączy się z rosnących w ogrodzie palm i cyprysów, że z wydzielanym przez eskortę odorem potu i skórzanego rynsztunku miesza się zapach znienawidzonych kwiatów.

Z zabudowań na tyłach pałacu, gdzie kwaterowała przybyła do Jeruszalaim wraz z procuratorem pierwsza kohorta dwunastego legionu Błyskawic, aż tu, pod kolumnadę, napływał poprzez górną kondygnację ogrodu gorzkawy dymek świadczący, że kucharze w centuriach zaczęli już gotować obiad, i w tym dymku także była domieszka oleistych różanych aromatów.

„Za cóż mnie tak karzecie, o bogowie?... Tak, to bez wątpienia znowu ta niezwyciężona, straszliwa choroba... hemicrania, przy której boli pół głowy... choroba, na którą nie ma lekarstwa, przed którą nie ma ratunku... Spróbuję nie poruszać głową...".

Na mozaikowej posadzce przy fontannie był już przygotowany tron. Procurator, nie spojrzawszy na nikogo, zasiadł na nim i wyciągnął rękę w bok. Sekretarz z uszanowaniem złożył w jego dłoni kawałek pergaminu. Procurator, nie zdoławszy opanować bolesnego grymasu, kątem oka pobieżnie przejrzał tekst, zwrócił sekretarzowi pergamin i powiedział z trudem:

– Podsądny z Galilei? Przesłaliście sprawę tetrarsze?

– Tak, procuratorze – odparł sekretarz.

– A on?

– Odmówił rozstrzygnięcia tej sprawy i wydany przez Sanhedryn wyrok śmierci przesłał do twojej decyzji – wyjaśnił sekretarz.

Procuratorowi skurcz wykrzywił policzek. Powiedział cicho:

– Wprowadźcie oskarżonego.

Natychmiast dwóch legionistów wprowadziło między kolumny z ogrodowego placyku dwudziestosiedmioletniego człowieka i przywiodło go przed tron procuratora. Człowiek ów odziany był w stary, rozdarty, błękitny chiton. Na głowie miał biały zawój przewiązany wokół rzemykiem, ręce związano mu z tyłu. Pod jego lewym okiem widniał wielki siniak, w kąciku ust miał zdartą skórę i zaschłą krew. Patrzył na procuratora z lękliwą ciekawością.

Ten milczał przez chwilę, potem cicho zapytał po aramejsku:

– Więc to ty namawiałeś lud do zburzenia jeruszalaimskiej świątyni?

Procurator siedział niczym wykuty w kamieniu i tylko jego wargi poruszały się ledwie zauważalnie, kiedy wymawiał te słowa. Był jak z kamienia, bał się bowiem poruszyć głową płonącą z piekielnego bólu.

Człowiek ze związanymi rękami postąpił nieco do przodu i począł mówić:

– Człowieku dobry. Uwierz mi...

Ale procurator, nadal znieruchomiały, natychmiast przerwał mu, ani o włos nie podnosząc głosu:

– Czy to mnie nazwałeś dobrym człowiekiem? Jesteś w błędzie. Każdy w Jeruszalaim powie ci, że jestem okrutnym potworem, i to jest święta prawda. – Po czym równie beznamiętnie dodał: – Centurion Szczurza Śmierć, do mnie!

Wszystkim się wydało, że zapada mrok, kiedy centurion pierwszej centurii Marek, zwany także Szczurzą Śmiercią, wszedł na taras i stanął przed procuratorem. Był o głowę wyższy od najwyższego żołnierza legionu i tak szeroki w barach, że przesłonił sobą niewysokie jeszcze słońce.

Procurator zwrócił się do centuriona po łacinie:

– Przestępca nazwał mnie człowiekiem dobrym. Wyprowadź go stąd na chwilę i wyjaśnij mu, jak należy się do mnie zwracać. Ale nie kalecz go.

Wszyscy prócz nieruchomego procuratora odprowadzali spojrzeniem Marka Szczurzą Śmierć, który skinął na aresztanta, każąc mu iść za sobą. Szczurzą Śmierć w ogóle zawsze wszyscy odprowadzali spojrzeniami, gdziekolwiek się pojawiał, tak niecodziennego był wzrostu, a ci, którzy widzieli go po raz pierwszy, patrzyli nań z tego także powodu, że twarz centuriona była potwornie zeszpecona – nos jego strzaskało niegdyś uderzenie germańskiej maczugi.

Ciężkie buciory Marka załomotały po mozaice, związany poszedł za nim bezgłośnie, pod kolumnadą zapanowało milczenie, słychać było gruchanie gołębi na ogrodowym placyku nieopodal balkonu, a także wodę śpiewającą w fontannie dziwaczną i miłą piosenkę.

Procurator nagle zapragnął wstać, podstawić skroń pod strugę wody i pozostać już w tej pozycji. Wiedział jednak, że i to nie przyniesie ulgi.

Szczurza Śmierć spod kolumnady wyprowadził aresztowanego do ogrodu, wziął bicz z rąk legionisty, który stał u stóp brązowego posągu, zamachnął się od niechcenia i uderzył aresztowanego po ramionach. Ruch centuriona był lekki i niedbały, ale związany człowiek natychmiast zwalił się na ziemię, jakby mu ktoś podciął nogi, zachłysnął się powietrzem, krew uciekła mu z twarzy, a jego oczy stały się puste.

Marek lewą ręką lekko poderwał leżącego w powietrze, jakby to był pusty worek, postawił go na nogi, powiedział przez nos, kalecząc aramejskie słowa:

– Do procuratora rzymskiego zwracać się: hegemon. Innych słów nie mówić. Stać spokojnie. Zrozumiałeś czy uderzyć?

Aresztowany zachwiał się, ale przemógł słabość, krew znów krążyła, odetchnął głęboko i ochryple powiedział:

– Zrozumiałem cię. Nie bij mnie.

Po chwili znowu stał przed procuratorem.

Rozległ się matowy zbolały głos:

– Imię?

– Moje? – pospiesznie zapytał aresztowany, całym swoim jestestwem wyrażając gotowość do szybkich i rzeczowych odpowiedzi, postanowienie, że nie da więcej powodu do gniewu.

Procurator powiedział cicho:

– Moje znam. Nie udawaj głupszego, niż jesteś. Twoje.

– Jeszua – spiesznie odpowiedział aresztowany.

– Masz przezwisko?

– Ha-Nocri.

– Skąd jesteś?

– Z miasta Gamala – odpowiedział aresztant, zarazem wskazując głową, że gdzieś tam daleko, na prawo od niego, na północy, jest miasto Gamala.

– Z jakiej krwi?

– Dokładnie tego nie wiem – z ożywieniem odpowiedział aresztowany. – Nie pamiętam moich rodziców. Powiadają, że ojciec był Syryjczykiem...

– Gdzie stale mieszkasz?

– Nigdzie nie mam domu – nieśmiało odpowiedział aresztant. – Wędruję od miasta do miasta.

– Można to ująć krócej, jednym słowem: włóczęgostwo – powiedział procurator i zapytał: – Masz rodzinę?

– Nie mam nikogo. Sam jestem na świecie.

– Umiesz czytać, pisać?

– Umiem.

– Znasz jakiś język prócz aramejskiego?

– Znam. Grecki.

Uniosła się opuchnięta powieka, zasnute mgiełką cierpienia oko wpatrzyło się w aresztowanego. Drugie nadal było zamknięte.

Piłat odezwał się po grecku:

– Więc to ty zamierzałeś zburzyć świątynię i nawoływałeś do tego lud?

Aresztowany znowu się ożywił, jego oczy nie wyrażały już strachu, zaczął mówić po grecku:

– Cżło... – Przerażenie błysnęło w jego oczach, zrozumiał, że omal się nie przejęzyczył. – Ja, hegemonie, nigdy w życiu nie miałem zamiaru burzyć świątyni i nikogo nie namawiałem do tak nonsensownego uczynku.

Zdziwienie odmalowało się na twarzy sekretarza, który pochylony nad niziutkim stołem spisywał zeznania. Uniósł głowę, ale natychmiast znów ją pochylił nad pergaminem.

– Wielka liczba rozmaitych ludzi schodzi się do tego miasta na święto. Są wśród nich magowie, astrologowie, wróżbici i mordercy – monotonnie mówił procurator – niekiedy zdarzają się także kłamcy. Ty, na przykład, jesteś kłamcą. Zapisano tu wyraźnie: podburzałeś do zniszczenia świątyni. Tak zaświadczyli ludzie.

– Ci dobrzy ludzie – zaczął mówić więzień i spiesznie dodawszy: – hegemonie – ciągnął: – niczego się nie nauczyli i wszystko, co mówiłem, poprzekręcali. W ogóle zaczynam się obawiać, że te nieporozumienia będą trwały jeszcze bardzo, bardzo długo. A wszystko dlatego, że on niedokładnie zapisuje to, co mówię.

Zapadło milczenie. Teraz już oboje zbolałych oczu patrzyło ociężale na aresztowanego.

– Powtarzam ci, ale już po raz ostatni, abyś przestał udawać wariata, zbrodniarzu – łagodnie, monotonnie powiedział Piłat. – Niewiele zapisano z tego, coś mówił, ale tego, co zapisano, jest w każdym razie dość, aby cię powiesić.

– O nie, o nie, hegemonie! – w żarliwym pragnieniu przekonania rozmówcy mówił aresztant – chodzi za mną taki jeden z kozim pergaminem i bez przerwy pisze. Ale kiedyś zajrzałem mu do tego pergaminu i strach mnie zdjął. Nie mówiłem dosłownie nic z tego, co tam zostało napisane. Błagałem go: spal, proszę cię, ten pergamin! Ale on mi go wyrwał i uciekł.

– Któż to taki? – opryskliwie zapytał Piłat i dotknął dłonią skroni.

– Mateusz Lewita – skwapliwie powiedział więzień. – Był poborcą podatkowym i spotkałem go po raz pierwszy na drodze do Bettagium, w tym miejscu, gdzie do drogi przytyka ogród figowy, i rozmawiałem z nim. Na początku potraktował mnie nieprzyjaźnie, a nawet mnie obrażał; to znaczy wydawało mu się, że mnie obraża, ponieważ nazywał mnie psem. – Aresztowany uśmiechnął się. – Co do mnie, nie widzę w tym zwierzęciu nic złego, nic takiego, żeby się obrażać za to słowo…

Sekretarz przestał notować i ukradkiem spojrzał zdziwiony, nie na aresztowanego jednak, tylko na procuratora.

– … lecz wysłuchawszy mnie, złagodniał – ciągnął Jeszua – a w końcu cisnął pieniądze na drogę i oświadczył, że pójdzie ze mną na wędrówkę…

Piłat uśmiechnął się połową twarzy, wyszczerzając pożółkłe zęby, i przemówił, całym ciałem zwracając się ku sekretarzowi:

– O, miasto Jeruszalaim! Czegóż tu człowiek nie usłyszy?! Poborca podatków, słyszycie, cisnął pieniądze na drogę!

Sekretarz, nie wiedząc, co na to odpowiedzieć, uznał za wskazane uśmiechnąć się tak jak Piłat.

– Powiedział, że od tej chwili nienawidzi pieniędzy – objaśnił Jeszua dziwne zachowanie Mateusza Lewity i dodał: – Odtąd wędrował wraz ze mną.

Procurator, ciągle jeszcze szczerząc zęby, przyjrzał się więźniowi, potem spojrzał na słońce, które nieubłaganie wznosiło się coraz wyżej i wyżej nad posągami jeźdźców na leżącym z prawej strony, w dali, w dolinie, hipodromie, i znienacka, w jakiejś dotkliwej udręce, pomyślał, że najprościej byłoby pozbyć się z balkonu tego dziwacznego rozbójnika, wyrzekłszy dwa tylko słowa: „Powiesić go!". Pozbyć się także eskorty, przejść spod kolumnady do wnętrza pałacu, polecić, by zaciemniono okna komnaty, zwalić się na łoże, zażądać zimnej wody, umęczonym głosem przywołać psa Bangę, użalić się przed nim na tę hemicranię... W obolałej głowie procuratora błysnęła nagle kusząca myśl o truciźnie.

Patrzył na więźnia zmętniałymi oczyma i przez czas jakiś milczał, z trudem usiłując sobie przypomnieć, czemu to na tym niemiłosiernym porannym skwarze stoi przed nim więzień o twarzy zniekształconej razami, uświadomić sobie, jakie jeszcze niepotrzebne nikomu pytania będzie tu musiał zadawać.

– Mateusz Lewita? – zapytał ochryple chory i zamknął oczy.

– Tak, Mateusz Lewita – dotarł doń wysoki zadręczający głos.

– W takim razie co mówiłeś o świątyni tłumowi na targowisku?

Wydawało się Piłatowi, że głos odpowiadającego kłuje go w skroń, ten głos męczył go niewypowiedzianie, ten głos mówił:

– Mówiłem, hegemonie, o tym, że runie świątynia starej wiary i powstanie nowa świątynia prawdy. Powiedziałem tak, żeby mnie łatwiej zrozumieli.

– Czemuś, włóczęgo, wzburzał umysły ludu na targowisku opowieściami o prawdzie, o której ty sam nie masz pojęcia? Czym bowiem jest prawda?

I pomyślał sobie procurator: „Bogowie! Pytam go na sądzie o takie rzeczy, o które pytać nie powinienem... Mój umysł mnie zawodzi...". I znów zamajaczył mu przed oczyma puchar ciemnego płynu. „Trucizny mi dajcie, trucizny...".

I znów usłyszał głos:

– Prawdą jest to przede wszystkim, że boli cię głowa, i to tak bardzo cię boli, że małodusznie rozmyślasz o śmierci. Nie dość, że nie starcza ci sił, by ze mną mówić, ale trudno ci na mnie nawet patrzeć. Mimo woli staję się teraz twoim katem, co zasmuca mnie ogromnie. Nie możesz nawet o niczym myśleć i tylko marzysz o tym, by nadszedł twój pies, jedyne zapewne stworzenie, do którego jesteś przywiązany. Ale twoje męczarnie zaraz się skończą, ból głowy ustąpi.

Sekretarz wytrzeszczył oczy na więźnia, nie dopisując słowa do końca.

Piłat podniósł na aresztanta umęczone spojrzenie i zobaczył, że słońce stoi już dość wysoko nad hipodromem, że promień słoneczny przeniknął pod kolumnadę, podpełza ku znoszonym sandałom Jeszui, i że ten stara się usunąć ze słońca.

Wówczas procurator wstał z tronu, ścisnął dłońmi głowę, na jego wygolonej żółtawej twarzy pojawił się wyraz przerażenia. Ale Piłat natychmiast opanował go wysiłkiem woli i znowu opadł na tron.

Więzień natomiast kontynuował tymczasem swoją przemowę, sekretarz niczego już jednak nie notował, tylko wyciągnął szyję jak gąsior i starał się nie uronić ani słowa.

– I oto wszystko się już skończyło – życzliwie spoglądając na Piłata, mówił aresztowany – i niezmiernie się z tego cieszę. Radziłbym ci, hegemonie, abyś na czas jakiś opuścił pałac i odbył małą przechadzkę po okolicy, chociażby po ogrodach na stoku eleońskiej góry. Burza nadciągnie… – więzień odwrócił się i popatrzył zmrużonymi oczyma w słońce – później, pod wieczór. Przechadzka dobrze ci zrobi, a ja chętnie ci będę towarzyszył. Przyszło mi do głowy kilka nowych myśli, które, jak sądzę, mogłyby ci się wydać interesującymi, i z przyjemnością bym się nimi z tobą podzielił, tym bardziej że sprawiasz na mnie wrażenie bardzo mądrego człowieka.

– Sekretarz zbladł śmiertelnie, pergamin spadł mu na posadzkę.

– Szkoda tylko – ciągnął związany Ha-Nocri i nikt mu nie przerywał – że zbytnio jesteś zamknięty w sobie i zupełnie opuściła cię wiara w ludzi. Przyznasz przecież, że nie można wszystkich swoich uczuć przelewać na psa. Smutne jest twoje życie, hegemonie.

– W tym miejscu mówiący pozwolił sobie na uśmiech.

Sekretarz myślał teraz już tylko o jednym – wierzyć czy nie wierzyć własnym uszom. Musiał im wierzyć. Postarał się zatem wyobrazić sobie, jaką też wymyślną formę przybierze gniew zapalczywego procuratora wobec tej niesłychanej śmiałości aresztowanego. Ale nie mógł sobie tego wyobrazić, choć nieźle znał Piłata.

Wówczas dał się słyszeć zdarty, nieco zachrypnięty głos procuratora mówiącego po łacinie:

– Rozwiążcie mu ręce.

Jeden z konwojujących legionistów stuknął o posadzkę włócznią, podał ją sąsiadowi, zbliżył się i zdjął więźniowi pęta. Sekretarz podniósł z ziemi pergamin, postanowił, że nic na razie nie będzie notował i że niczemu nie będzie się dziwił.

– Przyznaj się – zapytał cicho po grecku Piłat – jesteś wielkim lekarzem?

– Nie, procuratorze, nie jestem lekarzem – odpowiedział aresztowany, rozcierając z ulgą zniekształcone i opuchnięte, purpurowe przeguby dłoni.

Piłat surowo przyglądał się aresztowanemu spode łba, w jego oczach nie było już mgiełki, pojawiły się w nich dobrze wszystkim znane iskry.

– Nie pytałem cię o to – powiedział – ale czy znasz może również łacinę?

– Znam – odpowiedział aresztowany.

Rumieniec wystąpił na zżółkłe policzki Piłata i procurator zapytał po łacinie:

– Skąd wiedziałeś, że chciałem przywołać psa?

– To zupełnie proste – odpowiedział po łacinie aresztowany. – Wodziłeś w powietrzu dłonią – tu więzień powtórzył gest Piłata – tak jakbyś chciał go pogłaskać, a twoje wargi...

– Tak... – powiedział Piłat.

Milczeli przez chwilę. A potem Piłat zapytał po grecku:

– A zatem jesteś lekarzem?

– Nie, nie – żywo odpowiedział więzień. – Wierz mi, nie jestem lekarzem.

– No cóż, jeśli chcesz to zachować w tajemnicy, zachowaj. Bezpośrednio ze sprawą to się nie wiąże. Utrzymujesz zatem, że nie nawoływałeś do zburzenia świątyni... czy jej podpalenia, czy też zniszczenia w jakiś inny sposób?

– Nikogo, hegemonie, nie nawoływałem do niczego takiego, powtarzam. Czy wyglądam na człowieka niespełna rozumu?

– O, nie, nie wyglądasz na człowieka niespełna rozumu – cicho odpowiedział procurator z jakimś strasznym uśmiechem. – Przysięgnij zatem, że nic takiego nie miało miejsca.

– Na co chcesz, żebym przysiągł? – zapytał z ożywieniem uwolniony z więzów.

– Choćby na własne życie – odpowiedział procurator. – Najwyższy czas, abyś na nie przysiągł, bo wiedz o tym, że wisi ono na włosku.

– Czy sądzisz, hegemonie, że to tyś je na nim zawiesił? – zapytał więzień. – Jeśli sądzisz, że tak, bardzo się mylisz.

Piłat drgnął i odparł przez zęby:

– Mogę przeciąć ten włosek.

– Co do tego także się mylisz – powiedział z powątpiewaniem aresztowany, uśmiechając się dobrodusznie i zasłaniając dłonią przed słońcem. – Przyznasz, że przeciąć ten włosek może chyba tylko ten, kto zawiesił na nim moje życie.

– Tak, tak – powiedział Piłat i uśmiechnął się. – Nie wątpię już teraz, że jeruszalaimscy próżniacy włóczyli się za tobą. Nie wiem, gdzieś się ćwiczył w wymowie, ale języka w gębie nie zapominasz. Nawiasem mówiąc, powiedz mi, czy to prawda, że przybyłeś do Jeruszalaim przez Suzyjską Bramę, jadąc oklep na ośle, i że towarzyszyły ci tłumy motłochu wiwatującego na twoją cześć, jakbyś był jakim prorokiem? – I procurator wskazał zwój pergaminu.

Więzień popatrzył na procuratora z niedowierzaniem.

– Nie mam żadnego osła, hegemonie – powiedział. – Rzeczywiście wszedłem do Jeruszalaim przez Suzyjską Bramę, ale przyszedłem pieszo, a towarzyszył mi tylko Mateusz Lewita i nikt nie wiwatował ani niczego nie krzyczał, bo nikt mnie wtedy w Jeruszalaim nie znał.

– Czy znany ci jest – ciągnął Piłat, nie spuszczając wzroku z więźnia – niejaki Dismas albo Gestas, albo może Bar Rabban?

– Nie znam tych dobrych ludzi – odpowiedział aresztowany.

– Czy to prawda?

– To prawda.

– Powiedz mi zatem, czemu nieustannie mówisz o dobrych ludziach? Czy nazywasz tak wszystkich ludzi?

– Wszystkich – odpowiedział więzień. – Na świecie nie ma złych ludzi.

– Pierwszy raz spotykam się z takim poglądem – powiedział Piłat i uśmiechnął się. – Ale, być może, za mało znam życie!... Teraz możesz już nie notować – zwrócił się do sekretarza, chociaż sekretarz i tak niczego nie notował, a potem znowu zwrócił się do więźnia: – Czy wyczytałeś to w którejś z greckich ksiąg?

- Nie, sam do tego doszedłem.
- I tego nauczasz?
- Tak.
- A na przykład centurion Marek, którego nazywają Szczurzą Śmiercią, czy on także jest dobrym człowiekiem?
- Tak – odparł więzień. – Co prawda, jest to człowiek nieszczęśliwy. Od czasu, kiedy dobrzy ludzie go okaleczyli, stał się okrutny i nieczuły. Ciekawe, kto też tak go zeszpecił?
- Chętnie cię o tym poinformuję – powiedział Piłat – ponieważ byłem przy tym obecny. Dobrzy ludzie rzucili się na niego jak psy gończe na niedźwiedzia. Germanie wpili mu się w kark, w ręce, w nogi. Manipuł piechoty wpadł w zasadzkę i gdyby nie to, że turma jazdy, którą dowodziłem, przedarła się ze skrzydła, nie miałbyś, filozofie, okazji do rozmowy ze Szczurzą Śmiercią. To było w czasie bitwy pod Idistaviso, w Dolinie Dziewic.

- Jestem przekonany – w zamyśleniu powiedział więzień – że gdyby z nim porozmawiać, zmieniłby się z pewnością.

- Sądzę – odparł Piłat – że legat legionu nie byłby rad, gdyby ci wpadło do głowy porozmawiać z którymś z jego oficerów czy żołnierzy. Zresztą nie dojdzie do tego, na szczęście, i już ja będę pierwszym, który się o to zatroszczy.

Wpadła pod kolumnadę jaskółka, zatoczyła krąg pod złotym jej pułapem, obniżyła lot, nieomal musnęła ostrym skrzydłem twarz stojącego we wnęce miedzianego posągu i zniknęła za kapitelem kolumny. Być może zamierzała uwić tam gniazdo.

Procurator śledził jej lot, myśląc teraz jasno i precyzyjnie – sentencja wyroku dojrzała. Była taka: hegemon rozpatrzył sprawę wędrownego filozofa Jeszui, którego zwą także Ha-Nocri, i w jego działalności nie dopatrzył się cech przestępstwa. Nie dopatrzył się zwłaszcza żadnego związku między działalnością Jeszui a niepokojami, które niedawno miały miejsce w Jeruszalaim. Wędrowny filozof okazał się obłąkany, w związku z czym procurator nie zatwierdza wyroku śmierci wydanego na Ha-Nocri przez Mały Sanhedryn. Biorąc jednak pod uwagę to, że utopijne mowy szaleńca mogą stać się przyczyną rozruchów, procurator poleca wydalić Jeszuę z Jeruszalaim i uwięzić go w Cezarea Stratonica nad Morzem Śródziemnym, tam gdzie znajduje się rezydencja procuratora.

Pozostawało podyktować tę sentencję sekretarzowi. Skrzydła jaskółki zafurkotały tuż nad głową hegemona, ptak przemknął nad basenem fontanny, wyleciał spod kolumnady na otwartą przestrzeń. Procurator podniósł wzrok na więźnia i spostrzegł obok niego gorejący słup pyłu.

– To już wszystko? – zapytał sekretarza.

– Niestety, nie – nieoczekiwanie odpowiedział tamten i podał Piłatowi następny kawałek pergaminu.

– Cóż więc jeszcze? – zapytał Piłat i zasępił się.

Kiedy przeczytał podany mu pergamin, jego twarz zmieniła się jeszcze bardziej. Czy to krew napłynęła do szyi i głowy, czy też stało się coś jeszcze innego, dość że skóra na twarzy procuratora z żółtej stała się ziemista, a oczy jak gdyby zapadły w głąb czaszki.

Powodem tego była z pewnością jak zwykle krew, która napłynęła do skroni i łomotała w nich teraz, ale coś jednocześnie stało się ze wzrokiem procuratora. Przywidziało mu się, że głowa więźnia odpłynęła kędyś w bok, a na jej miejscu pojawiła się inna. Ta druga głowa, łysiejąca, okolona była wieńcem z niewielu złotych listków. Na czole widniał okrągły wrzód, wyżartą skórę posmarowano maścią. Bezzębne usta były zapadnięte, dolna warga obwisła i kapryśna. Wydawało się Piłatowi, że znikły gdzieś różowawe kolumny tarasu i dalekie dachy Jeruszalaim, widniejące zwykle w dole za ogrodami, że wszystko dokoła zatonęło w gęstej zieleni ogrodów Caprejów. Ze słuchem także stało się coś dziwnego – jakby gdzieś w dali cicho, ale groźnie zagrały trąby i dobiegł wyraźny nosowy głos, znacząco wypowiadający słowa: „Ustawa o obrazie majestatu...".

Pobiegły urywane, chaotyczne, niezwykłe myśli: „Zginął!...", a potem – „Zginęliśmy!...". I błysnęła wśród tych myśli jakaś zupełnie głupia, o jakiejś tam nieśmiertelności, przy czym ta nieśmiertelność, nie wiedzieć czemu, była przyczyną niezwykłego smutku.

Piłat skupił wolę, odpędził widziadła, spojrzeniem powrócił na taras i znowu zobaczył przed sobą oczy więźnia.

– Słuchaj, Ha-Nocri – powiedział, dziwnie jakoś spoglądając na Jeszuę; twarz procuratora była surowa, ale w oczach czaiła się trwoga. – Czy kiedykolwiek mówiłeś coś o wielkim cezarze? Odpowiadaj! Mówiłeś?... Czy też... nie mówiłeś. – Słowo „nie" Piłat podkreślił nieco bardziej, niżby to wypadało na sądzie, a jego spojrzenie przekazywało więźniowi jakąś myśl, jakby chciał coś aresztowanemu zasugerować.

– Łatwo i miło jest mówić prawdę – zauważył Jeszua.

– Nie muszę wiedzieć – powiedział Piłat głosem gniewnym i przytłumionym – czy miło ci, czy niemiło mówić prawdę. Będziesz musiał ją powiedzieć. Mów, rozważ każde słowo, jeśli nie pragniesz śmierci nie tylko niechybnej, ale i okrutnej.

Nikt nie wie, co się stało procuratorowi Judei, dość że pozwolił sobie na to, by podnieść rękę, jak gdyby osłaniając się przed palącym słońcem, i spod osłony dłoni, jak zza tarczy, przesłał więźniowi porozumiewawcze spojrzenie.

– A więc – mówił – czy znasz niejakiego Judę z Kiriatu i co mianowicie mówiłeś temu człowiekowi o cezarze, jeśliś mówił?

– To było tak – skwapliwie zaczął opowiadać aresztowany. – Przedwczoraj wieczorem w pobliżu świątyni poznałem pewnego młodego człowieka, który przedstawił mi się jako Juda z Kiriatu. Zaprosił mnie do swojego domu w Dolnym Mieście i podejmował mnie tam...

– Czy to dobry człowiek? – zapytał Piłat i w jego oczach zabłysnął diabelski płomień.

– Bardzo dobry i bardzo żądny wiedzy – przytaknął więzień. – Zainteresowały go bardzo moje przemyślenia, podjął mnie nader gościnnie...

– Zapalił świeczniki... – wtrącił przez zęby Piłat takim samym tonem, a jego oczy połyskiwały.

– Tak – ciągnął Jeszua, nieco zdziwiony, że procurator wiedział o tym. – Poprosił mnie, abym zapoznał go z mymi poglądami na władzę państwową. Te sprawy ogromnie go ciekawiły.

– Cóż więc mu powiedziałeś? – zapytał Piłat. – Odpowiesz mi może, że nie pamiętasz, co mówiłeś? – ale w głosie Piłata nie było już nadziei.

– Mówiłem o wielu sprawach – opowiadał więzień – także i o tym, że wszelka władza jest gwałtem zadawanym ludziom i że nadejdzie czas, kiedy nie będzie władzy ani cesarskiej, ani żadnej innej. Człowiek wejdzie do królestwa prawdy i sprawiedliwości, w którym niepotrzebna już będzie władza.

– Mów dalej! Co było potem?

– Nic już potem nie było – powiedział aresztowany. – Nagle wbiegli ludzie, związali mnie i poprowadzili do więzienia.

Sekretarz szybko kreślił, starając się nie uronić ani słowa.

– Nie było na świecie, nie ma i nie będzie żadnej władzy wspanialszej i lepszej dla ludzi niż władanie Cezara Tyberiusza! – zdarty i zbolały głos Piłata spotężniał.

Procurator, nie wiedzieć czemu, patrzył z nienawiścią na sekretarza i na eskortę.

– I nie tobie o tym sądzić, szalony przestępco! – I Piłat nagle krzyknął: – Wyprowadzić żołnierzy z tarasu! – I dodał, zwracając się do sekretarza: – Zostawcie mnie samego z oskarżonym, to sprawy wagi państwowej!

Eskorta wzniosła włócznie i miarowo łomocąc podkutymi skórzniami, zeszła z tarasu do ogrodu, a za eskortą podążył sekretarz.

Przez chwilę ciszę panującą na tarasie zakłócał tylko śpiew wody w fontannie. Piłat patrzył, jak nad rzygaczem fontanny wydyma się miseczka uczyniona z wody, jak odłamują się jej krawędzie i strumykami spadają w dół.

Pierwszy zaczął mówić więzień:

– Widzę, że to, o czym mówiłem z tym młodzieńcem z Kiriatu, stało się przyczyną jakiegoś nieszczęścia. Mam takie przeczucie, hegemonie, że temu młodzieńcowi stanie się coś złego, i bardzo mi go żal.

– Myślę – odpowiedział procurator z dziwnym uśmiechem – że istnieje ktoś jeszcze, nad kim mógłbyś się bardziej użalić niż nad Judą z Kiriatu, ktoś, czyj los będzie znacznie gorszy niż los Judy!… A więc Marek Szczurza Śmierć, zimny i pozbawiony skrupułów oprawca, i ci ludzie, którzy, jak widzę – tu procurator wskazał zmasakrowaną twarz Jeszui – bili cię za twoje proroctwa, i rozbójnicy Dismas i Gestas, którzy wraz ze swymi kamratami zabili czterech moich żołnierzy, i ten brudny zdrajca Juda wreszcie – więc wszystko to są dobrzy ludzie?

– Tak – odpowiedział więzień.

– I nastanie królestwo prawdy?

– Nastanie, hegemonie – z przekonaniem odparł Jeszua.

– Ono nigdy nie nastanie – nieoczekiwanie zaczął krzyczeć Piłat, a krzyczał głosem tak strasznym, że Jeszua aż się cofnął. Takim głosem przed wieloma laty w Dolinie Dziewic wołał Piłat do swoich jezdnych: „Rąb ich! Rąb ich! Olbrzym Szczurza Śmierć jest otoczony!". Jeszcze podniósł zdarty od wywrzaskiwania komend głos, wykrzykiwał słowa tak, aby usłyszano je w ogrodzie: – Łotrze! Łotrze! Łotrze! – A potem ściszył głos i zapytał: – Jeszuo Ha-Nocri, czy wierzysz w jakichkolwiek bogów?

– Jest jeden Bóg – odpowiedział Jeszua – i w niego wierzę.

– Więc się do niego pomódl! Módl się najgoręcej, jak umiesz! A zresztą... – głos Piłata pękł nagle – nic ci to nie pomoże. Masz żonę? – zapytał ze smutkiem, sam nie rozumiał, co się z nim dzieje.

– Nie, jestem samotny.

– Przeklęte miasto... – nie wiadomo dlaczego mruknął nagle procurator i wstrząsnął się, jakby go przeszedł ziąb, potarł dłonie, jakby je umywał. – Zaprawdę, byłoby to znacznie dla ciebie lepiej, gdyby ci ktoś poderżnął gardło, zanim spotkałeś Judę z Kiriatu.

– A może byś mnie wypuścił, hegemonie – poprosił nagle więzień i w jego głosie zabrzmiał strach. – Widzę, że chcą mnie zabić.

Przez twarz Piłata przebiegł skurcz, zwrócił na Jeszuę przekrwione białka oczu i powiedział:

– Czy doprawdy sądzisz, nieszczęsny, że procurator rzymski puści wolno człowieka, który powiedział to, co ty mówiłeś? O, bogowie! Przypuszczasz może, że mam ochotę zająć twoje miejsce? Ja twoich poglądów nie podzielam! I zapamiętaj sobie, że jeśli powiesz od tej chwili choćby jedno słowo, jeśli będziesz z kimkolwiek rozmawiał – to strzeż się mnie! Powtarzam – strzeż się!

– Hegemonie...

– Zamilcz! – krzyknął Piłat i powiódł wściekłym spojrzeniem za jaskółką, która znowu wpadła pod kolumnadę. – Do mnie! – zawołał.

Kiedy sekretarz i żołnierze eskorty powrócili na swoje miejsca, Piłat oznajmił, że zatwierdza wyrok śmierci wydany na przestępcę Jeszuę Ha-Nocri przez zgromadzenie Małego Sanhedrynu, a sekretarz zapisał to, co Piłat powiedział.

W chwilę później stanął przed procuratorem Marek Szczurza Śmierć. Procurator polecił mu przekazać więźnia komendantowi tajnej służby, a zarazem powtórzyć komendantowi polecenie procuratora, by Jeszua Ha-Nocri nie kontaktował się z innymi skazanymi, a także, by ludziom z tajnej służby wydać obwarowany surowymi karami zakaz rozmawiania o czymkolwiek z Jeszuą i udzielania odpowiedzi na jakiekolwiek pytania.

Marek dał znak, eskorta otoczyła Jeszuę i wyprowadziła go z tarasu.

Po czym stanął przed procuratorem urodziwy jasnobrody młodzieniec. W grzebieniu hełmu miał orle pióra, na jego piersiach połyskiwały złote pyski lwów, pochwa jego miecza okuta była złotymi blaszkami, miał sznurowane aż po kolana buty na potrójnej podeszwie, na lewe ramię narzucił purpurowy płaszcz. Był to legat, dowódca legionu.

Procurator zapytał go, gdzie się obecnie znajduje kohorta z Sebaste. Legat oznajmił, że sebastyjczycy tworzą kordon na placu przed hipodromem, tam gdzie zostanie zakomunikowany ludowi wyrok na oskarżonych.

Wówczas procurator polecił legatowi wydzielić dwie centurie z rzymskiej eskorty. Jedna z nich pod dowództwem Szczurzej Śmierci będzie eskortowała skazanych, wozy ze sprzętem potrzebnym do kaźni i oprawców w drodze na Nagą Górę, a kiedy już tam przybędzie, ma się przyłączyć do kordonu ochraniającego jej szczyt. Drugą, nie zwlekając, należy posłać na Nagą Górę, niech utworzy kordon już teraz. Procurator poprosił również legata, aby z tym samym zadaniem, to znaczy z zadaniem osłaniania szczytu, wysłać tam pomocniczy korpus jazdy, ale syryjskiej.

Kiedy legat opuścił taras, procurator polecił sekretarzowi zaprosić do pałacu przewodniczącego i dwu członków Sanhedrynu, a także przełożonego kapłanów jeruszalimskiej świątyni, ale dodał jeszcze, że pragnie, by wszystko tak zostało urządzone, żeby zanim spotka się z nimi wszystkimi, mógł pomówić na osobności z przewodniczącym.

Polecenia procuratora wykonane zostały szybko i dokładnie i słońce, które w owe dni paliło Jeruszalim z tak niezwykłym okrucieństwem, nie zdążyło jeszcze zbliżyć się do zenitu, kiedy już koło dwu białych lwów z marmuru, strzegących schodów na górnym tarasie ogrodu, procurator spotkał się z pełniącym obowiązki przewodniczącego Sanhedrynu, arcykapłanem judejskim, Józefem Kajfaszem.

W ogrodzie panowała cisza. Ale kiedy procurator wyszedł z kolumnady na zalany słońcem górny placyk ogrodu, pomiędzy cudaczne słoniowe nogi palm, na placyk, z którego otwierał się widok na znienawidzone przez procuratora Jeruszalim, na wiszące mosty miasta, na jego mury obronne, na, co najważniejsze, niedającą się opisać bryłę marmuru zwieńczoną zamiast dachu złotą smoczą łuską, na jeruszalimską świątynię – wtedy wyostrzony słuch Piłata uchwycił dobiegający z dala, z dołu, stamtąd gdzie mur odgradzał najniższe tarasy pałacowego ogrodu od placu miejskiego, głuchy pomruk, ponad który od czasu do czasu wybijały się ledwie dosłyszalne, cienkie ni to krzyki, ni to jęki.

Procurator zrozumiał, że tam, na placu, zgromadziły się już nieprzeliczone tłumy mieszkańców Jeruszalaim, wzburzonych niedawnymi zamieszkami w mieście, i wiedział, że tłumy oczekują z niecierpliwością na ogłoszenie wyroku, wiedział, że krzyczą w ciżbie ruchliwi sprzedawcy wody.

Procurator rozpoczął od tego, że zaproponował arcykapłanowi, by schronić się przed bezlitosnym skwarem pod dach tarasu, ale Kajfasz, podziękowawszy uprzejmie, wyjaśnił, że w przededniu święta nie może tego uczynić. Piłat osłonił więc kapturem swoją nieco już łysiejącą głowę i rozpoczął rozmowę. Rozmawiali po grecku.

Piłat powiedział, że rozpatrzył sprawę Jeszui Ha-Nocri i że zatwierdził wyrok śmierci.

A zatem na karę śmierci, która powinna zostać wymierzona dziś jeszcze, skazani są trzej rozbójnicy, Dismas, Gestas i Bar Rabban, a oprócz nich jeszcze i ten Jeszua Ha-Nocri. Dwaj pierwsi, jako ci, którzy podburzali lud do buntu przeciwko Cezarowi i ujęci zostali z bronią w ręku przez władze rzymskie, należą do procuratora i o nich nie mówimy. Natomiast dwaj pozostali, Bar Rabban i Ha--Nocri, zostali zatrzymani przez władze miejscowe i sądził ich Sanhedryn. Zgodnie z prawem i obyczajem jeden z nich powinien zostać ułaskawiony i zwolniony w związku z rozpoczynającym się dziś wielkim świętem Paschy. Procurator chciałby zatem wiedzieć, którego z nich Sanhedryn zamierza obdarzyć wolnością – Bar Rabbana czy Ha-Nocri?

Kajfasz pochylił głowę na znak, że rozumie procuratora, i odparł:

– Sanhedryn prosi, by ułaskawić Bar Rabbana.

Procurator był pewien, że arcykapłan tak właśnie mu odpowie, ale teraz chodziło o to, by udać, że taka odpowiedź ogromnie go zadziwia.

Piłat zrobił to znakomicie. Uniósł brwi i ze zdumieniem spojrzał arcykapłanowi prosto w oczy.

– Przyznaję, że ta odpowiedź mnie zaskoczyła – powiedział łagodnie. – To chyba jakieś nieporozumienie.

Wyjaśnił to dokładniej. Władze rzymskie nie zamierzają w niczym uszczuplać praw miejscowych władz duchownych, arcykapłan wie o tym najlepiej, ale w tym wypadku najwyraźniej zaszła jakaś pomyłka. I władze rzymskie są oczywiście zainteresowane w naprawieniu tej pomyłki.

Doprawdy, ciężar przewin Bar Rabbana i Ha-Nocri nie daje się ze sobą porównać. O ile ten drugi, człowiek najwyraźniej niespełna rozumu, winien jest wygłaszania głupich mów w samym Jeruszalaim i w niektórych innych miejscowościach, o tyle ten pierwszy ma na sumieniu znacznie cięższe sprawki. Nie dość że pozwala sobie otwarcie nawoływać do powstania, to jeszcze zabił żołnierza, kiedy próbowano go aresztować. Bar Rabban jest bez porównania bardziej niebezpieczny niż Ha-Nocri.

W związku z tym wszystkim procurator prosi arcykapłana o ponowne rozważenie sprawy i uwolnienie mniej niebezpiecznego z dwóch skazanych, mniej niebezpieczny jest bez wątpienia Ha-Nocri. A więc?...

Kajfasz cichym, ale stanowczym głosem powiedział, że Sanhedryn dokładnie zbadał tę sprawę i raz jeszcze oświadcza, że jest jego zamiarem uwolnienie Bar Rabbana.

– Co słyszę? Nawet po moim wstawiennictwie? Po wstawiennictwie tego, przez którego usta przemawia władza rzymska? Arcykapłanie, powtórz to po raz trzeci.

– Także i po raz trzeci oświadczam, że uwalniamy Bar Rabbana – cicho powiedział Kajfasz.

Sprawa została zakończona, nie było już o czym rozmawiać. Ha-Nocri odchodził na zawsze i nikt nie wyleczy procuratora z tych straszliwych, nieznośnych bólów głowy, oprócz śmierci nie ma na nie lekarstwa. Ale nie ta myśl niepokoiła teraz Piłata. Przenikał go ten sam niepojęty smutek, który ogarnął go już wcześniej, na tarasie. Procurator usiłował zrozumieć powód tego smutku. Powód był dziwny – procurator miał niejasne wrażenie, że nie dokończył rozmowy ze skazanym, a może nie dosłuchał czegoś do końca.

Piłat odpędził tę myśl, odleciała natychmiast, tak jak przyszła. Odleciała, pozostał niepojęty smutek, niepojęty, bo przecież niczego nie mogła tu wyjaśnić inna myśl, która przebiegła jak błyskawica i natychmiast zgasła, krótka myśl: „Nieśmiertelność... nadeszła nieśmiertelność...". Kto ma zostać nieśmiertelnym? Tego procurator nie zrozumiał, ale myśl o owej zagadkowej nieśmiertelności sprawiła, że mimo upału zrobiło mu się zimno.

– Dobrze – powiedział Piłat. – Niech więc tak będzie.

Obejrzał się, rozejrzał się dokoła i zadziwiła go nagła przemiana otoczenia. Zniknął ociężały od kwiatów krzak róży, zniknęły okalające górny taras cyprysy i drzewo granatu, i biała statua stojąca pośród zieleni, nawet sama zieleń. Napłynął na to miejsce jakiś purpurowy gąszcz, w którym chwiały się i rozpełzały wodorosty, a wraz z wodorostami kołysał się i on sam, Piłat. Uniósł się gniewem, palącym, duszącym, najstraszliwszym, gniewem bezsilności.

– Duszno mi! – wyszeptał. – Duszę się!

Wilgotną zimną dłonią targnął zapinkę na kołnierzu płaszcza, upadła na piasek.

– Dziś jest duszno, zapewne nadciąga burza – powiedział Kajfasz, nie spuszczając oczu z poczerwieniałej twarzy procuratora i domyślając się wszystkich cierpień, które tamtego jeszcze czekają.

– O, jakiż straszny jest w tym roku miesiąc nisan!

– Nie – powiedział Piłat – to nie dlatego, że jest duszno, ale dlatego, Kajfo, że świat stał się dla nas obu za ciasny – zmrużył oczy, uśmiechnął się i dorzucił: – Strzeż się, arcykapłanie!

Ciemne oczy arcykapłana zabłysły, udał zdumienie nie gorzej, niż to przedtem uczynił procurator.

– Co słyszę, procuratorze? – odpowiedział wyniośle i spokojnie.

– Grozisz mi, kiedy został wydany wyrok, który ty sam zatwierdziłeś? Czy być może? Przyzwyczailiśmy się do tego, że procurator rzymski waży słowa, zanim je wypowie. Czy nikt nas nie słyszy, hegemonie?

Piłat popatrzył na arcykapłana martwymi oczyma i wyszczerzył zęby, udając uśmiech.

– Co mówisz, arcykapłanie? Któż by nas tu teraz mógł usłyszeć? Czyż jestem podobny do owego nawiedzonego włóczęgi, który będzie dziś stracony? Nie jestem dzieckiem, Kajfaszu. Wiem, co mówię, i wiem, gdzie mówię. Straże wokół ogrodu, straże wokół pałacu, nawet mysz się tu nie prześlizgnie. Nie tylko mysz, nie prześlizgnie się nawet ten, jakże mu tam... ten, z miasta Kiriat. Nawiasem mówiąc, czy znasz go, arcykapłanie? Tak... gdyby zdołał się tu dostać ktoś taki, gorzko by pożałował, wierzysz mi, oczywiście, że miałby czego żałować? A więc wiedz, arcykapłanie, że nie zaznasz odtąd spokoju! Ani ty, ani twój lud! – I Piłat wskazał w dal, w prawo, tam gdzie jaśniała na wzgórzu świątynia. – To ci powiadam ja, Piłat z Pontu, Jeździec Złotej Włóczni!

– Wiem, wiem! – nieulękle odpowiedział czarnobrody Kajfasz, oczy mu zabłysły, wzniósł rękę ku niebu, ciągnął: – Lud judejski wie dobrze, że nienawidzisz go okrutną nienawiścią, będziesz przyczyną wielu udręczeń tego ludu, ale zgubić go nie zdołasz! Bóg go obroni! Usłyszy nas i wysłucha wszechpotężny Cezar i obroni nas przed prześladowcą Piłatem!

– O, nie! – krzyknął Piłat. Z każdym słowem czuł się coraz lepiej, nie musiał już niczego udawać, nie musiał dobierać słów. – Zbyt często skarżyłeś się na mnie Cezarowi, Kajfo, teraz nadeszła moja godzina! Poleci teraz ode mnie, ale nie do namiestnika w Antiochii i nie do Rzymu, tylko wprost na Capreje, do samego imperatora, wiadomość o tym, jak tu, w Jeruszalaim, bronicie przed śmiercią zatwardziałych buntowników. I wtedy ja napoję Jeruszalaim, nie wodą ze źródeł Salomona, jak to chciałem uczynić dla waszego dobra, o, nie, nie wodą! Przypomnij sobie, że to z waszego powodu musiałem zdjąć ze ściany tarcze z imperatorskimi buńczukami, wysyłać wojska, musiałem, jak widzisz, sam przyjechać, by zobaczyć, co się tu u was wyprawia! Zapamiętaj sobie moje słowa, arcykapłanie – niejedną kohortę zobaczysz w Jeruszalaim, o, niejedną! Przyjdzie pod mury miasta cała legia Fulminata, przyjdzie arabska konnica, a wtedy usłyszysz gorzki płacz i narzekania! Przypomnisz sobie wtedy Bar Rabbana, którego uratowałeś, i pożałujesz, żeś posłał na śmierć filozofa głoszącego pokój!

Arcykapłanowi plamy wystąpiły na twarz, jego oczy płonęły. Uśmiechnął się, szczerząc zęby, podobnie jak to przedtem uczynił procurator, i odpowiedział:

– Czy ty sam, procuratorze, wierzysz w to, co teraz mówisz? Nie, ty w to nie wierzysz. Nie pokój, o, nie pokój przyniósł nam do Jeruszalaim ten wichrzyciel, a ty, którego nazywają Jeźdźcem Złotej Włóczni, doskonale o tym wiesz. Tyś go chciał wypuścić po to, by podburzał lud, by natrząsał się z religii i przywiódł lud pod rzymskie miecze! Ale ja, arcykapłan judejski, póki życia mego, wiary naszej hańbić nie pozwolę i lud mój osłonię! Słyszysz mnie, Piłacie? – Kajfasz nagle podniósł gniewnie ramię. – Posłuchaj, procuratorze!

Zamilkł i procurator usłyszał znowu jak gdyby szum morza, napływający aż pod mury ogrodów Heroda Wielkiego. Szum ów dobiegał z dołu, wznosił się ku stropom, ku twarzy procuratora. A za plecami Piłata, za skrzydłem pałacu grały larum trąbki, słychać było stamtąd ociężały chrzęst setek nóg i pobrzękiwanie żelastwa. Procurator zrozumiał, że to już wymarsz piechoty rzymskiej, która spełniając jego rozkaz, udaje się na straszną dla buntowników i zbójców przedśmiertelną defiladę.

– Słyszysz, procuratorze? – cicho powtórzył arcykapłan. – Powiesz mi może, że to wszystko – tu arcykapłan uniósł obie ręce, a ciemny kaptur zsunął mu się z głowy – wywołał ów żałosny rozbójnik Bar Rabban?

Procurator otarł wierzchem dłoni mokre, zimne czoło, popatrzył w ziemię, potem, zmrużywszy oczy, spojrzał w niebo, zobaczył rozpaloną kulę już niemal dokładnie nad głową, zobaczył cień Kajfasza, krótki, leżący tuż przy ogonie lwa, powiedział spokojnie i obojętnie:

– Zbliża się południe. Rozmowa nasza przeciągnęła się, a tam na nas czekają.

W najwyszukańszych słowach przeprosiwszy arcykapłana, zaproponował mu, aby zechciał usiąść na ławeczce w cieniu magnolii i zaczekać, póki procurator nie przywoła pozostałych osób, których obecność na ostatnim krótkim posiedzeniu jest nieodzowna, i póki nie wyda jeszcze jednego polecenia pozostającego w związku z rychłą kaźnią.

Kajfasz skłonił się uprzejmie, przykładając dłoń do serca, i pozostał w ogrodzie, a Piłat wrócił na taras. Sekretarzowi, który tam nań oczekiwał, polecił sprowadzić do ogrodu legata legionu, trybuna kohorty oraz dwóch członków Sanhedrynu i przełożonego świątynnej służby. Oczekiwali już na dolnym tarasie w krągłej altance, w której biła fontanna. Piłat dodał jeszcze, że sam przyjdzie do ogrodu za chwilę, i wszedł do pałacu.

Podczas kiedy sekretarz prowadził zainteresowanych, procurator spotkał się w mrocznej, osłoniętej ciemnymi zasłonami komnacie z jakimś człowiekiem, który połowę twarzy przesłonił sobie kapturem, choć do komnaty nie wpadał ani jeden promień słońca. Spotkanie ich trwało niezmiernie krótko. Procurator wyrzekł po cichu kilka słów i człowiek ów odszedł, a Piłat przez kolumnadę udał się do ogrodu.

Tam, w obecności wszystkich, których kazał zaprosić, powtórzył oschle, lecz uroczyście, że zatwierdza wydany na Jeszuę Ha-Nocri wyrok śmierci i oficjalnie zapytał członków Sanhedrynu, którego ze skazanych chcieliby oszczędzić. Usłyszawszy, że Bar Rabbana, powiedział:

– Bardzo dobrze – i polecił sekretarzowi wprowadzić to natychmiast do protokołu, zacisnął w dłoni zapinkę, którą sekretarz podjął z piasku, i wyrzekł uroczyście: – Już czas!

I wszyscy obecni poszli w dół szerokimi marmurowymi schodami, między dwiema ścianami róż, które wydzielały odurzający zapach, i zeszli aż pod mur pałacowy, ku bramie prowadzącej na wielki, starannie wybrukowany plac, po którego drugiej stronie widać było kolumny i posągi jeruszalaimskiego gimnazjonu.

Skoro tylko cała grupa, wyszedłszy z ogrodów na plac, weszła na rozległy, górujący nad placem kamienny pomost, Piłat zmrużył oczy i rozejrzał się, badając sytuację.

Przestrzeń, którą przed chwilą przemierzył, przestrzeń dzieląca pomost od pałacowego muru, była pusta, ale za to przed sobą Piłat nie zobaczył już placu – plac pokrywały tłumy. Tłum zalałby także pomost i ową pustą przestrzeń, gdyby nie powstrzymywał go potrójny kordon sebastyjskich żołnierzy na lewo od Piłata i potrójny kordon żołnierzy iturejskiej kohorty sojuszniczej na prawo odeń.

A zatem Piłat wstąpił na pomost, zaciskając odruchowo w dłoni niepotrzebną mu teraz zapinkę i mrużąc oczy. Procurator mrużył je bynajmniej nie dlatego, że raziło go słońce, nie, nie dlatego. Po prostu, nie wiadomo dlaczego, nie chciał widzieć skazanych, a wiedział, że w ślad za nim wprowadzają ich już na pomost.

Skoro tylko wysoko nad blokami kamienia, nad brzegiem ludzkiego morza pojawił się biały, podszyty purpurą płaszcz, o uszy niepatrzącego Piłata uderzyła fala krzyku: „Ha-a-a…". Zrodzona gdzieś daleko, aż pod hipodromem, słaba z początku, nabrała siły grzmotu, trwała tak przez kilka sekund, a potem zaczęła zacichać. „Dostrzegli mnie" – pomyślał procurator. Krzyk nie ucichł całkiem, ale nieoczekiwanie zaczął znowu narastać, rozhuśtał się, stał się jeszcze głośniejszy niż przedtem i na tej drugiej jego fali, jak piana na fali morskiej, zawrzały gwizdy i pojedyncze, dające się rozróżnić wśród tego grzmotu jęki kobiet. „Więc wprowadzono ich na pomost – pomyślał Piłat – a te jęki to jęki tych kilku kobiet, które tłum stratował, kiedy runął naprzód".

Odczekał chwilę, wiedząc, że nie ma takiej siły, która kazałaby tłumowi zamilknąć, zanim nie wyrzuci z siebie wszystkiego, co ma na sercu, i nie zamilknie sam.

A kiedy nadszedł ów moment, procurator wzniósł prawą dłoń i w tłumie urwały się ostatnie pomruki. Wtedy Piłat nabrał w piersi, ile tylko mógł, rozpalonego powietrza i jego schrypły od komend głos podniósł się ponad tysiącami głów:

– W imieniu Cezara Imperatora!...

Procurator usłyszał powtórzony po kilkakroć, skandowany żelazny krzyk – to żołnierze obu kohort, wznosząc w górę włócznie i orły, zawrzasnęli straszliwie:

– Niech żyje Cezar!!!

Piłat uniósł głowę ku słońcu. Zapłonął pod jego powiekami zielony ogień, mózg zajął się od tego płomienia i poszybowały ponad tłumem ochrypłe aramejskie słowa:

– Czterech przestępców zatrzymanych w Jeruszalaim za morderstwo, podburzanie do buntu, obrazę praw i religii skazanych zostało na hańbiącą śmierć przez rozpięcie na słupach. Wyrok zostanie niebawem wykonany na Nagiej Górze. Imiona tych przestępców – Dismas, Gestas, Bar Rabban i Ha-Nocri. Oto stoją przed wami.

Piłat wskazał dłonią na prawo. Nie widział skazanych, ale wiedział, że są tam, gdzie być powinni.

Tłum odpowiedział przeciągłym pomrukiem, jakby zdumienia, a może ulgi. Kiedy pomruk ten umilkł, Piłat wołał dalej:

– Ale straceni zostaną tylko trzej spośród nich, albowiem zgodnie z prawem i obyczajem na cześć święta Paschy wspaniałomyślny Cezar Imperator jednemu z nich, wybranemu za zgodą władz rzymskich przez Mały Sanhedryn, darowuje jego godne pogardy życie.

Piłat wykrzykiwał te słowa, a zarazem słuchał, jak zamierają ostatnie pomruki tłumu, jak zapada wielka cisza. Żaden szept ani westchnienie nie dobiegały teraz do jego uszu, była nawet taka chwila, w której Piłatowi zaczęło się wydawać, że wszystko dokoła niego zniknęło. Znienawidzone miasto umarło i tylko on jeden stoi w palących promieniach wysokiego słońca z twarzą zanurzoną w niebie. Piłat jeszcze przez chwilę przedłużał tę ciszę, a potem znowu zaczął krzyczeć:

– Imię tego, który za chwilę w waszej przytomności odzyska wolność...

Zrobił jeszcze jedną pauzę przed wypowiedzeniem tego imienia, zastanowił się, czy powiedział wszystko, co należało, wiedział bowiem, że martwe miasto zmartwychwstanie, skoro tylko padnie imię wybrańca, a wtedy nic z tego, co powie, nie będzie już usłyszane.

„Czy to wszystko? – bezgłośnie szepnął do siebie Piłat. – Tak, to wszystko. Zatem – imię!".

I rozpościerając nad milczącym miastem głoskę „r", zawołał:
– Bar Rabban!

I wydało mu się nagle, że słońce dźwięcznie pękło nad jego głową i zalało mu uszy ogniem. Hasało w tym ogniu wycie, piski, jęki, śmiechy i gwizdy.

Piłat odwrócił się i przeszedł przez pomost w stronę schodów, nie patrzył na nic, uważał tylko, by się nie potknąć, śledził bacznie różnobarwną szachownicę kamyków pod nogami. Wiedział, że jak grad lecą teraz na pomost za jego plecami brązowe monety i orzeszki palmowe, że w wyjącej ciżbie ludzie tratują się i włażą sobie wzajem na ramiona, by tylko zobaczyć na własne oczy ów cud – człowieka, który był już we władaniu śmierci i który wyrwał się z jej rąk. Byle tylko zobaczyć, jak legioniści zdejmują zeń więzy, sprawiając mu tym mimo woli dokuczliwy ból w wywichniętych podczas śledztwa rękach, jak człowiek ten, krzywiąc się i pojękując, uśmiecha się zarazem nieprzytomnym, bezmyślnym uśmiechem.

Wiedział, że jednocześnie eskorta prowadzi ku bocznym schodkom trzech związanych więźniów, że wyprowadzi ich za chwilę na drogę wiodącą ku zachodowi, za miasto, na Nagą Górę. Podniósł oczy dopiero wtedy, kiedy znalazł się poza pomostem i wiedział, że nic mu już nie grozi, że nie może już zobaczyć skazańców.

Do pomruków tłumu, który już się zaczął uciszać, dołączyły się przenikliwe krzyki heroldów, powtarzających po aramejsku i po grecku to wszystko, co wykrzyczał z pomostu procurator. Piłat usłyszał również przybliżający się rozdygotany tupot końskich kopyt i wesoły, urywany głos trąbki. A potem usłyszał jeszcze przenikliwe gwizdy chłopców, którzy obsiedli dachy domów przy ulicy, prowadzącej od targowiska do placu przy hipodromie, i okrzyki: „Z drogi…".

Samotny żołnierz, który stał pośrodku pustej części placu, ostrzegawczo pomachał trzymanym w ręku znakiem. Procurator, legat legionu, sekretarz i żołnierze eskorty przystanęli.

Ala jezdnych wypadła cwałem na plac, przecięła go na ukos, omijając bokiem zgromadzone tłumy, by przez zaułek obok obrośniętych winem murów obronnych najkrótszą drogą pocwałować na Nagą Górę.

Cwałujący na czele mały jak wyrostek i ciemny jak Mulat Syryjczyk, dowódca ali, zrównawszy się z Piłatem, krzyknął coś przenikliwie i wyszarpnął miecz z pochwy. Jego dziki, spieniony kary koń uskoczył i stanął dęba. Dowódca wcisnął miecz do pochwy, krótkim biczem smagnął konia po karku, wyrównał do szeregu, dopadł zaułka, przeszedł w galop. Za nim trójkami przemknęli w chmurach kurzu jeźdźcy, podskakiwały groty lekkich bambusowych dzid, przelatywały obok procuratora twarze o białych, połyskliwych, wesoło wyszczerzonych zębach, twarze, które pod białymi zawojami wydawały się jeszcze smaglejsze.

Wzbijając kurz aż pod niebo, ala wpadła w zaułek, koło Piłata przemknął ostatni żołnierz, jarzyła się w słońcu trąbka, którą miał przewieszoną przez ramię.

Piłat dłonią osłonił twarz od kurzu i krzywiąc się z niezadowoleniem, ruszył dalej, kierując się ku bramie ogrodów pałacowych, a legat, sekretarz i żołnierze eskorty szli za nim.

Była mniej więcej dziesiąta rano.

3

Dowód siódmy

Tak, była mniej więcej dziesiąta rano, wielce szanowny Iwanie Nikołajewiczu – powiedział profesor.

Poeta, jak człowiek, który dopiero co się obudził, przesunął dłonią po twarzy i spostrzegł, że na Patriarszych Prudach zapadł już wieczór. Po czarnej wodzie stawu sunęła lekka łódka, słychać było plusk wioseł i śmieszek znajdującej się w łódce obywatelki. Na ławkach w alejkach pojawiła się publiczność, ale tylko na trzech bokach kwadratu, na czwartym, gdzie siedzieli nasi znajomi, było nadal pusto.

Niebo nad Moskwą jakby wypłowiało i zupełnie wyraźnie widać było księżyc w pełni, jeszcze nie złoty, tylko biały. Powietrze stało się chłodniejsze i głosy pod lipami brzmiały teraz łagodniej, po wieczornemu.

„Jak mogłem nawet nie zauważyć, kiedy on nam tu opowiedział całą tę bzdurną bajdę? – pomyślał ze zdumieniem Bezdomny. – Przecież już wieczór. A może on nic nie mówił, może po prostu zasnąłem i to wszystko mi się przyśniło?".

Należy jednak sądzić, iż to profesor opowiadał, inaczej bowiem musielibyśmy przyjąć, że dokładnie to samo przyśniło się Berliozowi, ponieważ powiedział, wpatrując się uważnie w twarz cudzoziemca:

– Pańskie opowiadanie, profesorze, jest nadzwyczaj interesujące, aczkolwiek całkowicie sprzeczne z Ewangelią.

– Na litość – uśmiechnął się z pobłażliwą ironią profesor – kto jak kto, ale pan powinien wiedzieć, że nic z tego, co zostało opisane w Ewangelii, nie miało miejsca naprawdę i jeżeli zaczniemy powoływać się na Ewangelię jako na źródło historyczne... – Profesor znów się uśmiechnął, a Berlioz zająknął się, bo dosłownie to samo mówił Bezdomnemu, idąc z nim Bronną w stronę Patriarszych Prudów.

– Ma pan rację – powiedział Berlioz – ale obawiam się, że nikt nie może potwierdzić, iż to, co pan nam opowiedział, zdarzyło się istotnie.

– E, nie. Jest ktoś, kto może potwierdzić – łamanym rosyjskim językiem, z ogromną pewnością siebie oświadczył profesor i niespodziewanie tajemniczym głosem zachęcił przyjaciół, aby przysunęli się bliżej.

A kiedy pochylili się ku niemu z obu stron, powiedział już bez cienia obcego akcentu, który diabli wiedzą czemu, to się u niego pojawiał, to znikał:

– Chodzi o to – tu profesor rozejrzał się lękliwie i zaczął szeptać – że sam przy tym byłem. Byłem i na tarasie u Poncjusza Piłata, i w ogrodzie, kiedy rozmawiał z Kajfaszem, i na pomoście, oczywiście potajemnie, incognito, jeśli tak można powiedzieć, więc bardzo proszę – nikomu ani słowa, całkowita dyskrecja, tśśś...

Zapadło milczenie, Berlioz zbladł.

– A pan... od jak dawna jest pan w Moskwie? – zapytał drżącym głosem.

– Właśnie przyjechałem – niepewnie odpowiedział profesor.

Dopiero teraz literatom przyszło do głowy, aby uważnie popatrzeć mu w oczy, i przekonali się, że w lewym, zielonym, płonie obłęd, prawe zaś jest czarne, martwe i puste.

„No, wszystko jest jasne – w panice pomyślał Berlioz. – Ten Niemiec albo już przyjechał obłąkany, albo dopiero co zwariował akurat na Patriarszych Prudach. Ładna historia!".

Tak, rzeczywiście, wszystko stawało się zrozumiałe – i to co najmniej dziwne śniadanie u nieboszczyka filozofa Kanta, i idiotyczna gadanina o Annuszce i oleju słonecznikowym, i przepowiednie o odciętej głowie, i wszystko inne – profesor był obłąkany.

Berlioz natychmiast zorientował się, co należy robić. Osunął się na oparcie ławki i za plecami profesora mrugnął do Bezdomnego: nie spieraj się z nim. Ale wytrącony z równowagi poeta nie zrozumiał.

– Tak, tak, tak – z podnieceniem mówił Berlioz. – Cóż, to wszystko jest dość prawdopodobne... i Poncjusz Piłat, i taras, i tak dalej... nawet bardzo prawdopodobne... A pan przyjechał sam czy może z małżonką?

– Sam, sam, ja zawsze jestem sam – gorzko odparł profesor.

– A gdzie są pańskie rzeczy, profesorze? – przymilnie wypytywał Berlioz. – W „Metropolu"? Gdzie się pan zatrzymał?

– Ja? Nigdzie – odpowiedział obłąkany Niemiec, a jego zielone oko dziko i smętnie błądziło po stawie.

– Co?... A... gdzie pan ma zamiar mieszkać?

– W pana mieszkaniu – bezczelnie odpowiedział wariat i przymrużył oko.

– Ja... byłbym szalenie rad... – wybełkotał Berlioz – ale proszę mi wierzyć, że u mnie będzie panu niewygodnie... a w „Metropolu" są znakomite apartamenty, to naprawdę świetny hotel.

– A diabła też nie ma? – nagle wesoło zapytał Iwana Nikołajewicza chory.

– Diabła też...

– Nie sprzeciwiaj mu się – samymi wargami szepnął Berlioz, przechylając się za plecami profesora i robiąc miny do poety.

– Nie ma żadnego diabła! – Iwan Nikołajewicz doprowadzony do ostateczności całym tym cyrkiem wykrzyknął zupełnie nie to, co trzeba. – Co to za obłęd! Czyście poszaleli?

Obłąkany wybuchnął takim śmiechem, że z lipy, pod którą stała ławka, wyfrunął wróbel.

– To naprawdę zaczyna być ciekawe – powiedział, trzęsąc się ze śmiechu – co to się u was dzieje? Cokolwiek byś tknął, tego nie ma. – Nagle przestał się śmiać i, co przy chorobie umysłowej zupełnie zrozumiałe, po nadmiernej wesołości wpadł w drugą skrajność i zirytowany zakrzyknął surowo: – Więc to znaczy, że go nie ma, tak?

– Proszę się uspokoić, proszę się uspokoić, profesorze – nie chcąc denerwować chorego, mamrotał Berlioz. – Niech pan tu chwileczkę posiedzi z towarzyszem Bezdomnym, a ja tylko skoczę na róg do telefonu, a potem zaraz pana odprowadzimy, dokąd pan tylko będzie sobie życzył. Pan przecież nie zna miasta...

Plan Berlioza należy uznać za jedynie słuszny – należało pobiec do najbliższego automatu i zawiadomić biuro turystyki zagranicznej, że przybyły właśnie z zagranicy konsultant znajduje się na Patriarszych Prudach w stanie najwyraźniej odbiegającym od normy. Trzeba z nim koniecznie coś zrobić, bo sprawa przybiera zdecydowanie nieprzyjemny obrót.

– Zadzwonić? No cóż, niech pan dzwoni – ze smutkiem wyraził zgodę chory i nagle poprosił żarliwie – ale na pożegnanie błagam pana, niech pan uwierzy chociaż w to, że istnieje diabeł. O nic więcej nie proszę. Niech mi pan wierzy, że na to istnieje siódmy dowód, nie do obalenia, i dowód ten niebawem zostanie panu przedstawiony.

– Dobrze, dobrze – przytaknął z udaną serdecznością Berlioz, mrugając do zdenerwowanego poety, któremu wcale nie uśmiechała się rola strażnika przy obłąkanym Niemcu, i ruszył w stronę tego wyjścia, które znajdowało się na rogu Bronnej i Jermołajewskiej.

Profesor natychmiast rozpogodził się i jakby ozdrowiał.

– Michale Aleksandrowiczu! – zawołał za Berliozem.

Redaktor drgnął, odwrócił głowę, ale sam siebie uspokoił, że najpewniej jego imię również jest profesorowi znane z gazet.

A profesor wołał przez zwinięte w trąbkę dłonie:

– Jeśli pan sobie życzy, to natychmiast każę wysłać depeszę do pańskiego wuja w Kijowie!

Berlioza znów przeszedł dreszcz. Skąd wariat wie o wujku z Kijowa? Przecież o tym na pewno nie pisała żadna gazeta. Ee... Czy Bezdomny nie ma jednak racji? A jeśli te dokumenty są lipne? Co za przedziwny facet... Trzeba zadzwonić, natychmiast trzeba zadzwonić! Faceta szybko wyjaśnią.

I nie słuchając dłużej, Berlioz pobiegł dalej.

Tuż przy wyjściu na Bronną podniósł się z ławki na spotkanie redaktora obywatel identycznie taki sam, jak ten, który przedtem w świetle słońca utkał się z tłustego upału. Tylko że teraz nie był już ulepiony z powietrza, był normalny, z krwi i kości. W zapadającym zmierzchu Berlioz wyraźnie zobaczył, że facet ma wąsiki jak kurze piórka, maleńkie ironiczne i na wpół pijane oczka, a kraciaste porcięta podciągnięte są tak wysoko, że widać brudne białe skarpetki.

Berlioz aż się cofnął, ale uspokoiła go myśl, że jest to po prostu głupi zbieg okoliczności i że w ogóle nie pora się nad tym zastanawiać.

– Szukacie wyjścia, obywatelu? – zardzewiałym tenorem zasięgnął informacji kraciasty typ. – Tędy, proszę. Prosto, a traficie, gdzie należy. Dalibyście za dobrą radę na ćwiartkę dla wzmocnienia zdrowia byłego regenta chóru cerkiewnego – i zgrywając się, facet zdjął zamaszyście swoją dżokejską czapeczkę.

Berlioz nie miał zamiaru dłużej słuchać żebrzącego zgrywusa-dy-rygenta, podbiegł do wyjścia i położył rękę na turnikiecie. Przekręcił go i już zamierzał postawić stopę na szynach, kiedy w twarz bryznęło mu białe i czerwone światło – na szklanej skrzynce zapłonął napis: „Strzeż się tramwaju".

I tramwaj ten natychmiast nadleciał, skręcając w nową trasę, z Jermołajewskiej na Bronną. Kiedy zakręcił i wyszedł na prostą, niespodziewanie rozbłysnął wewnątrz elektrycznym światłem, zawył i dodał gazu.

Ostrożny Berlioz, choć stał w bezpiecznym miejscu, postanowił zawrócić, przesunął rękę na turnikiecie i zrobił krok do tyłu. I wtedy jego ręka ześlizgnęła się i spadła, noga niepowstrzymanie, jak po lodzie, pojechała po kocich łbach schodzących ukośnie w dół ku szynom tramwajowym, drugą nogę poderwało i Berlioza wyrzuciło na torowisko.

Starając się za coś złapać, upadł na wznak, tyłem głowy niezbyt mocno uderzył o bruk i zdążył jeszcze zobaczyć wysoko nad sobą pozłocisty księżyc, ale czy był on po prawej, czy po lewej – tego już nie wiedział. Michał Aleksandrowicz zdążył przekręcić się na bok, wściekłym ruchem w tejże sekundzie podciągnął nogi pod brzuch, odwrócił się i zobaczył niepowstrzymanie pędzącą na niego zbielałą ze zgrozy twarz prowadzącej tramwaj kobiety i jej czerwoną opaskę. Nie krzyknął, ale cała ulica wokół niego zaskowyczała rozpaczliwymi kobiecymi głosami.

Kobieta-motorniczy szarpnęła elektryczny hamulec, wagon osiadł z nosem przy ziemi, potem błyskawicznie podskoczył, z brzękiem i łoskotem posypały się z okien szyby. I wtedy w mózgu Berlioza ktoś rozpaczliwie krzyknął: „A jednak!".

Raz jeszcze, ostatni raz, mignął księżyc, ale rozlatujący się na kawałki, potem zapanowała ciemność.

Tramwaj najechał na Berlioza, a na bruk, pod sztachety parkowej alei, wypadł okrągły ciemny przedmiot. Przedmiot ten stoczył się na dół i podskoczył na kocich łbach jezdni.

Była to odcięta głowa Berlioza.

4

Pogoń

Ucichły histeryczne krzyki kobiet, milicyjne gwizdki odgwizdały swoje, jedna karetka pogotowia zabrała do kostnicy bezgłowe ciało i osobno głowę, druga zaś – poranioną odłamkami szkła ślicznotkę, która prowadziła tramwaj, dozorcy w białych fartuchach zmietli rozbite szkło, posypali piaskiem kałużę krwi, poeta zaś jak upadł na ławkę, nie zdążywszy dobiec do wyjścia, tak na niej pozostał. Kilkakrotnie próbował wstać, ale nogi odmawiały mu posłuszeństwa – Bezdomnemu przydarzyło się coś, co można porównać jedynie do paraliżu.

Podbiegł do wyjścia, skoro tylko usłyszał pierwszy krzyk, widział podskakującą po kamieniach jezdni głowę. Widok ten niemal przyprawił go o szaleństwo. Upadł na ławkę i aż do krwi ugryzł się w rękę. Zapomniał oczywiście o zwariowanym Niemcu i tylko jedno starał się teraz zrozumieć: jak to może być – dopiero co rozmawiał z Berliozem, a teraz, dosłownie minutę później – ta głowa...

Przejęci ludzie biegli alejką obok poety, wołali coś, ale do Iwana ich słowa nie docierały. Nagle tuż przy nim wpadły na siebie dwie kobiety, jedna z nich, ostronosa i rozczochrana, tuż nad uchem poety krzyknęła do drugiej, co następuje:

– Annuszka, to nasza Annuszka! Ta z Sadowej! To wszystko przez nią... Kupiła w spożywczym olej słonecznikowy i trzask litrówką o turnikiet. Oj, wyklinała, na czym świat stoi, całą spódnicę sobie uświniła! A on, biedak, pewnikiem poślizgnął się, no i pojechał na szyny...

Ze wszystkiego, co krzyczała kobieta, dotarło do nieprzytomnego mózgu poety jedno tylko słowo „Annuszka"...

– Annuszka... Annuszka? – wymamrotał, rozglądając się trwożnie. – Zaraz, zaraz...

Do słowa „Annuszka" dołączyły słowa „olej słonecznikowy", a następnie, nie wiadomo dlaczego, „Poncjusz Piłat". Piłata poeta odrzucił i zaczął łączyć ogniwa łańcucha, poczynając od słowa „Annuszka". Ogniwa te połączyły się nader szybko i zaprowadziły go natychmiast do zwariowanego profesora.

„No tak! Przecież to właśnie ten wariat powiedział, że zebranie się nie odbędzie, ponieważ Annuszka rozlała olej. I proszę – rzeczywiście się nie odbędzie. Nie dość tego, przecież tamten powiedział wprost, że Berliozowi utnie głowę kobieta?! Tak, tak, tak! A tramwaj prowadziła kobieta! Co to wszystko ma znaczyć?".

Nie pozostawał nawet cień wątpliwości, że tajemniczy konsultant z góry dokładnie wszystko wiedział o straszliwej śmierci Berlioza. Tu dwie myśli przeszyły mózg poety. Pierwsza: „Zawracanie głowy, to nie żaden wariat". I druga: „Czy przypadkiem ten profesor tego wszystkiego sam nie zorganizował?".

„No dobrze, ale w jaki sposób?! Ee, tego to my się raz-dwa dowiemy!".

Iwan Bezdomny ogromnym wysiłkiem woli zmusił się do powstania z ławki i pobiegł tam, gdzie przed chwilą rozmawiał z profesorem. Okazało się, że cudzoziemiec na szczęście jeszcze nie odszedł.

Na Bronnej zapalono już latarnie, a nad Patriarszymi Prudami płonął złoty księżyc i w jego nieodmiennie oszukańczym świetle wydawało się poecie, że profesor stoi obok ławki, ale trzyma pod pachą nie laskę, lecz szpadę.

Natrętny zdymisjonowany regent cerkiewnego chóru siedział na miejscu, które jeszcze niedawno zajmował Bezdomny. Obecnie dawny dyrygent cerkiewny wcisnął sobie na nos najoczywiściej zbędne binokle, w których jedno szkło było pęknięte, drugiego zaś brakowało w ogóle... Dzięki temu kraciasty obywatel stał się jeszcze paskudniejszy, niż był wówczas, gdy wskazywał Berliozowi drogę prowadzącą na szyny.

Iwan ze zmartwiałym sercem zbliżył się do profesora, spojrzał mu w twarz i upewnił się, że żadnych oznak obłędu na tej twarzy nie ma i nie było.

– Niech się pan przyzna, kim pan jest? – głucho zapytał Iwan.

Cudzoziemiec nachmurzył się, spojrzał na poetę, jakby go widział pierwszy raz w życiu, i odpowiedział nieprzyjaźnie:

– Nie rozumieć... mówić ruski...

– Ten pan nie rozumie – wmieszał się siedzący na ławce regent, choć nikt go nie prosił o tłumaczenie słów cudzoziemca.

– Niech pan nie udaje! – groźnie powiedział Iwan i uczuł, że mróz mu przeszedł po skórze. – Jeszcze przed chwilą świetnie pan mówił po rosyjsku. Pan nie jest żadnym Niemcem ani żadnym profesorem! Jest pan szpiegiem i mordercą! Pańskie dokumenty! – wrzasnął z wściekłością.

Zagadkowy profesor skrzywił swoje i tak już krzywe usta, wzruszył ramionami.

– Obywatelu – znowu włączył się ohydny regent. – Jakim prawem denerwujecie zagranicznego turystę? Drogo za to zapłacicie!

Podejrzany konsultant zaś przybrał wyniosły wyraz twarzy, odwrócił się i poszedł sobie. Iwan poczuł, że jest bezradny. Z trudem łapiąc oddech, zwrócił się do regenta:

– Ej, obywatelu, pomóżcie zatrzymać przestępcę! To wasz obowiązek!

Regent niezmiernie się ożywił, zerwał się i wrzasnął:

– Który to? Gdzie on jest? Zagraniczny przestępca? – Oczka mu radośnie zaigrały. – Ten? Przestępca? Pierwsza rzecz – trzeba krzyczeć: „Na pomoc!". Inaczej zwieje. Wołajmy razem, no! – I regent rozwarł paszczę.

Stropiony Iwan usłuchał dowcipnisia i zawołał: „Na pomoc!", regent zaś zrobił z niego balona i nic nie zawołał.

Samotny, ochrypły krzyk Iwana nie przyniósł dobrych rezultatów. Jakieś dwie pannice odskoczyły od niego i Iwan usłyszał: „Pijany".

– A to ty jesteś z tej samej bandy? – wpadając w gniew, krzyknął Iwan. – Chcesz mnie nabrać? Puszczaj!

Iwan ruszył na prawo i regent też na prawo. Iwan – na lewo i tamten drań też na lewo.

– Specjalnie plączesz mi się pod nogami? – w furii wrzasnął Iwan. – Ja i ciebie oddam w ręce milicji!

Spróbował złapać łajdaka za rękaw, ale chybił i nie złapał nic, regent jakby się pod ziemię zapadł.

Iwan jęknął, spojrzał w dal i przy samym wyjściu zobaczył znienawidzonego nieznajomego, który już nie był sam. Ten co najmniej podejrzany regent zdążył się przyłączyć do profesora. Trzecim w tej kompanii był kocur, który nie wiadomo skąd się wziął, wyposażony w zawadiackie wąsy kawalerzysty, olbrzymi jak wieprz, czarny jak sadza lub gawron. Cała trójka ruszyła ulicą Patriarszą, przy czym kocur szedł na tylnych łapach.

Iwan pobiegł za łajdakami i od razu przekonał się, że dogonić ich będzie bardzo trudno.

Trójka błyskawicznie przemknęła przez ulicę i znalazła się na Spirydonowce. Choć Iwan nieustannie przyspieszał kroku, odległość między nim a ściganymi nie zmniejszała się. Poeta ani się obejrzał, jak przemierzył Spirydonowkę i znalazł się przy Bramie Nikickiej, a wtedy jego sytuacja znacznie się pogorszyła. Tu już było tłoczno. W dodatku szajka złoczyńców właśnie postanowiła zastosować wypróbowany bandycki fortel i uciekać w rozsypce.

Regent nader zręcznie wprasował się do autobusu, który na pełnym gazie pędził w kierunku placu Arbackiego, i umknął. Iwan, zgubiwszy jednego ze ściganych, całą uwagę skoncentrował na kocurze i zobaczył, że dziwny ów kot podszedł do drzwi wagonu motorowego linii A, który stał na przystanku, bezczelnie odepchnął wrzeszczącą kobietę, chwycił za poręcz i nawet wykonał próbę wręczenia konduktorce dziesiątaka przez otwarte z powodu upału okno.

Zachowanie się kota wstrząsnęło Iwanem do tego stopnia, że zastygł nieruchomo obok sklepu kolonialnego na rogu, i wtedy zdumiał się po raz drugi, i to znacznie silniej, tym razem za przyczyną konduktorki. Ta, skoro tylko zobaczyła włażącego do tramwaju kota, wrzasnęła, dygocąc z wściekłości:

– Kotom nie wolno! Z kotami nie wolno! Psik! Wyłaź, bo zawołam milicjanta!

Ani konduktorki, ani pasażerów nie zdziwiło to, co było najdziwniejsze – nie to więc, że kot pakuje się do tramwaju, to byłoby jeszcze pół biedy, ale to, że zamierza zapłacić za bilet!

Kot okazał się zwierzakiem nie tylko wypłacalnym, ale także zdyscyplinowanym. Na pierwszy okrzyk konduktorki przerwał natarcie, opuścił stopień i pocierając monetą wąsy, usiadł na przystanku. Ale gdy tylko konduktorka szarpnęła dzwonek i tramwaj ruszył, kocur postąpił tak, jak postąpiłby każdy, kogo wyrzucają z tramwaju, a kto mimo to jechać musi. Przeczekał, aż miną go wszystkie trzy wagony, po czym wskoczył na tylny zderzak ostatniego, łapą objął sterczącą nad zderzakiem gumową rurę i pojechał, zaoszczędziwszy w ten sposób dziesięć kopiejek.

Iwan zajęty paskudnym kotem o mało nie stracił z oczu najważniejszego z całej trójki – profesora. Ale, na szczęście, przynajmniej ten nie zdążył mu umknąć. Iwan zobaczył szary beret w tłumie, przy samym rogu Wielkiej Nikickiej, czyli ulicy Hercena. Po sekundzie już tam był. Nic mu to jednak nie dało. Poeta przyspieszył kroku, zaczął nawet, roztrącając przechodniów, biec truchtem, ale ani o centymetr nie zbliżył się do profesora.

Choć był ogromnie wzburzony, to przecież zdumiewała go ta niesamowita szybkość pościgu. Nie upłynęło nawet dwadzieścia sekund, od kiedy minął Bramę Nikicką, a już oślepiły go światła placu Arbackiego. Jeszcze kilka sekund i oto jakiś ciemny zaułek z zapadniętym trotuarem – tu właśnie Iwan przewrócił się i stłukł sobie kolano. Znowu oświetlona arteria – ulica Kropotkina, potem znów zaułek, potem Ostożenka, jeszcze jakiś zaułek, ponury, wstrętny, marnie oświetlony. I właśnie tutaj poeta ostatecznie stracił z oczu tego, którego tak bardzo chciał dogonić. Profesor zniknął.

Poeta stropił się, ale nie na długo, nagle doszedł bowiem do przekonania, że profesor niezawodnie musi znajdować się w domu numer trzynaście, i to niewątpliwie w mieszkaniu pod czterdziestym siódmym.

Wpadł do bramy, lotem błyskawicy wbiegł na pierwsze piętro, odnalazł właściwe drzwi i niecierpliwie zadzwonił. Oczekiwanie nie trwało długo. Otworzyła mu jakaś pięcioletnia dziewczynka i o nic nie pytając, natychmiast dokądś sobie poszła.

Wielki, zapuszczony do ostatnich granic przedpokój słabo oświetlała maleńka żarówka zawieszona w kącie, tuż pod wysokim, czarnym z brudu sufitem. Na ścianie wisiał rower bez opon, pod nim stał wielki, obity żelazem kufer, a na półce wieszaka leżała zimowa czapka uszanka. Jej uszy zwisały z półki. Za jakimiś drzwiami donośny męski głos w radiu gniewnie coś wykrzykiwał do rymu.

Iwan Nikołajewicz ani trochę nie stracił pewności siebie, choć znalazł się w nieznanym miejscu. Ruszył prosto korytarzem, rozumując następująco: „Oczywiście profesor ukrył się w łazience". W korytarzu było ciemno. Wpadając na ściany, Iwan zauważył cieniutką smużkę światła pod drzwiami. Zmacał klamkę i niezbyt mocno szarpnął. Haczyk wyskoczył. Iwan rzeczywiście znalazł się w łazience i pomyślał, że jednak ma szczęście.

Miał szczęście, ale nie takie, jakiego by sobie życzył. Tchnęło nań wilgotne ciepło i przy świetle żarzącego się w piecyku węgla dojrzał wielkie, wiszące na ścianie koryta i wannę pokrytą strasznymi czarnymi liszajami poobijanej emalii. A w tej wannie stała goła obywatelka, dokładnie namydlona, z gąbką w dłoni. Zmrużyła krótkowzroczne oczy, spojrzała na Iwana i, najwidoczniej na skutek piekielnego oświetlenia biorąc go za kogoś innego, powiedziała cicho i wesoło:

– Kiriuszka! Proszę się nie wygłupiać! Czy pan zwariował... Zaraz wróci Fiodor Iwanowicz. Niech pan się stąd wynosi, i to już! – I zamierzyła się na Iwana gąbką.

Nieporozumienie było niewątpliwe i winien wszystkiemu był oczywiście poeta. Ale przyznać się do tego nie zamierzał, zawołał z wyrzutem: „Ach, rozpustnico!...", i niezwłocznie, nie wiadomo po co, znalazł się w kuchni. Nie było tam nikogo, tylko w półmroku na blasze stało około tuzina milczących, zimnych prymusów. Samotny promień księżyca przedarł się przez zakurzone, od lat niemyte okno i skąpo oświetlał kąt, w którym wisiała pokryta kurzem i osnuta pajęczyną zapomniana ikona. Zza jej obramowania sterczały dwie ślubne świece. Pod wielką ikoną wisiał przyszpilony maleńki papierowy święty obrazek.

Nikt nie wie, co opętało Iwana, ale nim wybiegł przez kuchenne drzwi, przywłaszczył sobie jedną świecę i święty obrazek. Z tymi to przedmiotami, mamrocząc coś, zażenowany tym, co przed chwilą przeżył w łazience, opuścił nieznane mieszkanie. Mimo woli starał się odgadnąć, kim też mógł być ów bezczelny Kiriuszka i czy to nie do niego przypadkiem należy wstrętna uszanka.

W pustej, beznadziejnej uliczce poeta rozejrzał się, szukając zbiega – nigdzie go nie było widać. Wtedy powiedział stanowczo sam do siebie:

– To jasne, że jest nad rzeką, nad Moskwą! Naprzód!

Należałoby chyba zapytać Iwana, czemu to przypuszcza, że znajdzie profesora akurat nad rzeką, a nie w jakimkolwiek innym miejscu. Ale z tym właśnie bieda, że nie miał go kto zapytać. Obrzydliwa uliczka była zupełnie pusta.

Niebawem można było zobaczyć Iwana na granitowych stopniach nabrzeża rzeki Moskwy.

Iwan zrzucił z siebie odzienie, opiekę nad nim poruczył jakiemuś sympatycznemu brodaczowi, który palił skręta, siedząc obok podartej białej tołstojowskiej koszuli i rozsznurowanych zdeptanych butów. Iwan pomachał rękami, by ochłonąć, i skoczył strzałką do wody. Aż dech mu zaparło, taka zimna była ta woda, pomyślał nawet, że chyba mu się nie uda wypłynąć na powierzchnię. Jednak wypłynął i z okrągłymi ze zgrozy oczyma, parskając i łapiąc powietrze, zaczął pływać w czarnej, cuchnącej ropą naftową wodzie, pomiędzy zygzakowatymi światłami nadbrzeżnych latarń.

Kiedy mokry poeta przyskoczył po stopniach do tego miejsca, gdzie zostawił pod opieką brodacza swoje ubranie, okazało się, że zginęło nie tylko ono, ale i sam brodacz. Dokładnie tam, gdzie leżało rzucone na kupę ubranie poety, spoczywały teraz białe pasiaste kalesony, podarta koszula, świeca, święty obrazek i pudełko zapałek. W bezsilnej wściekłości Iwan pogroził nie wiadomo komu pięścią i przyoblókł się w to, co zostało.

Teraz zaczęły go niepokoić dwie sprawy. Po pierwsze to, że zginęła legitymacja Massolitu, z którą się nigdy nie rozstawał, po drugie – pytanie, czy uda mu się w tym stanie przejść przez miasto bez przeszkód? W samych gaciach?... Niby co komu do tego, ale lepiej przecież, żeby nikt się nie przyczepił i nie zatrzymał go.

Iwan oberwał guziki od kalesonów w tych miejscach, gdzie zapinały się przy kostce, licząc na to, że w tej wersji gacie będą mogły uchodzić za letnie spodnie, wziął obrazek, świecę i zapałki i ruszył, powiedziawszy sobie:

– Do Gribojedowa! On niewątpliwie jest tam!

Miasto żyło już wieczornym życiem. Wzbijając kurz, przelatywały, szczękając łańcuchami, ciężarówki. Na platformach ciężarówek, na workach leżeli do góry brzuchami jacyś mężczyźni. Wszystkie okna były szeroko pootwierane. W każdym płonęło pod pomarańczowym abażurem światło, ze wszystkich okien, ze wszystkich drzwi, ze wszystkich bram, z dachów i ze strychów, z piwnic i z podwórek buchał ochrypły ryk poloneza z Eugeniusza Oniegina.

Obawy Iwana w całej pełni się potwierdziły – przechodnie zwracali nań uwagę, oglądali się za nim. Z tej przyczyny poeta postanowił nie korzystać z głównych ulic i iść dalej zaułkami, gdzie ludzie nie są tak natrętni i gdzie są mniejsze szanse na to, że będą się czepiać bosego człowieka, zamęczając go pytaniami o gacie, które uparcie nie chciały się upodobnić do spodni.

Iwan tak właśnie zrobił, zagłębił się w tajemniczą sieć arbackich zaułków, przekradał się pod ścianami, straszliwie zezował na boki, co chwila oglądał się, czasami chował się do bram, unikał skrzyżowań ze światłami i eleganckich podjazdów przed willami dyplomatów.

I przez całą tę trudną drogę, nie wiedzieć czemu, niewypowiedzianie dręczyła Iwana wszechobecna orkiestra, przy której akompaniamencie ociężały bas śpiewał o swej miłości do Tatiany.

5

Co się zdarzyło w Gribojedowie

Kremowy, staroświecki jednopiętrowy dom stał przy okrężnych bulwarach w głębi wątłego ogrodu oddzielonego od trotuaru ozdobnym żelaznym ogrodzeniem. Niewielki placyk przed domem był wyasfaltowany, zimą wznosiła się tam uwieńczona łopatą zaspa, latem placyk przekształcał się w uroczy ogródek letniej restauracji, ocieniany wielką markizą z żaglowego płótna.

Dom ów nazywano „Domem Gribojedowa", ponieważ jego właścicielką była niegdyś jakoby ciotka pisarza Aleksandra Gribojedowa. Była jego właścicielką czy też nie była – tego dokładnie nie wiemy, zdaje się nawet, że Gribojedow nie miał bodaj żadnej ciotki-posesjonatki... Dom ów wszakże takie nosił miano. Co więcej, pewien blagier moskiewski opowiadał, że jakoby na pierwszym piętrze tego domu, w okrągłej sali kolumnowej, znakomity pisarz miał czytać tej właśnie rozpartej na kanapie ciotce fragmenty *Mądremu biada*. A zresztą diabli to wiedzą, może i czytał, nie jest to takie ważne!

Ważne, że obecnie dom należał do Massolitu, na którego czele stał, do momentu, w którym znalazł się na Patriarszych Prudach, nieszczęsny Michał Berlioz.

Za przykładem członków Massolitu nikt nie mówił „Dom Gribojedowa", wszyscy natomiast mówili po prostu „Gribojedow": „Przesiedziałem wczoraj dwie godziny u Gribojedowa". – „No i co?" – „Załatwiłem sobie Jałtę na miesiąc". – „Brawo!". Albo: „Idź z tym do Berlioza, on dziś od czwartej do piątej przyjmuje u Gribojedowa...". I tak dalej w tym rodzaju.

Massolit rozlokował się w Gribojedowie tak, że trudno sobie wyobrazić, jak by to można było zrobić lepiej i wygodniej. Każdy wchodzący do Gribojedowa, chcąc nie chcąc, zapoznawał się przede wszystkim z komunikatami najprzeróżniejszych klubów sportowych, a także z grupowymi oraz indywidualnymi zdjęciami członków Massolitu, którymi (zdjęciami, nie członkami) obwieszone były ściany klatki schodowej prowadzącej na pierwsze piętro.

Na drzwiach najbliższego pokoju na piętrze widniał wielki napis: „Sekcja wędkarsko-urlopowa", a obok umieszczono podobiznę złapanego na wędkę karasia.

Na drzwiach pokoju numer dwa napisano coś, co nie było tak zupełnie zrozumiałe: „Jednodniowe delegacje twórcze. Proszę się zwracać do M. Podłożnej".

Następne drzwi dźwigały tekst lakoniczny, ale za to zupełnie już niepojęty: „Pieriełygino". Następnie komuś, kto przypadkiem odwiedził Gribojedowa, zaczynało migać w oczach na widok pstrzących się na orzechowych ciotczynych drzwiach napisów: „Do kolejki po papier można się zapisywać u Poklewkiny", „Kasa", „Repartycje i rozliczenia tekściarzy estradowych"...

Przecisnąwszy się przez długą, zaczynającą się już w portierni na dole kolejkę, można było dostrzec napis na drzwiach, w które nieustannie wdzierał się tłum: „Problemy mieszkaniowe".

Za problemami mieszkaniowymi rozpościerał się widok na wspaniały plakat, na którym wyobrażona była skała, a na niej jeździec w burce, z przewieszonym przez plecy karabinem. Poniżej były palmy oraz taras, a na tarasie siedział młody człowiek z czubem nastroszonych włosów, siedział i patrzył ku górze niezmiernie bystrymi oczyma, a w dłoni trzymał wieczne pióro. Podpis: „Pełnoterminowe urlopy twórcze od dwóch tygodni (opowiadania, nowele) do jednego roku (powieść, trylogia) – Jałta, Suuk-su, Borowoje, Cichisdziri, Machindżauri, Leningrad (Pałac Zimowy)". Przed tymi drzwiami także była kolejka, ale nie przesadna, najwyżej sto pięćdziesiąt osób.

Dalej następowały podporządkowane zawiłej architekturze gribojedowowskiego labiryntu „Zarząd Massolitu", „Kasy numer 2, 3, 4 i 5", „Kolegium redakcyjne", „Przewodniczący Massolitu", „Sala bilardowa", rozmaite mniej ważne agendy Massolitu i wreszcie owa sala kolumnowa, w której ciocia zachwycała się komedią genialnego siostrzeńca.

Każdy, kto trafił do tego domu, jeśli, oczywista, nie był zupełnym tępakiem, od razu widział, jak dobrze się żyje wybrańcom losu

– członkom Massolitu, i z miejsca opanowywała go czarna zawiść. Natychmiast zaczynał czynić niebu gorzkie wyrzuty za to, że nie obdarzyło go w kołysce talentem literackim, bez którego, oczywista, nie można było nawet marzyć o uzyskaniu legitymacji członkowskiej Massolitu, brązowej, pachnącej kosztowną skórą, z szeroką złotą obwódką, legitymacji, którą znała cała Moskwa.

Któż powie choć jedno słowo w obronie zawiści? To uczucie najniższej kategorii, mimo wszystko należy jednak postawić się na miejscu kogoś, kto trafił do tego domu. Przecież to, co zobaczył na piętrze, to jeszcze nie było wszystko, o, bynajmniej nie wszystko. Cały parter ciotczynego domu zajmowała restauracja, i to jaka restauracja! Słusznie słynęła ona jako najlepszy lokal w Moskwie. Nie tylko dlatego, że zajmowała dwie ogromne sale o sklepionych sufitach, na których wymalowane były fioletowe konie o asyryjskich grzywach, nie tylko dlatego, że na każdym stoliku stała lampka z abażurem, nie tylko dlatego, że nie mógł tam wtargnąć pierwszy lepszy z ulicy, ale również dlatego, że w dziedzinie jakości potraw Gribojedow bił na głowę wszystkie pozostałe moskiewskie restauracje, a także dlatego, że wszystko, co mogła zaoferować tutejsza kuchnia, sprzedawano po nader przystępnych, bynajmniej niewygórowanych cenach.

Nie ma zatem nic dziwnego chociażby w takiej rozmowie, którą pewnego razu autor tej najprawdziwszej w świecie opowieści usłyszał koło żelaznego ogrodzenia Gribojedowa.

– Gdzie dziś jest kolacja, Amwrosij?

– Cóż za pytanie, oczywiście, że tutaj, drogi Foko! Archibald Archibaldowicz zdradził mi, że dziś będzie w karcie sandacz au naturel. Palce lizać!

– Ty to umiesz się urządzić, Amwrosij! – odpowiedział z westchnieniem wychudły, zaniedbany, z karbunkułem na karku Foka rumianogębemu, złocistowłosemu, czerwonoustemu poecie Amwrosijowi.

– To żadna umiejętność – protestował Amwrosij. – Chcę po prostu żyć jak człowiek. Chciałeś powiedzieć, drogi Foko, że sandacz bywa także w „Colosseum"? Ale w „Colosseum" za porcję sandacza biorą trzynaście rubli piętnaście kopiejek, a u nas pięć pięćdziesiąt! Poza tym sandacz w „Colosseum" ma zawsze przynajmniej ze trzy dni, a poza tym nikt ci nie zagwarantuje, że nie dostaniesz w „Colosseum" kiścią winogron po mordzie od jakiegoś młodego człowieka, przecież może tam wejść każdy, kto przechodzi akurat pasażem Teatralnym. O nie, jestem zdecydowanym przeciwnikiem „Colosseum" – grzmiał na cały bulwar smakosz Amwrosij. – Nawet nie próbuj mnie namawiać, Foko!

– Ja cię nie namawiam – piszczał Foka. – Można zjeść kolację w domu.

– No wiecie, państwo – ryczał basem Amwrosij – wyobrażam sobie twoją żonę przyrządzającą w rondelku we wspólnej kuchni sandacza au naturel! Chi-chi-chi!… Au revoir! – I Amwrosij, podśpiewując, ruszył ku werandzie pod markizą.

Ech, ho-ho! Stare dzieje! Pamiętają znakomitego Gribojedowa co starsi mieszkańcy Moskwy! Co tam sandacz au naturel z wody?! Sandacz to jeszcze nic, mój miły Amwrosij! A sterlet, sterlet w srebrzystym naczyńku, filet sterleta z szyjkami rakowymi i ze świeżym kawiorem? A jajka *de cocotte* w pieczarkowym sosie w kokilce? A może mielibyście coś przeciwko filecikom z drozdów? Z truflami? Albo przeciwko przepiórce po genueńsku? Dziewięć pięćdziesiąt, jak barszcz! A jazz-band, a uprzejmość personelu? A w lipcu, kiedy cała rodzina jest na letnisku, ciebie zaś niecierpiące zwłoki zajęcia literackie zatrzymują w mieście – na ocienionej przez pnące się wino werandzie chłodnik *printanier* w złocie słońca kontrastującym ze świeżutkim obrusem? Pamiętasz, Amwrosij? Zresztą nie warto nawet pytać! Po twoich wargach widzę, że pamiętasz. Ale cóż te łososie, te sandacze?! A bekasy, a dubelty, a kszyki, a kuropatwy w sezonie, a przepiórki, a kukliki? A narzan szczypiący w gardle?! Ale dość tego, wracajmy do tematu, zaczynasz się nudzić, czytelniku! Za mną!…

O wpół do jedenastej wieczorem, tego dnia, kiedy Berlioz zginął na Patriarszych Prudach, na górze u Gribojedowa światło paliło się tylko w jednym pokoju, w którym dwunastu przybyłych na posiedzenie literatów oczekiwało z niecierpliwością na Michała Aleksandrowicza.

Siedzący na krzesłach i stołach, a nawet na dwu parapetach okiennych w pokoju zarządu Massolitu okropnie cierpieli z powodu upału. Przez otwarte okna nie napływała ani odrobina świeżego powietrza. Moskwa oddawała nagromadzone przez cały dzień w asfaltach gorąco i było oczywiste, że noc również nie przyniesie ulgi. Z sutereny ciotczynego domu, w której mieściła się kuchnia restauracji, dobiegała woń cebuli, wszystkim chciało się pić, wszyscy byli zniecierpliwieni i zirytowani.

Beletrysta Bieskudnikow, cichy, starannie ubrany człowiek, o uważnym i zarazem nieuchwytnym spojrzeniu, wyjął zegarek. Wskazówka zbliżała się do jedenastki. Bieskudnikow przytknął palcem w cyferblat i pokazał go sąsiadowi, poecie Dwubratskiemu, który siedział na stole i z nudów majtał nogami obutymi w żółte półbuty na gumie.

– To przesada – mruknął Dwubratski.

– Chłopiec zapewne zasiedział się nad Klaźmą – powiedziała głębokim głosem Anastazja Łukiniszna Niepriemienowa, sierota po kupcu moskiewskim, która została pisarką i pisywała batalistyczne opowiadania marynistyczne pod pseudonimem „Bosman Żorż".

– Za pozwoleniem! – rzekł odważnie autor popularnych skeczów Zagriwow. – Sam wolałbym pić teraz herbatę na tarasie, zamiast zdychać tu z gorąca. Jeśli się nie mylę, posiedzenie wyznaczone zostało na dziesiątą?

– A nad Klaźmą teraz jest przyjemnie – podbechtywała obecnych Bosman Żorż, dobrze wiedząc, że Pierielygino, letniskowe osiedle literatów nad Klaźmą, to czuły punkt wszystkich. – Teraz już na pewno śpiewają słowiki. Zawsze jakoś lepiej mi się pracuje za miastem, zwłaszcza na wiosnę.

– Trzeci rok wpłacam pieniążki, żeby chorą na Basedowa żonę wysłać do tego raju, ale jakoś się na to nie zanosi – jadowicie, z goryczą oświadczył nowelista Hieronim Poprichin.

– To zależy od szczęścia – zahuczał z parapetu krytyk Ababkow.

Radość zapłonęła w maleńkich oczkach – Bosman Żorż powiedziała, łagodząc swój kontralt:

– Nie trzeba zazdrościć, towarzysze. Są tylko dwadzieścia dwie wille i raptem siedem w budowie, a w Massolicie jest nas trzy tysiące.

– Trzy tysiące stu jedenastu – wtrącił ktoś z kąta.

– No widzicie – ciągnęła Bosman. – Więc cóż począć? To zrozumiałe, że przyznano wille najbardziej utalentowanym...

– Generalicja! – z otwartą przyłbicą ruszył do boju Głuchariow, scenarzysta.

Bieskudnikow udał, że ziewa, i wyszedł z pokoju.

– Sam w pięciu pokojach w Pierielyginie – powiedział po jego wyjściu Głuchariow.

– Laurowicz w pojedynkę zajmuje sześć – zawrzasnął Deniskin – i w jadalni ma dębową boazerię!

– E, teraz nie o to chodzi – zahuczał Ababkow – tylko o to, że jest wpół do dwunastej.

Wszczął się tumult, dojrzewało coś w rodzaju buntu. Zaczęli telefonować do znienawidzonego Pierielygina, ale dodzwonili się do innej willi, do Laurowicza; dowiedzieli się, że Laurowicz poszedł nad rzekę, i to ich zupełnie wyprowadziło z równowagi. Zadzwonili na chybił trafił do komisji literatury pięknej, na wewnętrzny dziewięćset trzydzieści, i oczywiście nikogo tam nie zastali.

– Mógłby chociaż zadzwonić! – krzyczeli Deniskin, Głuchariow i Kwant.

Ach, daremne były to krzyki – Michał Aleksandrowicz donikąd nie mógł zadzwonić. Daleko, daleko od Gribojedowa, w wielkiej, oświetlonej tysiącświecowymi żarówkami sali, na trzech obitych blachą cynkową stołach leżało to, co jeszcze niedawno było Michałem Aleksandrowiczem Berliozem.

Na pierwszym leżał nagi, pokryty zaschniętą krwią tułów ze zmiażdżoną klatką piersiową i zmasakrowaną ręką, na drugim – głowa z wybitymi przednimi zębami, z otwartymi, zmętniałymi oczyma, których nie raziło już nawet tak jaskrawe światło, a na trzecim – kupa zesztywniałych szmat.

Przy zdekapitowanym stał profesor medycyny sądowej, anatomopatolog i jego prosektor, przedstawiciele organów śledczych oraz wezwany telefonicznie, oderwany od chorej żony zastępca Berlioza w Massolicie, literat Żełdybin.

Po Żełdybina posłano wóz, który przede wszystkim zawiózł go wraz z przedstawicielami organów śledczych (było to koło północy) do mieszkania denata, gdzie dokonano opieczętowania papierów zmarłego, a potem już wszyscy pojechali do kostnicy.

I oto stojący przy zwłokach nieboszczyka dyskutowali, co teraz zrobić – czy przyszyć do karku odciętą głowę, czy też wystawić zwłoki w sali u Gribojedowa, po prostu zakrywszy zmarłego aż po podbródek czarną materią?

Tak, Berlioz nie mógł zadzwonić donikąd i doprawdy niepotrzebnie złościli się i krzyczeli Deniskin, Głuchariow, Kwant i Bieskudnikow. Dokładnie o północy cała dwunastka literatów opuściła pierwsze piętro i zeszła do restauracji. Tu raz jeszcze brzydko pomyśleli o Berliozie, ponieważ na werandzie wszystkie stoliki były już oczywiście pozajmowane i musieli zasiąść do kolacji w jednej z owych pięknych, lecz dusznych sal.

Również dokładnie o północy w jednej z owych sal coś gruchnęło, zadzwoniło, potoczyło się, zadygotało. I zaraz cienki męski głos, przekrzykując muzykę, desperacko zawołał: „Alleluja!". Tak zagrzmiał słynny jazz-band Gribojedowa. Pokryte kropelkami potu twarze zajaśniały, wydawało się, że nagle ożyły wymalowane na suficie konie, lampy bodaj zaświeciły jaśniej i nagle obie sale poszły w tany, jakby zerwały się z łańcucha, a za nimi ruszyła do tańca i weranda.

Puścił się w pląs Głuchariow z poetką Tamarą Połumiesiac, ruszył do tańca Kwant z jakąś aktorką filmową w żółtej sukni, poszedł w tany powieściopisarz Żukopow. Tańczył Draguński i Czerdaczkin, maleńki Deniskin z olbrzymią Bosman Żorż, tańczyła piękna Siemiejkina-Gall, architekt, w mocnym uścisku anonima w spodniach z białego żaglowego płótna. Tańczyli stali bywalcy i wprowadzeni goście, moskwiczanie i przyjezdni, pisarz Johann z Kronsztadu, jakiś Witia Kuftik z Rostowa, bodajże reżyser, z fioletowym liszajem przez cały policzek, tańczyli najwybitniejsi przedstawiciele sekcji poetyckiej Massolitu, a więc: Pawianow, Bochulski, Sładki, Szpiczkin i Aldefina Buzdiak, tańczyli młodzi ludzie o niewyjaśnionym zawodzie, ostrzyżeni na jeża, wywatowani w ramionach, tańczył jakiś wiekowy staruszek z brodą, w którą wplątało się źdźbło szczypiorku, tańczyła z nim chuderlawa, zżerana przez anemię dziewczynina w wygniecionej sukieneczce z pomarańczowego jedwabiu.

Zlani potem kelnerzy nieśli ponad głowami spotniałe kufle piwa, krzyczeli ochryple, z nienawiścią: „Najmocniej przepraszam, obywatelu!". Głos skądś z głośnika komenderował: „Szaszłyk karski raz! Dwie gicze! Flaki po polsku!!!". Cienki głos nie śpiewał już, ale wył: „Alleluja!". Łoskot złotych talerzy jazz-bandu zagłuszało od czasu do czasu szczękanie naczyń, które pomywaczki zsuwały po równi pochyłej do kuchni. Jednym słowem – piekło.

A o północy ukazała się w piekle zjawa. Wszedł na werandę piękny czarnooki mężczyzna ze spiczastą bródką, we fraku i ogarnął władczym spojrzeniem swoje włości. A mówili, a mówili mistycy, że był czas, kiedy mężczyzna ten nie chodził we fraku, tylko przepasywał się szerokim pasem skórzanym, zza którego sterczały rękojeści pistoletów, a jego włosy jak krucze skrzydło przewiązywał szkarłatny jedwab i po Morzu Karaibskim płynął pod jego dowództwem bryg pod czarną trumienną banderą z trupią czaszką.

Ale nie, o nie! Łżą kusiciele-mistycy, nie ma na świecie żadnych karaibskich mórz i nie pływają po nich odważni do szaleństwa flibustierowie ani korweta nie rusza za nimi w pościg, nie ściele się ponad falami dym z dział. Nic takiego nie ma i nigdy nie było! Owszem, jest przywiędła lipa, są żelazne sztachety i bulwar za nimi... Lód pływa w kompotierce, przy sąsiednim stoliku widać czyjeś przekrwione bycze oczy i jest strasznie, jest strasznie... O, bogowie, o, bogowie moi, trucizny, trucizny!...

I nagle przy stoliku eksplodowało słowo „Berlioz!!!". Jazz nagle rozpadł się i uciszył, jak gdyby ktoś go zdzielił pięścią. „Co, co, co, co?!!" – „Berlioz!!!" – i dalejże zrywać się, dalejże krzyczeć...

Tak, na straszną wiadomość o Michale Aleksandrowiczu dźwignęła się fala zgrozy. Ktoś zakrząknął się, wołał, że należy niezwłocznie, natychmiast, nie rozchodząc się, wystosować jakąś wspólną depeszę i wysłać ją zaraz.

Ale jaką depeszę, zapytajmy, i do kogo? I po co ją wysyłać? W rzeczy samej – do kogo? I jakiż pożytek może mieć z jakiejkolwiek depeszy ten, którego ciemię ściskają teraz gumowe ręce prosektora, którego kark profesor przekłuwa właśnie zakrzywionymi igłami? Ten człowiek nie żyje i nic mu po depeszach. Wszystko się skończyło, nie zawracajmy głowy telefonistkom.

Tak, nie żyje, nie żyje... Ale my przecież żyjemy.

Tak, wezbrała fala grozy, chwilę trwała, ale szybko zaczęła opadać, ten i ów już wrócił do swego stolika, i najpierw ukradkiem, a potem zgoła bez żenady, wypił swoją wódeczkę, zakąsił. No bo rzeczywiście, po co ma się marnować de volaille? Czy możemy pomóc Michałowi Aleksandrowiczowi? Czyż mu będzie lżej od tego, że będziemy głodni? My przecież żyjemy!

Oczywiście, fortepian zamknięto na klucz, jazz-band się rozszedł, dziennikarze rozjechali się do swoich redakcji, aby pisać nekrologi. Z kostnicy sądówki przyjechał Żełdybin. Ulokował się na górze, w gabinecie nieboszczyka, i zaraz zaczęto mówić, że to właśnie on będzie następcą Berlioza. Żełdybin wezwał do siebie z restauracji wszystkich dwanaścioro członków zarządu i na niezwłocznie rozpoczętym w gabinecie Berlioza posiedzeniu omówiono pilnie sprawy dekoracji sali kolumnowej Gribojedowa, przewiezienia ciała z kostnicy do tej sali, wystawienia zwłok na widok publiczny i inne związane z tym smutnym wydarzeniem problemy.

Restauracja zaś zaczęła swoje zwykłe nocne życie i kontynuowałaby je aż do zamknięcia, to znaczy do czwartej rano, gdyby nie zaszło coś doprawdy zupełnie niezwykłego, coś, co na gościach restauracji zrobiło znacznie większe wrażenie niż wieść o śmierci Berlioza.

Poruszenie ogarnęło najpierw dyżurujących przed podjazdem domu Gribojedowa dorożkarzy. Jeden z nich wstał na koźle i zawołał:
– Fiu! Popatrzcie no tylko!

Następnie przy żelaznych sztachetkach zapłonął ognik, który wziął się nie wiedzieć skąd, i ognik ten zaczął się zbliżać do werandy. Zaczęto wstawać od stolików i przyglądać mu się i ujrzano, że wraz z owym ognikiem podąża w stronę restauracji biała zjawa. Kiedy podeszła do ustawionych wokół werandy kratek, wszyscy zastygli przy swoich stolikach z kawałkami sterleta na widelcach, z powytrzeszczanymi oczyma. Portier, który właśnie wyszedł na papierosa przed drzwi restauracyjnej szatni, zdeptał niedopałek i ruszył w kierunku zjawy, najwyraźniej chcąc jej zagrodzić drogę do restauracji, ale z jakichś nieznanych powodów odstąpił od tego zamiaru i stanął, uśmiechając się głupkowato.

Zjawa zaś minęła sztachetki i bez przeszkód wkroczyła na werandę. Wtedy wszyscy zobaczyli, że nie jest to żadna zjawa, tylko słynny poeta Iwan Bezdomny.

Poeta był bosy, miał na sobie białe pasiaste kalesony i rozdartą białawą tołstojowską koszulę, do której przypięty był na piersi agrafką papierowy święty obrazek przedstawiający niezidentyfikowanego świętego. Iwan trzymał w dłoni zapaloną świeczkę, a na jego prawym policzku widniało świeże zadrapanie. Wprost trudno zmierzyć głębię ciszy, która zaległa na werandzie. Jednemu z kelnerów przechylił się kufel i widać było, jak piwo leje się na podłogę.

Poeta wzniósł świecę nad głowę i powiedział głośno:
– Czołem, przyjaciele! – po czym zajrzał pod najbliższy stolik i zawołał smutno: – Nie, tu go nie ma!

Dały się słyszeć dwa głosy. Bas powiedział bezlitośnie:
– No i macie. Delirium.

Drugi zaś głos, kobiecy, wylękniony, wypowiedział następujące słowa:
– Że też milicja pozwoliła mu iść przez miasto w takim stanie!

Iwan usłyszał to i odparł:

– Dwa razy chcieli mnie zatrzymać, raz na Skatiertnym i drugi raz tutaj, na Bronnej, ale dałem nogę przez płot, i widzicie, policzek sobie rozwaliłem! – Po czym poeta wzniósł świecę i wrzasnął:

– Bracia w literaturze! (Jego naderwany głos okrzepł i nabrał ognia). Słuchajcie mnie wszyscy! On się pojawił! Łapcie go zaraz, bo inaczej narozrabia tak, że się nie pozbieramy!

– Co, co? Co on mówi? Kto się pojawił? – rozległy się ze wszystkich stron głosy.

– Konsultant! – odparł Iwan. – Konsultant, który przed chwilą zabił na Patriarszych Prudach Miszę Berlioza.

Teraz z dalszej sali runął na werandę tłum, ciżba zgromadziła się wokół Iwanowego ogieńka.

– Przepraszam, przepraszam, proszę wyrażać się jaśniej – rozległ się nad uchem Iwana spokojny i uprzejmy głos. – Co to znaczy – zabił? Proszę powiedzieć, kto zabił.

– Zagraniczny konsultant, profesor i szpieg – rozglądając się, odpowiedział Iwan.

– A jak on się nazywa? – zapytano go cicho, na ucho.

– Właśnie, jak się nazywa! – krzyknął zrozpaczony Iwan. – Żebym to ja wiedział, jak on się nazywa! Nazwisko było na wizytówce, ale się nie przyjrzałem... Pamiętam tylko pierwszą literę „W", na „W" się nazywa! Co to było za nazwisko na „W"? – schwyciwszy się za głowę, zapytał Iwan sam siebie i nagle zaczął mamrotać: – We, we, we, wa... Wo... Waszner? Wagner? Weiner? Wegner? Winter? – Rozmyślał w takim napięciu, że poruszały mu się włosy na głowie.

– Wulf! – podrzuciła litościwie jakaś kobieta.

Iwan się wściekł.

– Idiotka! – wrzasnął, szukając oczyma tej, która się odezwała. – Co tu ma do rzeczy Wulf? Wulf nic tu nie zawinił! Wo, wa... Nie, nie pamiętam! Wiecie co, obywatele – zadzwońcie co prędzej na milicję, niech wyślą w pościg za konsultantem pięć motocykli i ludzi z karabinami maszynowymi. Ale nie zapomnijcie powiedzieć, że jest z nim jeszcze dwóch, jakiś taki kraciasty dryblas, pęknięte szkło w binoklach, i czarny kot, taki tłusty... A ja tymczasem przeszukam Gribojedowa, coś mi mówi, że jest tutaj!

Iwan w podnieceniu rozepchnął otaczający go tłum, zaczął wymachiwać świeczką, polewając się woskiem, i zaglądać pod stoliki.

Wtedy ktoś zawołał: „Gdzie lekarz?", i pojawiła się przed Iwanem czyjaś jowialna, mięsista, wygolona i dobrze odżywiona twarz w rogowych okularach.

– Towarzyszu Bezdomny – powiedziała ta twarz jubileuszowym głosem – uspokójcie się! Wyprowadziła was z równowagi śmierć tego, którego wszyscy tak kochaliśmy, śmierć Michała Aleksandrowicza... nie, po prostu Miszy Berlioza. Wszyscy świetnie to rozumiemy. Potrzebny jest wam spokój. Towarzysze zaraz was odprowadzą do łóżka, prześpicie się...

– Czy ty – szczerząc zęby, przerwał mu Iwan – rozumiesz, że trzeba złapać profesora? Co mi tu głowę zawracasz jakimiś bzdurami? Kretyn!

– Zlitujcie się, towarzyszu Bezdomny, jak tak można?! – odpowiedziała twarz, czerwieniąc się, wycofując i żałując już, że się w to wszystko wdała.

– O, nie, dla kogo jak dla kogo, ale dla ciebie nie będę miał litości – z cichą nienawiścią powiedział Iwan.

Skurcz zeszpecił jego fizys, poeta pospiesznie przełożył świeczkę z prawej ręki do lewej, zamachnął się szeroko i dał w ucho współczującej twarzy.

Wtedy wreszcie zrozumiano, że należy się rzucić na Iwana, i rzucono się na niego. Świeczka zgasła, okulary, które zeskoczyły z twarzy, w mgnieniu oka zostały rozdeptane. Iwan wydał z siebie straszliwy okrzyk bojowy, który ku powszechnemu podziwowi dał się słyszeć nawet na bulwarze, i zaczął się bronić. Rozległ się brzęk spadających ze stolików naczyń i krzyki kobiet.

Podczas kiedy kelnerzy wiązali poetę serwetami, w szatni kapitan brygu rozmawiał z portierem.

– Nie widziałeś, że jest w samych gaciach? – zimno zapytywał pirat.

– Ale przecież, Archibaldzie Archibaldowiczu – odpowiedział przerażony portier – jakże mogłem ich nie wpuścić, skoro oni są członkiem Massolitu?

– Nie widziałeś, że jest w samych gaciach? – powtórzył pirat.

– Zlitujcie się, Archibaldzie Archibaldowiczu – mówił, purpurowiejąc, portier – co ja miałem zrobić? Sam rozumiem, na werandzie siedzą damy...

– Damy nic tu nie mają do rzeczy, damom jest to obojętne – odpowiedział pirat, dosłownie spopielając portiera oczyma. – Ale milicji to nie jest obojętne! Człowiek w bieliźnie może kroczyć ulicami Moskwy tylko w jednym wypadku, w tym mianowicie, kiedy towarzyszą mu milicjanci, i tylko w jednym kierunku – na komisariat! A tyś powinien wiedzieć, skoro jesteś portierem, że masz obowiązek gwizdać, nie zwlekając ani przez sekundę. Słyszysz? Słyszysz, co się dzieje na werandzie?

Wtedy na wpół oszalały portier usłyszał jakoweś jęki dobiegające z werandy, szczęk tłuczonych naczyń, krzyki kobiet.

– No i co mam teraz z tobą zrobić? – zapytał flibustier.

Skóra na twarzy portiera przybrała tyfusowy odcień, jego oczy zmartwiały. Wydawało mu się, że czarną fryzurę z przedziałkiem okrył ognisty jedwab. Znikł śnieżny gors, zanikł frak, a za skórzanym pasem zjawiła się głownia pistoletu. Portier widział już oczyma wyobraźni, jak wisi na marsrei fokmasztu. Na własne oczy oglądał swój własny wywalony język i znieruchomiałą, opadłą na ramię głowę, usłyszał nawet plusk fali za burtą. Kolana się pod nim ugięły. Ale wtedy flibustier ulitował się i zgasił swe palące spojrzenie.

– Uważaj, Mikołaju, żeby mi to było ostatni raz! Takich portierów to nam tu nie potrzeba. Idź lepiej za stróża do cerkwi. – Powiedziawszy to, kapitan brygu szybko, wyraźnie i precyzyjnie zakomenderował: – Bufetowy Pantielej. Milicja. Protokół. Wóz. Do czubków. – I dorzucił: – Gwiżdż!

W kwadrans potem niezmiernie podniecona publiczność nie tylko w restauracji, ale także na bulwarze i w oknach sąsiadujących z ogrodem restauracji domów, patrzyła, jak Pantielej, portier, milicjant, kelner oraz poeta Riuchin wynoszą z bramy Gribojedowa spowitego niczym niemowlę młodego człowieka, który zalewał się łzami, pluł, szczególnie starając się trafić w Riuchina, i krzyczał na cały bulwar:

– Dranie!... Dranie!...

Kierowca ciężarówki z gniewnym obliczem zapuszczał silnik. Obok dorożkarz zacinał szkapę, chłostał ją po kłębach lejcami barwy bzu, krzyczał:

– Tutaj, tutaj, to wyścigowa klacz! Ja już woziłem do wariatów!

Dokoła huczał tłum, omawiał niezwykłe wydarzenie. Był to, jednym słowem, obrzydliwy, niegodny, gorszący, świński skandal w złym guście, skandal, który skończył się wtedy dopiero, kiedy ciężarówka odjechała wreszcie sprzed bramy Gribojedowa, uwożąc nieszczęsnego Iwana Nikołajewicza, milicjanta, Pantieleja i Riuchina.

6

Schizofrenia, zgodnie z zapowiedzią

Kiedy do izby przyjęć słynnej kliniki psychiatrycznej, niedawno wybudowanej na brzegu podmoskiewskiej rzeki, wszedł przyobleczony w biały fartuch człowiek ze spiczastą bródką, było wpół do drugiej w nocy. Trzej pielęgniarze nie spuszczali z oczu siedzącego na kanapie Iwana. Na posterunku znajdował się również okropnie przejęty poeta Riuchin. Serwety, którymi związano Iwana, leżały zwalone na kupę na tejże kanapie. Ręce i nogi Iwana były już wolne. Riuchin na widok wchodzącego zbladł, odkaszlnął i nieśmiało powiedział:

– Dzień dobry, doktorze.

Doktor ukłonił się poecie, ale nie patrzył na niego, tylko na Iwana. Ten zaś, zmarszczywszy brwi, siedział nieruchomo, ze złą twarzą, i na widok lekarza nawet nie drgnął.

– Panie doktorze – nie wiedzieć czemu tajemniczo zaszeptał Riuchin, lękliwie zerkając na Iwana – to jest znany poeta, Iwan Bezdomny... i, widzi pan... obawiamy się, czy to przypadkiem nie delirium...

– Dużo pił? – wycedził przez zęby doktor.

– Nie bardzo, trochę, nie tak znowu, żeby...

– Nie próbował łapać karaluchów, myszy, krasnoludków albo uciekających psów?

– Nie – odpowiedział z westchnieniem Riuchin – widziałem go wczoraj i dzisiaj rano... Był zupełnie zdrów.

– A dlaczego w kalesonach? Zabrano go z łóżka?

– Panie doktorze, on w takim stanie przyszedł do restauracji...

– Tak, tak – powiedział nadzwyczaj zadowolony lekarz. – A siniaki? Bił się z kimś?

– Spadł z ogrodzenia, a potem w restauracji uderzył jednego kolegę... i jeszcze parę osób...

– Tak, tak – powiedział doktor, odwrócił się do Iwana i dodał: – Dzień dobry!

– Serwus, draniu! – głośno, z nienawiścią odpowiedział Iwan.

Riuchin zmieszał się do tego stopnia, że nie ośmielił się nawet podnieść oczu na uprzejmego lekarza. Ale tamten ani trochę się nie obraził, tylko wprawnym ruchem zdjął okulary, rozchylił fartuch, włożył je do tylnej kieszeni spodni, a następnie zapytał Iwana:

– Ile pan ma lat?

– Idźcie wy wreszcie do wszystkich diabłów! – ordynarnie wrzasnął Iwan i odwrócił się.

– Czemu pan się złości? Czy powiedziałem coś niegrzecznego?

– Mam dwadzieścia trzy lata – powiedział ze wzburzeniem Iwan – i złożę na was wszystkich zażalenie. A już zwłaszcza na ciebie, ty gnido! – Riuchinem zajął się oddzielnie.

– A z jakiego powodu chce pan składać zażalenie?

– A z takiego, że mnie, zdrowego i normalnego człowieka, związano i przemocą przywieziono do domu wariatów! – gniewnie odpowiedział Iwan.

W tym momencie Riuchin spojrzał na Iwana i zmartwiał – w oczach poety nie było ani cienia obłędu. Nie były już zamącone, jak w Gribojedowie, ale znowu normalne, jasne i czyste.

„O rany! – pomyślał Riuchin z przerażeniem. – Przecież on jest rzeczywiście zdrowy! A to ci historia! I po cośmy go tu przywlekli? Normalny, zupełnie normalny, tylko morda podrapana...".

– Znajduje się pan – spokojnie powiedział lekarz, przysiadając na jednonogim białym taborecie – bynajmniej nie w domu wariatów, ale w klinice. I nikt pana nie zamierza tu zatrzymywać, jeżeli nie będzie to konieczne.

Iwan spojrzał z niedowierzaniem, ale jednak burknął:

– Dzięki ci, Boże! Nareszcie znalazł się wśród tych idiotów jeden normalny! A największym idiotą jest oczywiście to skretyniałe beztalencie – Saszka!

– A kto to taki, ten Saszka-beztalencie? – zainteresował się lekarz.

– A ten tam, Riuchin – odpowiedział Iwan i wystawił brudny palec w kierunku Riuchina.

Riuchina z oburzenia omal krew nie zalała. „Tak mi się odwdzięcza – pomyślał z goryczą – za to, że się nim zająłem! Niespotykany łajdak!".

– Typowo kułacka psychologia – powiedział następnie Iwan, który najwidoczniej odczuwał nieprzepartą potrzebę natychmiastowego zdemaskowania Riuchina – ale stara się ucharakteryzować na proletariusza. Spójrzcie na jego obłudną fizys i porównajcie ją z jego nadętymi wierszydłami na pierwszego maja. He-he-he... „Zaszumcie, załopoczcie nam!". Zajrzyjcie mu do środka, a zobaczycie, co on sobie myśli, i wtedy oko wam zbieleje! – Tu Iwan zaśmiał się złowieszczo.

Riuchin sapał ciężko, czerwony był jak burak i myślał tylko o jednym – że oto wyhodował żmiję na własnym łonie, zajął się serdecznie człowiekiem, który zdemaskował się jako podstępny wróg. A co najgorsze, Riuchin był teraz całkowicie bezradny – nie będzie się przecież wykłócał z wariatem!

Lekarz uważnie wysłuchał oskarżeń Bezdomnego, a potem zapytał:

– A dlaczego właściwie przywieziono pana do nas?

– Cholera ich tam wie, idiotów! Złapali, związali jakimiś szmatami i przywieźli ciężarówką!

– A czy mógłby mi pan wyjaśnić, dlaczego przyszedł pan do restauracji w samej bieliźnie?

– Nie ma w tym nic dziwnego – odpowiedział Iwan – poszedłem się wykąpać nad Moskwę, no i gwizdnęli mi ubranie, a zostawili te łachmany! Nie mogłem przecież iść goły przez miasto! Ubrałem się w to, co było akurat pod ręką, bo bardzo się spieszyłem do Gribojedowa.

Lekarz pytająco spojrzał na Riuchina, który ponuro powiedział:

– Tak się nazywa nasza restauracja.

– Aha – powiedział lekarz – a dlaczego pan się tak spieszył? Był pan z kimś umówiony?

– Łapię konsultanta – odpowiedział Iwan i niespokojnie rozejrzał się dookoła.

– Jakiego konsultanta?

– Berlioza pan zna? – zapytał Iwan znacząco.

– Tego... kompozytora?

Iwan zaniepokoił się.

– Jakiego znowu kompozytora? Ach, tego... Ależ skąd! Ten kompozytor nosi to samo nazwisko, co Misza Berlioz.

Riuchin nie miał najmniejszej ochoty zabierać głosu, ale musiał wyjaśnić.

– Sekretarza Massolitu, Berlioza, dzisiaj wieczorem na Patriarszych Prudach przejechał tramwaj.

– Nie gadaj, jak nie wiesz! – rozgniewał się na Riuchina Iwan. – Ja byłem przy tym, nie ty! On na niego specjalnie ten tramwaj napuścił.

– Pchnął go na szyny?

– Kto tu mówi o pchaniu? – krzyknął rozwścieczony na powszechną tępotę Iwan. – Taki to nie musi nikogo nigdzie wpychać! On takie numery potrafi odstawić, że bywaj zdrów! Z góry wiedział, że Berlioz wpadnie pod tramwaj!

– A kto jeszcze widział tego konsultanta?

– W tym cała bieda, że tylko ja i Berlioz.

– Tak. A co pan zrobił, aby schwytać tego mordercę? – W tym momencie lekarz odwrócił się i spojrzał na siedzącą przy stoliku pod ścianą kobietę w białym fartuchu. Kobieta wyjęła arkusz papieru i zaczęła wypełniać kolejne rubryki.

– Co zrobiłem? Zabrałem z kuchni świeczkę...

– Tę? – zapytał lekarz, wskazując połamaną świeczkę, która razem ze świętym obrazkiem leżała na stole przed biało ubraną kobietą.

– Tak, tę, i...

– A święty obrazek po co?

– Ach tak, obrazek... – Iwan zaczerwienił się. – Ten obrazek najbardziej ich wystraszył – znowu pokazał palcem na Riuchina – ale chodzi o to, że ten konsultant, że on... cóż, spójrzmy prawdzie w oczy... zadał się z nieczystą siłą... i tak zwyczajnie to się go nie da złapać.

Pielęgniarze nie wiadomo dlaczego przybrali postawę zasadniczą i nie spuszczali oczu z Iwana.

– Otóż to! – mówił dalej Iwan – nieczysta siła! To niezaprzeczalny fakt. Osobiście rozmawiał z Poncjuszem Piłatem. Nie ma co tak się na mnie gapić, prawdę mówię! Widział wszystko – i taras, i palmy. Jednym słowem, był wtedy u Poncjusza Piłata, mogę za to ręczyć.

– No, no, no.

– No to przyczepiłem obrazek do koszuli i pobiegłem...

I wtedy właśnie zegar uderzył dwa razy.

– Oho-ho – zawołał Iwan i wstał z kanapy. – Już druga, a ja tu z wami tylko niepotrzebnie czas tracę! Gdzie tu jest telefon?

– Przepuśćcie go do telefonu – polecił lekarz sanitariuszom.
Iwan złapał za słuchawkę, a tymczasem kobieta cicho zapytała
Riuchina:

– Czy on jest żonaty?

– Kawaler – ze strachem odpowiedział Riuchin.

– Należy do związku zawodowego?

– Tak.

– Milicja? – wrzasnął Iwan do słuchawki. – Milicja? Towarzyszu
dyżurny, natychmiast każcie wysłać pięć motocykli uzbrojonych
w karabiny maszynowe w celu ujęcia zagranicznego konsultanta.
Co? Przyjedźcie po mnie, pojadę razem z wami... Mówi poeta
Bezdomny z domu wariatów... Jaki jest wasz adres? – zapytał szeptem Bezdomny doktora i znowu krzyknął do słuchawki: – Słyszycie
mnie? Halo!... To skandal! – zawył nagle Iwan i rzucił słuchawkę
o ścianę. Następnie odwrócił się do lekarza, podał mu rękę, sucho
oświadczył „do widzenia" i skierował się do wyjścia.

– Na litość, dokąd pan chce iść? – powiedział lekarz, wpatrując
się w oczy Iwana. – Późną nocą, w samej bieliźnie... Pan się przecież źle czuje, niech pan zostanie u nas.

– Przepuścić – powiedział Iwan do pielęgniarzy, którzy zagrodzili mu dostęp do drzwi. – Puszczacie czy nie! – zawołał strasznym
głosem.

Riuchin zadrżał, a kobieta przycisnęła zainstalowany w stoliku
guziczek. Na szklanym blacie pojawiły się lśniące pudełko i ampułka.

– Ach, tak?! – tocząc dookoła dzikim, zaszczutym wzrokiem,
powiedział Iwan. – No to poczekajcie... Żegnam! – Głową naprzód
rzucił się w zasłonięte okno.

Łupnęło dość mocno, ale szkło za zasłoną nawet się nie zarysowało i po sekundzie poeta miotał się w rękach pielęgniarzy. Charczał, próbował gryźć i krzyczał:

– Ach, więc takie szyby założyliście tutaj? Puszczaj! Puszczaj!...

W dłoni lekarza błysnęła strzykawka, kobieta jednym ruchem
rozdarła rękaw koszuli i z niekobiecą siłą unieruchomiła rękę Iwana.
Zapachniało eterem, Iwan osłabł w rękach czworga ludzi, a zręczny
lekarz wykorzystał ten moment i wbił mu igłę w ramię. Poetę potrzymano jeszcze przez kilka sekund, a potem posadzono na kanapie.

– Bandyci! – wrzasnął Iwan i zerwał się z kanapy, ale natychmiast został na niej umieszczony z powrotem. Poderwał się znowu, ale zaraz usiadł, już z własnej woli. Przez chwilę milczał, patrząc dziko, potem nagle ziewnął, wreszcie uśmiechnął się nienawistnie.

– A jednak mnie przymknęli – powiedział, po czym jeszcze raz ziewnął, niespodziewanie wyciągnął się, położył głowę na poduszce, policzek po dziecinnemu oparł na dłoni i zamruczał sennym głosem, już bez złości: – No i dobrze... jeszcze za to zapłacicie... ja was uprzedziłem, a teraz to już jak tam sami sobie chcecie... Teraz interesuje mnie wyłącznie Poncjusz Piłat... Piłat... – W tym momencie zamknął oczy.

– Kąpiel, separatka sto siedemnaście, pielęgniarz przy drzwiach – wkładając okulary, zarządził lekarz. Riuchin znowu się wzdrygnął; białe drzwi otworzyły się bezszelestnie, za nimi ciągnął się oświetlony niebieskimi nocnymi lampkami korytarz. Z korytarza wyjechał wózek szpitalny na ogumionych kółkach, śpiącego Iwana przeniesiono z kanapy na wózek, poeta odjechał w głąb korytarza i drzwi się za nim zamknęły.

– Doktorze – zapytał szeptem wstrząśnięty Riuchin – czy to znaczy, że on jest naprawdę chory?

– O, tak – odpowiedział lekarz.

– A co mu właściwie jest? – nieśmiało zapytał Riuchin.

Zmęczony lekarz spojrzał na Riuchina i apatycznie odpowiedział:

– Pobudzenie ośrodków mowy i ruchu... halucynacje... Skomplikowany przypadek, jak przypuszczam. Najprawdopodobniej schizofrenia, a do tego jeszcze alkoholizm...

Riuchin nie zrozumiał nic z tego, co mówił lekarz, poza tym, że z Iwanem jest niedobrze. Westchnął i zapytał:

– A dlaczego on bez przerwy opowiada o jakimś konsultancie?

– Pewnie widział kogoś, kto rozbudził jego chorą wyobraźnię. A może po prostu halucynacja...

W kilka minut później ciężarówka uwoziła Riuchina w kierunku Moskwy. Dniało, blask niezgaszonych jeszcze latarń przy szosie był niepotrzebny już i niemiły. Kierowca, wściekły, że zmarnował noc, gnał na złamanie karku, aż zarzucało na zakrętach.

Oto i las już się skończył, pozostał za nimi, i rzeka umknęła gdzieś w bok, na spotkanie ciężarówki wybiegły różne różności – jakieś parkany, budki dla strażników, przy nich sągi drzewa, wieże wysokiego napięcia i jakieś maszty, a na nich szpule, usypiska gruzu, poprzecinane kanałami skrawki ziemi – jednym słowem, czuło się, że za moment ukaże się Moskwa, że jest tuż-tuż, za najbliższym zakrętem, że zaraz runie na ciebie znienacka i od razu pochłonie. Trzęsło i rzucało Riuchina na wszystkie strony. Jakiś pieniek, na którym starał się usiedzieć, co chwila usiłował wymknąć się spod niego. Po całej skrzyni ciężarówki latały restauracyjne serwety porzucone tu przez milicjanta i Pantieleja, którzy już wcześniej pojechali do miasta trolejbusem. Riuchin myślał nawet przez chwilę, żeby je pozbierać, ale nie wiedzieć czemu zasyczał z wściekłością: „Niech je szlag trafi! Po kiego licha zawracam sobie nimi głowę jak idiota?...". – Kopnął serwety i w ogóle przestał na nie patrzeć. Był w okropnym stanie ducha. Stawało się jasne, że po pobycie w domu udręki pozostał mu ciężki uraz. Starał się zrozumieć, co go właściwie tak gnębi. Korytarz z niebieskimi żarówkami, który tak wrył mu się w pamięć? Myśl o tym, że nie ma na świecie straszliwszego nieszczęścia niż obłęd? Tak, tak, oczywiście to też. Ale to przecież banał. Jest coś jeszcze. Ale co? Poczucie krzywdy, tak, właśnie to. I te krzywdzące słowa, które rzucił mu w twarz Bezdomny. Nieszczęście polegało nie na tym, że były one obraźliwe, ale na tym, że zawierały prawdę.

Poeta już się nie rozglądał, siedział wpatrzony w brudną podłogę, mrucząc coś, wyrzekając, jątrząc swoje rany.

Cóż, wiersze... On, Riuchin, ma już trzydzieści dwa lata! Rzeczywiście, co będzie dalej? – Dalej będzie pisał po kilka wierszy rocznie? – I tak do późnej starości? – Tak, do starości. – Co mu przyniosą te wiersze? Sławę? „Co za bzdura! Przynajmniej sam siebie nie próbuj oszukiwać. Sława nigdy nie stanie się udziałem tego, kto pisze niedobre wiersze. Ale dlaczego one są niedobre? Iwan powiedział prawdę, szczerą prawdę! – bez litości dla siebie skonstatował Riuchin. – Nie wierzę w ani jedno słowo, które napisałem!...".

Zatruty neurastenią poeta zachwiał się, podłoga przestała się pod nim kołysać. Uniósł głowę i spostrzegł, że już od dawna jest w Moskwie, co więcej, że nad miastem jest już świt, że obłoki przeświecają złotawo, że jego ciężarówka stoi, ponieważ utknęła w potoku innych samochodów przy zakręcie na bulwary, i że tuż obok niego, Riuchina, bliziutko, stoi na cokole żelazny człowiek z lekko pochyloną głową i obojętnie spogląda na bulwar.

Jakieś dziwaczne myśli napłynęły nagle do głowy cierpiącego poety: „Oto przykład prawdziwej kariery... – W tym momencie Riuchin wstał w całej okazałości i nawet rękę wzniósł, nie wiadomo dlaczego nienawidząc żelaznego człowieka, który nic mu nie zawinił – a przecież wszystko, co robił w życiu, cokolwiek się z nim działo, wszystko to obracało się na jego korzyść, wszystko to przyczyniało mu sławy. Ale co on właściwie takiego zrobił? Nie pojmuję… Czy naprawdę coś niezwykłego jest w tych słowach: «Zamieć mgłami niebo kryje…»? Nie rozumiem!… Miał szczęście, miał po prostu szczęście! – nagle z nienawiścią pomyślał Riuchin i poczuł, że ciężarówka drgnęła – strzelał do niego ten białogwardzista, strzelał, zgruchotał mu biodro i zapewnił nieśmiertelność…".

Kolumna samochodów ruszyła. Kompletnie chory, a nawet nagle postarzały, poeta w dwie minuty później wchodził na werandę Gribojedowa. Na werandzie było już prawie pusto. W kącie piło jakieś towarzystwo, a zabawiał je znajomy konferansjer w tiubietiejce, z kielichem „Abrau" w dłoni. Archibald Archibaldowicz serdecznie powitał obładowanego serwetami Riuchina i niezwłocznie uwolnił poetę od przeklętych szmat. Gdyby Riuchin nie był tak wymęczony pobytem w klinice i jazdą na ciężarówce, z pewnością sprawiłaby mu wiele satysfakcji upiększona zmyślonymi szczegółami opowieść o wydarzeniach w klinice. Ale teraz nie miał do tego głowy, zresztą nawet człowiek tak mało spostrzegawczy jak Riuchin, teraz, po torturach, jakie przeżył w ciężarówce, po raz pierwszy przenikliwie popatrzył na pirata i zrozumiał, że ten, chociaż zadaje pytania i nawet wykrzykuje: „Ajajaj!", nie jest bynajmniej ciekaw losu Bezdomnego i nawet ani trochę mu nie współczuje. „Brawo! Ma rację!" – z cyniczną, samounicestwiającą złośliwością pomyślał Riuchin, przerwał swoją opowieść o schizofrenii i poprosił:

– Szefie, niech mi pan da małą wódkę…

Korsarz przybrał współczujący wyraz twarzy i szepnął:

– Rozumiem… chwileczkę… – I dał znak kelnerowi.

W kwadrans później zgarbiony nad certą Riuchin wychylał samotnie kieliszek za kieliszkiem całkowicie przekonany, że w jego życiu nic już się nie da naprawić, że pozostaje mu tylko zapomnienie.

Poeta zmarnował swą noc, podczas kiedy inni ucztowali, i teraz już wiedział, że stracił ją raz na zawsze. Wystarczyło unieść głowę, spojrzeć ponad lampą w niebo, by zrozumieć, że noc minęła bezpowrotnie. Kelnerzy pospiesznie zrywali obrusy ze stolików. Przemykające obok werandy koty przybrały już poranny wygląd. Na poetę nieubłaganie zwalał się dzień.

7

Fatalne mieszkanie

Gdyby następnego dnia rano ktoś powiedział tak: „Stiopa! Jeżeli natychmiast nie wstaniesz, zostaniesz rozstrzelany!" – Stiopa odpowiedziałby słabym, ledwie dosłyszalnym głosem: „Rozstrzeliwujcie mnie, róbcie ze mną, co chcecie, za nic nie wstanę".

Cóż tu mówić o wstawaniu – Stiopie wydawało się, że nawet oczu nie zdoła otworzyć, a jeżeli tylko spróbuje zrobić coś podobnego, potworna błyskawica rozwali mu głowę na kawałki. W głowie tej kołysał się olbrzymi dzwon, pod powiekami przepływały brązowe plamy z ognistozieloną obwódką. Na domiar wszystkiego Stiopę mdliło, przy czym wydawało mu się, że mdłości te wiążą się w jakiś sposób z natrętnymi dźwiękami patefonu.

Starał się coś sobie przypomnieć, ale przypomniał sobie tylko jedno, że to było chyba wczoraj, że stał gdzieś, nie wiadomo gdzie, z serwetką w ręku i usiłował pocałować jakąś nieznajomą damę, przy czym zapowiadał, że następnego dnia, dokładnie o dwunastej w południe, złoży jej wizytę. Dama wymawiała się, mówiła: „Nie, nie, jutro nie będzie mnie w domu!", a Stiopa upierał się: „Ale ja i tak przyjdę!".

Co to jednak była za dama, która jest teraz godzina, jaki to dzień tygodnia, którego dziś – o tym Stiopa nie miał bladego wyobrażenia i, co najgorsze, nie miał również najmniejszego pojęcia, gdzie się znajduje. Postanowił wyjaśnić przynajmniej ten ostatni problem i w tym celu rozkleił zlepione powieki lewego oka. W półmroku coś mętnie połyskiwało. Stiopa rozpoznał wreszcie tremo i zrozumiał, że leży na wznak we własnym łóżku, to znaczy w byłym łóżku wdowy po jubilerze, w swojej sypialni. W tym momencie coś w jego głowie eksplodowało z taką siłą, że jęknął i zamknął oczy.

Wyjaśniamy – Stiopa Lichodiejew, dyrektor teatru Variétés, ocknął się rano w swoim mieszkaniu, które dzielił z nieboszczykiem Berliozem, w wielkim, mającym kształt podkowy, pięciopiętrowym domu na ulicy Sadowej.

Stwierdzić tu należy, że mieszkanie to – numer pięćdziesiąt – od dawna cieszyło się, jeśli nie złą, to w każdym razie wątpliwą sławą. Jeszcze dwa lata temu właścicielką jego była wdowa po jubilerze, Anne de Fougerais, pięćdziesięcioletnia szanowana przez wszystkich i nader zapobiegliwa matrona, która trzy ze swoich pięciu pokoi odnajmowała sublokatorom. Jeden z nich nazywał się, bodajże, Biełomut, drugi – zaprzepaścił gdzieś swoje nazwisko.

I nagle, przed dwoma laty, w mieszkaniu zaczęły się dziać rzeczy niepojęte – jego mieszkańcy jeden po drugim znikali bez wieści.

Pewnego wolnego od pracy dnia zjawił się w mieszkaniu milicjant, wywołał do przedpokoju drugiego lokatora (którego nazwisko utonęło w niepamięci) i powiedział, że jest on proszony, by wpadł na chwileczkę na komisariat i coś tam podpisał. Lokator kazał Anfisie, oddanej wieloletniej pomocy domowej Anny Francewny, powiedzieć, gdyby ktoś do niego dzwonił, że będzie za dziesięć minut, po czym wyszedł z uprzejmym milicjantem w białych rękawiczkach. Jednak nie wrócił nie tylko po dziesięciu minutach, w ogóle nie wrócił już nigdy. Najbardziej zdumiewające było to, że najwyraźniej wraz z nim przepadł i milicjant.

Pobożna, a mówiąc szczerze, przesądna Anfisa oświadczyła wprost niezmiernie zdenerwowanej Annie Francewnie, że są to czary i że ona, Anfisa, świetnie wie, kto uprowadził lokatora i milicjanta, ale nie chce o tym mówić, ponieważ zbliża się noc.

No a czary, jak wiadomo, skoro raz się zaczną, to nic ich już nie powstrzyma. Drugi lokator zniknął, o ile pamiętamy, w poniedziałek, a w środę Biełomut jakby się pod ziemię zapadł, co prawda w innych okolicznościach. Rano, jak zwykle, przyjechał po niego samochód, który miał zawieźć go do pracy, i zawiózł, ale z powrotem już nie przywiózł i sam też nie przyjechał.

Nie sposób opisać rozpaczy i przerażenia madame Biełomut. Lecz, niestety, ani jedno, ani drugie nie było długotrwałe. Tej samej jeszcze nocy Anna Francewna powróciła z Anfisą z daczy, na którą nie wiadomo dlaczego spiesznie pojechała, ale nie zastała już obywatelki Biełomut w mieszkaniu. Co więcej, okazało się, że drzwi obu pokoi zajmowanych przez małżeństwo Biełomutów są opieczętowane.

Jakoś tam minęły jeszcze dwa dni. Na trzeci zaś dzień cierpiąca przez cały ten czas na bezsenność Anna Francewna raz jeszcze spiesznie wyjechała na daczę... Czyż trzeba dodawać, że nie wróciła? Osamotniona Anfisa, wypłakawszy się do woli, o drugiej w nocy poszła spać. Co z nią było dalej, tego nie wiadomo, lokatorzy z innych mieszkań opowiadali jednak, że jakoby spod pięćdziesiątego przez całą noc dobiegało jakieś stukanie i w oknach aż do rana paliło się światło. Rano okazało się, że nie ma i Anfisy.

O zaginionych i o przeklętym mieszkaniu w całym domu długo opowiadano najróżniejsze legendy, taką na przykład, że jakoby ta zasuszona, pobożna Anfisa nosiła w zamszowym woreczku na chudej piersi dwadzieścia pięć wielkich brylantów stanowiących własność Anny Francewny. Że jakoby w drewutni na daczy, na którą tak pospiesznie jeździła Anna Francewna, same przez się odnalazły się jakieś nieprzebrane skarby w postaci tychże brylantów, a także złotych carskich monet... I tak dalej w podobnym stylu. Cóż, czego nie wiemy, za to nie możemy ręczyć.

Jakkolwiek tam było, mieszkanie tylko przez tydzień stało puste i opieczętowane, a następnie zamieszkał tu nieboszczyk Berlioz z małżonką oraz wyżej wymieniony Stiopa, również z żoną. Jasne, że skoro tylko zadomowił się w fatalnym mieszkaniu, zaczęło się diabli wiedzą co! Przede wszystkim w ciągu miesiąca przepadły obie żony, co prawda nie bez wieści. O żonie Berlioza opowiadano, że ktoś widział ją podobno w Charkowie z jakimś baletmistrzem, żona Stiopy natomiast znajdowała się jakoby na Bożedomce, gdzie, jak plotkowano, dyrektor Variétés wykorzystując swoje nadzwyczajne stosunki, załatwił dla niej pokój, pod tym wszakże warunkiem, że jej noga nie postanie więcej na Sadowej...

A więc Stiopa jęknął. Chciał zawołać służącą Grunię i polecić jej, żeby mu przyniosła piramidon, lecz pomimo wszystko zdał sobie sprawę, że żadnego piramidonu Grunia mieć nie może. Próbował wezwać na pomoc Berlioza, dwukrotnie zajęczał: „Misza... Misza...", ale jak się sami domyślacie, odpowiedzi nie otrzymał. W mieszkaniu panowała niczym niezmącona cisza.

Poruszył palcami nóg i zrozumiał, że leży w skarpetkach. Drżącą dłonią przesunął po biodrze, żeby stwierdzić, czy ma na sobie spodnie, czy nie, lecz nie stwierdził tego. Wreszcie widząc jasno, że jest samotny i porzucony przez wszystkich, że nikt mu nie chce pomóc, postanowił wstać, choćby miało to być ponad ludzkie siły.

Rozkleił zlepione powieki i ujrzał w lustrze mężczyznę ze sterczącymi na wszystkie strony włosami, z opuchniętą, pokrytą czarną szczeciną fizjonomią, z zapłyniętymi oczyma. Mężczyzna ów miał na sobie brudną koszulę, krawat, kalesony i skarpetki.

Takim Stiopa zobaczył siebie w lustrze, a obok lustra zauważył nieznanego sobie człowieka, ubranego na czarno i w czarnym berecie.

Usiadł na łóżku i, na ile był w stanie, wytrzeszczył na nieznajomego przekrwione oczy. Milczenie naruszył gość, wypowiadając niskim, ciężkim głosem z cudzoziemskim akcentem następujące słowa:

– Dzień dobry, najmilszy dyrektorze!

Nastąpiła pauza, po której nadludzkim wysiłkiem przemówił Stiopa:

– Czego pan sobie życzy? – I sam zdumiał się, nie poznając własnego głosu. Słowo „czego" zostało wypowiedziane falsetem, „pan" – basem, a „życzy" – w ogóle nie wydostało się na świat boży.

Nieznajomy uśmiechnął się życzliwie, wyjął duży złoty zegarek z brylantowym trójkątem na kopercie, zegarek zadzwonił jedenaście razy, a gość powiedział:

– Jedenasta. Dokładnie od godziny oczekuję na pańskie przebudzenie, ponieważ wyznaczył mi pan spotkanie na dziesiątą. Więc oto jestem!

Stiopa namacał spodnie na krześle, wyszeptał:

– Przepraszam… – włożył je i ochrypłym głosem zapytał: – Czy może mi pan podać swoje nazwisko?

Mówienie przychodziło mu z trudem. Przy każdym wypowiedzianym słowie ktoś wtykał mu igłę w mózg, co powodowało piekielny ból.

– Jak to? Mojego nazwiska też pan nie pamięta? – Tu nieznajomy znowu się uśmiechnął.

– Przykro mi… – zachrypiał Stiopa, czując, że kac obdarzył go właśnie nowym upominkiem. Podłoga przed łóżkiem gdzieś umknęła i wydało się Stiopie, że za sekundę poleci głową w dół do wszystkich diabłów, w otchłań bez dna.

– Drogi dyrektorze – powiedział z przenikliwym uśmiechem gość – nie pomoże panu żaden piramidon. Niech się pan zastosuje do starej, mądrej zasady. Klin należy wybijać klinem. Jedyne, co może przywrócić panu życie, to dwie wódki pod pikantną, gorącą zakąskę.

Stiopa był człowiekiem sprytnym i mimo swego tragicznego stanu zrozumiał, że skoro już ktoś go zastał w takim położeniu, to najlepiej będzie przyznać się do wszystkiego.

– Szczerze mówiąc – zaczął, ledwie obracając językiem – to wczoraj troszeczkę...

– Ani słowa więcej! – zawołał gość i odjechał z fotelem na bok.

Stiopa, wybałuszając oczy, zobaczył, że na malutkim stoliku stoi taca, na której leży pokrojony biały chleb, prasowany kawior w salaterce, marynowane borowiki na talerzyku, przykryty pokrywką rondelek i wreszcie wódka w pojemnej karafce pozostałej w spadku po jubilerowej. Szczególnie wstrząsające wrażenie na Stiopie wywarło to, że karafka spotniała z zimna. Było to zresztą całkowicie zrozumiałe – spoczywała bowiem w wiaderku napełnionym lodem. Jednym słowem stół był nakryty fachowo, ze znajomością rzeczy.

Nieznajomy nie pozwolił, by zdumienie Stiopy sięgnęło granic szaleństwa, i zręcznie nalał mu z pół szklanki wódki.

– A pan? – pisnął Stiopa.

– Z przyjemnością!

Drżącą ręką Stiopa podniósł kieliszek do ust, nieznajomy zaś jednym haustem przełknął zawartość swojego. Żując kawior, Stiopa wykrztusił:

– A pan... niczym pan nie przegryzie?

– Proszę mi wybaczyć, ale ja zwykłem pijać bez zakąski – odparł nieznajomy i nalał następną kolejkę. Zdjął z rondelka pokrywkę – okazało się, że są tam parówki w sosie pomidorowym.

I oto sprzed oczu Stiopy znikła paskudna zielonośc, słowa dały się już wymawiać, a co najważniejsze, Stiopa zaczął sobie coś niecoś przypominać. To mianowicie, że wczoraj był w Schodni, w podmiejskiej willi autora skeczów Chustowa, i że pojechali tam razem z Chustowem taksówką. Przypomniał sobie nawet, że złapali tę taksówkę pod „Metropolem" i że był jeszcze z nimi jakiś aktor, nie aktor... z walizkowym patefonem. Tak, tak, tak, to było w tej willi! I jeszcze – teraz to sobie przypomniał – psy wyły, kiedy puszczali ten patefon. Tylko dama, którą Stiopa chciał pocałować, pozostawała w dalszym ciągu niewyjaśniona... diabli wiedzą, co za jedna... zdaje się, że pracuje w radiu, a zresztą może i nie...

Tym sposobem dzień wczorajszy powolutku się przejaśniał, ale Stiopę obecnie bardziej interesował dzień dzisiejszy, a w szczególności fakt pojawienia się w sypialni nieznajomego, w dodatku z wódką i zakąską. Oto jest coś, co dobrze byłoby wyjaśnić!

– No cóż, mam nadzieję, że teraz przypomniał pan sobie moje nazwisko?

Ale Stiopa tylko wstydliwie się uśmiechnął i rozłożył ręce.

– A jednak! Czuję, że po wódce pił pan portwajn. Na litość, któż tak postępuje!

– Chciałbym, żeby to zostało między nami – przymilnie poprosił Stiopa.

– Ależ naturalnie! Ale za Chustowa, rozumie się, nie mogę zaręczyć!

– To pan zna Chustowa?

– Wczoraj widziałem przelotnie tego typa w pana gabinecie, ale wystarczy jeden rzut oka na tę twarz, żeby stwierdzić, że to drań, plotkarz, karierowicz i wazeliniarz.

„Szczera prawda" – pomyślał Stiopa zdumiony tak trafną, dokładną i zwięzłą charakterystyką Chustowa.

Tak więc dzień wczorajszy powoli układał się z kawałków, ale mimo to trwoga nie opuszczała dyrektora Variétés. Rzecz w tym, że w owym wczorajszym dniu ziała przeogromna czarna dziura. Niech mówią, co chcą, ale tego czarnego gościa razem z jego beretem Stiopa w swoim gabinecie wczoraj z pewnością nie oglądał.

– Profesor czarnej magii Woland – dostojnie powiedział gość, a widząc zakłopotanie Stiopy, opowiedział mu wszystko od początku.

Wczoraj profesor przyjechał z zagranicy do Moskwy, niezwłocznie stawił się u Stiopy i zaproponował, że wystąpi w Variétés. Stiopa zadzwonił do Stołecznej Komisji Nadzoru Widowisk, uzgodnił sprawę (Stiopa na to zbladł i zamrugał powiekami), a następnie podpisał z profesorem Wolandem kontrakt na siedem koncertów (Stiopa otworzył usta) oraz umówił się, że Woland wpadnie do niego dzisiaj o dziesiątej rano, by uzgodnić szczegóły… Więc przyszedł. Powitała go służąca Grunia, wyjaśniła, że sama dopiero co weszła, że jest tu na przychodne, że Berlioza nie ma w domu, jeżeli natomiast gość pragnie widzieć dyrektora, to niech idzie sam do sypialni. Stiepan Bogdanowicz sypia tak mocno, że ona, Grunia, nie podejmuje się go obudzić. Kiedy artysta zobaczył, w jakim stanie znajduje się dyrektor, posłał Grunię do pobliskiego sklepu po wódkę i zakąskę oraz do apteki po lód i...

– Pozwoli pan... – zaskomlał przybity Stiopa i zaczął szukać portfela.

– Ależ co znowu! – zawołał profesor i o niczym podobnym nie chciał nawet słyszeć.

Tak więc wódka i zakąska stały się zrozumiałe, a mimo to przykro było patrzeć na Stiopę – absolutnie nie przypominał sobie żadnego kontraktu i głowę dałby, że nie widział wczoraj tego Wolanda. Owszem, Chustowa tak, ale żadnego Wolanda tam nie było.

– Pan pozwoli, że rzucę okiem na nasz kontrakt – cicho poprosił Stiopa.

– Ależ oczywiście... oczywiście...

Stiopa spojrzał na dokument i zmartwiał. Wszystko było, jak należy. Po pierwsze, jego, Stiopy, własnoręczny zamaszysty podpis... ukośna adnotacja na boku sporządzona ręką dyrektora finansowego Rimskiego zezwalająca na wypłacenie artyście Wolandowi dziesięciu tysięcy rubli a conto należnych mu za siedem koncertów trzydziestu pięciu tysięcy. Co więcej, do kontraktu załączone było pokwitowanie Wolanda na owe otrzymane już dziesięć tysięcy!

„Co się dzieje?!" – pomyślał nieszczęsny Stiopa i w głowie mu się zakręciło. Zaczynają się złowróżbne zaburzenia pamięci? No, oczywiście, rozumie się samo przez się, że po okazaniu kontraktu dalsze wyrażanie zdziwienia byłoby po prostu nieprzyzwoitością. Stiopa przeprosił gościa, że musi na chwilę go opuścić, i tak jak był, w skarpetkach, pobiegł do przedpokoju do telefonu. Po drodze krzyknął w kierunku kuchni:

– Grunia!

Ale nikt się nie odezwał. Stiopa spojrzał na drzwi sąsiadującego z przedpokojem gabinetu Berlioza i, jak to się mówi, osłupiał. Zobaczył na klamce olbrzymią lakową pieczęć na sznurku.

„Moje uszanowanie! – zaryczał ktoś w głowie Stiopy. – Tego jeszcze brakowało!" – i od tej chwili myśli Stiopy pobiegły dwutorowo, ale, jak to się zwykle dzieje w chwili katastrofy, w jednym kierunku i w ogóle diabli wiedzą dokąd. Trudno sobie nawet wyobrazić kaszę, jaka powstała w głowie Stiopy. Było tam i to diabelstwo z czarnym beretem, zimną wódką i nieprawdopodobnym kontraktem... A do tego wszystkiego, jak na zamówienie, jeszcze ta pieczęć na drzwiach! Powiedzcie, komu chcecie, że Berlioz coś przeskrobał – nikt nie uwierzy, no dosłownie nikt nie uwierzy! A jednak pieczęć wisi, wisi jak byk! Ta-ak...

I tu zaroiły się w mózgu Stiopy jakieś wyjątkowo nieprzyjemne myśli o artykule do pisma, który, jak na złość, niedawno wepchnął Berliozowi... Artykuł, mówiąc między nami, idiotyczny i za marne pieniądze...

Natychmiast w ślad za wspomnieniem o artykule nadbiegło inne, o jakiejś podejrzanej rozmowie, która, o ile pamięta, miała miejsce dwudziestego czwartego kwietnia wieczorem, tu, w stołowym, kiedy Stiopa jadł kolację z Berliozem. To znaczy, oczywiście, w pełnym znaczeniu tego słowa rozmowy tej nie można nazwać podejrzaną (Stiopa nigdy by sobie na coś podobnego nie pozwolił), ale jednak była to rozmowa na jakiś zbędny temat. Zupełnie dobrze, obywatele, mogłoby się obejść bez tej rozmowy. Przed pieczęcią bez wątpienia można by tę rozmowę uznać za zupełne głupstwo, ale teraz, kiedy wisi ta pieczęć...

„Ach, Berlioz, Berlioz! – bulgotało w mózgu Stiopy. – Przecież to się po prostu nie mieści w głowie!".

Ale nie mógł zbyt długo zamartwiać się tym niepokojącym wydarzeniem – nakręcił numer gabinetu dyrektora finansowego Variétés, Rimskiego. Sytuacja Stiopy była wyjątkowo niezręczna – po pierwsze, cudzoziemiec mógł się obrazić, że Stiopa sprawdza jego słowa nawet po okazaniu kontraktu, a po drugie, nie miał pojęcia, jak zacząć rozmowę z dyrektorem. Bo rzeczywiście, przecież nie sposób go zapytać: „Nie wie pan przypadkiem, czy zawierałem wczoraj z profesorem czarnej magii kontrakt na trzydzieści pięć tysięcy rubli?". Przecież tak rozmawiać nie może!

– Halo! – rozległ się w słuchawce ostry, nieprzyjemny głos Rimskiego.

– Dzień dobry panu – cicho powiedział Stiopa – mówi Lichodiejew. Chodzi o to, że... hm... hm... siedzi u mnie teraz ten... e... Woland... Więc ja... chciałem się dowiedzieć, co tam słychać z dzisiejszym koncertem?

– A, ten mag? – odezwał się w słuchawce Rimski. – Zaraz będą afisze.

– Aha... – słabym głosem powiedział Stiopa – to do widzenia...

– A kiedy pan przyjdzie do teatru? – zapytał Rimski.

– Za pół godziny – odpowiedział Stiopa, odwiesił słuchawkę i ścisnął rękami płonącą głowę. Ach, co za paskudna historia! Cóż to się dzieje z tą pamięcią, obywatele?

Jednak niepodobna było dłużej siedzieć w przedpokoju, więc Stiopa z miejsca ułożył sobie plan – za żadną cenę nie dać poznać, że ma tak niewiarygodną lukę w pamięci, oraz natychmiast sprytnie i ostrożnie wywiedzieć się od cudzoziemca, co on właściwie ma zamiar zademonstrować dziś wieczorem w powierzonym Stiopie Variétés.

Stiopa odwrócił się plecami do aparatu telefonicznego i w wiszącym w przedpokoju lustrze, o którym dawno już zapomniała leniwa Grunia, wyraźnie zobaczył jakiegoś dziwacznego, długiego jak żerdź osobnika w binoklach. (Ach, gdybyż tu był Iwan Nikołajewicz! Z miejsca by go poznał!). Osobnik ten ukazał się w lustrze i przepadł. Przerażony Stiopa uważniej spojrzał w głąb przedpokoju i znów się zachwiał, zobaczył bowiem w lustrze ogromnego czarnego kocura, który przeszedł przez przedpokój i także znikł.

Stiopa zatoczył się, serce w nim zamarło.

„Co się ze mną dzieje? – pomyślał. – Czy ja aby nie oszalałem? Skąd te odbicia?!" – zajrzał do przedpokoju i z przerażeniem zawołał:

– Grunia! Co to za kot pęta się u nas? Skąd on się wziął? I jeszcze jacyś się tu kręcą!

– Proszę się nie obawiać, dyrektorze – odezwał się jakiś głos, ale nie był to głos Gruni, tylko gościa z sypialni. – To mój kot. Niech pan się nie denerwuje. A Gruni nie ma, wysłałem ją do Woroneża. Skarżyła się, że pan jej urlopu nie dając.

Słowa gościa były tak nieoczekiwane i pozbawione wszelkiego sensu, iż Stiopa uznał, że się przesłyszał. Kompletnie oszołomiony, truchtem pobiegł do sypialni i – osłupiał. Włos mu się zjeżył, a czoło pokryły drobne kropelki potu.

Gość nadal przebywał w sypialni, ale już nie sam, tylko w towarzystwie – w drugim fotelu siedział typ, który przywidział się Stiopie w przedpokoju. Teraz było widać wyraźnie – pierzaste wąsiki, jedno szkło binokli połyskuje, a drugiego brak. Ale w sypialni działy się poza tym rzeczy znacznie okropniejsze: na pufie po jubilerowej rozwalił się w nonszalanckiej pozie trzeci kompan, przerażających rozmiarów czarny kocur z kieliszkiem wódki w jednej łapie i widelcem – na który zdążył już nadziać marynowany grzyb – w drugiej.

Światło w sypialni, i tak słabe, zaczęło do reszty przygasać w oczach Stiopy. „A więc tak właśnie zaczyna się obłęd..." – pomyślał i złapał za futrynę.

– Jak widzę, jest pan nieco zdziwiony, najdroższy dyrektorze? – zapytał Woland szczękającego zębami Stiopę. – A tymczasem nie ma się czemu dziwić. To po prostu moja świta.

Kocur akurat wypił wódkę i dłoń Stiopy zsunęła się po futrynie.

– A dla mojej świty potrzebne mi jest miejsce – mówił dalej Woland – tak że o kogoś z nas jest w tym mieszkaniu za dużo. Wydaje mi się, że tym kimś jest właśnie pan.

– Oni, oni! – koźlim głosem zabeczał długi kraciasty, używając w stosunku do Stiopy liczby mnogiej. – W ogóle oni w ostatnim czasie paskudnie się świnią. Piją, wykorzystując swoje stanowisko, śpią z kobietami, ni cholery nie robią, zresztą nawet nie mogą nic robić, bo nie mają zielonego pojęcia o tym, co do nich należy. Mydlą oczy przełożonym!

– Służbowym samochodem rozjeżdża się bez skrupułów! – naskarżył, zagryzając grzybkiem, kot.

Stiopa już prawie zupełnie osunął się na podłogę i słabnącą dłonią drapał futrynę, kiedy stał się świadkiem jeszcze jednego, czwartego już nadprzyrodzonego zjawiska we własnym mieszkaniu – wprost z tremą, z tafli lustra wszedł do pokoju mały, o nieprawdopodobnie szerokich barach osobnik w meloniku na głowie. Z ust sterczał mu kieł zniekształcający jego i tak niezwyczajnie szpetną fizys. W dodatku był płomiennie rudy.

– Ja – włączył się do rozmowy nowo przybyły – w ogóle nie rozumiem, jak to się stało, że on został dyrektorem – mówił coraz bardziej nosowym głosem. – Z niego przecież taki dyrektor, jak ze mnie arcybiskup.

– Ty nie przypominasz arcybiskupa, Azazello – zauważył kot, nakładając sobie parówki na talerz.

– Przecież o tym właśnie mówię – oświadczył przez nos rudy i zwracając się do Wolanda, zapytał z szacunkiem: – Czy można, messer, przepędzić go z Moskwy do wszystkich diabłów?

– Won! – jeżąc sierść, ryknął nagle kot.

W tym momencie sypialnia zawirowała, Stiopa uderzył głową o framugę i tracąc przytomność, pomyślał: „Umieram...".

Ale nie umarł. Kiedy ostrożnie otworzył oczy, poczuł, że siedzi na czymś kamiennym. Dookoła coś szumiało. Kiedy otworzył oczy szerzej, zrozumiał, że słyszy szum morza, co więcej – fale kołyszą się tuż u jego stóp, a on sam, krótko mówiąc, siedzi na końcu mola, ma nad głową błękitne połyskujące niebo, za plecami zaś białe, rozrzucone na wzgórzach miasto.

Nie mając pojęcia, jak się postępuje w takich wypadkach, Stiopa wstał i na dygocących nogach pomaszerował molem ku brzegowi.

Na molo stał jakiś człowiek, palił papierosa i spluwał na fale. Popatrzył dziko na Stiopę i przestał pluć.

Wtedy Stiopa wykonał następujący numer: upadł na kolana przed nieznajomym nałogowcem i zapytał:

– Błagam, niech mi pan powie, co to za miasto?

– Gotów! – orzekł bezduszny nałogowiec.

– Nie jestem pijany – ochryple powiedział Stiopa – coś się ze mną stało... jestem chory... Gdzie ja jestem? Co to za miasto?

– No, Jałta...

Stiopa cicho westchnął, upadł bokiem na ziemię, uderzając głową o nagrzane kamienie mola. Świadomość opuściła go.

8

Pojedynek profesora z poetą

Właśnie wtedy, kiedy Stiopa stracił przytomność w Jałcie, to znaczy koło wpół do dwunastej, odzyskał ją i obudził się z długotrwałego, głębokiego snu Iwan Bezdomny. Przez czas pewien usiłował sobie uzmysłowić, jakim to sposobem znalazł się w nieznanym białym pokoju, w którym był przedziwny stolik nocny z jakiegoś jasnego metalu i białe zasłony, przez które prześwitywało słońce.

Potrząsnął głową, przekonał się, że go nie boli, i przypomniał sobie, że jest w lecznicy. Ta myśl pociągnęła za sobą wspomnienie o śmierci Berlioza, ale dziś wspomnienie to nie wywarło już na Iwanie takiego wrażenia. Wyspał się i był teraz znacznie spokojniejszy, umysł miał jaśniejszy. Przez czas pewien leżał nieruchomo w czyściutkim, wygodnym łóżku na sprężynach, potem spostrzegł obok siebie przycisk dzwonka. Ponieważ zwykł dotykać różnych przedmiotów bez potrzeby, nacisnął go. Oczekiwał, że naciśnięcie guziczka wywoła jakiś dźwięk, że ktoś nadejdzie, ale stało się coś zupełnie innego.

W nogach łóżka Iwana zapalił się matowy cylinder z napisem „Pić". Napis trwał przez chwilę, a potem cylinder zaczął się obracać, dopóki nie ukazał się na nim napis „Salowa". To zrozumiałe, że pomysłowy cylinder zaszokował Iwana. Napis „Salowa" zastąpiony został przez napis „Proszę wezwać lekarza".

– Hm... – powiedział Iwan, nie wiedząc, co teraz z tym cylindrem począć. Ale dopomógł mu przypadek. Przy słowie „Pielęgniarka" Iwan nacisnął przycisk po raz drugi. Cylinder w odpowiedzi zadzwonił cichutko, zatrzymał się, zgasł, a do pokoju weszła pulchna sympatyczna kobieta w czystym białym fartuchu i powiedziała do Iwana:

– Dzień dobry!

Iwan nic nie odpowiedział, uznał bowiem, że takie powitanie w danych warunkach jest co najmniej niestosowne. Bo rzeczywiście, wpakowali zdrowego człowieka do szpitala i jeszcze udają, że wszystko jest w porządku!

Tymczasem kobieta, nadal z tym samym dobrodusznym wyrazem twarzy, jednym przyciśnięciem guzika podciągnęła zasłony i przez sięgającą aż do podłogi cienką kratę o szeroko rozstawionych prętach chlusnęło do pokoju słońce. Okazało się, że za kratą jest taras, dalej – brzeg wijącej się zakolami rzeczki, na drugim zaś brzegu tej rzeczki – wesolutki sosnowy las.

– Proszę do kąpieli – zaprosiła kobieta i pod jej dotknięciem rozsunęła się wewnętrzna ściana, za którą ukazała się łazienka i znakomicie wyposażona toaleta.

Chociaż Iwan postanowił sobie, że nie odezwie się do tej kobiety, to przecież nie wytrzymał i obserwując wodę szeroką strugą lejącą się z błyszczącego kranu do wanny, powiedział ironicznie:

– Patrzcie no! Całkiem jak w „Metropolu"!...

– O nie! – odpowiedziała z dumą kobieta. – Znacznie lepiej niż tam. Takiego wyposażenia nie ma nigdzie, nawet za granicą. Uczeni i lekarze specjalnie przyjeżdżają, żeby zwiedzić naszą klinikę. Codziennie nas odwiedzają zagraniczni turyści.

Kiedy powiedziała „zagraniczni turyści", Iwan natychmiast przypomniał sobie o wczorajszym konsultancie. Zachmurzył się, spojrzał spode łba i powiedział:

– Turyści... Ależ wy wszyscy uwielbiacie tych cudzoziemców! Tymczasem, nawiasem mówiąc, różni się wśród nich zdarzają. Wczoraj na przykład spotkałem takiego, niech ręka boska broni!

I o mało nie zaczął opowiadać o Poncjuszu Piłacie, ale pohamował się, rozumiejąc, że kobiecie nic po tej opowieści, że tak czy owak pomóc mu ona nie może.

Wykąpanemu Iwanowi wręczono natychmiast dosłownie wszystko, czego potrzeba mężczyźnie, który wyszedł z wanny – wyprasowaną koszulę, kalesony, skarpetki. Ale nie dość tego – kobieta otworzyła drzwiczki szafki, wskazała jej wnętrze i zapytała:

– Co byś chciał włożyć, gołąbeczku? Szlafrok czy piżamkę?

Wbrew własnej woli skazany na nowe miejsce pobytu, Iwan o mało nie klasnął w ręce na taką poufałość i w milczeniu wskazał palcem piżamę z pąsowego barchanu.

Potem poprowadzono go pustym, wytłumiającym wszelkie odgłosy korytarzem, wprowadzono do olbrzymiego gabinetu. Iwan, który postanowił ironicznie traktować wszystko, co się znajduje w tym fantastycznie wyposażonym budynku, natychmiast w myśli nazwał ów gabinet „kuchnią-laboratorium".

Miał powody, by tak go nazwać. Stały tu szafy i przeszklone szafki pełne błyszczących niklowanych narzędzi, fotele o niesłychanie skomplikowanej konstrukcji, jakieś pękate lampki o lśniących kloszach, mnóstwo szklanych naczyń, były tam palniki gazowe i przewody elektryczne, i jakaś nikomu nieznana aparatura.

W gabinecie zabrały się do Iwana trzy osoby – dwie kobiety i mężczyzna, wszyscy w bieli. Przede wszystkim posadzono go przy stoliku w kącie, najoczywiściej zamierzając przeprowadzić wywiad.

Iwan zaczął rozmyślać nad swoją sytuacją. Miał do wyboru trzy możliwości. Niezmiernie nęcąca była pierwsza – rzucić się na te lampy, na te wymyślne cudeńka, wytłuc je wszystkie, rozpieprzyć w drobny mak i w ten sposób wyrazić swój protest przeciwko temu, że siedzi tu za niewinność. Ale dzisiejszy Iwan bardzo już się różnił od Iwana wczorajszego, uznał więc, że to pierwsze wyjście nie jest najlepsze – jeszcze tego brakowało, żeby się utwierdzili w przekonaniu, że jest furiatem. Dlatego zrezygnował z pierwszej możliwości. Istniała również druga – z miejsca zacząć opowiadać o konsultancie i Poncjuszu Piłacie. Ale wczorajsze doświadczenia wykazały, że ludzie w tę opowieść nie wierzą albo rozumieją ją jakoś opacznie. Więc Iwan zrezygnował także i z tej możliwości, postanowił wybrać trzecie wyjście – wyniosłe milczenie.

Nie udało mu się w pełni zrealizować swych zamierzeń i chcąc nie chcąc, musiał udzielać odpowiedzi na cały szereg pytań, choć co prawda były to odpowiedzi opryskliwe i skąpe. Wypytywano Iwana dosłownie o wszystko, co dotyczyło jego dotychczasowego życia, włącznie z tym, jaki był przebieg szkarlatyny, na którą chorował przed piętnastoma laty. Opisano Iwana na całą stronicę, przewrócono arkusz na drugą stronę i kobieta w bieli przeszła do pytań o jego krewnych. Można było dostać kręćka – kto umarł, kiedy i na co, czy nie pił, czy nie chorował na choroby weneryczne, i tak dalej w tym stylu. Wreszcie poprosili, by opowiedział, co zaszło wczoraj na Patriarszych Prudach, ale nie czepiali się zanadto, komunikat o Poncjuszu Piłacie przyjęli bez zdziwienia.

Potem kobieta przekazała Iwana mężczyźnie, ten zaś zabrał się do niego zupełnie inaczej i o nic już nie pytał. Za pomocą termometru sprawdził temperaturę Iwanowego ciała, zmierzył mu tętno i przyświecając sobie jakąś lampą, zajrzał Iwanowi w oczy. Potem pospieszyła mu z pomocą druga kobieta i kłuli Iwana czymś w plecy, ale nie bardzo boleśnie, trzonkiem młoteczka rysowali mu na piersiach jakieś znaki na skórze, stukali młoteczkami w kolana, co powodowało, że nogi Iwana podrygiwały, kłuli go w palec, pobierając krew, kłuli go w zgięciu ręki, zakładali mu na ramię jakieś gumowe opaski...

Iwan jedynie gorzko uśmiechał się pod nosem i myślał, jak to wszystko głupio i dziwacznie wyszło. Pomyśleć tylko! Chciał wszystkich uprzedzić o niebezpieczeństwie, jakie stanowi nieznany konsultant, zamierzał go schwytać, a osiągnął tylko tyle, że trafił do jakiegoś tajemniczego gabinetu, po to, żeby opowiadać bzdury o wujku Fiodorze, który pił na umór w Wołogdzie. Strasznie to głupio wypadło!

Wreszcie dano Iwanowi spokój. Został odtransportowany z powrotem do swego pokoju, gdzie dostał filiżankę kawy, dwa jajka na miękko i biały chleb z masłem. Zjadłszy i wypiwszy to wszystko, Iwan postanowił, że będzie czekał na kogoś, kto jest najważniejszy w tej instytucji, a z tego kogoś z pewnością uda mu się wydusić zainteresowanie swoją osobą i sprawiedliwość.

Doczekał się kogoś takiego, i to bardzo szybko, zaraz po śniadaniu. W pokoju Iwana nagle otworzyły się drzwi i weszło mnóstwo ludzi w białych fartuchach. Na czele szedł czterdziestopięcioletni wygolony starannie jak aktor mężczyzna o miłych, ale bardzo przenikliwych oczach, o nienagannych manierach. Cała świta manifestowała swój dla niego szacunek i uwagę, w związku z czym wejście jego wypadło bardzo uroczyście. „Zupełnie jak Poncjusz Piłat!" – mimo woli pomyślał Iwan.

Tak, ten człowiek był tu niewątpliwie najważniejszy. Usiadł na taborecie, podczas kiedy reszta stała nadal.

Usiadł i przedstawił się Iwanowi:

– Doktor Strawiński – i popatrzył nań życzliwie.

– Proszę, Aleksandrze Nikołajewiczu – cicho powiedział jakiś człowiek ze schludną bródką i podał Strawińskiemu zapisany po brzegi arkusz Iwana.

„Wysmażyli cały protokół" – pomyślał Iwan, siedzący zaś wprawnie przejrzał arkusz, mruknął: „Yhmm, yhmm…", i zamienił z otoczeniem kilka zdań w mało znanym języku. „I po łacinie mówi, zupełnie jak Piłat" – ze smutkiem pomyślał Iwan. Nagle usłyszał słowo, które sprawiło, że drgnął, a było to słowo „schizofrenia" – niestety, już wczoraj na Patriarszych Prudach to samo słowo padło z ust przeklętego cudzoziemca, a dziś powtórzył je tutaj profesor Strawiński. „I o tym też wiedział!" – pomyślał z przerażeniem Iwan.

Strawiński miał widocznie taką zasadę, że zgadzał się ze wszystkim, cokolwiek mówiło jego otoczenie, i przyjmował to z entuzjazmem, który wyrażał w słowach: „Wyśmienicie, wyśmienicie"…

– Wyśmienicie! – powiedział, zwracając komuś arkusz, po czym zwrócił się do Iwana:

– Pan jest poetą?

– Jestem poetą – posępnie odparł Iwan i po raz pierwszy w życiu poczuł nagle jakiś niewytłumaczalny wstręt do poezji, a jego własne wiersze, o których zaraz pomyślał, z niewiadomych powodów wydały mu się zdecydowanie antypatyczne.

Zmarszczył czoło i z kolei zapytał Strawińskiego:

– Pan jest profesorem?

Na co Strawiński z uprzedzającą grzecznością skłonił głowę.

– Pan tu jest najważniejszy? – ciągnął Iwan.

W odpowiedzi Strawiński znowu skłonił głowę.

– Chciałbym z panem pomówić – powiedział znacząco Iwan Nikołajewicz.

– Po to właśnie przyszedłem – odparł Strawiński.

– Chodzi o to – zaczął Iwan, czując, że wybiła jego godzina – że zrobili ze mnie wariata i nikt nie chce słuchać tego, co mówię!…

– O, przeciwnie, wysłuchamy pana z wielką uwagą – poważnie, uspokajająco powiedział Strawiński. – I w żadnym razie nie pozwolimy robić z pana wariata.

– To niech pan słucha: wczoraj wieczorem na Patriarszych Prudach spotkałem jakąś tajemniczą osobistość, jakiegoś chyba cudzoziemca, który z góry wiedział, że Berlioz zginie, i widywał osobiście Poncjusza Piłata.

Świta słuchała poety w milczeniu, zamarła bez ruchu.

– Piłata? Tego Piłata, który żył za czasów Jezusa Chrystusa? – patrząc na Iwana zmrużonymi oczyma, zapytał Strawiński.

- Właśnie, tego.
- Aha - powiedział Strawiński - a Berlioz to ten, który wpadł pod tramwaj?
- Właśnie na moich oczach wczoraj go przejechało na Patriarszych Prudach, a ten zagadkowy obywatel...
- Ten znajomy Poncjusza Piłata? - zapytał Strawiński, który najwidoczniej umiał bystro kojarzyć fakty.
- Właśnie on - uważnie przyglądając się Strawińskiemu, przytaknął Iwan. - Więc on już przedtem powiedział, że Annuszka rozlała olej słonecznikowy... A on się akurat w tym miejscu poślizgnął! No i jak to się panu podoba? - znacząco zagadnął Iwan, pewien, że jego słowa wywierają ogromne wrażenie.

Ale nie wywarły takiego wrażenia, tylko Strawiński najzwyczajniej zadał następujące pytanie:
- A któż to taki, ta Annuszka?

To pytanie nieco wytrąciło Iwana z równowagi, skurcz wykrzywił mu twarz.
- Annuszka nic tu nie ma do rzeczy - powiedział nerwowo.
- Diabli wiedzą, co to za jedna. Po prostu jakaś idiotka z Sadowej. Chodzi o to, że on z góry, rozumie pan, z góry wiedział o tym oleju słonecznikowym! Pan mnie rozumie?
- Doskonale rozumiem - poważnie odpowiedział Strawiński i dotknąwszy kolana poety, dodał: - Proszę się uspokoić i opowiadać dalej.
- Więc dalej - powiedział Iwan, starając się utrafić w ton Strawińskiego i wiedząc już z własnych gorzkich doświadczeń, że tylko spokój może mu pomóc - więc ten straszny typ (on zresztą kłamie, że jest konsultantem) ma jakąś niezwykłą moc. Na przykład gonisz go pan, ale nie ma na to siły, żeby dogonić... Jest z nim jeszcze taka parka, też dobra, ale to już inna para kaloszy - taki wysoki, w stłuczonych szkłach, i jeszcze niewiarygodnie wielki kot, który sam jeździ tramwajem. Poza tym - Iwan, któremu nikt nie przerywał, mówił z coraz większym zapałem i z coraz większym przekonaniem - on był osobiście na tarasie Poncjusza Piłata, co do tego nie ma dwóch zdań. No, więc co się dzieje, ludzie? Trzeba go natychmiast aresztować, bo inaczej zdarzy się jakieś straszliwe nieszczęście.
- Zatem domaga się pan, aby go aresztowano? Czy dobrze pana zrozumiałem? - zapytał Strawiński.

„To mądry człowiek – pomyślał Iwan. – Trzeba przyznać, że wśród inteligentów także trafiają się wyjątkowo mądrzy ludzie, nie da się temu zaprzeczyć" – i odparł:

– Pewnie! Jak mam się tego nie domagać, niech pan sam pomyśli! A tymczasem trzymają mnie tu siłą, świecą mi w oczy lampą, wsadzają do wanny, pytają o wujka Fiedię!... Wujek już dawno ziemię gryzie. Żądam, żeby mnie natychmiast wypuszczono!

– No, cóż, wyśmienicie, wyśmienicie! – powiedział Strawiński. – A zatem wszystko się wyjaśniło. Rzeczywiście, po cóż mielibyśmy trzymać w lecznicy człowieka, który jest zdrów? Dobrze więc, natychmiast pana stąd wypuszczę, jeśli mi pan tylko powie, że jest pan normalny. Nie musi pan tego udowadniać, wystarczy, że pan to powie. A więc – czy jest pan normalny?

Zapadła absolutna cisza, otyła kobieta, która rankiem krzątała się przy Iwanie, popatrzyła na profesora z szacunkiem i z zachwytem. Iwan zaś raz jeszcze pomyślał: „To zdecydowanie mądry człowiek!".

Propozycja profesora bardzo mu się spodobała, ale zanim odpowiedział, namarszczył czoło i zastanowił się bardzo, bardzo głęboko, wreszcie oświadczył stanowczo:

– Jestem normalny.

– To wyśmienicie – z ulgą zawołał Strawiński – a skoro tak, porozmawiajmy logicznie. Choćby o tym, co pan robił wczoraj. – Tu odwrócił się i natychmiast podano mu arkusz Iwana. – W poszukiwaniu kogoś, kto przedstawił się panu jako znajomy Poncjusza Piłata, zrobił pan wczoraj, co następuje. – I Strawiński, zaginając szczupłe palce, patrząc to w arkusz, to na Iwana, zaczął wyliczać:
– Zawiesił pan sobie na piersiach święty obrazek. Tak?

– Tak – posępnie przytaknął Iwan.

– Spadł pan ze sztachet i pokaleczył sobie twarz. Tak? Przyszedł pan do restauracji, trzymając zapaloną świeczkę, w samej bieliźnie, i pobił pan kogoś w tej restauracji. Do nas przywieziono pana związanego. Od nas dzwonił pan na milicję i prosił, żeby przysłano karabiny maszynowe. Potem usiłował pan wyskoczyć przez okno. Tak? Proszę mi powiedzieć, czy to są działania mające na celu schwytanie lub aresztowanie kogokolwiek? Jeżeli jest pan człowiekiem normalnym, to sam pan przyzna, że nie. Chce się pan stąd wydostać? Proszę bardzo. Ale pozwoli pan, że zapytam, dokąd chce się pan stąd udać?

– Na milicję, oczywiście – odpowiedział Iwan już mniej stanowczo, nieco zmieszany spojrzeniem profesora.

– Prosto stąd?

– Mhm...

– Nie wstąpi pan po drodze do swojego mieszkania? – szybko
zapytał Strawiński.

– Przecież szkoda czasu! Ja będę sobie jeździł po mieszkaniach,
a on tymczasem da nogę!

– Tak. A co pan przede wszystkim powie na milicji?

– Powiem o Poncjuszu Piłacie – odparł Iwan, a jego oczy zasnu-
ła mroczna mgiełka.

– No, tak, wyśmienicie! – wykrzyknął pokonany Strawiński,
zwrócił się do brodacza i polecił: – Fiodorze Wasiliewiczu, proszę,
wypiszcie, z łaski swojej, obywatela Bezdomnego z kliniki. Ale tego
pokoju proszę nie zwalniać, bielizny pościelowej można nie zmieniać. Za dwie godziny obywatel Bezdomny będzie tu znowu. No,
cóż – zwrócił się do poety – nie będę panu życzył powodzenia, bo
nie wierzę, żeby się panu powiodło. Do rychłego zobaczenia!
– I wstał, a jego świta poruszyła się również.

– Dlaczego miałbym trafić tu znowu? – z niepokojem zapytał
Iwan.

Strawiński jak gdyby tylko czekał na to pytanie, od razu usiadł
znowu i zaczął mówić:

– Dlatego że skoro tylko przyjdzie pan w kalesonach na milicję
i powie tam, że się pan widział z osobistym znajomym Poncjusza
Piłata, natychmiast przywiozą pana tutaj i znajdzie się pan znowu
w tym samym pokoju.

– Co tu mają do rzeczy kalesony? – zapytał Iwan, rozglądając się
niepewnie.

– Chodzi przede wszystkim o Poncjusza Piłata. Ale o kalesony
także. Jasne, że zabierzemy panu szpitalne ubranie i wydamy panu
to, w czym pan był. A przywieziono pana do nas w kalesonach.
A przecież nie zamierzał pan wstąpić do swojego mieszkania, chociaż podsuwałem panu tę myśl. Do tego jeszcze dojdzie Piłat... i to
już wystarczy.

Wówczas z Iwanem stało się coś dziwnego. Jego wola pękła, jak
gdyby zrozumiał, że braknie mu sił, że potrzebna jest mu czyjaś rada.

– Więc co mam robić? – zapytał, tym razem nieśmiało.

– No, proszę, wyśmienicie! – powiedział Strawiński. – To rozsądne pytanie. Teraz powiem panu, co się mianowicie panu zdarzyło. Wczoraj ktoś bardzo pana przestraszył niezwykłą opowieścią o Poncjuszu Piłacie, a także innymi rzeczami. I oto pan, wyczerpany nerwowo i doprowadzony do ostateczności, wyruszył na miasto, opowiadając wszystkim o Poncjuszu Piłacie. Jest zupełnie zrozumiałe, że biorą pana za obłąkanego. Tylko jedno może pana teraz uratować – absolutny spokój. Jest absolutnie konieczne, aby pan został tu u nas.

– Ależ trzeba złapać tamtego! – błagalnie wykrzyknął Iwan.

– Dobrze, ale po co ma go pan ścigać osobiście? Niech pan wyłoży na piśmie wszystkie swoje podejrzenia i zarzuty pod adresem tego człowieka. Nic prostszego niż przesłać pana notatkę, gdzie należy, a jeżeli, tak jak pan przypuszcza, mamy do czynienia z przestępcą, to sprawa zostanie bardzo szybko wyjaśniona. Jest wszakże jeden warunek – niech się pan nie przemęcza myśleniem i niech pan jak najmniej myśli o Poncjuszu Piłacie. Albo to mało rzeczy można opowiadać? Nie we wszystko trzeba od razu wierzyć.

– Rozumiem! – stanowczo oświadczył Iwan. – Proszę mi dać papier i pióro.

– Proszę przynieść papier i króciutki ołówek – polecił Strawiński otyłej kobiecie, a do Iwana powiedział tak: – Ale dziś nie radziłbym pisać.

– Nie, nie, oczywiście, że dziś, koniecznie dziś! – zawołał z lękiem Iwan.

– No, dobrze. Tylko niech pan nie wysila umysłu. Jeśli dziś się panu nie uda, to uda się jutro.

– On ucieknie!

– O, nie – powiedział Strawiński z przekonaniem – zaręczam panu, że nigdzie nie ucieknie. I proszę pamiętać, że tutaj pomożemy panu, jak tylko będziemy mogli, a bez tego będzie z panem źle. Słyszy mnie pan? – nagle znacząco zapytał Strawiński i ujął obie ręce Iwana. Ujął jego dłonie i z bliska patrząc mu w oczy, długo powtarzał: – Pomożemy tu panu... Słyszy mnie pan?... Pomożemy tu panu... Poczuje się pan lepiej... Tu jest cisza, spokój... Pomożemy tu panu...

Iwan Nikołajewicz ziewnął nagle, twarz mu złagodniała.

– Tak, tak – powiedział cicho.

– No, to wyśmienicie! – Strawiński zakończył rozmowę swoim porzekadłem i wstał. – Do widzenia! – Ścisnął dłoń Iwana, a już od drzwi odwrócił się do brodacza i powiedział: – Taak, spróbujcie dać tlen... no i kąpiele.

Po małej chwileczce przy Iwanie nie było już ani Strawińskiego, ani jego świty. Za okienną siatką pysznił się w południowym słońcu wesoły wiosenny las na drugim brzegu rzeki, a jeszcze bliżej migotała sama rzeka.

9

Głupie dowcipy Korowiowa

Nikanor Iwanowicz Bosy, prezes spółdzielni mieszkaniowej, do której należał dom numer 302-A na ulicy Sadowej, gdzie mieszkał nieboszczyk Berlioz, miał obecnie okropne kłopoty – zaczęły się one poprzedniej nocy, ze środy na czwartek. Jak już wiemy, o północy przyjechała komisja, w której skład wchodził Żełdybin, zawezwała przed swoje oblicze prezesa, zawiadomiła go o śmierci Berlioza, po czym wszyscy udali się do mieszkania numer pięćdziesiąt.

Dokonano tam opieczętowania rękopisów i innych rzeczy zmarłego. Ani Gruni, służącej na przychodne, ani lekkomyślnego Stiepana Bogdanowicza w tym czasie w mieszkaniu nie było. Komisja zawiadomiła prezesa, że rękopisy zmarłego zabiera, aby je przejrzeć i uporządkować, że powierzchnia mieszkaniowa należąca do nieboszczyka, to znaczy trzy pokoje (dawny gabinet jubilerowej, salon i stołowy), zostaje przekazana do dyspozycji spółdzielni, rzeczy zaś należy zgromadzić w jednym miejscu i zabezpieczyć aż do momentu zgłoszenia się spadkobierców.

Wieść o śmierci Berlioza rozniosła się po domu z nadnaturalną szybkością i poczynając od siódmej rano w czwartek w mieszkaniu Bosego rozdzwoniły się telefony, a następnie reflektanci na zwolniony metraż nieboszczyka zaczęli się pojawiać osobiście wraz z podaniami. W ciągu dwóch godzin Nikanor Iwanowicz przyjął trzydzieści dwa takie podania...

Zawierały one błagania, groźby, skargi, donosy, obietnice przeprowadzenia remontu na własny koszt, powoływano się na nieznośną ciasnotę, na całkowitą niemożność przebywania dłużej w jednym mieszkaniu z bandytami. Między innymi znajdował się tam wstrząsający pod względem siły artystycznego wyrazu opis porwania pierożków zapakowanych bezpośrednio do kieszeni marynarki w mieszkaniu pod trzydziestym pierwszym, dwie obietnice popełnienia samobójstwa i jedno wyznanie dotyczące potajemnej ciąży.

Prezesa wywoływano do jego własnego przedpokoju, łapano za guzik, coś mu naszeptywano, mrugano, zapewniano, że przysługa nie pójdzie w niepamięć.

Ta udręka trwała do pierwszej, kiedy prezes po prostu uciekł ze swojego mieszkania do mieszczącego się tuż przy bramie biura, ale kiedy zobaczył, że i tam na niego czatują, uciekł i stamtąd. Pozbywszy się jakoś tych, którzy deptali mu po piętach, Bosy przebiegł wyasfaltowane podwórko, wszedł na szóstą klatkę i udał się na czwarte piętro, na którym znajdowało się owo przeklęte mieszkanie numer pięćdziesiąt.

Kiedy tęgi prezes trochę już odsapnął na podeście, przycisnął dzwonek, ale nikt mu nie otwierał. Zadzwonił znowu, potem jeszcze i jeszcze raz, po czym zamruczał coś i nawet zaczął cichutko kląć. Ale nawet i wtedy nikt mu nie otworzył. Cierpliwość prezesa wyczerpała się, wyjął z kieszeni wiązkę należących do zarządu zapasowych kluczy, władczą dłonią otworzył drzwi i wszedł do środka.

– Ej! – zawołał w półmroku przedpokoju. – Ty, jak cię tam zwą, Grunia! Nie ma cię?

Nikt nie odpowiadał.

Wtedy Bosy wyjął z teczki calówkę, następnie zerwał pieczęć z drzwi gabinetu i wkroczył do środka. Wkroczyć wprawdzie wkroczył, ale zdumiony zatrzymał się w progu i nawet z lekka się zachwiał.

Przy biurku nieboszczyka siedział niezidentyfikowany długi i chudy obywatel w kraciastej marynareczce, w dżokejce i w binoklach... no, słowem, ten sam!

– Kim pan jest, obywatelu? – ze strachem zapytał Bosy.

– Ba! Prezesie! – wrzasnął skrzekliwym tenorem zagadkowy obywatel, zerwał się i powitał Bosego przymusowym i raptownym uściskiem dłoni. To powitanie bynajmniej prezesa nie uradowało.

– Przepraszam najmocniej – powiedział podejrzliwie. – Ale kim pan właściwie jest? Czy pan tu urzędowo?

– Eh, prezesie! – serdecznie zawołał nieznajomy. – Cóż to właściwie znaczy – urzędowo czy nieurzędowo? To zależy od punktu widzenia. Wszystko, mój drogi, jest chwiejne i umowne. Dziś, na przykład, jestem osobą nieurzędową, a jutro, patrzcie no tylko, już urzędową! A bywa i na odwrót, oj, i to jeszcze jak!

Te rozważania ani trochę nie usatysfakcjonowały prezesa. Będąc z natury człowiekiem podejrzliwym, doszedł do wniosku, że gadatliwy ów obywatel jest osobą zgoła nieurzędową, a nawet, być może, wątpliwej konduity.

– Ale kim pan właściwie jest? Nazwisko pana? – coraz surowiej wypytywał prezes i nawet zaczął napierać na zagadkowego osobnika.

– Moje nazwisko... – powiedział ani trochę niezmieszany srogością prezesa obywatel – powiedzmy, że moje nazwisko Korowiow. Ale może by pan coś przekąsił, prezesie? Proszę się nie krępować.

– Przepraszam, jaka znowu przekąska. – Bosego ogarniał już gniew (musimy tu wyznać, aczkolwiek z przykrością, że Nikanor Bosy z natury był nieco gburowaty). – Przebywanie na metrażu nieboszczyka jest zabronione! Co pan tu robi?

– Ależ niech pan siada – wrzeszczał ani trochę nie zdetonowany obywatel i nawet, kręcąc się jak fryga, zaczął podsuwać prezesowi fotel.

Rozwścieczony do ostateczności Bosy wzgardził fotelem i wrzasnął:

– Kim pan jest?!

– Ja, szanowny panie, zajmuję stanowisko tłumacza przy osobie cudzoziemca, który rezyduje w tym właśnie mieszkaniu – przedstawił się ten, który nazwał siebie Korowiowem, i trzasnął obcasami żółtych niewyczyszczonych butów.

Bosy ze zdziwienia otworzył usta. Obecność w tym mieszkaniu jakiegoś cudzoziemca, na dodatek jeszcze z tłumaczem, była dla niego zupełną niespodzianką, w związku z czym zażądał wyjaśnień.

Tłumacz chętnie mu ich udzielił. Zagraniczny artysta, pan Woland, został zaproszony przez uprzejmego dyrektora Variétés, Stiepana Lichodiejewa, aby w czasie kiedy będzie występował, co potrwa mniej więcej tydzień, skorzystał z jego gościny. Dyrektor jeszcze wczoraj zawiadomił o tym pisemnie prezesa, prosząc o zameldowanie cudzoziemca na pobyt czasowy, dopóki Lichodiejew nie wróci z Jałty.

– Lichodiejew nic takiego do mnie nie pisał – powiedział zdumiony prezes.

– Niech pan może jednak dobrze poszuka w swojej teczce – zaproponował słodko Korowiow.

Wzruszając ramionami, prezes otworzył teczkę – znalazł w niej list od Lichodiejewa.

– Jak to się stało, że o tym zapomniałem? – patrząc tępo na otwartą kopertę, wymruczał Bosy.

– Nie takie rzeczy się zdarzają, niech mi pan wierzy, nie takie! – zatrajkotał Korowiow. – Roztargnienie, roztargnienie, przemęczenie i podwyższone ciśnienie, drogi przyjacielu! Sam jestem roztargniony do niemożliwości! Kiedyś przy kieliszku opowiem panu kilka faktów z mojego życia, daję słowo – nie powstrzyma się pan od śmiechu!

– A kiedy Lichodiejew jedzie do Jałty?

– Ależ on już pojechał, pojechał! – krzyczał tłumacz. – On, wie pan, jest już w podróży! Jest już diabli wiedzą gdzie! – W tym momencie tłumacz zamachał rękoma jak wiatrak.

Bosy oświadczył, że musi osobiście zobaczyć się z cudzoziemcem, tłumacz jednak stanowczo odmówił: Niemożliwe. Zajęty. Tresuje kota.

– Kota, jeśli pan sobie życzy, mogę pokazać – zaproponował.

Z tego z kolei zrezygnował prezes, tłumacz zaś z miejsca złożył mu nieoczekiwaną, ale nader interesującą propozycję – ponieważ pan Woland za żadną cenę nie życzy sobie mieszkać w hotelu, a przywykł do życia na szerokiej stopie, czy więc w takim razie spółdzielnia nie zgodzi się na wynajęcie na tydzień, dopóki będą trwały jego występy w Moskwie, całego mieszkania, to znaczy również tej jego części, w której mieszkał nieboszczyk Berlioz?

– Przecież dla niego to jest zupełnie obojętne, dla nieboszczyka, znaczy się – szeptem chrypiał Korowiow. – Zgodzi się pan chyba ze mną, prezesie, że to mieszkanie nie jest mu już teraz do niczego potrzebne.

Prezes z niejakim zdziwieniem powiedział, że przecież cudzoziemcy zwykli mieszkać w „Metropolu", a nie w prywatnych mieszkaniach...

– Mówię panu, ten jest grymaśny jak sam diabeł – szeptał Korowiow. – Nie ma życzenia! Nie znosi hoteli! Mam już ich potąd, tych zagranicznych turystów! – intymnie użalił się, wskazując palcem swoją żylastą szyję. – Proszę mi wierzyć, już w piętkę gonię! Przyjdzie taki jeden z drugim i albo naszpieguje jak ostatni sukinsyn, albo grymasami zamęczy człowieka – i tak mu źle, i tak niedobrze!... A dla waszej spółdzielni, szanowny prezesie, to wielka wygoda i znaczny profit. Na pieniądzach mu nie zależy. – Korowiow rozejrzał się dookoła, a potem szepnął Bosemu na ucho: – Milioner! Propozycja tłumacza zawierała wyraźny praktyczny sens, propozycja ta była solidna, ale coś nad wyraz niesolidnego było w jego sposobie mówienia, w jego ubiorze i w tych wstrętnych, pozbawionych wszelkiego sensu binoklach. Wszystko to sprawiało, że jakieś niejasne uczucie trapiło duszę prezesa, mimo wszystko postanowił jednak przyjąć propozycję. Rzecz w tym, że spółdzielnia miała, niestety, nader znaczny deficyt. Przed zimą należało zakupić ropę naftową dla potrzeb centralnego ogrzewania, nie wiadomo tylko za jakie kapitały. A z pieniędzmi cudzoziemca można by chyba wyjść na swoje. Ale praktyczny i ostrożny prezes oświadczył, że przede wszystkim musi uzgodnić sprawę z biurem turystyki zagranicznej.

– Rozumiem! – zawołał Korowiow. – Jakże można bez uzgodnienia? Oczywiście! Oto telefon, prezesie, i proszę niezwłocznie uzgadniać! A co do pieniędzy – niech się pan nie krępuje – dodał szeptem Korowiow, ciągnąc prezesa do przedpokoju, gdzie stał telefon – od kogo brać, jeśli nie od niego! Gdyby pan zobaczył jego willę w Nicei! Kiedy pan w przyszłym roku wybierze się latem za granicę, niech pan specjalnie przyjedzie popatrzeć – oko panu zbieleje!

Bosy załatwił sprawę w biurze turystyki zagranicznej z niesłychaną, wprost wstrząsającą szybkością. Okazało się, że w biurze wiedzą już o tym, że pan Woland pragnie zatrzymać się w prywatnym mieszkaniu Lichodiejewa i że nie mają co do tego żadnych zastrzeżeń.

– No to cudownie! – wydzierał się Korowiow.

Nieco oszołomiony jego trajkotaniem prezes oświadczył, że spółdzielnia zgadza się wynająć na tydzień mieszkanie numer pięćdziesiąt artyście Wolandowi po... – prezes lekko się zająknął i wypalił:

– Po pięćset rubli dziennie!

Wtedy Korowiow wprawił prezesa w ostateczne zdziwienie. Po złodziejsku mrugnął w stronę sypialni, skąd dobiegały odgłosy miękkich skoków olbrzymiego kota, i zachrypiał:

– To znaczy za tydzień – trzy i pół tysiąca?

Bosy pomyślał, że Korowiow powie teraz: „Ma pan niezły apetycik, prezesie!", ale Korowiow powiedział coś zupełnie innego:

– I to mają być pieniądze? Niech pan zażąda pięć, on da!

Nikanor Bosy nawet nie zauważył, kiedy ze zmieszanym uśmiechem na twarzy znalazł się przy biurku zmarłego, przy którym to biurku Korowiow błyskawicznie i z niezwykłą zręcznością napisał tekst umowy w dwóch egzemplarzach. Następnie pomknął do sypialni, powrócił i oba egzemplarze były już opatrzone zamaszystym podpisem cudzoziemca. Podpisał umowę również i prezes. Wtedy Korowiow poprosił o pokwitowanie na pięć...

– Słownie, słownie, prezesie... tysięcy rubli... – i ze słowami jakoś nielicującymi z powagą chwili: – *Eins, zwei, drei*! – wyłożył Bosemu na biurko pięć nowiutkich paczek, prosto z banku.

Odbyło się przeliczenie, obficie okraszone porzekadłami i żarcikami Korowiowa, w rodzaju „pieniądz lubi być liczony”, „pańskie oko konia tuczy” i innymi tej samej klasy.

Przeliczywszy pieniądze, Bosy wziął od Korowiowa paszport cudzoziemca, aby zameldować artystę na pobyt tymczasowy, włożył ten paszport wraz z umową i pieniędzmi do teczki, i, jakoś nie mogąc się powstrzymać, wstydliwie poprosił o bilecik...

– Ach, nie ma o czym mówić! – ryknął Korowiow. – Ile pan sobie życzy bilecików, dwanaście, piętnaście?

Oszołomiony prezes wyjaśnił, że bileciki są mu potrzebne w liczbie dwóch, dla niego samego mianowicie i dla Pelagii Antonowny, jego żony.

Korowiow natychmiast wyrwał z kieszeni notes i zamaszyście wypisał prezesowi kartkę na dwa bilety w pierwszym rzędzie. Tę karteczkę tłumacz lewą ręką zwinnie wręczył prezesowi, a prawą włożył w drugą dłoń prezesa grubą szeleszczącą paczkę. Bosy rzucił na nią okiem, zapłonił się po uszy i zaczął odpychać paczkę od siebie.

– Nie uchodzi – wymamrotał.

– Nie chcę o tym nawet słyszeć – szepnął wprost w prezesowe ucho Korowiow. – U nas nie uchodzi, a u cudzoziemców wręcz przeciwnie. Pan go obrazi, a to po prostu nie wypada. Pan się przecież fatygował...

– Najsurowiej wzbronione – cichuteńko zaszemrał prezes i rozejrzał się wokół.

– A gdzież są świadkowie? – szepnął mu w drugie ucho Korowiow. – Gdzie świadkowie, pytam? Co też pan...

I w tym momencie stał się, jak później twierdził prezes, cud – paczka sama wślizgnęła mu się do teczki. A następnie Bosy z poczuciem dziwnej słabości, jak po ciężkiej chorobie, znalazł się na schodach. Wicher myśli szalał w jego głowie. Była tam i willa w Nicei, i tresowany kot, i myśl o tym, że świadków istotnie nie było oraz że Pelagia Antonowna ucieszy się z biletów. Myśli te, aczkolwiek bez żadnego związku ze sobą, były na ogół przyjemne. Niemniej jednak jakiś cierń w najgłębszych czeluściach prezesowej duszy uwierał Bosego. Był to cierń niepokoju. Poza tym, tu, na schodach, nagle poczuł się tak, jakby dostał obuchem w łeb: „A w jaki sposób tłumacz dostał się do gabinetu, skoro na drzwiach znajdowała się nienaruszona pieczęć? I jak to się stało, że on, Nikanor Bosy, nie zapytał o to?". Przez jakiś czas prezes jak baran wpatrywał się w stopnie schodów, ale w końcu postanowił machnąć na to wszystko ręką i nie zamęczać się rozważaniami na zbyt skomplikowane tematy.

Skoro tylko prezes opuścił mieszkanie, z sypialni dobiegł niski głos:

– Nie spodobał mi się ten prezes. To szubrawiec i krętacz. Czy nie można zrobić tak, żeby on tu się więcej nie pojawił?

– Wystarczy, że rozkażesz, messer – odezwał się Korowiow, a głos jego nie był już skrzekliwy, ale dźwięczny i bardzo czysty.

I momentalnie przeklęty tłumacz znalazł się w przedpokoju, nakręcił numer i powiedział do słuchawki głosem nie wiedzieć czemu nad wyraz płaczliwym:

– Halo! Uważam za swój obowiązek zawiadomić, że prezes spółdzielni, do której należy dom pod numerem 302-A na ulicy Sadowej, Nikanor Iwanowicz Bosy, spekuluje walutą. W obecnej chwili w jego mieszkaniu pod numerem trzydzieści pięć w przewodzie wentylacyjnym w ubikacji znajduje się zawinięte w papier gazetowy czterysta dolarów. Mówi Timofiej Kwascow, lokator inkryminowanego domu z mieszkania numer jedenaście. Zaklinam na wszystko o utrzymanie mego nazwiska w tajemnicy, ponieważ obawiam się zemsty przytoczonego wyżej prezesa!

I odwiesił słuchawkę, drań!

Co dalej działo się w mieszkaniu pod pięćdziesiątym – nie wiadomo, ale za to dokładnie wiadomo, co robił Nikanor Bosy. Prezes mianowicie zamknął się na haczyk w ubikacji, wyjął z kieszeni paczkę, którą w niego wmusił tłumacz, i upewnił się, że zawiera ona czterysta rubli. Paczkę tę Bosy zawinął w kawałek gazety i wepchnął w przewód wentylacyjny.

W pięć minut później siedział już przy stole w swojej maleńkiej jadalni. Małżonka jego przyniosła z kuchni starannie pokrojonego, suto posypanego szczypiorkiem śledzia. Nikanor Bosy napełnił wódką kieliszek, wypił, nalał znowu, wypił, nadział na widelec trzy dzwonka śledzia... i w tym właśnie momencie ktoś zadzwonił do drzwi. A właśnie żona wniosła wazę, z której buchała para. Wystarczyło raz tylko spojrzeć na tę wazę, by wiedzieć, że wewnątrz w gęstwinie płomiennego barszczu znajduje się to, co najsmaczniejsze na świecie – kość szpikowa.

Bosy przełknął ślinę i zawarczał jak pies:

– Żeby ich ziemia pochłonęła! Nawet zjeść nie dadzą!... Nie wpuszczaj nikogo, nie ma mnie, nie ma... W sprawie mieszkania powiedz, żeby przestali tu latać, za tydzień będzie zebranie zarządu.

Małżonka pobiegła otwierać, a prezes łyżką wazową wyłowił z ziejącego płomieniem jeziora ją, kość, pękniętą wzdłuż. W tym momencie do pokoju weszło dwóch obywateli, a z nimi nie wiedzieć czemu śmiertelnie pobladła żona prezesa. Bosy na widok owych obywateli również zbielał i wstał.

– Gdzie tu jest toaleta? – z troską w głosie zapytał pierwszy, ten w białej koszuli.

Coś stuknęło o nakryty do obiadu stół (to Nikanor Bosy upuścił łyżkę na ceratę).

– Tutaj, tutaj – szybciutko odpowiedziała Pelagia Antonowna.

Przybysze niezwłocznie udali się na korytarz.

– A o co chodzi? – cicho zapytał Bosy, podążając za gośćmi.

– U nas w mieszkaniu nie może się znajdować nic takiego... Może bym tak mógł zobaczyć dokumenty... proszę o wybaczenie...

Pierwszy w przelocie pokazał prezesowi stosowny dokument, a drugi w tej samej sekundzie stał już na taborecie w ubikacji z ręką w przewodzie wentylacyjnym. Bosemu pociemniało w oczach. Rozwinięto gazetę, ale w paczce nie było rubli, tylko dziwne, nieznane banknoty – ni to niebieskie, ni to zielone – z podobizną jakiegoś starca. Zresztą wszystko to Bosy widział niezbyt wyraźnie – przed oczami latały mu jakieś plamy.

– Dolary w wentylacji... – z zadumą powiedział pierwszy i miękkim, uprzejmym głosem zapytał Bosego: – To wasza paczuszka?

– Nie! – odpowiedział strasznym głosem prezes. – Podrzucili wrogowie!

– To się zdarza – zgodził się ten pierwszy i dodał znowu bardzo serdecznie: – No cóż, trzeba oddać resztę.

– Nie mam nic więcej! Nie mam, przysięgam na Boga! Nigdy niczego podobnego nawet w ręku nie miałem! – rozpaczliwie krzyczał prezes.

Rzucił się w stronę komody, z łoskotem wyciągnął szufladę, a z niej teczkę, wykrzykując przy tym bez związku:

– Oto umowa... Tłumacz-bandyta podrzucił... Korowiow... w binoklach...

Bosy otworzył teczkę, wsadził rękę do środka, zsiniał na twarzy i upuścił teczkę w barszcz. Teczka była pusta – ani listu od Stiopy, ani umowy, ani paszportu cudzoziemca, ani pieniędzy, ani kartki w sprawie biletów. Jednym słowem, w teczce nie było nic oprócz calówki.

– Towarzysze! – nieludzkim głosem wrzasnął prezes. – Trzymajcie ich! W naszym domu grasuje nieczysta siła!

W tym momencie nie wiadomo co zwidziało się jego żonie, ponieważ załamała ręce i zawołała:

– Przyznaj się, Iwanycz! Krócej będziesz siedział!

Bosy z oczyma nalanymi krwią potrząsnął pięściami nad głową żony i chrypiał:

– Uuu, krowa przeklęta!

Potem osłabł, opadł na krzesło, najwidoczniej postanawiając poddać się temu, co nieuniknione.

W tym czasie Timofiej Kondratiewicz Kwascow płonąc z ciekawości, stał na podeście, przypadając na zmianę raz okiem, raz uchem do dziurki od klucza w drzwiach prezesowego mieszkania.

Po pięciu minutach wszyscy mieszkańcy domu, którzy w tym czasie znajdowali się na podwórku, mogli widzieć swego prezesa, jak w towarzystwie dwóch mężczyzn przemaszerował wprost do bramy domu. Opowiadano, że Nikanor Iwanowicz wyglądał jak cień, że idąc, chwiał się, jakby był pijany, i że mamrotał coś pod nosem.

A po godzinie nieznajomy obywatel pojawił się w mieszkaniu numer jedenaście, właśnie wtedy, kiedy Timofiej Kwascow, zachłystując się ze szczęścia, opowiadał innym lokatorom, jak nakryto prezesa – skinieniem palca wywołał Kwascowa z kuchni do przedpokoju, coś mu powiedział, po czym Kwascow przepadł wraz z nim.

10

Wieści z Jałty

W tym samym czasie, kiedy nieszczęście spadło na Nikanora Iwanowicza, nieopodal domu numer 302-A na Sadowej, w gabinecie dyrektora finansowego teatru Variétés, Rimskiego, znajdowało się dwóch ludzi – sam dyrektor Rimski i administrator Warionucha. Dwa okna wielkiego gabinetu na pierwszym piętrze budynku teatru wychodziły na Sadową, trzecie zaś – znajdujące się dokładnie za plecami siedzącego przy biurku dyrektora – wychodziło na letni ogródek Variétés. Mieściły się tam bufety z napojami chłodzącymi, strzelnica i estrada pod gołym niebem. W gabinecie tym oprócz biurka znajdowało się jeszcze mnóstwo starych, rozwieszonych na ścianach afiszów, maleńki stolik z karafką wody, cztery fotele oraz stojący w kącie stelaż, na którym stała zakurzona stara makieta dekoracji do jakiejś rewii. No i rozumie się samo przez się, że poza tym wszystkim rezydowała w gabinecie niewielka, wyliniała i sfatygowana kasa pancerna – stała ona po lewej ręce Rimskiego obok biurka.

Siedzący za biurkiem Rimski od samego rana był w fatalnym nastroju, natomiast Warionucha, przeciwnie, był niezmiernie ożywiony i jakoś szczególnie, niespokojnie aktywny. A tymczasem nie mógł znaleźć ujścia dla swej energii.

Obecnie Warionucha ukrywał się w gabinecie dyrektora przed amatorami wejściówek, którzy zatruwali mu życie, szczególnie w dniach zmiany programu, a dzisiaj właśnie był taki dzień. Skoro tylko telefon zaczynał dzwonić, Warionucha podnosił słuchawkę i łgał:

– Z kim? Z Warionuchą? Nie ma go. Wyszedł z teatru.

– Proszę cię, zadzwoń ty jeszcze raz do Lichodiejewa – z rozdrażnieniem powiedział Rimski.

– Ależ nie ma go w domu. Już nawet Karpowa posyłałem, nikogo nie ma w mieszkaniu.

– Diabli wiedzą, co to ma znaczyć – syczał Rimski, stukając na arytmometrze.

Otworzyły się drzwi, bileter przydźwigał grubą paczkę świeżo wydrukowanych sztrajf – na zielonym papierze wielkimi czerwonymi literami widniało:

DZIŚ I CODZIENNIE
W TEATRZE VARIÉTÉS
NADPROGRAM
PROFESOR WOLAND
SEANSE CZARNEJ MAGII
ORAZ MAGII OWEJ
CAŁKOWITE ZDEMASKOWANIE

Warionucha narzucił sztrajfę na makietę, odszedł na parę kroków, ponapawał się i polecił bileterowi, aby niezwłocznie kazał rozkleić wszystkie egzemplarze.

– Dobre! Zwraca uwagę! – zauważył po odejściu biletera.

– A mnie się ta cała afera wyjątkowo nie podoba – z nienawiścią patrząc na afisz przez okulary w rogowej oprawie, warczał Rimski – i w ogóle bardzo się dziwię, że mu pozwolili na wystawienie czegoś podobnego.

– Nie, Grisza, nie mów! To bardzo subtelne posunięcie. Cały dowcip polega na demaskowaniu.

– Nie wiem, nie wiem, moim zdaniem to kiepski dowcip... ten Stiopa zawsze wymyśli coś takiego!... Gdyby chociaż pokazał nam tego maga! Ty go przynajmniej widziałeś? Diabli wiedzą, skąd on go wytrzasnął!

Okazało się, że Warionucha, podobnie jak Rimski, maga nie widział na oczy. Wczoraj Stiopa ("jak oszalały", według określenia Rimskiego) przybiegł do dyrektora z napisaną już na brudno umową, natychmiast polecił ją przepisać i wypłacić Wolandowi pieniądze. Potem mag ulotnił się i nikt prócz Stiopy więcej go nie widział.

Rimski wyjął zegarek, zobaczył, że wskazówki pokazują pięć po drugiej, i rozwścieczył się na dobre. Bo rzeczywiście! Lichodiejew dzwonił mniej więcej o jedenastej, powiedział, że przyjdzie za pół godziny, tymczasem nie tylko nie przyszedł, ale gdzieś zniknął z mieszkania.

– Przez niego cała robota stoi! – ryczał już Rimski, pokazując palcem na stos niepodpisanych papierków.

– A może wpadł pod tramwaj jak Berlioz? – wyraził przypuszczenie Warionucha, trzymając przy uchu słuchawkę, z której dobiegały głębokie, długie i całkowicie beznadziejne sygnały.

– To byłoby wcale nie najgorzej... – ledwie dosłyszalnie, przez zęby powiedział Rimski.

W tym momencie do gabinetu weszła kobieta w mundurowej kurtce, czarnej spódnicy, pantoflach na płaskim obcasie i w furażerce. Kobieta ta wyjęła z niewielkiej, zawieszonej na pasku torby biały kwadracik oraz zeszyt i zapytała:

– Gdzie tu jest Variétés? Mam pilną depeszę. Proszę podpisać.

Warionucha nabazgrał w zeszycie jakiś zakrętas i jak tylko za kobietą zamknęły się drzwi, otworzył telegram. Zapoznawszy się z jego treścią, zamrugał oczami i podał blankiet Rimskiemu.

Depesza brzmiała jak następuje: „jałty moskwy variétés dzisiaj pół dwunastej komisariacie zjawił się szatyn nocnej koszuli spodniach bez butów obłąkany zeznał nazwisko lichodiejew jest dyrektorem variétés depeszujcie milicja jałta gdzie dyrektor lichodiejew".

– Moje uszanowanie! – zawołał Rimski i dodał: – Jeszcze jedna niespodzianka!

– Samozwaniec! – oświadczył Warionucha i powiedział do słuchawki telefonicznej: – Przyjmowanie telegramów? Na rachunek Variétés. Pilna depesza. Słyszy mnie pani? „jałta, milicja... dyrektor lichodiejew moskwie dyrektor finansowy rimski".

Niezależnie od wiadomości o samozwańcu z Jałty Warionucha znowu rozpoczął wszechstronne telefoniczne poszukiwania Stiopy, ale nigdzie naturalnie go nie znalazł.

Właśnie kiedy Warionucha, trzymając w ręku słuchawkę, zastanawiał się, dokąd by jeszcze zadzwonić, weszła ta sama kobieta, która przyniosła pierwszą depeszę, i wręczyła mu nowy blankiet. Warionucha pospiesznie rozerwał go, przeczytał i gwizdnął.

– Co tam znowu? – z nerwowym grymasem zapytał Rimski.

Warionucha w milczeniu podał mu blankiet i dyrektor ujrzał wystukane na nim słowa: „błagam dać wiarę przeniesiony jałty hipnoza wolanda depeszujcie milicję potwierdzenie tożsamości lichodiejew".

Rimski i Warionucha głowa przy głowie studiowali depeszę, a przestudiowawszy ją, w milczeniu popatrzyli na siebie.

– Obywatele! – rozgniewała się kobieta. – Najpierw podpiszcie, a potem będziecie sobie milczeć, ile dusza zapragnie! Przecież ja roznoszę pilne telegramy!

Nie spuszczając oka z blankietu, Warionucha krzywo coś nakreślił w zeszycie, kobieta zniknęła.

– Na pewno rozmawiałeś z nim przez telefon po jedenastej? – zapytał całkowicie zdezorientowany administrator.

– Głupie pytanie! – przeraźliwie wrzasnął Rimski. – Rozmawiałem czy nie rozmawiałem, Lichodiejew nie może być teraz w Jałcie! To śmieszne!

– On jest pijany... – powiedział Warionucha.

– Kto jest pijany? – zapytał Rimski i znowu obaj wytrzeszczyli na siebie oczy.

Że z Jałty depeszował samozwaniec albo uzurpator, to nie ulegało wątpliwości. Lecz oto co było dziwne – skąd ów krymski mistyfikator znał Wolanda, który dopiero wczoraj przyjechał do Moskwy? W jaki sposób dowiedział się o kontaktach Lichodiejewa z Wolandem?

– Hipnoza... – powtarzał Warionucha słowa z depeszy. – Skąd on może wiedzieć o Wolandzie? – zamrugał powiekami i nagle zawołał zdecydowanie: – Ale skądże! Bzdura! Bzdura! Bzdura!

– Gdzie się zatrzymał ten Woland, niech go diabli porwą?! – zapytał Rimski.

Warionucha natychmiast połączył się z biurem turystyki zagranicznej i ku olbrzymiemu zdumieniu Rimskiego zawiadomił go, że Woland mieszka u Lichodiejewa. Następnie Warionucha nakręcił numer mieszkania Lichodiejewa i długo wsłuchiwał się w głębokie, buczące sygnały. Wśród tych sygnałów skądś z dala dobiegł ciężki, posępny głos, który śpiewał: „Skały, moja przystań...". Warionucha doszedł do wniosku, że do sieci telefonicznej włączył się głos ze studia radiowego.

– Mieszkanie nie odpowiada – powiedział Warionucha, odkładając słuchawkę na widełki. – Może by spróbować zadzwonić jeszcze...

Nie skończył. W drzwiach znów pojawiła się ta sama kobieta i obaj wstali na jej spotkanie, a kobieta wyjęła z torby już nie biały papierek, ale jakiś ciemny.

– To zaczyna być ciekawe – odprowadzając wzrokiem oddalającą się pospiesznie kobietę, wycedził przez zęby Warionucha.

Pierwszy zawładnął arkusikiem Rimski. Na ciemnym tle fotograficznego papieru wyraźnie odcinały się czarne pisane litery:

„Dowodem mój charakter pisma, mój podpis, proszę potwierdzić telegraficznie, zarządźcie obserwację Wolanda. Lichodiejew".

W ciągu dwudziestu lat swojej pracy w teatrach Warionucha widywał już różne rzeczy, ale tym razem poczuł, że jego umysł ulega jakiemuś zaćmieniu, i nie był w stanie wydobyć z siebie niczego poza trzeźwym, a jednocześnie całkowicie pozbawionym sensu zdaniem:

– To jest niemożliwe!

Rimski natomiast postąpił inaczej. Wstał, otworzył drzwi i wrzasnął do siedzącej na taborecie gończyni:

– Nie wpuszczać nikogo poza listonoszem! – i zamknął drzwi na klucz.

Następnie wyjął z biurka kupę papierów i zaczął uważnie porównywać grube, pochylone w lewo litery na fotogramie z literami adnotacji sporządzonych przez Stiopę, z jego zaopatrzonymi w śrubowaty zakrętas podpisami. Warionucha, niemal leżąc na biurku, ział gorącym oddechem w policzek Rimskiego.

– To jego charakter pisma – stanowczo powiedział wreszcie dyrektor, a Warionucha zawtórował jak echo:

– Jego.

Administrator uważnie przyjrzał się twarzy Rimskiego i zdziwił się zmianie, jaka w niej zaszła. I tak chudy dyrektor jak gdyby jeszcze schudł i nawet zestarzał się, a jego oczy w rogowej oprawie straciły swój zwykły ostry wyraz, pojawił się w nich lęk, a nawet smutek.

Warionucha wykonał wszystko, co człowiek powinien wykonać w chwili niesłychanego zdumienia. I po gabinecie pobiegał, i dwukrotnie rozrzucił ręce, jakby go kto ukrzyżował, i wypił całą szklankę żółtawej wody z karafki, a nawet wydawał z siebie następujące okrzyki:

– Nie rozumiem! Nie rozumiem! Nie-ro-zu-miem!

Rimski zaś patrzył w okno i głęboko nad czymś medytował. Sytuacja dyrektora była nad wyraz kłopotliwa. Należało niezwłocznie, nie ruszając się z miejsca, wytłumaczyć rzeczy niewytłumaczalne.

Przymrużając oczy, dyrektor wyobraził sobie Stiopę, jak w nocnej koszuli i bez butów wsiada dzisiaj około wpół do dwunastej do jakiegoś niezwykłego superszybkiego samolotu, a następnie tego samego Stiopę, który również o wpół do dwunastej stoi w skarpetkach na lotnisku w Jałcie... czort wie, co to wszystko znaczy! A może to nie Stiopa rozmawiał dziś z nim przez telefon ze swojego własnego mieszkania? Nie, to na pewno był Stiopa! Kto jak kto, ale on, Rimski, dobrze zna głos Stiopy. Ale nawet gdyby to nie Stiopa dzwonił dziś do niego, to przecież nie dalej jak wczoraj pod wieczór Stiopa prosto ze swojego gabinetu przyszedł tu, do gabinetu Rimskiego, z tą idiotyczną umową i denerwował dyrektora swoją lekkomyślnością. Jak mógł gdzieś pojechać czy polecieć, nie zawiadamiając nikogo w teatrze? A nawet jeśliby wyleciał wczoraj wieczorem, to nie mógł dotrzeć do Jałty dziś w południe. A może mógł?

– Ile jest kilometrów do Jałty? – zapytał Rimski.

Warionucha zaprzestał swojej bieganiny i wrzasnął:

– Już myślałem o tym! Myślałem! Koleją do Sewastopola około półtora tysiąca kilometrów, a do Jałty trzeba jeszcze dorzucić z osiemdziesiąt! W linii prostej oczywiście mniej.

Hm... Tak... O żadnych pociągach nie może tu być nawet mowy. Ale co w takim razie pozostaje? Myśliwiec. Ale kto i do jakiego myśliwskiego samolotu wpuścił Stiopę bez butów? Po co? A może Stiopa zdjął buty, kiedy przyleciał do Jałty? Znowu to samo – po co? Zresztą nawet w butach nikt nie wpuści Stiopy do wojskowego samolotu. Nie, pomysł z myśliwcem jest bez sensu. Przecież napisane było w depeszy, że Lichodiejew pojawił się na milicji o wpół do dwunastej, a tymczasem rozmawiał przez telefon w Moskwie... chwileczkę... (przed oczami Rimskiego pojawił się cyferblat jego zegarka).

Rimski przypomniał sobie położenie wskazówek... To przerażające! Było wówczas dwadzieścia po jedenastej!

Więc co z tego wynika? Jeżeli założyć, że Stiopa natychmiast po rozmowie popędził na lotnisko i że znalazł się tam, powiedzmy, po pięciu minutach (co, nawiasem mówiąc, jest również nie do pomyślenia), to wynika z tego, że samolot, niezwłocznie startując, w ciągu pięciu minut pokonał ponad tysiąc kilometrów. To znaczy, że osiąga szybkość dwunastu tysięcy kilometrów na godzinę! To jest zupełnie wykluczone, z czego wniosek, że Stiopy nie ma w Jałcie!

Więc co pozostaje? Hipnoza? Nie ma na świecie takiej hipnozy, żeby przerzucić człowieka o tysiąc kilometrów! A zatem Stiopie tylko się majaczy, że jest w Jałcie? Jemu może się oczywiście tak wydawać, ale czy milicji w Jałcie też się to tylko przywidziało?! O, nie, wybaczcie, takie rzeczy się nie zdarzają!... No dobrze, ale przecież oni stamtąd telegrafują.

Twarz dyrektora finansowego była dosłownie straszna. Tymczasem ktoś z tamtej strony dobijał się i szarpał za klamkę, słychać też było, jak gończyni rozpaczliwie krzyczy.

– Nie wolno! Nie puszczę! Choćbyście zamordowali! Posiedzenie!

Rimski opanował się, na ile go było stać, podniósł słuchawkę telefonu i powiedział:

– Poproszę rozmowę błyskawiczną z Jałtą.

„Mądrze!" – zawołał w myśli Warionucha. Ale rozmowa z Jałtą nie doszła do skutku. Rimski odłożył słuchawkę i powiedział:

– Jak na złość linia jest uszkodzona.

Widać było, że uszkodzenie linii, nie wiedzieć czemu, szczególnie zdenerwowało dyrektora, a nawet skłoniło go do nowych rozmyślań. Po chwili zadumy Rimski znowu jedną ręką ujął słuchawkę, a drugą notował to, co sam mówił przez telefon.

– Proszę przyjąć depeszę. Pilną. Variétés. Tak. Jałta. Komenda milicji. Tak. „dzisiaj około wpół do dwunastej lichodiejew rozmawiał ze mną telefon moskwie kropka po rozmowie nie przyszedł do pracy telefonicznie znaleźć nie możemy kropka charakter pisma potwierdzam kropka kroki celu wzięcia pod obserwację wymienionego artysty poczyniłem dyrektor finansowy rimski".

„Bardzo mądrze!" – pomyślał Warionucha, ale jeszcze nie zdążył na dobre tego pomyśleć, kiedy przez głowę przeleciała mu myśl: „Głupio! Stiopa nie może być w Jałcie!".

Rimski tymczasem zrobił, co następuje: starannie złożył wszystkie otrzymane depesze wraz z kopią swojej, wszystko to włożył do koperty, zakleił ją, napisał na wierzchu kilka słów i wręczył kopertę Warionusze, mówiąc:

– Odwieź to sam, nie zwlekając. Niech tam się martwią.

„A to już naprawdę mądrze!" – pomyślał Warionucha i schował kopertę do teczki. Następnie jeszcze raz na wszelki wypadek wykręcił numer mieszkania Lichodiejewa, wsłuchał się uważnie, zamrugał radośnie i tajemniczo wykrzywił twarz. Rimski wyciągnął szyję.

– Czy mogę prosić pana Wolanda? – słodko zapytał Warionucha.

– Oni są zajęci – odpowiedziała skrzekliwym głosem słuchawka.

– A kto prosi?

– Administrator Variétés Warionucha.

– Iwan Sawieliewicz? – radośnie zawołała słuchawka. – Jestem szalenie rad, że pana słyszę! Jak pańskie zdrowie?

– *Merci* – ze zdumieniem odpowiedział Warionucha – ale kto przy telefonie?

– Jego pomocnik, pomocnik i tłumacz, Korowiow! – trzeszczała słuchawka. – Jestem do pańskich usług, najmilszy Iwanie Sawieliewiczu! Niech pan dysponuje moją osobą wedle pańskich życzeń. A więc?

– Przepraszam... czy Stiepana Lichodiejewa nie ma w tej chwili w domu?

– Niestety! Nie ma! – krzyczała słuchawka. – Wyjechał!

– Dokąd?

– Na przejażdżkę samochodową za miasto.

– C-co? Na p-przejażdżkę?... A kiedy wróci?

– A, powiedział, odetchnę świeżym powietrzem i wrócę.

– Tak... – powiedział stropiony Warionucha – *merci*... Niech pan będzie uprzejmy przekazać panu Wolandowi, że jego dzisiejszy występ odbędzie się w trzeciej części programu.

– Słucham. Oczywiście. Jakże inaczej. Natychmiast. Bez wątpienia. Przekażę – urywanie stukała słuchawka.

– Wszystkiego dobrego – powiedział zdziwiony Warionucha.

– Proszę przyjąć – mówiła słuchawka – moje najlepsze, najgorętsze gratulacje i życzenia! Powodzenia! Sukcesów! Pełnego szczęścia! Wszystkiego!

– No, oczywiście! Przecież mówiłem! – ze wzburzeniem krzyczał administrator. – Nie pojechał do żadnej Jałty, tylko za miasto!

– No, jeżeli to tak – blednąc z wściekłości, powiedział dyrektor – to jest to rzeczywiście świństwo nie z tej ziemi.

W tym momencie administrator podskoczył i wrzasnął tak, że Rimski aż się wzdrygnął.

– Przypomniałem sobie! Przypomniałem! W Puszkino otworzyli niedawno wschodnią restaurację! Nazywa się „Jałta"! Wszystko jest jasne! Pojechał tam, schlał się i stamtąd depeszuje!

– No, tego już za wiele. – Policzek Rimskiego zniekształcał nerwowy tik, a w oczach płonęła ciężka, prawdziwa nienawiść. – No cóż, drogo zapłaci za ten spacer! – Rimski nagle zaciął się i niezdecydowanie dodał: – Ale jakże to, przecież milicja...

– To głupstwo! Głupie kawały Lichodiejewa – przerwał mu ekspansywny administrator i zapytał: – A kopertę jednak zawieźć?

– Bezwzględnie – odpowiedział Rimski.

I znowu otworzyły się drzwi i weszła ta sama... „Ona!" – nie wiadomo dlaczego z udręką pomyślał Rimski. I obaj wstali na spotkanie doręczycielki.

Tym razem depesza zawierała następujące słowa:

„dziękuję potwierdzenie natychmiast pięćset komenda milicji moje nazwisko jutro wylatuję moskwy lichodiejew".

– On zwariował... – słabo powiedział Warionucha.

Rimski zaś brzęknął kluczem, wyjął pieniądze z kasy ogniotrwałej, odliczył pięćset rubli, zadzwonił na gońca, dał mu pieniądze i polecił nadać je na poczcie.

– Na miłość boską, Grisza – nie wierząc swoim oczom, powiedział Warionucha – według mnie niesłusznie robisz, wysyłając te pieniądze.

– Pieniądze wrócą – cicho odparł Rimski – ale Lichodiejew ciężko odpokutuje ten piknik. – I dodał, wskazując teczkę Warionuchy: – Jedź jak najszybciej, spiesz się.

Warionucha wybiegł z teczką z gabinetu. Zszedł na parter, zobaczył olbrzymią kolejkę przy kasie, dowiedział się od kasjerki, że za godzinę będzie komplet, ponieważ gdy tylko rozlepiono sztrajfy, publiczność zaczęła walić jak nieprzytomna, polecił kasjerce zakreślić trzydzieści najlepszych miejsc w lożach na parterze i nie sprzedawać ich, wybiegł z kasy, po drodze pozbył się paru zabiegających o wejściówki natrętów i wpadł na chwilę do swojego gabinetu, żeby zabrać czapkę. W tym momencie zaterkotał telefon.

– Halo! – krzyknął Warionucha.

– Iwan Sawieliewicz? – wstrętnym nosowym głosem zasięgnęła informacji słuchawka.

– Wyszedł z teatru – zdążył krzyknąć Warionucha, ale słuchawka z miejsca mu przerwała:

– Niech pan lepiej słucha, zamiast strugać wariata. Niech pan tych depesz nigdzie nie nosi i nikomu nie pokazuje.

– Kto mówi? – zaryczał Warionucha. – Proszę natychmiast przestać się wygłupiać! My pana znajdziemy! Pański numer?

– Warionucha – odezwał się ciągle ten sam paskudny głos – czy ty rozumiesz po rosyjsku? Nie noś nigdzie tych depesz.

– Przestanie pan czy nie!? – krzyknął rozwścieczony administrator. – No, poczekaj! Zapłacisz ty mi za to! – Iwan Sawieliewicz wywrzasnął jeszcze jakąś pogróżkę, ale zaraz zamilkł, ponieważ wyczuł, że po tamtej stronie nikt go nie słucha.

Wtedy w gabinecie jakoś szybko zaczęło się ściemniać. Warionucha wybiegł, zatrzasnął za sobą drzwi i bocznym wyjściem wymknął się do letniego ogródka.

Był wzburzony i pełen energii. Po tej niesłychanej rozmowie nie wątpił już, że banda chuliganów pozwala sobie na obrzydliwe kawały i że te kawały są w jakiś sposób związane ze zniknięciem Lichodiejewa. Nieomal dusił się, tak pragnął wykryć złoczyńców i, co dziwniejsze, uczuł przedsmak czegoś przyjemnego. Tak bywa, kiedy człowiek stara się znaleźć w centrum uwagi albo przynosi gdzieś sensacyjną wiadomość. W ogródku wiatr uderzył administratora w twarz, sypnął w oczy piaskiem, jak gdyby zagradzał mu drogę, jak gdyby przestrzegał. Rama okienna na pierwszym piętrze trzasnęła tak, że omal nie wyleciały szyby, a wierzchołki lip i klonów trwożnie zaszumiały. Ściemniło się i ochłodziło. Administrator przetarł oczy i zobaczył, że nad Moskwę nadpełza niska żółtobrzucha chmura burzowa. W oddali ciężko zagrzmiało. Choć spieszył się ogromnie, nie potrafił się opanować, żeby nie wpaść na sekundę do letniego szaletu i nie sprawdzić, czy monter założył na lampę siatkową koszulkę.

Warionucha przebiegł obok strzelnicy i znalazł się w gęstych krzakach bzu, wśród których stał niebieskawy domek – letni szalet. Monter okazał się człowiekiem słownym, lampa pod daszkiem w męskiej ubikacji była już osłonięta metalową siatką, ale zmartwił bardzo administratora fakt, że nawet w przedburzowym słabym świetle można było zauważyć, iż na ścianach już się pojawiły wykonane węglem i ołówkiem napisy.

– Co to za… – zaczął administrator i nagle usłyszał za sobą głos, który wymruczał:

– To pan, Iwanie Sawieliewiczu?

Warionucha drgnął, odwrócił się i zobaczył przed sobą niedużego grubasa, jak mu się wydawało, z kocią fizjonomią.

– Powiedzmy, że ja – odpowiedział nieprzyjaźnie.

– Miło mi, naprawdę bardzo mi miło – piskliwym głosem powiedział kotopodobny grubas i nagle zamachnął się i zasunął go w ucho tak, że czapka spadła administratorowi z głowy i na wieki zniknęła w otworze klozetu.

Od uderzenia grubasa cały szalet rozjarzył się na sekundę migotliwym światłem, a w niebie rozległ się grzmot. Potem błysnęło ponownie i przed administratorem pojawił się jeszcze jeden – malutki, ale z barami atlety, rudy jak ogień, na jednym oku bielmo, w ustach kieł... Ten drugi, będąc najwidoczniej mańkutem, przygrzał administratorowi w drugie ucho. W odpowiedzi znów zagrzmiało w niebie i na drewniany dach szaletu runęła ulewa.

– Co wy robicie, towarzy... – wyszeptał oszalały administrator i z miejsca zdał sobie sprawę, że słowo „towarzysze" ani rusz nie pasuje do bandytów, którzy napadają na człowieka w szalecie publicznym, zachrypiał więc: – Obywatele... – połapał się, że i na ten tytuł również nie zasługują, i tym razem nie wiadomo od którego otrzymał trzeci straszliwy cios, krew z nosa chlusnęła mu na koszulę.

– Co masz w teczce, gnido? – przenikliwym głosem wrzasnął podobny do kota. – Depesze? A uprzedzano cię przez telefon, żebyś nigdzie ich nie nosił? Uprzedzano czy nie, pytam ciebie?

– Uprzedza... dzano... dzano... – łapiąc oddech, odpowiedział administrator.

– A ty musiałeś polecieć? Dawaj teczkę, pasożycie! – krzyknął drugi bandyta tym samym nosowym głosem, który administrator słyszał już w telefonie, i wyrwał teczkę z trzęsących się rąk Warionuchy.

Obaj ujęli administratora pod ramiona, wywlekli go z ogródka i pomknęli wraz z nim po Sadowej. Burza szalała na całego, woda z szumem i wyciem zapadała się pod ziemię, w studzienki kanalizacyjne, wszędzie piętrzyły się pieniste fale, z dachów chlustały strumienie, z bram i z rynien płynęły rwące potoki. Wszystko, co żyło, zniknęło z Sadowej, i Iwanowi Sawieliewiczowi nikt nie mógł przyjść z pomocą. Skacząc w mętnych rzeczkach, oświetlani błyskawicami bandyci w mgnieniu oka dowlekli na wpół żywego administratora do domu numer 302-A, wbiegli z nim do bramy, w której, trzymając w rękach pantofle i pończochy, tuliły się do ściany dwie bosonogie kobiety. Następnie wpadli na szóstą klatkę i bliski obłędu Warionucha został wniesiony na czwarte piętro i rzucony na podłogę w dobrze znanym mu półmroku przedpokoju w mieszkaniu Stiopy Lichodiejewa.

Wówczas obaj rozbójnicy zniknęli, a na ich miejsce zjawiła się w przedpokoju zupełnie naga dziewczyna – ruda, z oczyma płonącymi fosforycznym blaskiem. Warionucha zrozumiał, że to jest właśnie to najstraszniejsze ze wszystkiego, co go spotkało, i z jękiem przywarł do ściany. A dziewczyna podeszła bardzo blisko do administratora i położyła mu dłonie na ramionach. Włosy na głowie Warionuchy uniosły się i stanęły dęba, ponieważ nawet przez zimną, zupełnie przemokniętą tkaninę koszuli poczuł, że dłonie te są jeszcze zimniejsze, że są one zimne jak lód.

– Pozwól, że cię ucałuję – czule powiedziała dziewczyna i błyszczące jej oczy znalazły się tuż przy oczach administratora. Wtedy Warionucha zemdlał i pocałunku już nie czuł.

11

Rozdwojenie Iwana

Las na przeciwległym brzegu rzeki, jeszcze przed godziną roz-
świetlony majowym słońcem, zmrocznial, zmętniał i rozpłynął się.
Za oknem wisiała gęsta zasłona wody. Na niebie co chwila poja-
wiały się gorące nici, niebo pękało i migotliwe przerażające światło
zalewało pokój chorego.

Iwan siedział na łóżku i patrząc na mętną kipiącą rzekę, cicho
płakał. Przy każdym uderzeniu pioruna wydawał żałosny okrzyk
i zasłaniał rękami twarz. Na podłodze poniewierały się zapisane
kartki papieru – zdmuchnął je wiatr, który tuż przed burzą wdarł
się do pokoju.

Podejmowane przez poetę próby napisania meldunku o straszliwym konsultancie do niczego nie doprowadziły. Otrzymawszy od
grubej pielęgniarki Praskowii Fiodorowny ogryzek ołówka i papier,
poeta wesoło zatarł dłonie i spiesznie zasiadł przy stoliku. Początek
wyszedł mu zupełnie nieźle.

„Do milicji. Doniesienie członka Massolitu Iwana Bezdomnego.
Wczoraj wieczorem przyszedłem z nieboszczykiem M. Berliozem
na Patriarsze Prudy...".

I natychmiast poeta zaplątał się, głównie z powodu tego „nieboszczyka". Od razu zaczynało to wyglądać dość idiotycznie. Jakże to
tak – przyszedłem z nieboszczykiem. Nieboszczycy nie chadzają na
spacery. Doprawdy, uznają go tu za wariata, jeszcze tylko tego brakowało!

Doszedłszy do takiego wniosku, Iwan zaczął poprawiać tekst. Wyszło tak: „... z M. Berliozem, obecnym nieboszczykiem...". To również nie usatysfakcjonowało autora. Trzeci wariant okazał się gorszy
od obu poprzednich: „Berliozem, który wpadł pod tramwaj...", a tu

jeszcze przyplątał się ten nikomu nieznany kompozytor o tym samym nazwisku i trzeba było dopisać: „nie z kompozytorem...".

Namęczywszy się z dwoma Berliozami, Iwan przekreślił wszystko i postanowił zacząć od czegoś bardzo mocnego, co natychmiast przykuje uwagę czytającego, napisał więc, że kot wsiadł do tramwaju, potem znowu wrócił do historii z odciętą głową. Głowa i przepowiednia konsultanta skojarzyły mu się z Poncjuszem Piłatem i by całość wypadła bardziej przekonywająco, postanowił w całości przytoczyć opowiadanie o rzymskim prokuratorze, zaczynając od chwili, kiedy ten pojawił się w białym płaszczu z podbiciem koloru krwawnika pod kolumnadą pałacu Heroda.

Iwan pracował z zapałem, kreślił, wstawiał nowe słowa, próbował nawet narysować Poncjusza Piłata, a potem stojącego na tylnych łapach kota. Ale rysunki niewiele pomogły, im dalej, tym bardziej niezrozumiały i zawiły stawał się raport poety.

Kiedy daleko na niebie ukazała się przerażająca chmura o dymiących brzegach i spowiła las, kiedy zerwał się wicher, Iwan poczuł, że opadł z sił, że nie poradzi sobie z raportem, nawet nie podniósł z podłogi zapisanych kartek i cicho, gorzko zapłakał. Dobroduszna Praskowia Fiodorowna odwiedziła poetę w czasie burzy, zobaczyła, że płacze, przestraszyła się, zaciągnęła story, żeby błyskawice nie przerażały chorego, podniosła z podłogi kartki i pobiegła po lekarza.

Lekarz przyszedł, zrobił Iwanowi zastrzyk w ramię, zapewnił go, że więcej płakać nie będzie i że teraz wszystko przejdzie, wszystko się odmieni na lepsze i wszystko ulegnie zapomnieniu.

Okazało się, że lekarz miał rację. Po pewnym czasie las za rzeką odzyskał dawny wygląd. Każde drzewo rysowało się dokładnie na błękicie wyczyszczonym do poprzedniej niebieskości, a i rzeka płynęła sobie spokojnie. Chandra zaczęła opuszczać Iwana zaraz po zastrzyku, poeta leżał teraz spokojnie, wpatrzony w rozpiętą na niebie tęczę.

Tak trwało do wieczora i chory nawet nie zauważył, kiedy roztajała tęcza, kiedy posmutniało wypłowiałe niebo i sczerniał las.

Wypił gorące mleko, potem znów się położył i sam się zdziwił, jak bardzo odmieniły się jego myśli. Zatarł się nieco w pamięci przeklęty diabelski kot, nie straszyła już odcięta głowa, a Iwan, zarzuciwszy rozważania o niej, rozmyślał o tym, że w klinice jest w gruncie rzeczy zupełnie nieźle, że Strawiński to bardzo mądry człowiek i w ogóle sława, że mieć z nim do czynienia to wielka przyjemność. A powietrze wieczorem po burzy jest chłodne i wonne. Dom udręki zasypiał. Na cichych korytarzach pogasły białe matowe lampy, natomiast zgodnie z regulaminem zapaliły się słabe błękitne żarówki, coraz rzadziej słychać było za drzwiami ciche stąpania pielęgniarek po gumowych chodnikach korytarza.

Iwan leżał teraz zmożony słodką niemocą, patrzył to na lampę z abażurem, która świeciła pod sufitem łagodnym rozproszonym światłem, to znów na księżyc wschodzący nad ciemnym lasem, i sam ze sobą rozmawiał.

– Właściwie dlaczego tak się zdenerwowałem, kiedy Berlioz wpadł pod tramwaj – rozważał. – Ostatecznie, co mi do tego? Co to, mój brat albo swat? Jeśli przeanalizować to zagadnienie, jak należy, to właściwie nawet nie znałem dobrze nieboszczyka. Bo co ja, prawdę mówiąc, o nim wiedziałem? Tyle tylko, że był łysy i przerażająco gadatliwy. A poza tym, obywatele – dalej Iwan przemawiał już do kogoś – spróbujmy wyjaśnić rzecz następującą: proszę mi wytłumaczyć, dlaczego wściekłem się na tego zagadkowego konsultanta, maga i profesora z pustym i czarnym okiem? Po co mi była ta cała idiotyczna pogoń za nim, w gaciach, ze świeczką w ręku, a potem jeszcze ta dzika draka w restauracji?

– No-no-no! – nowy Iwan usłyszał nagle surowy głos dawnego Iwana; nie wiedział, czy był to głos wewnętrzny, czy też dobiegał z zewnątrz. – Przecież o tym, że Berliozowi obetnie głowę, profesor wiedział jednak z góry? Jakże się tu nie zdenerwować.

– O co właściwie chodzi, towarzysze? – nowy Iwan nie zgodził się z Iwanem zamierzchłym. – Że sprawa jest nieczysta, to jasne nawet dla dziecka. Profesor to człowiek niezwykły i tajemniczy na sto procent! Ale przecież właśnie to jest najciekawsze! Facet znał osobiście Poncjusza Piłata! Jeszcze wam mało? Chcecie czegoś ciekawszego? Czy nie rozsądniej byłoby zamiast robić tę wyjątkowo głupią chryję na Patriarszych Prudach, wypytać go grzecznie, co się dalej działo z Piłatem i z tym aresztowanym Ha-Nocri? A ja zajmowałem się diabli wiedzą czym! Rzeczywiście jest o czym mówić – redaktor miesięcznika literackiego wpadł pod tramwaj! No i co, może miesięcznik przez to przestanie wychodzić? Zresztą, co tu poradzisz? Człowiek jest śmiertelny i jak to ktoś słusznie powiedział, to, iż jest śmiertelny, okazuje się niespodziewanie. No, więc niech mu ziemia lekką będzie! No, to będzie inny redaktor, może nawet jeszcze wymowniejszy od poprzednika!

Po krótkiej drzemce nowy Iwan zjadliwie zapytał dawnego Iwana:

– Więc na kogo wyszedłem w takim razie?

– Na durnia! – wyraźnie powiedział jakiś bas nienależący do żadnego z Iwanów, za to nadzwyczaj podobny do głosu konsultanta.

Iwan jakoś się nie obraził na epitet „dureń" i nawet przyjemnie nim zdziwiony uśmiechnął się i zacichł w półśnie. Do Iwana skradał się sen i już zamajaczyła poecie palma na słoniowej nodze, przeszedł obok kot, nie, bynajmniej nie straszny, przeciwnie, wesoły, słowem – jeszcze chwilka i Iwan zapadnie w sen, kiedy nagle krata bezszelestnie odsunęła się na bok, na balkonie pojawiła się tajemnicza, kryjąca się przed poświatą księżyca sylwetka i pogroziła Iwanowi palcem.

Iwan bez lęku uniósł się na łóżku i zobaczył, że na balkonie stoi jakiś mężczyzna. Mężczyzna ten położył palec na ustach i wyszeptał:

– Ćśśś!...

12

Czarna magia oraz jak ją zdemaskowano

Niewysoki człowiek o malinowym nosie przypominającym kształtem gruszkę, w dziurawym żółtym meloniku, w kraciastych spodniach i w lakierkach z cholewką wjechał na scenę Variétés na najzwyklejszym dwukołowym rowerze. Przy dźwiękach fokstrota zatoczył krąg, a potem wydał zwycięski okrzyk, co spowodowało, że rower stanął dęba. Człowieczek przejechał kawałek tylko na tylnym kole, potem stanął na głowie, w biegu odkręcił przednie i odturlał je za kulisy, po czym kontynuował podróż na jednym kole, obracając pedały rękami.

Na wysokim metalowym maszcie, u którego szczytu było siodełko, wjechała na jednym kole pulchna blondynka w trykocie, w krótkiej, usianej srebrnymi gwiazdami spódniczce, i zaczęła jeździć w kółko. Człowiek, mijając ją, wydawał okrzyki powitalne i nogą zdejmował z głowy melonik.

Wreszcie na malutkim, dziecinnym, dwukołowym rowerku, do którego kierownicy przymocowano olbrzymi klakson samochodowy, wjechał ośmioletni chłopczyk o twarzy staruszka i zaczął przemykać się między dorosłymi.

Zrobiwszy kilka okrążeń, cała trupa, przy nerwowym warkocie bębna z orkiestry, podjechała do samej rampy i widzowie z pierwszych rzędów odchylili się z okrzykami lęku, wydało się bowiem publiczności, że cała trójka wraz ze swymi pojazdami spadnie na orkiestrę. Ale rowery zatrzymały się w ostatniej chwili, wtedy kiedy przednie koła już-już miały się ześlizgnąć w otchłań ponad głowy członków orkiestry. Rowerzyści z gromkim okrzykiem „up!" zeskoczyli ze swych pojazdów, skłonili się publiczności, przy czym blondynka posyłała widowni napowietrzne całusy, a chłopaczek odtrąbił na swoim klaksonie pocieszny sygnał.

Okrzyki wstrząsnęły budynkiem, z prawej i lewej ruszyła błękitna kurtyna, która zasłoniła rowerzystów, zielone światełka z napisami „Wejście" zagasły nad drzwiami i w pajęczynie trapezów pod kopułą zapłonęły jak słońce białe kule. Zaczął się ostatni antrakt.

Jedynym człowiekiem, którego ani trochę nie interesowały owe dziwy techniki rowerowej tria Giugli, był Grigorij Daniłowicz Rimski. Siedział w całkowitej samotności w swoim gabinecie, zagryzał wąskie wargi, a po jego twarzy co chwila przebiegał skurcz. Do niezwykłego zniknięcia Lichodiejewa doszło na dobitkę jak najzupełniej nieprzewidziane zniknięcie Warionuchy.

Rimski dobrze wiedział, dokąd poszedł Warionucha, lecz Warionucha poszedł... i nie wrócił! Rimski wzruszał ramionami i szeptał sam do siebie:

– Ale za co?!

I dziwna sprawa – człowiek tak rzeczowy jak dyrektor finansowy mógł oczywiście, i to było najprostsze, zadzwonić tam, dokąd się udał Warionucha, i dowiedzieć się, co się z nim stało, wszakże była już dziesiąta, a Rimski wciąż jeszcze siedział bezczynnie.

A o dziesiątej, przymusiwszy się do tego dosłownie gwałtem, podniósł słuchawkę i natychmiast stwierdził, że jego aparat ogłuchł. Goniec zameldował, że zepsuły się także pozostałe telefony w teatrze. Ten nieprzyjemny oczywiście, ale nie nadprzyrodzony przecież fakt, nie wiedzieć czemu, ostatecznie wytrącił dyrektora z równowagi, ale i ucieszył zarazem – Rimski nie musiał dzwonić.

Kiedy nad głową dyrektora na znak, że rozpoczął się antrakt, zapaliła się i zamigotała czerwona żaróweczka, wszedł goniec i zameldował, że przyjechał zagraniczny artysta. Dyrektor wzdrygnął się z nieznanych powodów i posępny jak gradowa chmura ruszył za kulisy, aby powitać maga – nie było bowiem nikogo innego, kto by mógł to zrobić.

Z korytarza, na którym terkotały już dzwonki, do wielkiej garderoby zaglądali pod różnymi pretekstami ciekawi. Byli tu sztukmistrze w krzykliwych kostiumach i w turbanach, mistrz jazdy figurowej na łyżwach w białym rozpinanym swetrze, biały od pudru wykonawca monologów i charakteryzator.

Przybyła znakomitość oszołomiła wszystkich frakiem niespotykanej długości i przedziwnego kroju oraz tym, że miała na twarzy małą czarną maseczkę. Ale najdziwniejsza była para, która towarzyszyła magowi – chudy kraciasty osobnik w pękniętych binoklach i tłusty czarny kocur, który wszedł do garderoby na tylnych łapach, beztrosko zasiadł na kanapie i mrużył ślepia, bo go raziły nagie żarówki przy służących do charakteryzacji lustrach.

Rimski postarał się przywołać na twarz uśmiech, skutkiem czego twarz ta stała się jakaś skwaszona i zła, wymienił ukłony z milczącym magiem, który siedział obok kota na kanapie. Obyło się bez uścisku dłoni. Za to nonszalancki kraciasty sam się dyrektorowi przedstawił jako „ichni asystent". Zdziwiło to dyrektora finansowego, i to zdziwiło niemile – kontrakt ani słowem nie napomykał o żadnym asystencie.

Grigorij Daniłowicz oschle i wymuszenie zapytał zwalającego mu się nagle na głowę kraciastego, gdzie są rekwizyty artysty.

– Brylancie ty nasz niebieski, dyrektorze najsłodszy – odparł skrzeczącym głosem asystent maga – nasze rekwizyty zawsze mamy ze sobą, oto one! *Eins, zwei, drei*!

Pokręcił węźlastymi palcami przed oczyma Rimskiego i znienacka wyciągnął kotu zza ucha złoty zegarek z dewizką, własność dyrektora, zegarek, który Rimski miał dotąd w kieszonce kamizelki pod zapiętą marynarką – w dodatku dewizka zaciągała się pętlą w dziurce od guzika.

Rimski mimo woli chwycił się za brzuch, obecni przy tym jęknęli, a zaglądający przez drzwi charakteryzator chrząknął z aprobatą.

– To pański zegareczek? Proszę, oto on – uśmiechając się bezczelnie, powiedział kraciasty i na brudnej dłoni podał osłupiałemu Rimskiemu jego własność.

– Z takim do tramwaju nie wsiadaj – cicho i wesoło szepnął charakteryzatorowi do ucha wykonawca monologów.

Ale kocur odstawił numer lepszy niż sztuczka z zegarkiem. Znienacka wstał z kanapy, podszedł na tylnych łapach do stolika pod lustrem, przednią łapą wyjął korek z karafki, nalał sobie wody do szklanki, wypił, korek wcisnął na miejsce i otarł sobie wąsy ściereczką do charakteryzacji.

Teraz nikt już nawet nie jęknął, tylko wszyscy pootwierali usta, a charakteryzator szepnął w zachwyceniu:

– To jest klasa…

Tymczasem dzwonki niespokojnie zagrzmiały po raz trzeci i wszyscy podnieceni w przewidywaniu interesującego popisu wysypali się z garderoby.

W minutę później zgasły na widowni kule, rzucające czerwonawy odblask na dolne partie kurtyny, zapaliła się rampa, kurtyna nieco się rozsunęła i w oświetlonej szparze stanął przed widownią tęgi, wesoły jak dziecko, gładko wygolony mężczyzna w wymiętym fraku z nieświeżym gorsem. Był to doskonale znany całej Moskwie konferansjer Żorż Bengalski.

– A więc, obywatele – rozpoczął z dziecinnym uśmiechem Bengalski – wystąpi teraz przed wami... – Tu Bengalski sam sobie przerwał i zaczął w innej tonacji: – Widzę, że po długim antrakcie mamy jeszcze więcej publiczności. Zwaliło się dziś do nas pół miasta! Parę dni temu spotykam przyjaciela i pytam: „Dlaczego nie wpadniesz? Wczoraj było u nas pół miasta". A on mi na to: „Bo ja mieszkam w tej drugiej połowie!" – Bengalski zrobił pauzę, czekając na salwę śmiechu, ale ponieważ nikt się nie roześmiał, ciągnął dalej: – ... A więc wystąpi teraz z seansem czarnej magii znakomity artysta zagraniczny, monsieur Woland. Oczywista, i ja wiem, i państwo wiecie – tu Bengalski uśmiechnął się arcymądrym uśmiechem – że czarna magia w ogóle nie istnieje i że nie jest to nic innego jak tylko zabobon, maestro Woland zaś po prostu mistrzowsko opanował technikę trików, o czym się zresztą dowiecie w najciekawszej części jego występu, to znaczy w części demaskującej całą tę technikę, no i ponieważ wszyscy jesteśmy entuzjastami techniki i jej demaskowania, to poprosimy teraz pana Wolanda!...

Wygłosiwszy wszystkie te niedorzeczności, Bengalski wzniósł ręce, splótł dłonie i potrząsnął nimi powitalnie w kierunku szpary w kurtynie, co sprawiło, że ta z cichym szelestem rozjechała się na obie strony.

Entrée maga, któremu towarzyszył długi asystent i kot, wchodzący na scenę na tylnych łapach, ogromnie spodobało się publiczności.

– Fotel – rzucił niezbyt głośno Woland i w tejże chwili, nie wiadomo skąd ani jak, pojawił się na scenie fotel, po czym mag w nim zasiadł. – Powiedz mi, zacny Fagocie – zapytał Woland kraciastego rzezimieszka, który widocznie zwał się nie tylko Korowiow – twoim zdaniem, mieszkańcy Moskwy bardzo się zmienili?

Mag popatrzył na ucichłą, wstrząśniętą wydobyciem fotela z powietrza publiczność.

– Tak jest, messer – niezbyt głośno odparł Fagot-Korowiow.

– Masz rację. Ludność tego miasta bardzo się zmieniła... zewnętrznie, mam na myśli... zresztą i samo miasto... O ubraniach nie ma nawet co mówić, ale pojawiły się te... jak im tam... tramwaje, automobile...

– Autobusy – z szacunkiem podpowiedział Fagot.

Publiczność przysłuchiwała się uważnie tej rozmowie, sądząc, iż to preludium do sztuk magicznych. W kulisach tłoczyli się aktorzy i ludzie z brygady technicznej, widać było wśród nich bladą, napiętą twarz Rimskiego.

Na twarzy stojącego z boku sceny Bengalskiego odmalowało się zdumienie. Uniósł cokolwiek brew i korzystając z chwili przerwy, powiedział:

– Zagraniczny artysta wyraża zachwyt Moskwą, która się tak rozwinęła w sensie technicznym, a także mieszkańcami Moskwy – tu się Bengalski dwukrotnie uśmiechnął, najpierw do parteru, potem do balkonu.

Woland, Fagot i kot zwrócili głowy w kierunku konferansjera.

– Czy wyraziłem zachwyt? – zapytał mag kraciastego Fagota.

– W żadnym wypadku, messer, nie było mowy o żadnym zachwycie – odparł kraciasty.

– Więc o czym ten człowiek mówi?

– Łże po prostu! – donośnie, na całą widownię oświadczył kraciasty pomocnik, a zwróciwszy się do Bengalskiego, dodał: – Gratuluję wam łgarstwa, obywatelu!

Z balkonu chlusnął śmieszek, Bengalski zaś drgnął i wybałuszył oczy.

– Mnie jednak interesują nie tyle autobusy, telefony i inna...

– Aparatura – podpowiedział kraciasty.

– Właśnie, dziękuję – powoli mówił ciężkim basem mag – ile sprawa niepomiernie istotniejsza: czy mieszkańcy tego miasta zmienili się wewnętrznie?

– Tak, to najważniejsza sprawa, messer.

W kulisach patrzono po sobie, wzruszano ramionami, Bengalski stał czerwony, Rimski zaś blady. Lecz wtedy mag, jak gdyby wyczuwając narastające zaniepokojenie, powiedział:

– Ale my tu gadu, gadu, drogi Fagocie, a publiczność zaczyna się nudzić. Bądź tak uprzejmy i pokaż nam na początek coś prościutkiego.

Sala poruszyła się. Fagot i kocur rozeszli się wzdłuż rampy w różne strony. Fagot prztyknął palcami, krzyknął dziarsko: „Trzy, cztery!", chwycił z powietrza talię kart, potasował ją, rzucił – karty jak wstęga poleciały w stronę kota. Kot złapał tę wstęgę i odrzucił ją z powrotem. Zafurkotał atłasowy wąż, Fagot rozdziawił się jak pisklak i połknął całą tę wstęgę, karta po karcie. Po czym kot ukłonił się, szurając prawą tylną łapą, co wywołało niewiarygodną owację.

– Klasa! Klasa! – krzyczano z zachwytem za kulisami.

Fagot zaś wskazał palcem na parter i oświadczył:

– Talia ta, szanowne obywatele, znajduje się tera w siódmym rzędzie u obywatela Parczewskiego, jak raz między banknotem trzyrublowym a wezwaniem do sądu w sprawie o zaległe alimenty dla obywatelki Zielkowej.

Na parterze zapanowało poruszenie, zaczęto wstawać z miejsc, aż wreszcie jakiś obywatel, który widocznie nazywał się Parczewski, purpurowy ze zdumienia, wyjął talię z pugilaresu i zaczął wymachiwać nią w powietrzu, nie wiedząc, co ma z nią dalej począć.

– Proszę ją zachować na pamiątkę! – zawołał doń Fagot. – Nie na darmo mówił pan wczoraj przy kolacji, że gdyby nie poker, to pana życie w Moskwie byłoby zupełnie nie do zniesienia.

– Stary kawał! – krzyknął ktoś z balkonu. – Ten na parterze jest z tej samej paczki!

– Tak pan sądzi? – zawrzasnął Fagot, przymrużonymi oczami patrząc na balkon. – W takim razie pan też do niej należy, ponieważ talia znajduje się w pańskiej kieszeni!

Na jaskółce powstało niewielkie zamieszanie, odezwał się uradowany głos:

– Rzeczywiście! Ma! Są, są!... Poczekaj! Przecież to czerwońce!

Ci z parteru poodwracali głowy. Na balkonie jakiś wstrząśnięty obywatel znalazł paczkę banknotów w bankowej banderoli z napisem: „Jeden tysiąc rubli". Sąsiedzi tłoczyli się wokół niego, on zaś ze zdumieniem skrobał paznokciem banderolę, usiłując rozeznać, czy to prawdziwe ruble, czy też jakieś zaczarowane.

– Jak Boga kocham, prawdziwe! Czerwońce, same dychy! – radośnie krzyczano z jaskółki.

– Zagraj pan i ze mną takimi kartami! – zaproponował wesoło jakiś tłuścioch w środku parteru.

– *Avec plaisir!* – odpowiedział Fagot. – Ale dlaczego tylko z panem? Wszyscy chętnie wezmą w tym udział! – I zakomenderował:

– Proszę popatrzeć w górę! Raz! – W jego dłoni znalazł się pistolet.

Fagot zawołał: – Dwa! – Lufa pistoletu podskoczyła do góry. Fagot zawołał: – Trzy! – Błysnęło, buchnęło i zaraz spod kopuły, nurkując pomiędzy podwieszonymi trapezami, zaczęły spadać na widownię białe papierki. Wirowały, opór powietrza znosił je na boki, spadały na balkon, do orkiestry i na scenę. Po kilku sekundach coraz rzęsistszy deszcz pieniędzy dosięgnął parteru i widzowie zaczęli wyłapywać papierki.

Wznosiły się setki rąk, widzowie patrzyli poprzez papierki na oświetloną scenę i widzieli najprawdziwsze, najautentyczniejsze znaki wodne. Zapach także nie budził najmniejszej wątpliwości – był to ów niezrównany, najmilszy na świecie zapach świeżo wydrukowanych banknotów. Cały teatr ogarnęła najpierw radość, a potem – osłupienie. Zewsząd buchało słowo „czerwońce", „czerwońce", dobiegały okrzyki „ach, ach!" i radosne śmiechy. Ten i ów czołgał się już w przejściu, macał pod fotelami. Wielu stało na fotelach i łowiło umykające kapryśnie papierki.

Na twarzach milicjantów zaczęło się pomaleńku malować zdziwienie, artyści zaś bezceremonialnie wysunęli się zza kulis.

Z balkonu dobiegł głos: „Co łapiesz, co? Mój, do mnie leciał!", i inny głos: „Nie pchaj się, bo jak ja cię popchnę!". Nagle rozległo się plaśnięcie, na balkonie natychmiast ukazała się czapka milicjanta, kogoś wyprowadzono.

W ogóle narastało podniecenie i nie wiadomo, czym by się to wszystko mogło skończyć, gdyby nie Fagot, który znienacka dmuchnął w powietrze i powstrzymał ową ulewę pieniędzy.

Dwaj młodzi ludzie, zamieniwszy ze sobą znaczące i rozbawione spojrzenia, wstali ze swoich miejsc i udali się prościutko do bufetu. W teatrze panował hałas, wszystkim widzom oczy błyszczały z podniecenia. Tak, tak, nie wiadomo, czym by się to wszystko mogło skończyć, gdyby Bengalski nie znalazł w sobie dość siły i nie ruszył do akcji. Starając się jak najlepiej zapanować nad sobą, zatarł z przyzwyczajenia ręce i zaczął najdźwięczniejszym swoim głosem:

– Tak więc, obywatele, byliśmy oto świadkami tak zwanej masowej hipnozy. Jest to ściśle naukowe doświadczenie, które najlepiej dowodzi, że nie ma w magii żadnych cudów. Poprosimy teraz maestro Wolanda, żeby zechciał nam objaśnić to doświadczenie. Obecnie, obywatele, zobaczycie, że te rzekome banknoty znikną równie szybko, jak się zjawiły.

I zaczął klaskać, ale klaskał w zupełnym osamotnieniu, jego śmiech wyrażał pewność siebie, ale w oczach nie miał tej pewności za grosz, patrzyły one raczej błagalnie.

Przemowa Bengalskiego nie przypadła publiczności do gustu. Zapadła zupełna cisza, którą przerwał kraciasty Fagot.

– A oto przypadek tak zwanego łgarstwa – gromko oświadczył koźlim tenorem – te pieniądze są prawdziwe, obywatele.

– Brawo! – wrzasnął krótko bas kędyś z wyżyn.

– Nawiasem mówiąc, obrzydł mi ten facet – tu Fagot wskazał Bengalskiego. – Pcha się ciągle tam, gdzie go nie proszą, psuje cały seans kłamliwymi komentarzami! Co z nim zrobimy?

– Głowę mu urwać! – surowo rzucił ktoś na jaskółce.

– Jak pan powiedział? – Fagot natychmiast zareagował na tę niegodziwą propozycję. – Urwać głowę? To jest myśl! Behemot! – zawołał kota. – Do roboty! *Eins, zwei, drei!*

I stała się rzecz niesłychana. Czarny kot zjeżył się i miauknął rozdzierająco. Potem sprężył się i jak pantera dał susa prosto na pierś Bengalskiego, a stamtąd przeskoczył mu na głowę. Z pomrukiem wbił napuszone łapy w wątłą fryzurę konferansjera, dziko zawył, przekręcił tę głowę raz, przekręcił drugi i oderwał ją od pulchnego karku.

Dwa tysiące ludzi na widowni krzyknęło jak jeden mąż. Krew z rozdartych tętnic chlusnęła fontannami, zalała półkoszulek i frak. Ciało bez głowy bezsensownie poruszało nogami i usiadło na podłodze. Na sali rozległy się histeryczne krzyki kobiet. Kot podał głowę Fagotowi, ten podniósł ją za włosy i ukazał publiczności, a głowa krzyknęła rozpaczliwie na cały teatr:

– Lekarza!

– Będziesz jeszcze plótł duby smalone? – groźnie zapytał płaczącą głowę Fagot.

– Już nie będę! – wyrzęziła głowa.

– Na litość boską, przestańcie go męczyć! – nagle, przekrzykując hałas, dobiegł z loży kobiecy głos i mag odwrócił się na ów głos.

– Więc jak, obywatele, darować mu czy nie? – zwracając się do widowni, zapytał Fagot.

– Darować, darować! – rozległy się najpierw pojedyncze, przeważnie kobiece głosy, które zlały się następnie w jeden chór z głosami mężczyzn.

– Co rozkażesz, messer? – zapytał Fagot tego, który był w masce.

– No cóż – odparł w zadumie tamten. – Ludzie są tylko ludźmi. Lubią pieniądze, ale przecież tak było zawsze... Ludzkość lubi pieniądze, z czegokolwiek byłyby zrobione, czy to ze skóry, czy z papieru, z brązu czy złota. Prawda, są lekkomyślni... No, cóż... I miłosierdzie zapuka niekiedy do ich serc... Ludzie jak ludzie... W zasadzie są, jacy byli, tylko problem mieszkaniowy ma na nich zgubny wpływ... – I rozkazał dobitnie: – Włóżcie głowę.

Kot, starannie się przymierzywszy, nasadził głowę na kark – trafiła precyzyjnie na właściwe miejsce, jakby się nigdzie nie oddalała. I, co najważniejsze, na szyi nie było nawet blizny. Kot strzepnął łapami frak i gors Bengalskiego i zniknęły z nich ślady krwi. Fagot podniósł siedzącego Bengalskiego, postawił go na nogi, wsunął mu do kieszeni fraka plik czerwońców i ze słowami: – Zjeżdżaj stąd, bez ciebie będzie weselej! – przepędził go ze sceny.

Konferansjer, potykając się i rozglądając bezmyślnie, dobrnął tylko do krzesełka strażaka, tam zaczęło z nim być źle. Zawołał żałośnie:

– Och, moja głowa, moja głowa!...

Wśród innych rzucił się ku niemu Rimski. Konferansjer płakał, chwytał rękami powietrze, mamrotał:

– Oddajcie mi moją głowę, głowę mi oddajcie... Zabierzcie mieszkanie, zabierzcie obrazy, ale oddajcie mi głowę!...

Goniec popędził po lekarza. Bengalskiego próbowano położyć na kanapce w garderobie, ale zaczął się wyrywać, wpadł w szał. Trzeba było wezwać karetkę. Kiedy zabrano nieszczęśliwego konferansjera, Rimski pobiegł z powrotem na scenę i zobaczył, że dzieją się tam nowe cuda. Nawiasem mówiąc, w tej właśnie chwili, czy może nieco wcześniej, mag zniknął ze sceny wraz ze swym wyleniałym fotelem, i trzeba tu dodać, że publiczność w ogóle tego nie zauważyła, tak była zaabsorbowana tym, co wyczarował na scenie Fagot.

Fagot, odprowadziwszy poszkodowanego konferansjera, oświadczył publiczności, co następuje:

– A teraz, skorośmy spławili już tego nudziarza, otwórzmy magazyn dla pań!

I natychmiast deski sceny pokryły perskie dywany, pojawiły się olbrzymie lustra oświetlone po bokach zielonkawymi rurkami, między lustrami zaś witryny, w których mile oszołomieni widzowie zobaczyli paryskie sukienki najróżniejszych kolorów i fasonów.

Zajmowały one część witryn. W innych pojawiły się setki damskich kapeluszy, z piórkami i bez piórek, z klamerkami i bez klamerek, a także setki par bucików – czarnych, białych, beżowych, skórzanych, atłasowych, zamszowych, z rzemyczkami i z kamuszkami. Pomiędzy pantofelkami pojawiły się perfumy w etui, zwały torebek ze skóry antylopy, zamszu, z jedwabiu, a między nimi całe sterty szminek w ozdobnych podłużnych złotych oprawkach.

Ruda pannica w czarnej wieczorowej toalecie, pannica, która diabli wiedzą skąd się wzięła i która byłaby bardzo przystojna, gdyby nie szpeciła jej dziwaczna blizna na szyi, uśmiechała się obok tych witryn zachęcającym uśmiechem właścicielki.

Fagot, słodko szczerząc zęby, oświadczył, że firma całkowicie bezpłatnie wymienia stare sukienki i obuwie na paryskie toalety i równie paryskie pantofelki. Dotyczy to, dodał, również torebek, perfum i całej reszty.

Kocur szurnął zadnią łapą, przednią wykonując zarazem jakieś gesty właściwe otwierającym drzwi portierom. Pannica, grasejując, odśpiewała słodko, aczkolwiek z chrypką w głosie, coś niezupełnie zrozumiałego, ale sądząc po twarzach kobiet na widowni, musiało to być coś nader nęcącego:

– Guerlain, Mitsuko, Narcisse Noir, Chanel numer pięć, suknie wieczorowe, sukienki koktajlowe...

Fagot wyginał się, kocur się kłaniał, pannica otwierała przeszklone witryny.

– Proszę! – darł się Fagot. – Bez żadnych ceremonii! Proszę się nie krępować!

Publiczność była podniecona, ale na razie nikt się nie kwapił z wejściem na scenę. Wreszcie w dziesiątym rzędzie wstała jakaś brunetka i uśmiechając się na znak, że niby jest jej naprawdę wszystko jedno i w ogóle ma to w nosie, podeszła i po bocznych schodkach wspięła się na proscenium.

– Brawo! – zawołał Fagot. – Witam pierwszą klientkę! Behemot, fotel dla pani! Zaczniemy od bucików, madame!

Brunetka zasiadła w fotelu, a Fagot natychmiast wysypał przed nią na dywan cały stos pantofli. Brunetka zdjęła z nogi swój prawy but, przymierzyła liliowy pantofel, postawiła nogę na dywanie i po kilkakroć poruszyła stopą, obejrzała obcas.

– A nie będą cisnęły? – spytała w zadumie.

Fagot na to zakrzyknął z oburzeniem:

– Co też pani mówi! – Kot zaś tak się obraził, że aż miauknął.

– Wezmę tę parę, monsieur – powiedziała z godnością brunetka, wkładając także drugi pantofel.

Stare jej pantofle zostały wyrzucone za zasłonę, powędrowała tam również i sama brunetka w asyście rudej pannicy i Fagota, który niósł na ramieniu kilka sukienek. Kot krzątał się, pomagał, a żeby przydać sobie powagi, zawiesił na szyi centymetr.

Po chwili brunetka wyszła zza zasłony w takiej sukience, że aż przez cały parter przetoczyło się westchnienie. Dzielna kobieta, która teraz zadziwiająco wyładniała, poprawiła sobie włosy na karku i przegięła się, usiłując obejrzeć się od tyłu.

– Firma prosi, żeby zechciała pani przyjąć to na pamiątkę – powiedział Fagot i podał brunetce otwarte etui z flakonem perfum.

– *Merci* – wyniośle powiedziała brunetka i zeszła po schodkach na widownię. Kiedy szła wzdłuż rzędów, widzowie zrywali się z miejsc, dotykali etui.

I właśnie wtedy tamy runęły i kobiety ze wszech stron wdarły się na scenę. W ogólnym rozgwarze, wśród powszechnego podniecenia, wśród chichotów i westchnień rozległ się nagle męski głos: „Stanowczo ci zabraniam!", i głos kobiecy: „Jesteś filister i tyran, puść, złamiesz mi rękę!". Kobiety znikały za zasłoną, pozostawiały tam swoje sukienki i ukazywały się widzom w nowych strojach. Na taborecikach o pozłacanych nóżkach zasiadło mnóstwo pań energicznie tupiących w dywan świeżo obutymi stópkami. Fagot klękał, manewrował srebrzystą łyżką do butów, omdlewał pod zwałami pantofli i torebek, miotał się od taborecików do witryn i od witryn do taborecików, pannica o zeszpeconej szyi zjawiała się, znowu znikała, wreszcie upadła tak nisko, że trajkotała używając już wyłącznie francuszczyzny, przy czym najbardziej zadziwiające było to, że rozumiały ją w pół słowa wszystkie kobiety, te nawet, które po francusku ani be, ani me.

Powszechny podziw wywołał mężczyzna, który wdarł się na scenę. Oświadczył on, że jego małżonka cierpi na grypę i że w związku z tym zmuszony jest prosić, aby przekazano jej to i owo za jego pośrednictwem. Obywatel ów, by dowieść, że rzeczywiście jest żonaty, gotów był okazać swój dowód osobisty. Oświadczenie zapobiegliwego męża przyjęte zostało chichotami. Fagot zaś wrzasnął, że ufa mu jak samemu sobie nawet bez okazywania dowodu, i wręczył owemu obywatelowi dwie pary jedwabnych pończoch, a kocur dodał od siebie paryską szminkę.

Spóźnione kobiety wdzierały się na scenę, zbiegały z niej uszczęśliwione, w balowych sukniach, w piżamach haftowanych w smoki, w dyskretnych kostiumach wizytowych, w przekrzywionych na bakier kapelusikach.

Wówczas Fagot oświadczył, że z powodu spóźnionej pory magazyn zostanie zamknięty aż do jutrzejszego wieczora dokładnie za minutę, i na scenie powstał niewiarygodny rozgardiasz. Kobiety pospiesznie chwytały pantofle bez przymiarki. Jedna wpadła jak burza za parawan, zdarła tam z siebie kostium i zawładnęła pierwszą rzeczą, jaka nawinęła jej się pod rękę – jedwabnym szlafrokiem w wielkie bukiety, oprócz tego zdążyła porwać dwa flakony perfum.

Dokładnie w minutę później gruchnął wystrzał pistoletowy, zniknęły lustra, zapadły się pod ziemię witryny i taboreciki, dywan rozpłynął się w powietrzu podobnie jak zasłona. Jako ostatnia zniknęła wielgachna góra starych sukien i obuwia, scena była znów surowa, naga i pusta.

Raptem włączyła się do akcji nowa osoba dramatu. Z loży numer dwa dobiegł miły, dźwięczny i bardzo kategoryczny baryton:

– Mimo wszystko pożądane by było, obywatelu artysto, by zechciał pan bez zwłoki zdemaskować wobec publiczności technikę swoich trików, a zwłaszcza tego triku z banknotami. Pożądany byłby także powrót konferansjera na scenę. Los jego niepokoi widzów.

Właścicielem barytonu był honorowy gość dzisiejszego koncertu, przewodniczący komisji akustycznej teatrów moskiewskich, Arkadij Apołłonowicz Siemplejarow we własnej osobie.

Siemplejarow przebywał w loży wraz z dwiema damami – jedna z nich była leciwa, drogo i modnie ubrana, druga, młodziutka i bardzo ładna, ubrana była skromniej. Ta pierwsza, jak się niebawem przy spisywaniu protokołu wyjaśniło, była małżonką Siemplejarowa, druga zaś – jego daleką krewną, początkującą, acz rokującą wielkie nadzieje aktorką, która przyjechała z Saratowa i zatrzymała się w mieszkaniu przewodniczącego i jego połowicy.

– Pardon! – odpowiedział na to Fagot. – Przepraszam, tu nic nie trzeba demaskować, wszystko jest jasne.

– O, nie, proszę mi wybaczyć, ale nie mogę się z tym zgodzić! Zdemaskowanie jest niezbędne. Jeśli nie nastąpi, pański znakomity występ pozostawi przygnębiające wrażenie. Masowy odbiorca domaga się wyjaśnień.

– Wydaje mi się – przerwał Siemplejarowi bezczelny bufon – że masowy odbiorca nie wyrażał takich życzeń. Ale, Arkadiju Apołłonowiczu, przychylając się do pańskiego wielce szanownego życzenia, dokonam, oczywiście, demaskacji. Pozwoli pan wszakże, że w tym celu zademonstrujemy jeszcze jeden króciutki numerek?

– Proszę uprzejmie – protekcjonalnie odpowiedział Siemplejarow. – Ale koniecznie wraz ze zdemaskowaniem.

– Tak jest, tak jest, zrobi się. A potem pozwoli pan, Arkadiju Apołłonowiczu, że zapytam, gdzie pan spędził wczorajszy wieczór?

Po tym z pewnością nietaktownym, a nawet chyba chamskim pytaniu Siemplejarow zmienił się na twarzy, i to nawet bardzo się zmienił.

– Wczoraj wieczorem Arkadij Apołłonowicz był na posiedzeniu komisji akustycznej – niezmiernie wyniośle oświadczyła małżonka przewodniczącego. – Nie rozumiem jednak, jaki to ma związek z magią.

– *Oui*, madame! – przytaknął Fagot. – Oczywiście, że pani nie rozumie. Co zaś do posiedzenia, to jest pani w błędzie. Wyjechawszy na wyżej wzmiankowane posiedzenie, które nawiasem mówiąc, wcale nie było na wczoraj wyznaczone, małżonek pani zwolnił kierowcę przed gmachem komisji akustycznej na Czystych Prudach (cały teatr zamarł), sam zaś pojechał autobusem na ulicę Jełochowską, by złożyć wizytę artystce rejonowego teatru objazdowego Milicy Andriejewnie Pokobat'ko, i bawił u niej mniej więcej przez cztery godziny.

– Och! – zakrzyknął w zupełnej ciszy jakiś zbolały głos.

Młoda zaś kuzyneczka Arkadija Apołłonowicza roześmiała się nagle niskim i straszliwym śmiechem.

– Teraz wszystko rozumiem! – krzyknęła. – Już od dawna to podejrzewałam. Teraz rozumiem, dlaczego to beztalencie dostało rolę Luizy!

I zamachnąwszy się znienacka, krótką i grubą parasolką lila uderzyła przewodniczącego komisji akustycznej po głowie.

Podły zaś Fagot, czyli Korowiow, wołał:

– Oto, szanowni obywatele, typowy przykład demaskowania, którego tak usilnie domagał się Arkadij Apołłonowicz!

– Jakżeś ty śmiała, szelmo jedna, dotknąć Arkadija Apołłonowicza? – groźnie zapytała małżonka Siemplejarowa, powstając w loży w całej swej olbrzymiej okazałości.

Młodziutką kuzyneczkę po raz drugi ogarnął napad urywanego satanicznego śmiechu.

– Kto jak kto – powiedziała, chichocząc – ale ja mam odwagę go dotknąć! – I rozległ się po raz drugi suchy trzask parasolki odskakującej od głowy przewodniczącego.

– Milicja! Aresztować ją! – zawołała małżonka Siemplejarowa głosem tak strasznym, że niejednemu zrobiło się zimno. W dodatku kocur właśnie wtedy rzucił się był ku rampie i ludzkim głosem wrzasnął znienacka na cały teatr:

– Koniec seansu! Maestro! Zasuwaj pan marsza!

Ogłupiały dyrygent, nie zdając sobie sprawy z tego, co robi, machnął batutą i orkiestra nie zagrała, nie zagrzmiała ani nawet nie łupnęła, ale właśnie – dokładnie tak, jak to ohydnie określił kot – zasunęła jakiegoś nieprawdopodobnego i z niczym w swym wyuzdaniu niedającego się porównać marsza.

Przez moment wydawało się, że kiedyś, pod gwiazdami Południa, w jakimś *café chantant* rozbrzmiewały już trudne do zrozumienia, na wpół oślepłe, a przecież chwackie słowa tego marsza:

Słabość miał taką Jego Wysokość:
lubił domowe ptactwo –
gdy hoże dziewczę wpadło mu w oko,
w opiekę brał biedactwo!

A może nie było żadnych takich słów, może były jakieś inne, napisane do tejże muzyki, już zupełnie nieprzyzwoite. To nieważne. Ważne, że w Variétés zaczęło się po tym wszystkim coś w rodzaju istnej wieży Babel. Milicjanci biegli w kierunku loży Siemplejarowa, gapie włazili na poręcze krzeseł, słychać było wybuchy piekielnego śmiechu, oszalałe krzyki, które zagłuszał złoty brzęk talerzy orkiestry.

I można było zobaczyć, że scena nieoczekiwanie opustoszała, że i Fagot-nabieracz, i to bezczelne kocisko, Behemot, rozpłynęli się w powietrzu, zniknęli, tak jak zniknął przedtem mag, który siedział w fotelu z wyleniałym obiciem.

13

Pojawia się bohater

Tak więc nieznajomy pogroził Iwanowi palcem i szepnął:
– „Ćśśś!…”.

Iwan usiadł na łóżku i rozejrzał się. Do pokoju ostrożnie zaglądał mniej więcej trzydziestoośmioletni człowiek, ciemnowłosy, starannie wygolony, o ostrym nosie i przerażonych oczach. Człowiek ten stał na balkonie, kosmyk włosów opadał mu na czoło.

Upewniwszy się, że Iwan jest sam, tajemniczy ów gość nasłuchiwał jeszcze przez chwilę, a potem nabrał odwagi i wszedł do pokoju. Iwan zobaczył wtedy, że przybysz ma na sobie szpitalną odzież. Przybysz był w bieliźnie, na ramiona narzucił szary szlafrok, a bose jego stopy tkwiły w rannych pantoflach.

Przybyły zrobił oko do Iwana, schował do kieszeni pęk kluczy, upewnił się szeptem, czy może usiąść, a kiedy Iwan w odpowiedzi na to skinął twierdząco głową, usadowił się wygodnie w fotelu.

– Jak pan się tu dostał? – zapytał szeptem Iwan, czując respekt przed grożącym mu szczupłym palcem. – Przecież kraty balkonów zamykane są na klucz.

– Kraty zamyka się na klucz – przytaknął gość – ale Praskowia Fiodorowna to osoba wprawdzie niezmiernie sympatyczna, lecz, niestety, roztargniona. Już przed miesiącem ściągnąłem jej cały pęk kluczy, uzyskując w ten sposób możność przedostawania się na wspólny nasz balkon, a balkon ten ciągnie się, jak wiadomo, wzdłuż całego piętra, i nic łatwiejszego, niż odwiedzić tą drogą sąsiada.

– Skoro może pan wyjść na balkon, może pan również stąd uciec. A może to za wysoko? – zainteresował się Iwan.

– O, nie – odparł z naciskiem gość – nie mogę stąd uciec, nie dlatego, że za wysoko, tylko dlatego, że nie mam dokąd uciekać. – A po chwili dodał: – A więc siedzimy?

– Siedzimy – odpowiedział mu Iwan, wpatrując się w piwne, nader niespokojne oczy przybysza.

– Taak... – gość zaniepokoił się nagle. – Mam nadzieję, że jest pan spokojnym pacjentem? Bo, wie pan, nie znoszę hałasów, awantur, przemocy ani niczego w tym guście. Zwłaszcza nienawidzę, kiedy ludzie krzyczą – wszystko jedno, czy krzyczą z bólu, czy z gniewu, czy z jakiegokolwiek innego powodu. Proszę mi powiedzieć dla mojego świętego spokoju, czy nie miewa pan ataków szału?

– Wczoraj w knajpie przysunąłem w mordę jednemu facetowi – mężnie przyznał się przeobrażony poeta.

– Powody? – surowo zapytał gość.

– Prawdę mówiąc, to bez powodu – odpowiedział skonfundowany Iwan.

– Przerażające! – skarcił Iwana gość i dorzucił: – A poza tym cóż to za wyrażenia – przysunąłem w mordę?... Przecież nie wiadomo właściwie, czy człowiek ma mordę, czy twarz. Myślę zresztą, że mimo wszystko ma twarz. Więc, wie pan, tak pięściami... Lepiej niech pan skończy z tym raz na zawsze.

Zbesztawszy w ten sposób gospodarza, gość zapytał:

– Zawód?

– Poeta – jakoś niechętnie przyznał się Iwan.

Przybysz był niepocieszony.

– Ależ mi się nie wiedzie! – zawołał, ale opanował się natychmiast, przeprosił Iwana i zapytał: – A pana nazwisko?

– Bezdomny.

– Ech, ech... – powiedział gość i skrzywił się.

– Nie podobają się panu moje wiersze? – spytał zaciekawiony Iwan.

– Strasznie mi się nie podobają.

– A które z nich pan czytał?

– Nie czytałem żadnych pańskich wierszy! – nerwowo wykrzyknął przybysz.

– Więc dlaczego pan tak mówi?

– Cóż w tym dziwnego? – odpowiedział gość. – Albo to nie czytałem innych wierszy? Zresztą, różnie to bywa... Dobrze, gotów jestem wierzyć na słowo. Proszę mi powiedzieć, czy te pana wiersze są dobre?

– Potworne! – śmiało i szczerze powiedział nagle Iwan.

– Proszę ich więcej nie pisać! – błagalnie poprosił przybysz.

– Przyrzekam to i przysięgam – uroczyście oświadczył Iwan.

Przypieczętowali tę przysięgę uściskiem dłoni, ale z korytarza dobiegły nagle czyjeś miękkie kroki, jakieś głosy.

– Ćśśś! – szepnął gość, wyskoczył na balkon i przymknął za sobą kratę.

Zajrzała Praskowia Fiodorowna, zapytała, jak się Iwan czuje, czy woli spać po ciemku, czy przy zapalonym świetle. Iwan poprosił, by zostawiono światło, i Praskowia Fiodorowna wyszła, życząc choremu dobrej nocy. A kiedy wszystko już ucichło, wrócił gość.

Szeptem zakomunikował Iwanowi, że do sto dziewiętnastki przywieziono nowego, jakiegoś grubasa o purpurowej twarzy, który nieustannie mamrocze o jakichś dolarach w przewodzie wentylacyjnym i przysięga, że w jego mieszkaniu na Sadowej zagnieździła się siła nieczysta.

– Wymyśla Puszkinowi na czym świat stoi i ciągle krzyczy: „Kurolesow, bis, bis!" – drżąc z trwogi mówił gość. Potem się uspokoił, usiadł i powiedział: – A zresztą Bóg z nim... – I wrócił do pierwotnej rozmowy. – A więc jak to się stało, że się tu pan znalazł?

– Poncjusz Piłat – odparł Iwan, posępnie patrząc w podłogę.

– Co?! – wrzasnął gość, zapominając o ostrożności, i zaraz zasłonił sobie usta dłonią. – Cóż za zbieg okoliczności! Błagam, błagam, niech pan o tym opowie.

Iwan sam nie wiedział, czemu przybysz wzbudził w nim zaufanie. Początkowo czerwienił się i jąkał, ale potem nabrał śmiałości i zaczął opowiadać, co się wczoraj zdarzyło na Patriarszych Prudach. O, w osobie tajemniczego zdobywcy kluczy Iwan zyskał sobie wdzięcznego słuchacza! Gość najwyraźniej nie uważał go za wariata, zdradzał ogromne zainteresowanie tym, co Iwan miał do opowiedzenia, a w miarę opowieści popadał w coraz większy zachwyt. Co chwila przerywał Iwanowi okrzykami:

– No, no, niech pan mówi dalej, niech pan mówi dalej, błagam! Tylko, na wszystkie świętości, proszę nie zapomnieć o żadnym szczególe!

Iwan nie zapomniał o żadnym szczególe, łatwiej mu było powiedzieć wszystko po kolei, powoli dotarł do tego miejsca, kiedy Poncjusz Piłat w białym płaszczu z podbiciem koloru krwawnika wyszedł na taras.

Wtedy gość modlitewnie złożył dłonie i wyszeptał:

– O, ja to przewidywałem! Jak ja to wszystko dokładnie przewidziałem!

Przy opisie żałosnego zgonu Berlioza słuchacz zagadkowo zauważył, przy czym jego oczy błysnęły gniewnie:

– Jednego tylko nie mogę przeboleć, tego, że na miejscu Berlioza nie znalazł się krytyk Łatuński albo literat Mścisław Laurowicz! – I zajadle, choć bardzo cicho, wrzasnął: – Niech pan mówi dalej!

Ogromnie rozbawił gościa kot, który płacił za bilet, gość krztusił się od tłumionego śmiechu, patrząc, jak Iwan, podniecony wrażeniem wywieranym przez jego opowieść, kica na piętach, udając kota z monetą pod wąsem.

– I tak oto – zakończył Iwan, opowiedziawszy o tym, co się stało w Gribojedowie, posmutniały i przygaszony – znalazłem się tutaj.

Przybysz ze współczuciem ujął biednego poetę za ramię i powiedział tak:

– Nieszczęsny poeto! Niestety, sam sobie jesteś winien, kochaneczku. Nie trzeba było się przy nim zachowywać tak bezceremonialnie, a nawet, rzekłbym, arogancko. Oto skutki. Dziękuj losowi, żeś się z tego wywinął tak małym kosztem.

– Ale kimże on w końcu jest? – potrząsając we wzburzeniu zaciśniętymi pięściami, pytał Iwan.

Gość przyjrzał się Iwanowi i odpowiedział pytaniem na pytanie:

– Ale czy zachowa pan spokój, kiedy to panu powiem? Wszyscy jesteśmy dość niezrównoważeni... Nie trzeba będzie wzywać lekarza, robić zastrzyku, nie będzie kłopotu?

– Nie, nie! – krzyknął Iwan. – Proszę powiedzieć, kim on jest?

– Dobrze – odparł gość i z naciskiem, starannie akcentując słowa, powiedział: – Wczoraj na Patriarszych Prudach spotkał pan szatana.

– To niemożliwe! Nie ma żadnego szatana! – Iwan zachował spokój, jak obiecywał, ale był jednak niezwykle zaskoczony.

– Bardzo przepraszam! Kto jak kto, ale pan nie powinien mówić takich rzeczy. Jest pan przecież jedną z pierwszych jego ofiar. Siedzi pan, jak sam pan o tym dobrze wie, w szpitalu psychiatrycznym, a ciągle jeszcze pan się upiera, że szatan nie istnieje. To doprawdy dziwne!

Iwan, zbity z pantałyku, zamilkł.

– Skoro tylko zaczął go pan opisywać – ciągnął gość – od razu się domyśliłem, z kim pan miał wczoraj przyjemność. I, słowo daję, dziwię się Berliozowi! Pański umysł to puszcza dziewicza – tu gość znowu poprosił o wybaczenie – ale Berlioz, sądząc z tego, co o nim słyszałem, coś niecoś przecież czytał! Już pierwsze zdania tego profesora rozwiały wszystkie moje wątpliwości. Trudno go nie rozpoznać, przyjacielu! Zresztą, pan... raz jeszcze proszę mi wybaczyć, ale chyba się nie mylę, sądząc, że jest pan nieukiem?

– Niewątpliwie! – przytaknął zmieniony nie do poznania Iwan.

– Właśnie... A przecież nawet ta twarz, którą mi pan opisał, te oczy, z których każde jest inne, te brwi! Proszę mi darować, ale może nawet nie zna pan opery *Faust*?

Iwan nie wiedzieć czemu zmieszał się okropnie, zaczerwienił i zaczął coś mamrotać o jakimś wyjeździe do sanatorium... do Jałty...

– No, właśnie... No, właśnie... Nic zatem dziwnego... Ale Berlioz, powtarzam, zaskoczył mnie... To był człowiek nie tylko oczytany, ale również bardzo sprytny. Choć muszę powiedzieć na jego obronę, że Woland potrafi zamydlić oczy nawet sprytniejszym od Berlioza.

– Kto?! – krzyknął z kolei Iwan.

– Ciszej!

Iwan palnął się po głowie i wychrypiał:

– Rozumiem, rozumiem. Miał literę „W” na wizytówce. Aj-aj-aj, to ci dopiero! – Przez chwilę milczał wzburzony, wpatrywał się w przepływający za kratami księżyc, potem znów zaczął mówić:
– Więc on naprawdę mógł być u Poncjusza Piłata? Przecież był już wtedy na świecie! A mówią, że jestem wariat! – dodał, wskazując z oburzeniem drzwi.

Na ustach gościa pojawił się gorzki grymas.

– Musimy spojrzeć prawdzie w oczy – gość zwrócił twarz w kierunku wędrującego przez chmurę jasnego księżyca. – Cóż tu ukrywać, obaj jesteśmy obłąkani. Widzi pan, to jest tak – on wywarł na panu wstrząsające wrażenie i postradał pan zmysły, bo widocznie miał pan do tego predyspozycję. Ale to, o czym pan opowiada, niewątpliwie rzeczywiście miało miejsce. Jest to jednak coś tak niezwykłego, że nawet genialny psychiatra Strawiński nie mógł oczywiście uwierzyć panu. Strawiński pana badał? (Iwan przytaknął)... Pański rozmówca był u Piłata, jadł śniadanie z Kantem, a teraz odwiedził Moskwę.

– Ale przecież on tu diabli wiedzą jak narozrabia! Trzeba go jakoś złapać! – W nowym Iwanie powoli acz niepewnie dochodził do głosu Iwan dawny, najwidoczniej jeszcze niedobity.

– Już pan próbował, a więcej próbować bym nie radził – powiedział gość ironicznie. – Nie radziłbym ani panu, ani innym. A że narozrabia, o to może pan być spokojny. Ach! Ach! Nie mogę odżałować, że to pan go spotkał, a nie ja. Choć już wszystko spłonęło do cna i popiół przysypał węgle, to jednak przysięgam, że za to spotkanie oddałbym wszystkie klucze Praskowii Fiodorowny, bo niczego prócz nich nie mam do oddania. Jestem nędzarzem.

– Po cóż on panu?

Gość długo wzdychał z żałością, aż wreszcie zaczął mówić:

– Tak się, widzi pan, dziwnie składa, że siedzę tu z tego samego powodu co pan, to znaczy z powodu Piłata. – Tu rozejrzał się z lękiem i powiedział: – Chodzi o to, że przed rokiem napisałem powieść o Piłacie z Pontu.

– Jest pan pisarzem? – zapytał z zainteresowaniem poeta.

Twarz gościa pociemniała, pogroził Iwanowi pięścią, a potem powiedział:

– Jestem mistrzem. – Gość przybrał surowy wygląd i wyciągnął z kieszeni szlafroka nieopisanie brudną czarną czapeczkę, na której wyszyta była jedwabiem litera „M". Włożył tę czapeczkę, zademonstrował się Iwanowi en face i z profilu, by dowieść, że rzeczywiście jest mistrzem. – Uszyła mi ją własnoręcznie – dodał tajemniczo.

– A jak pana nazwisko?

– Nie mam już nazwiska – odparł z posępną pogardą dziwny gość. – Wyrzekłem się go, jak zresztą wszystkiego w tym życiu. Puśćmy to w niepamięć.

– W takim razie niech pan przynajmniej coś opowie o tej powieści – nieśmiało poprosił Iwan.

– Proszę uprzejmie. Trzeba przyznać, że moje życie układało się dość niezwykle – zaczął mówić gość.

... Z wykształcenia historyk, jeszcze przed dwoma laty pracował w jednym z moskiewskich muzeów, a poza tym zajmował się przekładami.

– Z jakiego języka? – przerwał mu zaciekawiony Iwan.

– Prócz rosyjskiego znam pięć języków – odparł gość – angielski, francuski, niemiecki, łacinę i grekę. Czytam także trochę po włosku.

– O, cholera! – szepnął z zazdrością Iwan.

... Historyk był samotny, nie miał żadnych krewnych, nieomal nie miał nawet znajomych w Moskwie. I w dodatku pewnego dnia wygrał sto tysięcy rubli.

– Niech pan sobie wyobrazi moje zdumienie – szeptał właściciel czarnej czapeczki – kiedy sięgnąłem do kosza z brudną bielizną i zobaczyłem, że mam ten właśnie numer, który został podany w gazecie! Obligację – wyjaśnił – dostałem w muzeum.

... Po wygraniu tych stu tysięcy tajemniczy gość Iwana kupił mnóstwo książek, wyniósł się ze swego pokoiku na Miasnickiej...

– Och, co za przeklęta nora! – zaryczał.

... i w jednym z zaułków w pobliżu Arbatu odnajął od właściciela dwa pokoje w suterenie niewielkiego, stojącego w ogrodzie domku. Rzucił muzeum i rozpoczął pracę nad powieścią o Poncjuszu Piłacie.

– Ach, to były złote czasy! – oczy opowiadającego błyszczały, kiedy to szeptał. – Własne, oddzielne mieszkanko, do tego jeszcze przedpokój, a w przedpokoju zlew – nie wiedzieć czemu podkreślił to ze szczególną dumą – maleńkie okienka tuż nad trotuarem, który prowadził od domku do furtki. A pod płotem, o cztery kroki, przed samymi oknami – bez, lipa i klon. Ach, ach, ach! W zimie bardzo rzadko widywałem w okienku czyjeś czarne nogi i słyszałem chrzęst śniegu pod czyimiś butami. A w moim piecu wiecznie płonął ogień! Ale raptem nastała wiosna i przez zmętniałe szybki zobaczyłem krzaki bzu, najpierw nagie, a później odziewające się w zieleń. I właśnie wtedy, minionej wiosny, zdarzyło się coś znacznie bardziej zdumiewającego niż stutysięczna wygrana. Były to, przyzna pan, olbrzymie pieniądze.

– Jasne – przytaknął słuchający z uwagą Iwan.

– Otworzyłem okna i siedziałem w drugim pokoju, zupełnie maleńkim – gość zaczął odmierzać ruchami rąk. – Kanapa jakby w tym miejscu, naprzeciwko druga kanapa, między nimi stolik, a na stoliku piękna lampa, tu, bliżej okna, książki, tu znów malutkie

biureczko, a w pierwszym pokoju – to był ogromny pokój, czterna-
ście metrów – same książki, nic, tylko książki i piec. Ach, jak
znakomicie sobie urządziłem to mieszkanie! Bzy niezwykle pachniały! Moja głowa ze zmęczenia stawała się nieważka, a Piłat zbliżał
się do końca...

– Biały płaszcz, czerwone podbicie? Rozumiem! – wołał Iwan.

– Właśnie! Piłat zbliżał się do końca, wiedziałem już, że ostatnie
słowa powieści będą brzmiały tak: „... piąty procurator Judei, *eques
Romanus*, Poncjusz Piłat". Oczywista, wychodziłem na spacery. Sto
tysięcy to mnóstwo pieniędzy, miałem więc piękny garnitur. Albo też
szedłem na obiad do jakiejś niedrogiej restauracji. Była taka świetna
knajpka na Arbacie, nie wiem, czy jeszcze istnieje. – Oczy gościa
rozszerzyły się, szeptał dalej, patrząc na księżyc. – Niosła obrzydliwe,
niepokojąco żółte kwiaty. Diabli wiedzą, jak się te kwiaty nazywają,
ale są to pierwsze kwiaty, jakie się wiosną pokazują w Moskwie. Te
kwiaty rysowały się bardzo wyraziście na tle jej czarnego płaszcza.
Niosła żółte kwiaty! To niedobry kolor! Skręciła z Twerskiej w zaułek i wtedy się obejrzała. No, Twerską chyba pan zna? Szły Twerską
tysiące ludzi, ale zaręczam panu, że ona zobaczyła tylko mnie jednego i popatrzyła na mnie nie to, żeby z lękiem, ale jakoś tak boleśnie.
Wstrząsnęła mną nie tyle jej uroda, ile niezwykła, niesłychana samotność malująca się w tych oczach. Posłuszny owemu żółtemu znakowi
losu ja również skręciłem w zaułek i ruszyłem jej śladem. Szliśmy bez
słowa tym smutnym, krzywym zaułkiem, ja po jednej jego stronie,
ona po drugiej. I proszę sobie wyobrazić, że prócz nas nie było
w zaułku żywej duszy. Męczyłem się, ponieważ wydało mi się, że
muszę z nią pomówić, i bałem się, że nie powiem ani słowa, a ona
tymczasem odejdzie i nigdy już jej więcej nie zobaczę. I proszę sobie
wyobrazić, że to właśnie ona odezwała się nieoczekiwanie:

– Podobają się panu moje kwiaty?

Dokładnie pamiętam dźwięk jej głosu, taki dosyć niski, ale zała-
mujący się niekiedy, i chociaż to głupie, wydało mi się, że żółte,
brudne mury uliczki powtarzają echem jej słowa. Spiesznie prze-
szedłem na tę stronę, po której szła ona, podszedłem do niej i od-
powiedziałem:

– Nie.

Popatrzyła na mnie zdziwiona, i ja nagle i najzupełniej nieoczekiwanie zrozumiałem, że przez całe życie kochałem tę właśnie kobie-

tę! To ci dopiero, co? Na pewno powie pan, że jestem niespełna rozumu?

– Nic takiego nie mówię i nie powiem – gorąco sprzeciwił się Iwan i dodał: – Błagam, niech pan mówi dalej!

Gość ciągnął:

– Tak, popatrzyła na mnie zdziwiona, a potem zapytała:

– Czy pan w ogóle nie lubi kwiatów?

Wydało mi się, że w jej głosie była jakaś wrogość. Szedłem obok niej, starałem się iść w nogę i, ku memu zdziwieniu, zgoła nie czułem zmieszania.

– Lubię kwiaty, ale nie takie – powiedziałem.

– A jakie?

– Lubię róże.

Natychmiast pożałowałem swoich słów, bo ona uśmiechnęła się przepraszająco i cisnęła swoje kwiaty do rynsztoka. Zmieszałem się nieco, ale jednak je podniosłem i podałem jej, ale ona z uśmiechem odsunęła kwiaty, więc musiałem nieść je sam.

Szliśmy tak w milczeniu przez czas pewien, dopóki nie wzięła kwiatów z moich rąk i nie rzuciła ich na jezdnię. Potem wsunęła w moją dłoń swoją dłoń w czarnej rękawiczce z szerokim mankietem i poszliśmy dalej razem.

– Niech pan mówi dalej – powiedział Iwan – i proszę, niech pan nie pomija żadnych szczegółów!

– Dalej? – zapytał gość. – No cóż, tego, co było dalej, mógłby się pan sam domyślić. – Prawym rękawem wytarł nagle nieoczekiwaną łzę i mówił dalej: – Miłość dopadła nas tak, jak dopada człowieka w zaułku wyrastający spod ziemi morderca, i poraziła nas oboje od razu. Tak właśnie razi grom albo nóż bandyty! Ona zresztą utrzymywała później, że to nie było tak, że musieliśmy się kochać już od dawna, jeszcze się nie znając i zanim się jeszcze spotkaliśmy, i że ona żyła z innym mężczyzną... a ja, tam, wtedy... z tą, no, jakże jej...

– Z kim? – zapytał Bezdomny.

– Z tą, no... z tą, no... – odparł gość i pstryknął palcami.

– To pan był żonaty?

– No tak, przecież właśnie w tej sprawie pstrykam... Z tą... Z Warią... Z Manią... nie, z Warią... taka sukienka w paski, muzeum... Zresztą nie pamiętam.

No więc ona mówiła, że wyszła tego dnia z bukietem żółtych kwiatów właśnie po to, bym ją wreszcie odnalazł, i gdyby tak się nie stało, otrułaby się, bo jej życie było pozbawione sensu. Tak, miłość poraziła nas w jednej chwili. Wiedziałem o tym jeszcze tego samego dnia, po godzinie, gdyśmy znaleźli się, sami nie wiedząc jak i kiedy, na nadrzecznym bulwarze pod murami Kremla. Rozmawialiśmy ze sobą, tak jakbyśmy się rozstali dopiero wczoraj, jakbyśmy się znali od wielu lat. Umówiliśmy się, że się spotkamy nazajutrz w tym samym miejscu, nad brzegiem Moskwy, i spotkaliśmy się tam. Przyświecało nam majowe słońce. I niebawem ta kobieta potajemnie stała się moją żoną.

Przychodziła do mnie co dzień w południe, ale czekać na nią zaczynałem już od rana. Oczekiwanie to wyrażało się w ten sposób, że przestawiałem przedmioty na biurku. Na dziesięć minut przed jej przyjściem siadałem przy okienku i nasłuchiwałem, kiedy stuknie rachityczna furtka. I jak to się dziwnie składa – zanim ją spotkałem, bardzo niewiele osób wchodziło na nasze podwórko, można powiedzieć, że nikt tam nie przychodził, teraz zaś wydawało mi się, że całe miasto podąża na nasze podwórze.

Stuknie furtka, załomoce serce i, wyobraźcie sobie, za oknem na wysokości moich oczu czyjeś, koniecznie zabłocone, buciory. Szlifierz. Ale komu w naszym domu potrzebny jest szlifierz? Co ostrzyć? Jakie noże?

Ona przechodziła przez furtkę tylko raz, ale nie skłamię, jeśli powiem, że zanim weszła, serce zaczynało mi walić przynajmniej z dziesięć razy. A potem, kiedy zbliżała się godzina, o której ona miała przyjść, kiedy wskazówki zegara zbiegały się na dwunastej, serce w ogóle już nie przestawało łomotać, dopóki ona, nawet nie stuknąwszy furtką, niemal bezgłośnie, nie zjawiała się, dopóki nie zobaczyłem za okienkiem jej pantofli z czarnymi kokardkami z zamszu, zapiętymi na stalowe sprzączki.

Niekiedy swawoliła, zatrzymując się koło drugiego okienka i stukając w szybę czubkiem bucika. W tejże chwili dopadałem okna, ale pantofelek znikał, znikał czarny jedwab przesłaniający światło, i biegłem, by jej otworzyć drzwi.

Nikt nie wiedział o naszym związku, ręczę panu za to, chociaż to się nigdy nie zdarza. Nie wiedział o nim jej mąż, nie wiedzieli także znajomi. W starym domku, w którym wynajmowałem moją suterenę, wiedziano, oczywiście, że przychodzi do mnie jakaś kobieta, ale nikt nie znał jej imienia.

– A kim ona była? – zapytał Iwan, niezmiernie zaciekawiony tą romansową historią.

Gość uczynił gest, który miał znaczyć, że nie wyjawi tego nikomu, i kontynuował opowieść.

Iwan dowiedział się więc, że mistrz i nieznajoma tak się pokochali, że stali się nierozłączni. Iwan dokładnie już sobie wyobrażał owe dwa pokoje w suterenie domku, w którym z powodu płotu i bzów zawsze panował półmrok. Widział podniszczone, niegdyś wykwintne mahoniowe meble, biurko, na biurku dzwoniący co pół godziny zegar i książki, książki od malowanej podłogi aż po zakopcony sufit i piec.

Iwan dowiedział się, że przybysz i jego potajemna żona już w pierwszych dniach trwania ich związku doszli do wniosku, że wtedy na rogu Twerskiej i owego zaułka zetknął ich ze sobą sam los i że są stworzeni dla siebie.

Iwan dowiedział się także, jak spędzali dnie zakochani. Ona przychodziła, natychmiast wkładała fartuch i w wąskim korytarzu, gdzie był zlew, którego obecność z taką dumą podkreślał nieszczęsny chory, zapalała na drewnianym stole prymus i przygotowywała śniadanie, które zjadali następnie przy nakrytym owalnym stole w pierwszym pokoju. Kiedy zrywały się majowe burze, a tuż za oślepłymi okienkami z szumem płynęła ku ściekowi woda, grożąc zalaniem ich ostatniej przystani, zakochani rozpalali w piecu i piekli sobie w popielniku kartofle. Z kartofli buchała para, czarne łupiny ziemniaczane brudziły palce. W suterenie rozlegały się śmiechy, a drzewa w ogródku po przejściu ulewy gubiły złamane przez wiatr gałązki i białe kiście.

Kiedy skończył się okres burz i nadeszło parne lato, w wazonie pojawiły się od dawna wyczekiwane i ulubione przez nich róże. Ten, który nazwał się mistrzem, gorączkowo pracował nad swą powieścią i owa powieść pochłonęła również nieznajomą.

– Przyznam, że chwilami zaczynałem być już o to zazdrosny – szeptał do Iwana nocny gość, przybyły z zalanego księżycowym światłem balkonu.

Zanurzywszy we włosach szczupłe palce o ostrych paznokciach, czytała w nieskończoność to, co już napisał, a przeczytawszy, zaczynała szyć tę właśnie czapeczkę. Niekiedy siedziała w kucki obok najniższych półek albo stała obok najwyższych i wycierała ściereczką setki zakurzonych grzbietów. Wróżyła mu sławę, ponaglała go i właśnie wtedy zaczęła go nazywać mistrzem. Nie mogła się doczekać przyobiecanych ostatnich słów o piątym procuratorze Judei, śpiewnie, głośno powtarzała poszczególne zdania, które jej się spodobały, i mówiła, że w tej powieści jest całe jej życie.

Powieść została ukończona w sierpniu, przekazana jakiejś nieznajomej maszynistce, a ta przepisała książkę w pięciu egzemplarzach. I oto nadeszła wreszcie chwila, kiedy trzeba było porzucić cichą przystań i powrócić do życia.

– Powróciłem do życia, trzymając oburącz moją powieść, i wtedy moje życie się skończyło – wyszeptał mistrz i zwiesił głowę, długo chwiała się żałobna czarna czapeczka z żółtą literą „M". Ciągnął dalej swoją opowieść, ale opowieść ta stała się nieco chaotyczna, jedno tylko można było z niej zrozumieć – gościowi Iwana przydarzyło się wówczas jakieś nieszczęście.

– Po raz pierwszy wkroczyłem do świata literatury, ale teraz, kiedy już jest po wszystkim i kiedy moja zagłada jest oczywista, wspominam to z przerażeniem! – uroczyście wyszeptał mistrz i uniósł rękę: – Tak, on mną nadzwyczaj wstrząsnął, jak on mną wstrząsnął!

– Kto? – szepnął Iwan ledwie dosłyszalnie, nie chcąc przerywać zdenerwowanemu narratorowi.

– No, redaktor, mówię przecież, że redaktor! Tak, przeczytał książkę. Tak na mnie patrzył, jakbym miał fluksję, patrzył w kąt i nawet chichotał ze zmieszania. Bez żadnej potrzeby miął maszynopis w palcach i chrząkał. Pytania, które mi zadawał, były, moim zdaniem, zupełnie obłąkańcze. Nie wspominając o treści książki, pytał, kim jestem i skąd się właściwie wziąłem, czy od dawna piszę i dlaczego dotąd o mnie nie słyszał, zadał nawet moim zdaniem zupełnie idiotyczne pytanie: kto mi podsunął pomysł napisania książki na tak niedorzeczny temat? W końcu miałem tego dość i zapytałem go wprost, czy opublikuje moją książkę. Redaktor się stropił, zaczął coś mamrotać i oznajmił mi, że nie może rozstrzygnąć tej kwestii sam, że muszą się zapoznać z moim utworem także inni członkowie kolegium redakcyjnego, a zwłaszcza krytycy Łatuński i Aryman oraz literat Mścisław Laurowicz. Prosił, żebym przyszedł za dwa tygodnie. Kiedy przyszedłem po dwóch tygodniach, przyjęła mnie jakaś pannica, która od nieustannego łgania dostała już zeza.

– To Łapszennikowa, sekretarz redakcji – z uśmiechem powiedział Iwan, który dobrze znał światek opisywany z takim gniewem przez jego gościa.

– Możliwe – uciął tamten – zatem to ona wręczyła mi moją powieść, dość już sponiewieraną i podniszczoną. Łapszennikowa, starając się nie patrzeć mi w oczy, zakomunikowała, że redakcja ma dosyć materiału na najbliższe dwa lata i że w związku z tym problem druku mojej powieści, jak się wyraziła, upada.

– Cóż jeszcze pamiętam? – mruczał mistrz, pocierając skroń.

– Aha, czerwone płatki na karcie tytułowej i oczy mojej najdroższej. Tak, te oczy pamiętam.

Opowieść Iwanowego gościa stawała się coraz zawilsza, coraz więcej w niej było jakichś niedomówień. Mówił coś o zacinającym deszczu i o rozpaczy panującej w cichej piwnicznej przystani, o tym, że dokądś jeszcze chodził z rękopisem. Wykrzykiwał szeptem, że bynajmniej nie wini tej, która zagrzewała go do walki, o nie, nie wini jej!

– Pamiętam, pamiętam tę gazetową wkładkę – mamrotał gość, rysując w powietrzu dwoma palcami płachtę gazety, i Iwan domyślił się z następnych niejasnych zdań, że jakiś inny redaktor wydrukował duży fragment powieści tego, który nazywał siebie mistrzem.

A potem nie minęło dwa dni, kiedy w innej gazecie ukazał się artykuł krytyka Arymana pod tytułem „Wróg pod skrzydłem redaktora", w którym Aryman przestrzegał wszystkich razem i każdego z osobna przed naszym bohaterem, jako przed tym, który usiłował przemycić na łamy prasy apologię Jezusa Chrystusa.

– Pamiętam, pamiętam! – zawołał Iwan. – Tylko zapomniałem pańskiego nazwiska!

– Powtarzam, puśćmy w niepamięć moje nazwisko, ono już nie istnieje – odparł gość. – Nie o nie chodzi. Następnego dnia w innej gazecie ukazał się inny artykuł, podpisany przez Mścisława Laurowicza. Autor domagał się bezlitosnej rozprawy z piłatyzmem i z tym religianckim tandeciarzem, który umyślił sobie, że przemyci (znów to przeklęte słowo!) piłatyzm na łamy czasopism.

Osłupiały na widok tego niesłychanego słowa „piłatyzm" otworzyłem następny dziennik. Ten zamieszczał dwa artykuły, jeden z nich napisał Łatuński, drugi natomiast sygnowany był literkami „N.E.". Zapewniam pana, że utwory Arymana i Laurowicza to było jeszcze nic w porównaniu z tym, co napisał Łatuński. Wystarczy, jeśli powiem, że tytuł artykułu brzmiał: „Starowier wojujący". Byłem tak pogrążony w lekturze traktujących o mnie artykułów, że nie zauważyłem, kiedy ona (zapomniałem zamknąć drzwi!) stanęła przede mną z mokrą parasolką w jednym ręku i mokrymi dziennikami w drugim. Jej oczy miotały iskry, dłonie miała zimne, drżące. Najpierw zaczęła mnie całować, a potem ochrypłym głosem, bijąc przy tym pięścią w stół, powiedziała, że otruje Łatuńskiego. Iwan chrząknął, nie wiedzieć czemu zmieszany, ale nic nie powiedział.

– Nadeszły dni jesiennej beznadziei. Powieść była napisana, nic już nie pozostawało do zrobienia i sens życia nas obojga sprowadzał się do siedzenia na dywaniku na podłodze koło pieca i do patrzenia w ogień. Zresztą teraz częściej niż dawniej zostawałem sam. Ona wychodziła na spacery. A mnie przydarzyło się coś dziwnego, jak to już nieraz w moim życiu bywało… Nieoczekiwanie zawarłem przyjaźń. Tak, tak, proszę sobie wyobrazić, że w zasadzie niechętnie zbliżam się z ludźmi, takim już jestem dziwakiem, że bliższy kontakt z człowiekiem nawiązuję opornie, jestem nieufny, podejrzliwy. I proszę sobie wyobrazić, że przy tym wszystkim nieuchronnie zawsze przypadnie mi do serca ktoś nieprzewidziany, zaskakujący, diabli wiedzą do czego podobny i ktoś taki spodoba mi się zgoła wyjątkowo.

Tak więc w owym przeklętym okresie otworzyła się kiedyś furtka naszego ogródka, poranek, pamiętam, był nadzwyczaj sympatyczny, jesienny. Jej nie było w domu. Przeszedł przez furtkę mężczyzna, wszedł do domu z jakąś sprawą do właściciela, potem wyszedł do ogródka i jakoś bardzo szybko zawarł ze mną znajomość. Powiedział mi, że jest dziennikarzem. I proszę sobie wyobrazić, że tak bardzo korzystne zrobił na mnie wrażenie, iż dotąd czasem tęsknie go wspominam. Od słowa do słowa, zaczął do mnie zaglądać. Dowiedziałem się, że jest kawalerem, że mieszka w sąsiedztwie w takim samym mniej więcej lokalu, ale że mu tam ciasno, i tak dalej. Nie zapraszał jakoś do siebie. Żonie mojej wyjątkowo się nie spodobał. Ja jednak wziąłem go w obronę. Żona moja powiedziała:

– Rób, co ci serce dyktuje, ale ja ci mówię, że ten człowiek zrobił na mnie jak najgorsze wrażenie.

Wyśmiałem ją. Zaraz, ale co mnie właściwie w nim tak ujmowało? Idzie o to, że człowiek, który w głębi siebie nie kryje niespodzianki, z reguły nie bywa interesujący. A Alojzy Mogarycz (bo zapomniałem powiedzieć, że mój nowy znajomy miał na imię Alojzy) niespodziankę taką w sobie krył. Słowo daję, że człowieka tak niepospolitego rozumu jak Alojzy nie spotkałem nigdy przedtem i jestem przekonany, że nigdy już nie spotkam. Jeśli nie pojmowałem znaczenia jakiejś gazetowej notatki, Alojzy wyjaśniał mi ją dosłownie w mgnieniu oka, było przy tym oczywiste, że to wyjaśnienie przychodzi mu bez najmniejszego trudu. Podobnie było z problemami życia codziennego. Ale to jeszcze nie wszystko. Podbił mnie Alojzy swoją namiętnością do literatury. Nie dał za wygraną, dopóki mnie nie uprosił, bym mu przeczytał od deski do deski moją powieść, po czym wyraził się o niej nader pochlebnie, ale wstrząsająco wiernie, zupełnie jakby był przy tym obecny, zrelacjonował wszystkie uwagi redaktora o mojej książce. Miał sto trafień na sto możliwych. Nie dość tego, bardzo dokładnie wytłumaczył mi – i czułem, że się nie myli – dlaczego to mianowicie moja powieść nie mogła ukazać się drukiem. Mówił bez ogródek: taki to a taki rozdział nie przejdzie…

Artykuły ciągle się ukazywały. Pierwsze z nich kwitowałem śmiechem. Ale im więcej ich się pojawiało, tym gruntowniej zmieniał się mój do nich stosunek. Drugie stadium to było stadium zdumienia. Dosłownie w każdym wierszu tych artykułów wyczuwałem jakiś wyjątkowy fałsz i niepewność, mimo że ton tych tekstów był groźny i tchnął pewnością siebie. Nieustannie odnosiłem wrażenie – i nie mogłem się od tego wrażenia uwolnić – że autorzy owych artykułów piszą zupełnie co innego, niż chcieliby napisać, i że właśnie to jest powodem ich furii. A potem, proszę sobie wyobrazić, nadeszło trzecie stadium – stadium lęku. Nie, nie tych artykułów się bałem, proszę mnie dobrze zrozumieć, bałem się czegoś innego, czegoś, co nie pozostawało w żadnym związku ani z artykułami, ani z powieścią. Na przykład zacząłem się obawiać ciemności. Jednym słowem, był to początek choroby psychicznej. Wydawało mi się, zwłaszcza kiedy zasypiałem, że macki jakiejś zwinnej i zimnej ośmiornicy skradają się wprost ku mojemu sercu. Musiałem sypiać przy zapalonym świetle.

Moja ukochana zmieniła się bardzo (o ośmiornicy nic jej, oczywista, nie wspominałem, widziała jednak, że dzieje się ze mną coś niedobrego), schudła, wybladła, przestała się śmiać i tylko nieustannie mnie prosiła, bym jej wybaczył to, że radziła mi dać do druku fragment powieści. Mówiła, żebym rzucił to wszystko i wyjechał na południe, nad Morze Czarne, wydając na to wszystko, co mi jeszcze pozostało z owych stu tysięcy.

Bardzo na to nalegała i ja, by uniknąć dyskusji (coś mi mówiło, że ten mój wyjazd nad Morze Czarne nie dojdzie do skutku), obiecałem jej, że lada dzień to zrobię. Ale ona powiedziała, że sama kupi mi bilet. Wyjąłem wtedy wszystkie moje pieniądze, to znaczy około dziesięciu tysięcy rubli, i oddałem jej.

– Czemu tak dużo? – zdziwiła się.

Powiedziałem coś w tym rodzaju, że niby boję się złodziei i proszę ją o przechowanie tych pieniędzy aż do dnia mego wyjazdu. Wzięła je, włożyła do torebki, zaczęła mnie całować i mówić, że łatwiej by jej było umrzeć, niż porzucić mnie samego w takim stanie, ale że czekają na nią, że zatem ustępuje wobec konieczności, że przyjdzie nazajutrz. Zaklinała mnie, bym się niczego nie obawiał.

Było to o zmierzchu, w połowie października. Ona odeszła. Położyłem się na kanapie i zasnąłem, nie zapalając światła. Obudziło mnie uczucie, że ośmiornica jest tuż. Błądząc dłonią w ciemności, z trudem zdołałem zapalić lampę. Zegarek kieszonkowy wskazywał drugą w nocy. Kiedy się kładłem, po prostu czułem się źle, obudziłem się natomiast jako człowiek chory. Wydało mi się nagle, że jesienna ciemność wygniecie szyby, wleje się do pokoju i zadławi mnie jak atrament. Kiedy wstałem, absolutnie nie mogłem się opanować. Wrzasnąłem, przyszło mi do głowy, żeby do kogoś pobiec, choćby na górę, do właściciela domku. Walczyłem z sobą samym jak szalony. Wystarczyło mi sił, by dotrzeć do pieca i rozpalić ogień. Kiedy zaczęły trzaskać drwa, kiedy drzwiczki pieca zaczęły pojękiwać, poczułem się jakby trochę lepiej. Poszedłem do przedpokoju, zapaliłem tam światło, odnalazłem butelkę białego wina, odkorkowałem ją i zacząłem pić wprost z butelki. Moje lęki zmniejszyły się nieco, w każdym razie na tyle, że nie pobiegłem do gospodarza, tylko wróciłem do pieca. Otworzyłem drzwiczki, tak że żar palił mi twarz i ręce, i szeptałem:

– Domyśl się, że ze mną jest źle... Przyjdź, przyjdź, przyjdź!...

Nikt jednak nie nadchodził. W piecu huczał ogień, o szyby bił deszcz. Wtedy stało się to nieodwracalne. Wyjąłem z szuflady biurka ciężkie egzemplarze maszynopisu powieści i bruliony brudnopisów i zacząłem wszystko to palić. Było to bardzo trudne, ponieważ zapisany papier nie chce się palić. Łamiąc sobie paznokcie, darłem zeszyty, na sztorc wciskałem je między polana, poruszałem pogrzebaczem ich karty. Od czasu do czasu popiół okazywał się silniejszy ode mnie, tłumił płomienie, ale walczyłem z nim i powieść ginęła, chociaż stawiała zaciekły opór. Migały dobrze mi znane słowa, stronice żółkły powoli, lecz niepowstrzymanie, ale nawet na pożółkłych nadal można było odczytać słowa. Słowa ginęły wtedy dopiero, kiedy papier czerniał, w zapamiętaniu dobijałem je pogrzebaczem.

Tymczasem ktoś zaczął cicho skrobać w szybę. Serce skoczyło mi do gardła, cisnąłem w płomienie ostatni zeszyt i pospieszyłem, by otworzyć drzwi. Z sutereny do drzwi na podwórko prowadziły ceglane schodki. Potykając się, podbiegłem do drzwi i cicho zapytałem:

– Kto tam?

Głos, jej głos, odpowiedział mi:

– To ja...

Nie pamiętam, jak sobie poradziłem z zamkiem i z łańcuchem. Kiedy tylko weszła do środka, przytuliła się do mnie, drżąca, cała mokra, miała mokre policzki i potargane włosy. Mogłem wymówić tylko jedno słowo:

– To ty... to ty?... – i głos mi się załamał, zbiegliśmy na dół.

Zdjęła w przedpokoju palto, szybko weszliśmy do pierwszego pokoju. Krzyknęła cicho, wyciągnęła z pieca gołymi rękami ostatni jeszcze niespalony, zaledwie tlący się na krawędziach plik papierów i rzuciła go na podłogę. Dym natychmiast wypełnił pokój. Zadeptałem ogień, a ona opadła na kanapę i zaczęła płakać, niepohamowanie, spazmatycznie. Kiedy się uspokoiła, powiedziałem:

– Znienawidziłem tę książkę i boję się. Jestem chory. Bardzo się boję.

Wstała i powiedziała:

– Boże, jakiś ty chory. I za co to, za co? Ale ja cię uratuję, ja cię uratuję. Co to się dzieje?

Widziałem jej oczy opuchnięte od dymu i płaczu, czułem jej zimne dłonie przesuwające się po moim czole.

– Wyleczę cię, wyleczę – mamrotała, ściskając moje ramiona. – Napiszesz powieść od nowa. Jak mogłam, jak mogłam nie zostawić sobie choćby jednej kopii?

Zaciskała zęby z wściekłości, mówiła coś jeszcze, czego nie rozumiałem. A potem zacisnęła wargi i zaczęła zbierać i rozprostowywać nadpalone kartki.

Był to któryś rozdział ze środka powieści, nie pamiętam już który. Starannie złożyła kartki, owinęła je w papier, przewiązała wstążką. Wszystko, co robiła, świadczyło o jej zdecydowaniu i o tym, że zdołała się opanować. Poprosiła, żebym nalał jej wina, a kiedy wypiła, powiedziała już spokojniej:

– Oto jak trzeba płacić za kłamstwo – mówiła – nie chcę już dłużej kłamać. Zostałabym z tobą nawet teraz, od razu, ale nie chcę tego załatwiać w taki sposób. Nie chcę, żeby do końca życia pamiętał, że uciekłam od niego w środku nocy. Nigdy nie zrobił mi najmniejszej krzywdy... Wezwano go nagle, w fabryce, w której pracuje, wybuchł pożar. Ale niedługo wróci. Wytłumaczę mu wszystko jutro rano, powiem, że kocham innego, i wrócę do ciebie już na zawsze. Ale odpowiedz mi, może ty tego wcale nie chcesz?

– Moja biedna, moja biedna – powiedziałem do niej. – Jednak nie dopuszczę do tego. Ze mną będzie źle i nie chcę, żebyś ginęła wraz ze mną.

– Tylko o to ci chodzi? – zapytała i zajrzała mi z bliska w oczy.

– Tylko o to.

Ożywiła się ogromnie, przytuliła do mnie, objęła mnie za szyję i powiedziała:

– Zamierzam zginąć razem z tobą. Rano tutaj przyjdę.

I oto ostatnią rzeczą, którą pamiętam z mego życia, jest smuga światła padającego z przedpokoju, a w tej smudze jej potargane włosy, jej beret i jej oczy pełne zdecydowania. Pamiętam dotąd czarną sylwetkę w progu drzwi prowadzących na podwórze i ten biały rulon.

– Odprowadziłbym cię, ale nie mam już siły, by wracać samotnie, boję się.

– Nie bój się. Wytrwaj jeszcze te kilka godzin. Jutro rano przyjdę.

– To były ostatnie jej słowa, jakie usłyszałem w życiu... Cśśś! – chory nagle sam sobie przerwał i uniósł palec do góry. – Taka dziś niespokojna, księżycowa noc.

Zniknął na balkonie. Iwan usłyszał, że korytarzem przejeżdża wózek, ktoś chlipnął czy też jęknął cichutko.

Kiedy wszystko to ucichło, gość wrócił i oznajmił, że do stodwudziestki przybył nowy mieszkaniec. Przywieziono kogoś, kto nieustannie błaga, by mu oddano jego głowę. Obaj rozmówcy przez chwilę milczeli zalęknieni, ale potem odzyskali spokój i powrócili do przerwanej opowieści. Gość już otworzył usta, ale noc rzeczywiście była niespokojna. Na korytarzu stale słychać było jakieś głosy, więc gość zaczął mówić Iwanowi do ucha tak cichutko, że to, co opowiedział, znane jest tylko poecie, wyjąwszy pierwsze zdanie:

– W kwadrans po jej wyjściu zapukali do mojego okna...

To, o czym chory szeptał Iwanowi na ucho, bardzo go najwidoczniej wzburzyło. Twarz mu drgała. W oczach trzepotał strach i gniew. Opowiadający wskazywał dłonią kędyś w stronę księżyca, który dawno już zniknął znad balkonu. Dopiero gdy ucichły wszelkie dobiegające z zewnątrz odgłosy, gość odsunął się od Iwana i zaczął mówić nieco głośniej:

– Tak więc późnym wieczorem w połowie stycznia, w tym samym paletku, ale z poobrywanymi guzikami, drżałem z zimna na moim podwórku. Za plecami miałem zaspy, w których zniknęły krzaki bzu, a przed sobą, w dole, moje okienka, w których spoza zasłon słabo przebijało światło. Przypadłem do pierwszego okienka, nasłuchiwałem – w moim pokoju grał patefon. To wszystko, co zdołałem usłyszeć, zobaczyć nie mogłem nic. Postałem tak przez chwilę, a potem zawróciłem do furtki i w zaułek. W zaułku hulała zamieć. Przestraszyłem się psa, który wpadł mi pod nogi, i uciekłem przed nim na drugą stronę ulicy. Zimno i strach, który teraz już mi zawsze towarzyszył, sprawiły, że popadłem w otępienie. Nie miałem dokąd pójść, najprościej, oczywista, byłoby rzucić się pod tramwaj na tej ulicy, którą przecinał mój zaułek. Widziałem w dali te oblodzone pudełka pełne światła, słyszałem ich obmierzły zgrzyt na mrozie. Ale, drogi mój sąsiedzie, rzecz w tym, że strach owładnął każdą komórką mego ciała. Bałem się tramwaju zupełnie tak samo, jak przedtem tego psa. Tak, zapewniam pana, że nie ma w tym pawilonie cięższego przypadku niż mój!

– Ależ mógł pan przecież ją zawiadomić – powiedział Iwan, pełen współczucia dla nieszczęsnego chorego. – Poza tym ona przecież miała pańskie pieniądze. Przecież z pewnością je przechowała?

– Z pewnością je przechowała, w to nie wątpię. Ale pan mnie najwyraźniej nie rozumie. Lub też, mówiąc ściślej, nie mam już dawnego daru opowiadania. Zresztą nie bardzo mi go żal, bo nigdy mi już nie będzie potrzebny. Leżałby przed nią – gość popatrzył z przejęciem w ciemność – list z domu obłąkanych. A czyż mając taki adres, można pisywać listy?... Chory umysłowo!... Pan żartuje, mój przyjacielu! Miałbym ją unieszczęśliwić? Nie, do tego nie jestem zdolny.

Iwan nie znalazł na to odpowiedzi, ale milcząco współczuł swojemu gościowi i cierpiał wraz z nim. A on, umęczony tymi wspomnieniami, kiwał odzianą w czarną czapeczkę głową i mówił tak:

– Biedna kobieta... A zresztą mam nadzieję, że zapomniała o mnie...

– Przecież może pan wyzdrowieć... – nieśmiało powiedział Iwan.

– Mój przypadek jest nieuleczalny – spokojnie odpowiedział mu gość. – Kiedy Strawiński obiecuje mi, że przywróci mnie życiu, nie wierzę mu. To człowiek ludzki i po prostu chce mnie pocieszyć. Nie przeczę zresztą, że czuję się teraz znacznie lepiej. Tak, a więc na czym to stanęliśmy? Mróz, te pędzące tramwaje... Wiedziałem, że właśnie otwarto tę klinikę, i poszedłem do niej pieszo przez całe miasto. To było szaleństwo! W polu z pewnością bym zamarzł, ale ocalił mnie przypadek. Zepsuła się ciężarówka, podszedłem do kierowcy, to było ze cztery kilometry za miastem, i kierowca, ku mojemu najwyższemu zdumieniu, użalił się nade mną. Wóz jechał w tym kierunku. Kierowca zabrał mnie. Szczęśliwie skończyło się na tym, że odmroziłem sobie palce lewej stopy. Wyleczono mi je zresztą. I oto jestem tutaj już czwarty miesiąc. I wie pan co, uważam, że tu jest zupełnie nieźle. Tylko nie trzeba sobie, drogi sąsiedzie, zaprzątać głowy wielkimi planami, niech mi pan wierzy! Ja, na przykład, chciałem przewędrować cały świat. Ale cóż, okazało się, że wypadło inaczej. Widzę stąd tylko bardzo nieznaczny kawałek tego świata. Myślę, zresztą, że nie najlepszy jego kawałek, ale, powtarzam, to nie jest takie straszne. Teraz zbliża się lato, Praskowia Fiodorowna mówi, że balkon obrośnie bluszczem. Te klucze bardzo zwiększyły moją swobodę ruchów. Nocami będzie świecił księżyc. Ach, księżyc już zaszedł! Robi się chłodno. Już po północy. Czas na mnie.

– Proszę, niech mi pan powie, jak to było dalej z Jeszuą i Piłatem – poprosił Iwan. – Błagam pana, tak bym chciał się tego dowiedzieć.

– O, nie, o, nie – wzdrygając się boleśnie, odpowiedział gość. – Nie mogę myśleć spokojnie o mojej powieści. Natomiast pana znajomy z Patriarszych Prudów zrobiłby to znacznie lepiej niż ja. Dziękuję za rozmowę. Do widzenia.

Nim się Iwan opamiętał, cichutko zadźwięczała zamykana krata i gość zniknął.

14
Chwała kogutowi!

Rimski, jak to się mówi, nie wytrzymał nerwowo i nie doczekawszy się, aż skończą spisywanie protokołu, uciekł do swojego gabinetu. Siedział za biurkiem i patrzył zaczerwienionymi oczyma na leżące przed nim magiczne czerwońce. Dyrektor finansowy miał już zupełną sieczkę w głowie. Z ulicy dobiegał monotonny hałas. Z budynku Variétés publika hurmem waliła na ulicę. Nadzwyczaj wyostrzony słuch Rimskiego wyłowił nagle wyrazisty trel milicyjnego gwizdka. Taki gwizd nigdy nie zwiastuje niczego dobrego. A kiedy gwizd ów powtórzył się po kilkakroć, kiedy pospieszył mu w sukurs drugi gwizdek, jeszcze bardziej przeciągły, jeszcze bardziej władczy, kiedy potem dołączyły się do nich głośne śmiechy, a nawet jakieś obelżywe wrzaski, dyrektor zrozumiał od razu, że na ulicy odbywa się jakaś awantura, jakiś skandal, jakaś chryja. Zrozumiał też, że ku najwyższemu jego niezadowoleniu to, co się teraz dzieje, pozostaje w najściślejszym związku z obrzydliwym występem czarnego maga i jego asystentów.

Przewidujący dyrektor bynajmniej się nie mylił. Skoro tylko wyjrzał przez okno, które wychodziło na Sadową, twarz mu się wykrzywiła i nie tyle wyszeptał, ile syknął:

– Wiedziałem, że tak się to skończy!

W silnym świetle jasnych ulicznych latarń zobaczył w dole na trotuarze damę w samej halce i w fioletowych reformach. Co prawda, dama miała jeszcze kapelusz na głowie i parasolkę w dłoni. Wokół owej nieopisanie zażenowanej damy, która na przemian to kucała, to znów usiłowała dokądś biec, kłębił się i chichotał tłum. Chichot tłumu sprawił, że dyrektorowi finansowemu ciarki przebiegły po grzbiecie. Nieopodal damy podrygiwał jakiś obywatel, usiłując zedrzeć z siebie letni paltocik, ale ze zdenerwowania nie mógł sobie poradzić z ręką, która uwięzła w rękawie.

Krzyki i gromkie śmiechy dobiegały także z innego miejsca, mianowicie od lewego podjazdu. Dyrektor, zwróciwszy głowę w tę stronę, zobaczył inną damę w różowej kombinacji. Dama owa uciekła z jezdni na chodnik, usiłując ukryć się pod arkadami, ale wysypująca się z teatru publiczność przegradzała jej drogę i nieszczęsna ofiara własnej lekkomyślności oraz umiłowania strojów, wyprowadzona w pole przez firmę bezwstydnego Fagota, marzyła tylko o jednym – żeby zapaść się pod ziemię. Świdrując gwizdem powietrze, ruszył ku nieszczęsnej milicjant, a za nim spieszyli jacyś rozradowani młodzi ludzie w cyklistówkach. To właśnie oni zarykiwali się ze śmiechu i obelżywie pokrzykiwali.

Chudy wąsaty dorożkarz pędem podjechał do pierwszej rozebranej i ściągnął lejce kościstej dychawicznej chabety. Twarz wąsacza uśmiechała się radośnie.

Rimski rąbnął się pięścią w głowę, splunął i odskoczył od okna. Przez czas jakiś siedział przy stole, nasłuchiwał, co się dzieje na ulicy. Gwizdki w różnych miejscach osiągnęły apogeum, potem zaczęły słabnąć. Ku zdumieniu Rimskiego skandal likwidowano zadziwiająco szybko.

Trzeba było coś robić, trzeba było wypić do dna gorzki kielich odpowiedzialności. Telefony w czasie ostatniej części koncertu zaczęły działać, trzeba było dzwonić, zawiadamiać o tym, co zaszło, prosić o pomoc, wykręcać się, zwalać wszystko na Lichodiejewa, wybraniać siebie i tak dalej. Tfu, diabli nadali!...

Zdenerwowany dyrektor po dwakroć kładł dłoń na słuchawce i po dwakroć ją cofał. I nagle w martwej ciszy gabinetu sam telefon się rozdzwonił prosto w nos dyrektorowi finansowemu, który zadrżał – zrobiło mu się zimno. „Jednakże nieźle zszarpałem sobie nerwy" – pomyślał i podniósł słuchawkę. Ale zaraz odskoczył od niej jak oparzony i zrobił się bielszy niż papier. Spokojny, przymilny, a zarazem sprośny głos kobiecy szeptał w słuchawce:

– Rimski, lepiej nigdzie nie dzwoń, bo będzie źle...

I już w słuchawce nie było nikogo. Czując, że przechodzi go mrowie, dyrektor odłożył słuchawkę i nie wiedzieć czemu spojrzał w znajdujące się za jego plecami okno. Przez rzadkie, pokryte wątłą jeszcze zielenią gałęzie klonu zobaczył w przejrzystym obłoku biegnący księżyc. Coś przykuło wzrok Rimskiego do tych gałęzi, patrzył na nie, a im dłużej patrzył, tym większy ogarniał go strach.

W końcu dyrektor z trudem zmusił się do tego, żeby się odwrócić od księżycowego okna, i wstał. O tym, żeby dzwonić gdziekolwiek, nie było już teraz mowy, dyrektor myślał tylko o jednym – jak by tu czym prędzej wyjść z teatru.

Nasłuchiwał – w budynku panowała cisza. Zrozumiał, że już od dawna na całym pierwszym piętrze jest tylko on jeden, i kiedy to sobie uświadomił, owładnął nim nieprzezwyciężony, dziecinny strach. Nie mógł bez drżenia myśleć o tym, że będzie oto musiał iść samotnie przez puste korytarze i schodzić po schodach. Gorączkowo chwycił leżące na stole czerwońce hipnotyzerów, schował je do teczki i odkaszlnął, żeby choć odrobinę dodać sobie odwagi. Kaszel wypadł ochryple i cicho.

I wtedy wydało mu się, że spod drzwi gabinetu wionęło wilgotną zgnilizną. Dreszcz przeszedł dyrektorowi finansowemu po krzyżu. W dodatku znienacka zaczął bić zegar – wybijał północ. I nawet to bicie zegara przyprawiało dyrektora o dreszcze. Ale definitywnie zamarło mu serce, kiedy usłyszał, że w zamku yale powolutku obraca się klucz. Kurczowo wczepił w teczkę zimne, zwilgotniałe dłonie, czuł, że jeżeli jeszcze przez chwilę potrwa ten szmer w dziurce od klucza, to nie wytrzyma i przeraźliwie wrzaśnie.

Wreszcie drzwi poddały się czyimś wysiłkom, otworzyły się i bezszelestnie wszedł do gabinetu Warionucha. Rimski opadł na fotel, ugięły się bowiem pod nim nogi. Nabrawszy do płuc powietrza, uśmiechnął się, jak gdyby przymilnie, i cicho powiedział:

– Boże, jakżeś ty mnie przestraszył…

Tak, to nieoczekiwane pojawienie się Warionuchy każdego mogło przestraszyć, ale jednocześnie sprawiło ono dyrektorowi wielką radość – w tej zawikłanej sprawie odnalazł się koniec jednej przynajmniej nitki.

– No, mówże prędzej! No! No! – czepiając się tej nitki, wychrypiał Rimski. – Co to wszystko ma znaczyć?!

– Przepraszam cię bardzo – zamykając drzwi, głucho odpowiedział przybysz. – Myślałem, że już cię nie ma.

I Warionucha, nie zdejmując kaszkietu, podszedł do fotela i zasiadł po drugiej stronie biurka.

Trzeba tu zaznaczyć, że w odpowiedzi Warionuchy dało się wyczuć coś nieuchwytnego, lecz dziwnego, coś, co od razu wychwycił dyrektor, którego wrażliwość śmiało mogła konkurować z najczulszymi sejsmografami. Jakże to tak? Więc po co Warionucha szedł do gabinetu dyrektora finansowego, skoro sądził, że go tam nie ma? Przecież, po pierwsze, ma własny gabinet. A po drugie – którymkolwiek wejściem wszedł Warionucha do budynku, nieuniknienie musiał spotkać jednego ze stróżów nocnych, a wszystkim im zostało zapowiedziane, że dyrektor zostanie nieco dłużej w swoim gabinecie. Ale dyrektor nie zastanawiał się zbytnio nad tą dziwną okolicznością – nie to mu było w głowie.

– Dlaczegoś nie zadzwonił? Co ma znaczyć cała ta heca z Jałtą?

– No, to, co mówiłem – cmoknąwszy, jakby mu doskwierał bolący ząb, odpowiedział administrator. – Znaleźli go w knajpie w Puszkino.

– Jak to w Puszkino?! To przecież pod Moskwą?! A depesza z Jałty?!

– Jaka tam, u diabła, Jałta! Spił puszkińskiego telegrafistę i obaj zaczęli rozrabiać, a między innymi wysyłali telegramy z adnotacją „Jałta".

– Aha... Aha... No, dobrze, dobrze... – raczej zaśpiewał, niż powiedział Rimski. Jego oczy rozjarzyły się żółtawym blaskiem. Oczyma duszy widział już z radością triumfalną scenę zdejmowania okrytego hańbą Stiopy ze stanowiska. Wyzwolenie! Tak długo oczekiwane wyzwolenie dyrektora finansowego od tej żywiołowej klęski, od Stiopy Lichodiejewa! A może uda się podszykować mu nawet coś gorszego niż wylanie z pracy... – Szczegóły! – powiedział Rimski i stuknął w biurko suszką.

Więc Warionucha zaczął opowiadać o szczegółach. Kiedy przyszedł tam, dokąd go posłał dyrektor, został natychmiast przyjęty i wysłuchany z wielką uwagą. Nikt, oczywiście, nie sądził nawet przez chwilę, że Stiopa może być w Jałcie. Wszyscy od razu zgodzili się z przypuszczeniem Warionuchy, że Stiopa siedzi z pewnością w „Jałcie" w Puszkino.

– Gdzie on teraz jest? – przerwał administratorowi zdenerwowany dyrektor finansowy.

– A gdzie ma być? – odpowiedział ze złośliwym uśmiechem administrator. – Jasne, że w izbie wytrzeźwień!

– No, no! Moje uszanowanie!

Warionucha tymczasem ciągnął swoją opowieść i im dłużej opowiadał, tym wyraziściej rysował się dyrektorowi długi łańcuch wyskoków i bezeceństw Lichodiejewa, a każde kolejne ogniwo tego łańcucha gorsze było od poprzedniego. Ileż był wart choćby ów pijacki taniec w objęciach telegrafisty na placyku przed pocztą w Puszkino, przy dźwiękach katarynki jakiegoś włóczykija! Albo gonitwa za jakimiś obywatelkami, które uciekały, piszcząc ze strachu! Albo próba wszczęcia bójki z bufetowym w samej „Jałcie"! Rozrzucanie szczypiorku po podłodze w tejże „Jałcie"! Rozbicie ośmiu butelek białego wytrawnego „Aj-Danila". Zdemolowanie licznika szoferowi taksówki, który nie chciał oddać Stiopie kierownicy. Pogróżki Stiopy, że przymknie obywateli, którzy usiłowali położyć kres jego chuligańskim wybrykom... Jednym słowem – ponura zgroza!

Stiopa znany był w kręgach teatralnych Moskwy i każdy wiedział, że człowiek ten to nie bukiecik fiołków. Ale mimo wszystko tego, co teraz opowiadał o nim administrator, nawet jak na Stiopę było nadto. O, tak, tego było zbyt wiele, doprawdy zbyt wiele.

Kłujące spojrzenie Rimskiego wbijało się nad blatem biurka w twarz administratora i im dłużej ten mówił, tym mroczniejsze stawało się to spojrzenie. Im bardziej malownicze były wszystkie plugawe szczegóły, którymi administrator ozdabiał swoją opowieść, im bardziej były prawdopodobne, tym mniej dyrektor finansowy wierzył opowiadającemu. Kiedy zaś Warionucha oświadczył, że Stiopa rozhulał się do tego stopnia, iż usiłował stawiać opór tym, którzy przyjechali po niego z Moskwy, dyrektor był już zupełnie pewien, że wszystko, co mu opowiedział przybyły o północy administrator, to łgarstwo. Łgarstwo od pierwszego do ostatniego słowa!

Warionucha nie jeździł do Puszkino, Stiopa także w Puszkino nie był. Nie było pijanego telegrafisty, nikt nie tłukł szkła w knajpie, nikt nie wiązał Stiopy sznurami – wszystko to lipa.

Skoro tylko dyrektor finansowy utwierdził się w przekonaniu, że administrator łże, strach popełznął po jego ciele, od nóg poczynając, i znowu wydało się dyrektorowi, że spod drzwi gabinetu wionęło zgniłą malaryczną wilgocią. Ani na moment nie spuszczając oczu z administratora – który jakoś dziwnie kulił się w fotelu, przez cały czas starał się nie wychylać z niebieskiego cienia stojącej na biurku lampy, przedziwnie osłaniał się gazetą, niby to przed rażącym go światłem żarówki – dyrektor finansowy myślał tylko o jednym: co to wszystko ma znaczyć. Dlaczego w opustoszałym, milczącym budynku Iwan Sawieliewicz, który wrócił tak bardzo późno, tak bezczelnie kłamie mu w żywe oczy. I zaczęło nękać Rimskiego poczucie niebezpieczeństwa, niebezpieczeństwa nieznanego, ale groźnego. Udając, że nie zauważa dziwnego zachowania Warionuchy i sztuczek z gazetą, dyrektor przyglądał się jego twarzy, prawie już nie słuchając tego, co tamten plecie. Było coś jeszcze bardziej niepojętego niż ta nie wiadomo po co wymyślona opowieść o wydarzeniach w Puszkino, a mianowicie zmiany, które zaszły w wyglądzie i zachowaniu administratora.

Choć ten jak mógł, tak nasuwał na oczy kaczkowaty daszek kaszkietu, żeby zacienić twarz, choć jak mógł, wykręcał gazetę, dyrektorowi udało się dostrzec potężny siniak pod prawym okiem, tuż koło nosa. Poza tym rumiany zazwyczaj administrator był teraz blady niezdrową kredową bladością, a szyję, choć noc była parna, owiniętą miał, nie wiadomo dlaczego, starym pasiastym szalikiem. Jeśli jeszcze dodać do tego, że administrator popadł w czasie swojej nieobecności w obrzydliwy nałóg cmoktania i pomlaskiwania, że głos wyraźnie mu się zmienił, zgrubiał i zmatowiał, że spojrzenie jego stało się niespokojne i tchórzliwe, to śmiało można by powiedzieć, że Iwan Warionucha zmienił się nie do poznania.

I jeszcze coś gwałtownie niepokoiło dyrektora, ale co – tego nie mógł zrozumieć, choć z całej mocy wytężał rozgorączkowany umysł, choć wpatrywał się uparcie w Warionuchę. Jedno mógłby z całą pewnością powiedzieć – było coś niespotykanego, coś nienaturalnego w tym zestawieniu administratora z tak dobrze mu znanym fotelem.

– No, w końcu daliśmy mu radę, no, załadowaliśmy go do samochodu – huczał Warionucha, wyzierając zza gazety i przysłaniając dłonią siniak.

Rimski nagle wyciągnął rękę i niby to machinalnie postukując palcami po biurku, jednocześnie nacisnął dłonią przycisk elektryczny dzwonka i – zamarł. W pustym budynku niewątpliwie byłoby słychać przenikliwy dzwonek. Ale dzwonek ów się nie odezwał, guzik przycisku martwo zapadł w blat biurka. Guzik był martwy, dzwonek nie działał.

Manewr dyrektora nie uszedł uwagi Warionuchy, który wykrzywił się i zapytał, przy czym w jego oczach błysnęło wyraźnie złowrogie światełko:

– Po co dzwonisz?

– Machinalnie – cofnąwszy rękę, odparł głucho dyrektor finansowy i niepewnym głosem zapytał z kolei: – Co tam masz na twarzy?

– Zarzuciło wóz, uderzyłem się o klamkę – spoglądając w bok, odpowiedział Warionucha.

„Kłamie!" – zawołał w duchu dyrektor finansowy. I wtedy nagle oczy mu się wyokrągliły, pojawił się w nich obłęd, nie mógł oderwać wzroku od oparcia fotela.

Na podłodze za fotelem leżały dwa skrzyżowane cienie, jeden gęstszy, ciemniejszy, drugi szary, ledwie widoczny. Wyraźnie widać było cień oparcia fotela i cień jego zwężających się nóg, ale nad oparciem na podłodze nie było cienia głowy Warionuchy, podobnie jak między nogami fotela nie widać było cienia nóg administratora.

„On nie rzuca cienia!" – desperacko wrzasnął w duchu Rimski. I zadygotał.

Warionucha niespokojnie obejrzał się, podążając za oszalałym spojrzeniem Rimskiego, spojrzał za oparcie fotela i zrozumiał, że został zdemaskowany. Wstał z fotela (to samo zrobił także dyrektor) i ściskając w dłoniach teczkę, odszedł na krok od biurka.

– Domyślił się, przeklęty! Zawsze był sprytny – powiedział Warionucha gniewnie, uśmiechając się prosto w nos dyrektorowi, znienacka skoczył od fotela ku drzwiom i szybko przesunął w dół rygiel zatrzasku. Dyrektor rozejrzał się rozpaczliwie, cofnął się w stronę wychodzącego na ogród okna i w tym zalanym księżycową poświatą oknie zobaczył przywierającą do szyby twarz nagiej dziewczyny i obnażoną, przesuniętą przez lufcik rękę, która starała się odsunąć dolną zasuwkę ramy. Górna była już odsunięta.

Wydało mu się, że światło lampy na biurku przygasa, że biurko się przechyla. Ogarnęła Rimskiego lodowata fala, ale – na szczęście dla siebie – przemógł się i nie upadł. Resztek jego sił wystarczyło na to, żeby nie krzyknąć już, ale szepnąć:

– Na pomoc...

Warionucha, który pilnował drzwi, podskakiwał przy nich i za każdym podskokiem przez dłuższą chwilę zawisał w powietrzu, chwiejąc się nad podłogą. Machał w stronę Rimskiego rozcapierzonymi dłońmi, syczał i cmoktał, i mrugał do dziewczyny w oknie.

Dziewczyna zaczęła się spieszyć, wsunęła w lufcik rudą głowę, rękę wyciągnęła, jak mogła najdalej, zaczęła drapać paznokciami dolny baskwil i potrząsać ramą. Dłoń jej wydłużyła się, jak gdyby była z gumy, i przybrała trupiozielonkawą barwę. Wreszcie zielone palce trupa uchwyciły rączkę baskwila, przekręciły ją i okno zaczęło się otwierać. Rimski krzyknął cicho, przywarł do ściany i niczym tarczą zasłonił się teczką. Wiedział, że nadeszła jego ostatnia chwila.

Okno rozwarło się na oścież, ale zamiast nocnego chłodu i aromatu lip wtargnęła do pokoju piwniczna woń. Nieboszczka weszła na parapet. Rimski wyraźnie widział ciemne plamy rozkładu na jej piersiach.

I właśnie wtedy dobiegło radosne, nieoczekiwane pianie koguta z ogrodu, z tego niskiego budyneczku za strzelnicą, w którym trzymano biorące udział w programie ptaki. Tresowany kogut grzmiał gromko, donośnie, obwieszczał, że od wschodu nadciąga nad Moskwę świt.

Dzika wściekłość wykrzywiła twarz dziewczyny, nieboszczka bluznęła ochrypłym przekleństwem, a Warionucha przy drzwiach zaskowyczał i spadł spod sufitu na podłogę.

Kogut zapiał po raz wtóry, dziewczyna zgrzytnęła zębami, zjeżyły jej się na głowie rude włosy. Za trzecim pianiem odwróciła się i wyleciała z pokoju. Warionucha podskoczył, wyciągnął się w powietrzu poziomo, co go upodobniło do fruwającego Kupidyna, przeleciał ponad biurkiem i powoli wypłynął przez okno.

Siwy jak gołąb, bez jednego ciemnego włosa na głowie starzec, który jeszcze niedawno był Rimskim, podbiegł do drzwi, odciągnął rygiel, otworzył drzwi i rzucił się do ucieczki ciemnym korytarzem. Przy zakręcie na klatkę schodową, jęcząc i chlipiąc ze strachu, namacał wyłącznik i światło zalało schody. Na schodach trzęsący się i drżący starzec upadł, wydało mu się bowiem, że z góry miękko spadł na niego Warionucha.

Zbiegłszy na dół, Rimski zobaczył na krześle koło kasy w westybulu stróża. Przekradł się koło niego na palcach i prześlizgnął się frontowymi drzwiami na dwór. Na ulicy poczuł się nieco raźniej. Oprzytomniał na tyle, żeby, schwyciwszy się za głowę, zorientować się, że jego kapelusz został w gabinecie.

Oczywiście nie wrócił po kapelusz, tylko z trudem łapiąc oddech, przebiegł przez szeroką jezdnię na przeciwległy róg, przed kino, gdzie majaczyło mętne czerwonawe światełko. W minutę później był przy nim. Nikt nie zdążył zająć mu taksówki.

– Na leningradzki ekspres, dołożę na setkę – ciężko dysząc i trzymając się za serce, powiedział starzec.

– Zjeżdżam do garażu – odpowiedział z nienawiścią kierowca i odwrócił się.

Wtedy Rimski otworzył teczkę, wyciągnął z niej pięćdziesiąt rubli i przez opuszczoną szybę przednich drzwi podał je kierowcy.

W chwilę potem rozklekotany wóz, gruchocząc, mknął jak wicher po łuku Sadowej. Pasażera podrzucało na siedzeniu i w wiszącym przed kierowcą kawałku lusterka Rimski widział to rozradowane oczy kierowcy, to swoje, oszalałe.

Wyskoczył z taksówki przed budynkiem dworca, krzyknął do pierwszego napotkanego człowieka w białym fartuchu i z blachą na piersi:

– Pierwsza klasa, jeden, dam trzydzieści! – Gniótł wyciągnięte z teczki czerwońce. – Jak nie będzie pierwszej – bierz drugą... Jak nie będzie – to bierz trójkę!

Człowiek z blachą, oglądając się na oświetlony zegar, wyrywał Rimskiemu czerwońce.

W pięć minut później pod przeszkloną kopułą dworca już nie było ekspresu – znikł bez śladu w ciemnościach. Wraz z nim zniknął Rimski.

15

Sen Nikanora Iwanowicza

Nietrudno się domyślić, że grubasem z purpurową twarzą, którego umieszczono w klinice w pokoju numer sto dziewiętnaście, był Nikanor Iwanowicz Bosy. Do profesora Strawińskiego trafił on jednak nie od razu, przedtem czas jakiś przebywał w zupełnie innym miejscu. O tym innym miejscu Bosy niewiele zachował wspomnień. Pamiętał tylko biurko, szafę i kanapę.

Rozpoczęto tam rozmowę z Nikanorem Iwanowiczem, któremu ćmiło się w oczach od uderzeń krwi do głowy, a także na skutek zdenerwowania, ale rozmowa wyszła dziwna, zawikłana, a prawdę mówiąc, w ogóle nie wyszła.

Pierwsze od razu pytanie, jakie Nikanorowi Iwanowiczowi zadano, brzmiało:

– Wasze nazwisko Nikanor Iwanowicz Bosy? Jesteście prezesem komitetu blokowego numer 302-A z ulicy Sadowej?

Na to Nikanor Iwanowicz roześmiał się straszliwym śmiechem i odpowiedział dosłownie tak:

– Jestem Nikanor, Nikanor, oczywiście! Ale jaki tam ze mnie, u diabła, prezes?

– Co to ma znaczyć? – mrużąc oczy, zapytano Nikanora Iwanowicza.

– Ma to znaczyć – odpowiedział – że skoro jestem prezesem, to powinienem był od razu ustalić, że on jest siłą nieczystą! Bo i jakże? Binokle pęknięte, chodzi w łachach i to ma być tłumacz cudzoziemca?

– O kim mówicie? – zapytano Nikanora Iwanowicza.

– Korowiow! – wrzasnął Bosy – siedzi u nas pod pięćdziesiątym! Piszcie – Korowiow! Trzeba go natychmiast złapać. Piszcie – szósta klatka. Tam go znajdziecie.

– Kto wam dał walutę? – zapytano serdecznie Nikanora Iwanowicza.

– Boże Wielki, Boże Wszechmogący! – zaczął mówić Bosy. – Ty wszystko widzisz, dobrze mi tak! Żadnej waluty na oczy nie widziałem, nie mam zielonego pojęcia, o jakiej walucie mowa! Pan Bóg mnie pokarał za grzechy – ciągnął z uczuciem, na przemian to zapinając, to rozpinając koszulę, to znów żegnając się znakiem krzyża. – Brałem! Brałem, ale brałem nasze, radzieckie! Meldowałem za pieniądze, nie przeczę, zdarzało się. I nasz sekretarz Proleżniew też jest dobry, też dobry! Prawdę mówiąc, w naszej administracji złodziej na złodzieju i złodziejem pogania... Ale waluty nie brałem!

Poproszony, żeby nie udawał durnia, tylko odpowiedział, skąd się wzięły dolary w przewodzie wentylacyjnym, Bosy padł na kolana, zachwiał się i rozwarł usta, jak gdyby zamierzał połknąć klepki parkietu.

– Jeśli chcecie – beknął – ziemię będę jadł na dowód, że nie brałem! A Korowiow to diabeł!

Wszelka cierpliwość ma swoje granice, więc za biurkiem podniesiono głos, dając Bosemu do zrozumienia, że pora już, by zacząć mówić po ludzku.

Wówczas pokój, w którym stała owa kanapa, zadygotał od dzikiego wrzasku Nikanora Iwanowicza, który zerwał się z klęczek:

– To on! To on, tam, za szafą! O, jak zęby szczerzy! I binokle te same... Łapcie go! Gdzie kropidło? Wyświęcić lokal!

Krew odpłynęła z twarzy Nikanora Iwanowicza. Dygocąc, czynił w powietrzu znak krzyża, rzucał się ku drzwiom i znów zawracał, zaintonował jakąś modlitwę, a wreszcie zaczął mówić zupełnie od rzeczy.

Stało się oczywiste, że prezes komitetu blokowego nie nadaje się do żadnych rozmów. Wyprowadzono go, umieszczono w osobnym pokoju, gdzie nieco się uspokoił – modlił się tylko i szlochał.

Ci, do których to należało, pojechali oczywiście na Sadową, zwiedzili mieszkanie numer pięćdziesiąt. Ale nie znaleźli tam żadnego Korowiowa, nikt z lokatorów kamienicy żadnego Korowiowa nie znał ani nie widział na oczy. Mieszkanie zajmowane przez nieboszczyka Berlioza oraz przez Lichodiejewa, który wyjechał był do Jałty, świeciło pustkami, w gabinecie spokojnie wisiały sobie na szafach nienaruszone pieczęcie lakowe. Tyle wskórawszy, wrócili z Sadowej i możemy tu dodać, że w drodze powrotnej towarzyszył im stropiony i przygnębiony sekretarz zarządu spółdzielni Proleżniew. Wieczorem Bosego przywieziono do kliniki Strawińskiego. Zachowywał się tam tak niespokojnie, że trzeba mu było zrobić przepisany przez profesora zastrzyk, i dopiero po północy Nikanor Iwanowicz zasnął w pokoju numer sto dziewiętnaście i tylko z rzadka wydawał ciężkie, umęczone pobekiwanie.

Ale sen jego im dłużej trwał, tym stawał się spokojniejszy. Przestał się rzucać i pojękiwać, oddychał lekko i równo, zostawiono go więc samego.

A wtedy nawiedził Nikanora Iwanowicza sen, u którego podłoża bez wątpienia legły jego dzisiejsze przeżycia. Zaczęło się od tego, że się Nikanorowi Iwanowiczowi przywidziało, jak jacyś trzymający w rękach złote trąby ludzie prowadzą go niezmiernie uroczyście ku jakimś wielkim wylakierowanym wrotom. Pod tymi wrotami eskorta Nikanora Iwanowicza odegrała jakby na jego cześć tusz, a następnie dźwięczny bas z niebios powiedział wesoło:

– Serdecznie witamy, Nikanorze Iwanowiczu, niech pan zda walutę!

Niebywale zdumiony Nikanor Iwanowicz ujrzał nad sobą czarny gigantofon.

Następnie, zupełnie nie wiadomo dlaczego, znalazł się na widowni teatru. Pod wyzłacanym sufitem gorzały kryształowe żyrandole, a na ścianach kinkiety. Wszystko było tak, jak być powinno w niewielkim, ale bardzo bogatym teatrze. Była zasłonięta aksamitną kurtyną scena, na ciemnowiśniowym tle kurtyny lśniły niczym gwiazdy powiększone wizerunki złotych dziesięciorublówek, była też budka suflera, a nawet publiczność.

Zdumiało Nikanora Iwanowicza to, że cała publiczność była wyłącznie płci męskiej i nie wiadomo dlaczego bez wyjątku brodata. Poza tym zadziwiający był również fakt, że na widowni nie było krzeseł ani foteli i że wszyscy widzowie siedzieli na wspaniale wyfroterowanym i śliskim parkiecie.

Speszony nowym, a tak licznym towarzystwem Nikanor Iwanowicz pokręcił się chwilę, a następnie poszedł za przykładem innych i usiadł po turecku na podłodze między jakimś rudym brodatym drabem a mocno zarośniętym bladym obywatelem. Żaden z siedzących nie zwrócił uwagi na nowo przybyłego widza.

A otóż i rozległ się łagodny dźwięk dzwoneczka, zgasło światło na sali, rozsunęła się kurtyna, ukazując czarny aksamitny horyzont sceny, na scenie fotel i stolik, na którym leżał złoty dzwoneczek. Zaraz z kulisy wyszedł aktor w smokingu, starannie ogolony i uczesany z przedziałkiem, młody i niezmiernie sympatyczny. Publiczność na widowni ożywiła się, wszyscy zwrócili się ku scenie. Aktor podszedł do budki suflera i zatarł ręce.

– Siedzicie? – zapytał aksamitnym barytonem i uśmiechnął się do publiczności.

– Siedzimy, siedzimy – chóralnie odpowiedziały mu z sali tenory i basy.

– Hm... – powiedział z zadumą artysta – nie rozumiem, że też wam się to nie znudzi! Wszyscy ludzie, jak ludzie, spacerują sobie teraz po ulicach, rozkoszują się wiosennym słońcem i ciepłem, a wy się męczycie na podłodze w dusznej sali! Czyżby program był aż tak interesujący? Zresztą co kto lubi – zakończył filozoficznie.

Następnie zmienił timbre głosu oraz intonację i wesoło, dźwięcznie oznajmił:

– A zatem następny numer naszego programu: Nikanor Iwanowicz Bosy, przewodniczący komitetu blokowego i kierownik dietetycznej stołówki. Prosimy Nikanora Iwanowicza na estradę!

Odpowiedzią była zgodna owacja. Zdumiony Nikanor Iwanowicz wytrzeszczył oczy, konferansjer zaś, osłaniając oczy dłonią przed światłami rampy, odszukał go wzrokiem wśród siedzących i serdecznie pokiwał palcem, zapraszając Nikanora Iwanowicza na scenę. I Nikanor Iwanowicz, sam nie wiedząc w jaki sposób, znalazł się na scenie. Z dołu i z góry uderzyło go w oczy światło kolorowych reflektorów, co sprawiło, że widownia i publiczność natychmiast pogrążyły się w ciemności.

– A więc, Nikanorze Iwanowiczu, niech pan da dobry przykład – czule powiedział aktor – i niech pan odda walutę.

Zapadła cisza. Nikanor Iwanowicz zaczerpnął tchu i cicho zaczął:

– Przysięgam na Boga, że...

Ale nie zdążył jeszcze wyrzec tych słów, a już cała sala zagrzmiała okrzykami oburzenia. Nikanor Iwanowicz zmieszał się i umilkł.

– Jeżeli dobrze pana zrozumiałem – przemówił prowadzący program – chciał pan przysiąc na Boga, że nie ma pan waluty?
– I współczująco popatrzył na Nikanora Iwanowicza.

– Tak jest, nie mam – odparł Nikanor Iwanowicz.

– Tak... – ozwał się artysta – a... przepraszam za niedyskrecję, ale skąd się w takim razie wzięło te czterysta dolarów zakwestionowanych w ubikacji mieszkania, którego jedynym lokatorem jest pan wraz z pańską małżonką?

– Czary! – z wyraźną ironią powiedział ktoś na ciemnej widowni.

– Tak jest, to czary – nieśmiało odpowiedział Nikanor Iwanowicz pod nieokreślonym adresem, ni to konferansjerowi, ni to w głąb ciemnej sali, i wyjaśnił: – Nieczysta siła, kraciasty tłumacz podrzucił.

I znów sala zawrzała oburzeniem. Kiedy zaś się uciszyło, aktor powiedział:

– Oto jakich bajek La Fontaine'a muszę tu wysłuchiwać! Podrzucili czterysta dolarów! Wy tu wszyscy przecież jesteście waluciarze. Więc zwracam się do was jako do specjalistów: czy to jest w ogóle do pomyślenia?

– Nie jesteśmy waluciarze – rozległy się w teatrze odosobnione urażone głosy – ale to nie do pomyślenia.

– Zgadzam się z wami w całej rozciągłości – kategorycznie powiedział aktor – i pytam was: co ludzie mogą podrzucić?

– Dziecko! – krzyknął ktoś z sali.

– Absolutnie słusznie – potwierdził konferansjer – dziecko, anonim, ulotkę, maszynę piekielną, diabli wiedzą co jeszcze, ale czterysta dolarów nigdy w życiu nikt nie podrzuci, takiego kretyna nie ma na świecie. – Po czym, zwracając się do Nikanora Iwanowicza, aktor dodał ze smutkiem i z wyrzutem: – Zawiódł mnie pan, Nikanorze Iwanowiczu. A tak na pana liczyłem. Niestety, ten numer nam się nie udał.

Na widowni rozległ się gwizd pod adresem Nikanora Iwanowicza.

– To waluciarz! – wołano na sali. – Właśnie przez takich niewinnie cierpimy.

– Nie dokuczajcie mu – łagodnie powiedział konferansjer – on się poprawi. – I zwracając na Nikanora Iwanowicza pełne łez błękitne oczy, dodał: – No cóż, niech pan wraca na miejsce.

Następnie aktor zadzwonił dzwoneczkiem i głośno zapowiedział:

– Antrakt, dranie!

Wstrząśnięty Nikanor Iwanowicz, który najnieoczekiwaniej stał się uczestnikiem jakiegoś teatralnego programu, znowu znalazł się na swoim miejscu na podłodze. Tu mu się jeszcze przyśniło, że widownia pogrążyła się w absolutnych ciemnościach i że wystąpiły na ścianach płomienne czerwone słowa: „Zdawajcie walutę!". Potem kurtyna znowu się rozsunęła i konferansjer zaprosił:

– Poproszę na scenę Sergiusza Gerardowicza Dunhilla.

Dunhill okazał się godnym, acz mocno zaniedbanym mężczyzną koło pięćdziesiątki.

– Drogi panie – zwrócił się doń konferansjer – oto już mija półtora miesiąca, jak pan tu siedzi, a nadal uporczywie odmawia pan oddania pozostałej waluty, i to w momencie, kiedy cenne dewizy są niezmiernie potrzebne krajowi, panu zaś absolutnie zbyteczne. Pan mimo to trwa w uporze. Jako człowiek inteligentny sam pan to wszystko doskonale rozumie, a jednak nie chce mi pan pójść na rękę.

– Niestety, nie jestem w stanie nic dla pana zrobić, nie mam bowiem już więcej waluty – spokojnie odpowiedział Dunhill.

– To może w ostateczności ma pan chociaż brylanty? – zapytał artysta.

– Brylantów również nie mam.

Aktor zwiesił głowę i popadł w zadumę, a potem klasnął w dłonie. Wyszła zza kulis na scenę dama w średnim wieku, odziana modnie, a więc w palcie bez kołnierza i w maleńkim kapelutku. Dama miała mocno zatrwożony wygląd, Dunhill zaś popatrzył na nią bez drgnienia powieki.

– Kim jest ta dama? – zapytał Dunhilla prowadzący program.

– To moja żona – odparł z godnością Dunhill i z niejakim obrzydzeniem popatrzył na łabędzią szyję damy.

– Ośmieliliśmy się trudzić panią, madame Dunhill – zwrócił się do damy konferansjer – z następującego powodu… Chcielibyśmy mianowicie dowiedzieć się od pani, czy pani małżonek posiada jeszcze walutę?

– Oddał wtedy wszystko – odpowiedziała zdenerwowana madame Dunhill.

– Tak – powiedział aktor – no cóż, skoro tak, to trudno. Skoro małżonek wszystko oddał, to cóż zrobić, pozostaje nam niezwłocznie rozstać się z Sergiuszem Gerardowiczem. Może pan opuścić teatr, jeśli pan sobie życzy. – Aktor wykonał w stronę Sergiusza Gerardowicza królewski gest.

Dunhill spokojnie i z godnością odwrócił się i ruszył w kierunku kulis.

– Momencik! – zatrzymał go konferansjer – pozwoli pan, że na pożegnanie pokażę mu jeszcze jeden numer naszego programu – i znowu klasnął w dłonie.

Rozsunęła się czarna kurtyna w głębi sceny, na scenie znalazła się młoda piękna dziewczyna w balowej sukni. W dłoniach trzymała złotą tackę, na której leżała pokaźna paczka przewiązana wstążką od bombonierki oraz brylantowa kolia, od której odskakiwały na wszystkie strony niebieskie, żółte i czerwone błyski.

Dunhill cofnął się o krok, twarz mu pobladła. Sala zamarła.

– Osiemnaście tysięcy dolarów i kolia warta czterdzieści tysięcy w złocie – uroczyście oznajmił aktor. – Sergiusz Gerardowicz przechowywał to w mieście Charków, w mieszkaniu swojej kochanki, Idy Herkulesowny Wors, którą mamy przyjemność właśnie podziwiać, a która łaskawie dopomogła nam odnaleźć te bezcenne, ale w rękach osoby prywatnej bezużyteczne skarby. Serdecznie dziękujemy, Ido Herkulesowna.

Piękność uśmiechnęła się, łysnęła zębami, a puszyste jej rzęsy zadrżały.

– Pod pańską zaś pełną godności maską – zwrócił się aktor do Dunhilla – kryje się chciwy pająk, kłamca i farmazon. Swoim tępym półtoramiesięcznym uporem zadręczył pan nas wszystkich. Niechże pan wraca teraz do domu i niechaj karą dla pana będzie to piekło, które urządzi panu pańska małżonka.

Dunhill zachwiał się i chyba nawet zamierzał upaść, ale czyjeś życzliwe ręce podtrzymały go w porę. W tejże chwili zapadła główna kurtyna i skryła wszystkich, którzy znajdowali się na scenie.

Wściekłe oklaski zatrzęsły widownią do tego stopnia, że Nikanorowi Iwanowiczowi zdawało się, iż podskakują ognie żarówek w żyrandolach. A kiedy główna czarna kurtyna znowu poszła w górę, nie było już na scenie nikogo prócz samotnego aktora. Aktor wywołał ponowną eksplozję braw, ukłonił się sali i powiedział:

– W osobie tego Dunhilla wystąpił przed wami w naszym programie typowy osioł. Miałem już przecież przyjemność mówić wam wczoraj, że nielegalne ukrywanie waluty to czysta bezmyślność. Zapewniam was, że nikt i w żadnych okolicznościach nie będzie mógł z niej skorzystać. Weźmy choćby tego Dunhilla. Otrzymuje pierwszorzędną pensję i niczego mu nie brak. Ma cudowne mieszkanie, żonę i prześliczną kochankę. Ale nie, jeszcze mu mało! Zamiast żyć sobie cicho i spokojnie, bez żadnych kłopotów i nieprzyjemności, zamiast oddać dewizy i kosztowności, ten chciwy bałwan osiągnął w końcu to, że został publicznie zdemaskowany i na deser zafundował sobie szalone komplikacje rodzinne. A więc – kto oddaje? Nie ma chętnych? W takim razie następny numer naszego programu, znany talent dramatyczny, artysta Sawwa Potapowicz Kurolesow, który przybył tu na nasze specjalne zaproszenie, wykona fragmenty *Skąpego rycerza* poety Puszkina.

Przyobiecany Kurolesow nie dał na siebie czekać, pojawił się na scenie, a okazał się rosłym, mięsistym, wygolonym mężczyzną we fraku i w białym krawacie.

Bez żadnego wstępu przybrał posępną minę, namarszczył brwi i zezując na złoty dzwoneczek, przemówił nienaturalnym głosem:

Jak młody obwieś czeka na spotkanie
Miłosne z jakąś chytrą rozpustnicą... [1]

I Kurolesow opowiedział o sobie całe mnóstwo niemiłych rzeczy. Nikanor Iwanowicz słyszał, jak Kurolesow przyznawał się, że jakaś nieszczęsna wdowa, szlochając, klęczała przed nim na deszczu, ale nie wzruszyła tym zakamieniałego serca artysty. Nikanor Iwanowicz przed tym swoim snem absolutnie nie znał utworów poety Puszkina, samego jednak Puszkina znał doskonale i codziennie po kilkakroć wygłaszał zdania w rodzaju: „A za mieszkanie to Puszkin będzie płacił?" albo „Żarówkę na schodach, znaczy się, Puszkin wykręcił?", „Mazut, znaczy się, Puszkin będzie kupował?".

Teraz zapoznawszy się z jednym z utworów poety, Nikanor Iwanowicz posmutniał, wyobraził sobie otoczoną wianuszkiem sierot kobietę na klęczkach, na deszczu, i mimo woli pomyślał: „Niezłe ziółko z tego Kurolesowa!".

Kurolesow zaś, coraz to bardziej podnosząc głos, nadal się kajał, aż ostatecznie zamącił Nikanorowi Iwanowiczowi w głowie, gdy nagle zaczął się zwracać do kogoś, kogo nie było na scenie, sam też sobie odpowiadał za tego nieobecnego i na domiar wszystkiego sam

---

[1] Przełożył Seweryn Pollak.

siebie tytułował to zacnym rycerzem, to baronem, to ojcem, to znów synem, to był ze sobą na ty, to na pan.

Nikanor Iwanowicz tyle tylko zrozumiał, że artysta umarł paskudną śmiercią z okrzykiem: „Gdzie klucze? Klucze? Gdzie moje klucze?", następnie padł na podłogę, rzężąc i ostrożnie zdzierając z siebie krawat.

Skończywszy umierać, Kurolesow wstał, otrzepał z kurzu frakowe spodnie, ukłonił się, uśmiechnął fałszywym uśmiechem i oddalił się z towarzyszeniem wątłych oklasków. A konferansjer przemówił tak:

– Wysłuchaliśmy wspólnie *Skąpego rycerza* w znakomitym wykonaniu Sawwy Potapowicza. Rycerz ten liczył na to, że przybiegną do niego figlarne nimfy i spotka go jeszcze wiele przyjemności w podobnym stylu. Ale, jak widzicie, nic podobnego nie miało miejsca, żadne nimfy do niego nie przybiegły, muzy nie uwieńczyły go wawrzynem i żadnych twierdz również nie zbudował, wręcz przeciwnie, skończył paskudnie, skonał w cholerę na apopleksję, na swoim kufrze z walutą i kamieniami szlachetnymi. Ostrzegam, że jeżeli nie zdacie waluty, to i was spotka coś w tym rodzaju albo i coś znacznie gorszego!

Czy to poezja Puszkina wywarła takie wrażenie, czy też prozaiczne przemówienie konferansjera, dość że z sali dobiegł nagle nieśmiały głos:

– Ja chcę zdać walutę.

– Prosimy serdecznie na scenę – wpatrując się w ciemną salę, grzecznie zaprosił konferansjer.

I znalazł się na scenie malutkiego wzrostu jasnowłosy obywatel o mniej więcej trzytygodniowym zaroście na twarzy.

– Bardzo przepraszam, jak pańska godność? – zapytał konferansjer.

– Kanawkin Nikołaj – nieśmiało wyznał jasnowłosy.

– Ach, tak! Bardzo mi przyjemnie, obywatelu Kanawkin. A więc?

– Zdaję – cicho powiedział Kanawkin.

– Ile?

– Tysiąc dolarów i dwadzieścia złotych dziesięciorublówek.

– Brawo! To wszystko, co pan ma?

Konferansjer wpatrzył się Kanawkinowi w oczy i Nikanorowi Iwanowiczowi wydało się nawet, że trysnęły z tych oczu promienie przeszywające obywatela Kanawkina na wylot niczym promienie rentgenowskie. Widownia przestała oddychać.

– Wierzę! – zawołał wreszcie aktor i przygasił wzrok. – Wierzę! Te oczy nie kłamią! Ile to już razy powtarzałem wam przecież, że wasz podstawowy błąd polega na tym, iż nie doceniacie znaczenia oczu człowieka. Zrozumcie, że język może ukryć prawdę, ale oczy – nigdy! Ktoś wam zadaje niespodziewane pytanie, nie zdradzacie się nawet drgnieniem, błyskawicznie bierzecie się w garść i wiecie, co należy powiedzieć, żeby ukryć prawdę, i wygłaszacie to niezmiernie przekonywająco, i nie drgnie na waszej twarzy żaden mięsień, ale – niestety – spłoszona pytaniem prawda na okamgnienie skacze z dna duszy w oczy i już wszystko stracone. Zostaje dostrzeżona, jesteście w potrzasku.

Wygłosiwszy z wielkim żarem tę niezmiernie przekonywającą mowę, aktor tkliwie zapytał Kanawkina:

– Gdzie pan to schował?

– U mojej ciotki, Porochownikowej, na Prieczystience…

– A! To… chwileczkę… czyżby u Klaudii Iljinicznej?

– Tak.

– Ach, tak, tak, tak, tak. Malutka willa? Naprzeciw willi żywopłot? A jakże, wiem, wiem. Gdzie pan tam to ukrywa?

– W piwnicy, w pudełku po landrynkach Einema…

Aktor załamał ręce.

– Widzieliście coś podobnego? – zawołał z rozpaczą. – Przecież dolary zawilgną tam, zapleśnieją. Nie, doprawdy, czy można takim ludziom powierzać dewizy? No? Zupełnie jak dzieci, słowo daję!…

Kanawkin sam już zrozumiał, że się wygłupił i narozrabiał jak pijany zając, zwiesił więc kosmatą głowę.

– Pieniądze – ciągnął aktor – powinny być przechowywane w banku państwowym, w odpowiednich, suchych i dobrze strzeżonych pomieszczeniach, nigdy zaś w ciotczynej piwnicy, gdzie, nawiasem mówiąc, mogą je uszkodzić szczury. Doprawdy to wstyd, panie Kanawkin! Jest pan przecież dorosłym człowiekiem.

Kanawkin już nie wiedział, gdzie oczy podziać, dłubał tylko palcem w klapie marynarki.

– No, dobrze już – zmiękł aktor – co było, a nie jest… – I nagle dorzucił nieoczekiwanie: – Ale-ale… Żeby już mieć to z głowy… żeby nie wysyłać samochodu dwa razy… Ta ciotunia też ma coś niecoś, co?

Kanawkin, który w żadnym razie nie spodziewał się takiego obrotu sprawy, drgnął i w teatrze zapanowało milczenie.

– Ech, Kanawkin – powiedział z tkliwym wyrzutem konferansjer – a ja go jeszcze przed chwilą chwaliłem! Masz tobie, nagle ni z tego, ni z owego się zaciął! Głupio, Kanawkin! Przecież dopiero co mówiłem o oczach. Przecież gołym okiem widać, że i ciotka też coś ma. No więc po co nas pan męczy niepotrzebnie?

– Ma! – zawadiacko krzyknął Kanawkin.

– Brawo! – zawołał konferansjer.

– Brawo! – straszliwie zagrzmiała sala.

A kiedy się uciszyła, konferansjer złożył Kanawkinowi gratulacje, uścisnął mu dłoń, zaproponował, że odwiezie go samochodem do domu, i polecił komuś niewidocznemu za kulisami podjechać tym samym samochodem po ciotkę i zaprosić ją na program do teatru kobiecego.

– Aha, chciałem jeszcze zapytać, czy ciotka nie mówiła, gdzie chowa swoje? – poinformował się konferansjer, uprzejmie częstując Kanawkina papierosem oraz podając mu ogień. Kanawkin, zapalając, uśmiechnął się jakoś smętnie.

– Wierzę, wierzę – westchnąwszy, odezwał się konferansjer. – Ta stara kutwa nie powiedziałaby tego nie tylko siostrzeńcowi, ale nawet i samemu diabłu! No cóż, spróbujemy obudzić w niej ludzkie uczucia. Może w jej lichwiarskiej duszyczce nie wszystkie jeszcze struny przegniły. Wszystkiego najlepszego, obywatelu Kanawkin.

I szczęśliwy Kanawkin odjechał. Artysta upewnił się, czy nie ma dalszych chętnych do zdawania waluty, ale odpowiedziało mu milczenie.

– Dziwacy, jak Boga kocham! – oznajmił, wzruszając ramionami, aktor i skryła go kurtyna.

Zgasły światła, przez jakiś czas panowała ciemność i z oddali brzmiał w niej nerwowy tenor, śpiewał:

Tyle złota tam leży,
Ono do mnie należy…

Potem z tej oddali po dwakroć dobiegły przygłuszone oklaski.

– Jakaś paniusia zdaje w kobiecym teatrze – nieoczekiwanie przemówił rudy i brodaty sąsiad Nikanora Iwanowicza, westchnął i dodał: – Ech, gdyby nie moje gęsi! Widzisz, mój miły, ja mam bojowe gęsi w Lianozowie. Boję się, że beze mnie wyzdychają. Ptak bojowy, delikatny, wymaga opieki... Ech, żeby nie te gęsi! Na Puszkina mnie nie zanęcisz. – I znów jął wzdychać.

W tym momencie rozjarzyły się światła na sali i zaczęło się Nikanorowi Iwanowiczowi śnić, że ze wszystkich drzwi posypali się wprost na niego kucharze w białych czepcach kucharskich i z warząchwiami w dłoniach. Grono kuchcików wtaszczyło na salę kadź z zupą i wózek z kromkami razowca. Publiczność się ożywiła. Weseli kucharze smyrgali między teatromanami, rozlewali zupę do misek, rozdawali chleb.

– Smacznego, koledzy – wołali kucharze – ale oddawajcie walutę! Po co macie tu siedzieć niepotrzebnie? Że też chce się wam jeść te pomyje! W domu człowiek wypije, jak należy, zakąsi, to dopiero jest życie!

– No, a ty, na przykład, ojczulku, po co tu siedzisz? – zwrócił się wprost do Nikanora Iwanowicza gruby kucharz z czerwonym karkiem i podał mu miskę z cieczą, w której pływał osamotniony kapuściany liść.

– Nie mam! Nie mam! Nic nie mam! – strasznym głosem zawrzeszczał Nikanor Iwanowicz. – Nie mam, rozumiesz?

– Nie masz? – groźnym basem ryknął kucharz. – Nie masz? – zapytał serdecznym kobiecym głosem. – Nie masz, nie masz – zaszeptał uspokajająco, przemieniając się w felczerkę Praskowię Fiodorownę.

Praskowia Fiodorowna delikatnie potrząsała za ramię jęczącego przez sen Nikanora Iwanowicza. Rozpłynęli się wówczas kucharze, rozpadł się teatr z kurtyną. Nikanor Iwanowicz przez łzy rozpoznał swój pokój w klinice i dwie postacie w białych fartuchach, ale w żadnym wypadku nie byli to natrętni kucharze, co to naprzykrzali się ludziom ze swoimi radami, tylko doktor i wciąż ta sama Praskowia Fiodorowna, która trzymała w ręku wcale nie miskę, tylko przykryty gazą talerz ze strzykawką.

– Co to się wyprawia – gorzko mówił Nikanor Iwanowicz, kiedy robiono mu zastrzyk – nie mam, nie mam przecież! Niech im Puszkin walutę zdaje. Nie mam!

– Nie masz, nie – uspokajała go dobrotliwie Praskowia Fiodorowna. – A z pustego i Salomon nie naleje.

Nikanor Iwanowicz po zastrzyku poczuł się lepiej, usnął i nic już mu się nie śniło.

Ale okrzyki jego sprawiły, że niepokój udzielił się sto dwudziestce, której chory lokator wyrwany ze snu zaczął szukać swojej głowy, a także sto osiemnastce, w której nieznany mistrz zatrwożył się i z udręką załamał ręce, patrząc na księżyc i wspominając ową gorzką, ostatnią w jego życiu noc jesienną, owo pasmo światła pod drzwiami w suterenie i tamte rozwiane włosy.

Ze sto osiemnastki niepokój dotarł przez balkon do Iwana – Iwan obudził się i zapłakał.

Ale lekarz szybko uspokoił całą strwożoną i cierpiącą trójkę – zaczęli zasypiać. Najpóźniej usnął Iwan, nad rzeką wstawał już świt. Po wypiciu lekarstwa, które przepoiło całe ciało, ogarnęła go fala uspokojenia. Ciało jego stało się lekkie, głowę owiewał ciepły wietrzyk półsnu. Zasnął, a ostatnią rzeczą, którą jeszcze usłyszał na jawie, był świergot ptaków w lesie w godzinie przedświtu. Ale ptaki wkrótce zamilkły i Iwanowi śniło się, że słońce już się zniża ponad Nagą Górą, a góra ta otoczona jest podwójnym łańcuchem straży…

16

Kaźń

Słońce już się zniżało ponad Nagą Górą, a góra ta otoczona była podwójnym łańcuchem straży. Owa ala jazdy, która około południa przecięła drogę procuratorowi, docwałowała do Bramy Hebrońskiej. Przygotowano już dla niej przejście. Piechurzy z kohorty kapadockiej odepchnęli na boki gromady ludzi, muły i wielbłądy i ala, wzbijając pod niebo białe słupy kurzu, dotarła cwałem do skrzyżowania dwu traktów – południowego, na Betlejem, i północno-zachodniego, wiodącego do Jafy. Ala pocwałowała drogą na północny zachód. Tu także kapadocyjczycy rozsypali się po obu stronach drogi i zawczasu spędzili z niej na boki wszystkie karawany zdążające na święto do Jeruszalaim. Tłumy pątników stały za kapadocyjczykami, porzucone przenośne pasiaste ich namioty rozbite były wprost na trawie. Po przebyciu mniej więcej kilometra ala wyprzedziła drugą kohortę legionu Błyskawic, przebyła jeszcze kilometr i pierwsza zbliżyła się do podnóża Nagiej Góry. Tu zsiadła z koni. Dowódca podzielił alę na drużyny i drużyny te ze wszystkich stron otoczyły podnóże niewysokiego wzgórza, pozostawiając tylko jedno wolne przejście od strony drogi do Jafy.

Po pewnym czasie w ślad za alą dotarła do wzgórza druga kohorta, wspięła się nieco wyżej i opasała górę łańcuchem.

Wreszcie nadeszła centuria dowodzona przez Marka Szczurzą Śmierć. Szła rozciągnięta w dwa rzędy po obu stronach drogi, a między tymi dwoma rzędami konwojowani przez ludzi z tajnej służby jechali na wózku trzej skazańcy, każdy z nich miał na szyi białą tabliczkę, a na tabliczkach tych w dwóch językach – po aramejsku i po grecku – napisane było: „Łotr i wichrzyciel".

Za wózkiem skazańców toczyły się inne wozy, wyładowane świeżo ociosanymi belkami zaopatrzonymi w poprzeczki, sznurami, łopatami, wiadrami i siekierkami. Na wozach tych jechało sześciu oprawców. Za nimi, wierzchem, centurion Marek, przełożony służby świątynnej z Jeruszalaim, oraz ów zakapturzony człowiek, z którym Piłat widział się przelotnie w zaciemnionym pokoju w pałacu. Łańcuch żołnierzy zamykał tę procesję, a potem szło ze dwa tysiące gapiów, którzy nie zlękli się piekielnego upału i chcieli zobaczyć ciekawe widowisko. Do tych gapiów z miasta przyłączyli się teraz ciekawi spośród pątników – nie czyniono im trudności, kiedy dołączyli na koniec kolumny. Wśród przenikliwych okrzyków heroldów, którzy towarzyszyli kolumnie i krzyczeli to samo, co około południa wykrzyczał Piłat, procesja weszła na Nagą Górę.

Ala przepuściła wszystkich między pierwszy i drugi kordon, a druga centuria pozwoliła przejść tym tylko, którzy niezbędni byli przy kaźni, po czym spiesznymi manewrami rozproszyła tłum wokół całego wzgórza tak, że ciżba znalazła się pomiędzy kordonem piechurów na górze a kordonem spieszonej jazdy na dole. Teraz wszyscy mogli przyglądać się kaźni spoza dość rzadkiego łańcucha pieszych żołnierzy.

Tak więc minęły już przeszło trzy godziny od chwili, kiedy procesja wspięła się na górę, i słońce już się zniżało ponad Nagą Górą, ale skwar był jeszcze nieznośny i udręczeni nim żołnierze w obu kordonach męczyli się, nudzili i w duchu przeklinali trzech łotrów, szczerze im życząc jak najrychlejszej śmierci.

Maleńki dowódca ali miał mokre czoło, jego biała koszula pociemniała na plecach od potu, znajdował się u stóp wzgórza, tam gdzie pozostawiono wolne przejście na szczyt, co chwila podchodził do skórzanego wiadra, które było w pierwszym plutonie, złożonymi dłońmi czerpał wodę, pił i zwilżał swój zawój. To sprawiało mu niejaką ulgę, odchodził i znowu zaczynał tam i z powrotem przemierzać pełną kurzu drogę wiodącą na szczyt, a jego długi miecz postukiwał o skórzany sznurowany but. Dowódca chciał dać swym podkomendnym przykład wytrzymałości, ale żal mu było żołnierzy, więc pozwolił im z wbitych w ziemię dzid ustawić piramidy i narzucić na nie białe płaszcze. Syryjczycy chronili się do tych szałasów, uciekając przed bezlitosnym słońcem. Wiadro szybko pokazywało dno i żołnierze z różnych drużyn po kolei schodzili po wodę do niedalekiego wąwozu, gdzie w wątłym migotliwym cieniu mizernych drzew morwowych w tej piekielnej spiekocie dożywał swych dni z lekka zmętniały strumyk. Stali tutaj również znudzeni luzacy, trzymali otępiałe konie, wędrując za przesuwającym się cieniem. Znużenie żołnierzy i ich przekleństwa pod adresem złoczyńców były zrozumiałe. Obawy procuratora przed zamieszkami, które mogłyby się były wydarzyć w znienawidzonym przezeń mieście Jeruszalaim, były na szczęście nieuzasadnione. I kiedy zaczęła się czwarta godzina kaźni, wbrew wszelkim oczekiwaniom pomiędzy dwoma kordonami, między piechotą na górze a jazdą u stóp wzgórza, nie było już ani jednego człowieka. Słońce przepaliło tłum i popędziło go z powrotem do Jeruszalaim. Za łańcuchem dwu centurii rzymskich zostały tylko dwa nie wiedzieć czyje psy, które przybłąkały się na wzgórze. Ale i te, znużone upałem, położyły się z wywieszonymi ozorami, ciężko ziajały, nie zwracając najmniejszej uwagi na zielonogrzbiete jaszczurki, jedyne żywe stworzenia, które nie bały się słońca i śmigały pomiędzy rozpalonymi kamieniami i jakimiś wijącymi się po ziemi roślinami o wielkich kolcach.

Nikt nie próbował odbić skazanych ani w samym Jeruszalaim, gdzie pełno było wojska, ani tu, na otoczonym kordonami wzgórzu, a tłum wrócił do miasta, ponieważ doprawdy nie było w tej kaźni nic interesującego, natomiast tam, w mieście, trwały już przygotowania do rozpoczynającego się wieczorem wielkiego święta Paschy.

Piechota rzymska w drugim kordonie cierpiała bardziej jeszcze niż Syryjczycy. Centurion Szczurza Śmierć pozwolił żołnierzom na to jedynie, by zdjęli hełmy i nakryli głowy białymi, zmoczonymi w wodzie chustami, żołnierze musieli jednak stać, nie wypuszczając włóczni z rąk. On sam, z taką samą, nie zmoczoną jednak, lecz suchą chustą na głowie, przechadzał się nieopodal grupki oprawców, nie zdjąwszy nawet ze swej tuniki przypinanych srebrnych lwich pysków, nie odpiąwszy nagolenników, nie odpasawszy miecza ani krótkiego sztyletu. Słońce biło wprost w centuriona, nie przyczyniając mu najmniejszej krzywdy, na lwie pyski zaś nie sposób było spojrzeć – palił oczy oślepiający blask srebra, które jak gdyby kipiało w słońcu.

Na pokiereszowanej twarzy Szczurzej Śmierci nie widać było ani znużenia, ani niezadowolenia i wydawało się, że olbrzymi centurion może tak chodzić przez cały dzień, przez całą noc i przez jeszcze jeden dzień, słowem, tak długo, jak długo będzie to potrzebne. Może chodzić ciągle tak samo, wsparłszy dłonie na ciężkim, nabijanym miedzianymi blachami pasie, nieodmiennie surowo spoglądając to na słupy z ukrzyżowanymi, to na legionistów w kordonie, nieodmiennie obojętnie odrzucając szpicem kosmatej skórzni wybielone przez czas ludzkie kości albo małe kamienie, które znalazły się na jego drodze.

Zakapturzony człowiek zasiadł w pobliżu słupów na trójnożnym składanym stołku obozowym i siedział dobrodusznie nieruchomy, a niekiedy z nudów dłubał kijaszkiem w piasku.

Powiedziane już zostało, że za łańcuchem legionistów nie było nikogo – niezupełnie odpowiada to prawdzie. Był tam pewien człowiek, ale po prostu nie wszyscy go widzieli. Ulokował się on nie z tej strony, z której pozostawiono przejście na górę i z której najwygodniej było przyglądać się kaźni, ale od strony północnej. Zbocze nie było tam łagodne i łatwe do podejścia, ale nierówne, pełne urwisk i rozpadlin – tam to, w szczelinie, uczepiwszy się przeklętej przez niebo, wysuszonej jałowej ziemi, walczyło o życie chore drzewko figowe.

Właśnie pod tym niedającym żadnego cienia drzewkiem ulokował się ów jedyny człowiek, który był widzem, a nie uczestnikiem kaźni, i siedział tam na kamieniu od samego początku, to znaczy czwartą już godzinę. Tak, wybrał nie najlepsze, lecz najgorsze stanowisko, by przyglądać się kaźni. Ale także i stamtąd mógł widzieć słupy i dwa połyskujące punkty na piersi centuriona za kordonem, a to najwyraźniej mu wystarczało, widocznie chciał pozostać niezauważony i przez nikogo nieniepokojony.

Ale przed czterema godzinami, na początku kaźni, człowiek ten zachowywał się zupełnie inaczej; jak najbardziej mógł zostać dostrzeżony i zapewne dlatego teraz inaczej się zachowywał i postarał się ukryć.

Wtedy, skoro tylko procesja weszła za kordon, na sam szczyt wzgórza, człowiek ten pojawił się po raz pierwszy, był przy tym najwyraźniej spóźniony. Dyszał ciężko i nie wszedł, lecz wbiegł na wzgórze, przepychał się, a kiedy kordon zamknął się przed nim, jak i przed wszystkimi innymi, udając, że nie rozumie gniewnych okrzyków, podjął naiwną próbę przedarcia się między żołnierzami aż na samo miejsce kaźni, tam gdzie skazanych ściągano już z wózka. Boleśnie uderzony w pierś drzewcem włóczni, krzyknął i odskoczył od żołnierzy, był to jednak okrzyk nie bólu, lecz rozpaczy. Legionistę, który go uderzył, obrzucił niewidzącym i zobojętniałym na wszystko spojrzeniem człowieka, który nie czuje bólu fizycznego.

Trzymając się za pierś, kaszląc i tracąc oddech, obiegł wzgórze dokoła, próbując na północnym stoku znaleźć w łańcuchu jakąś lukę, przez którą można by się prześlizgnąć. Ale było już za późno, krąg się zamknął. Więc człowiek o wykrzywionej bólem twarzy musiał zaniechać prób przedarcia się ku wozom, z których wyładowano już belki. Próby takie doprowadziłyby tylko do tego, że zostałby schwytany, a owego dnia w żadnym razie nie mógł sobie na to pozwolić.

I oto człowiek ów odszedł na bok, ku rozpadlinie, gdzie było spokojniej i gdzie nikt mu nie przeszkadzał.

Teraz czarnobrody ów mężczyzna o ropiejących od blasku słońca i bezsenności oczach siedział na kamieniu i rozpaczał. To wzdychał – rozchylając swój podniszczony w czasie długich wędrówek, niegdyś błękitny, teraz brudnoszary tallit i odsłaniając uderzoną drzewcem włóczni pierś, po której spływał brudny pot – to w nieznośnej męce wznosił oczy ku niebu i śledził trzy sępy, które już od dawna szybowały na wysokości, zataczając wielkie kręgi, pewne niedalekiej uczty, to znów wbijał zagasłe spojrzenie w żółtą ziemię i widział na tej ziemi na wpół spróchniałą psią czaszkę i biegające wokół niej jaszczurki.

Męka owego człowieka była tak wielka, że chwilami rozmawiał sam ze sobą.

– O, cóż ze mnie za głupiec… – mruczał, kiwając się na kamieniu w strasznej udręce i drapiąc paznokciami smagłą pierś. – Głupiec, głupia baba, tchórz! Psem plugawym jestem, a nie człowiekiem!

Milkł, zwieszał głowę, a potem pił ciepłą wodę z drewnianej flaszy, znowu się ożywiał i chwytał to za ukryty na piersiach pod tallitem nóż, to za kawałek pergaminu, który leżał przed nim na kamieniu obok trzcinki i kałamarza z tuszem.

Na pergaminie owym było już napisane:

„Minuty płyną i ja, Mateusz Lewita, jestem na Nagiej Górze, a śmierć nie nadchodzi!".

Potem:

„Słońce schyla się ku zachodowi, a śmierć nie nadchodzi!".

Teraz Mateusz Lewita bez nadziei napisał ostrą trzcinką, co następuje:

„Boże, czemuś obrócił na niego twój gniew?! Ześlij mu śmierć". Zapisawszy to, załkał bez łez i znowu rozdrapał paznokciami pierś.

Powodem rozpaczy Lewity była ta straszliwa klęska, która spotkała Jeszuę i jego samego, a także ów niewybaczalny błąd, który on, Mateusz Lewita, jak mniemał, popełnił. Przedwczoraj rano Jeszua i Lewita byli w Betanii pod Jeruszalaim, gdzie gościli u pewnego ogrodnika, któremu nadzwyczaj się spodobały proroctwa Jeszui. Cały ranek obaj goście przepracowali w ogrodzie, pomagając gospodarzowi, a pod wieczór, kiedy się ochłodzi, zamierzali iść do Jeruszalaim. Ale Jeszua, z niewiadomej przyczyny, zaczął się spieszyć, powiedział, że ma w mieście pilną sprawę do załatwienia, i około południa odszedł samotnie. Na tym to właśnie polegał pierwszy błąd Mateusza Lewity. Czemu, och, czemu puścił go samego!

Wieczorem Mateusz nie poszedł do Jeruszalaim. Dopadła go jakaś nagła i dokuczliwa boleść. Trzęsło go, jego ciało wypełniał ogień, szczękał zębami i co chwila prosił o wodę.

Iść nigdzie nie mógł. Zwalił się na derę w szopie ogrodnika i przeleżał tam aż do piątkowego świtu, kiedy choroba minęła równie nieoczekiwanie, jak nadeszła. Chociaż był jeszcze słaby i choć nogi pod nim drżały, pożegnał się z gospodarzem i ruszył do Jeruszalaim, męczyło go bowiem przeczucie jakiegoś nieszczęścia. W Jeruszalaim dowiedział się, że przeczucie go nie zawiodło, że stało się nieszczęście. Lewita był w tłumie i słyszał ogłaszającego wyrok procuratora.

Kiedy poprowadzono skazańców na górę, Mateusz Lewita biegł obok szeregu żołnierzy w tłumie ciekawych, starając się jakoś niezauważalnie dać znać Jeszui choćby tylko o tym, że on, Lewita, jest tu, obok niego, że nie porzucił go w tej ostatniej drodze i że modli się o to, by śmierć zabrała Jeszuę jak najszybciej. Ale Jeszua patrzył w dal, tam, dokąd go wieziono, i oczywista, nie widział Mateusza.

I oto kiedy procesja przeszła już drogą z pół wiorsty, popychanego w tłumie tuż obok szeregu żołnierzy Mateusza olśniła myśl prosta i genialna i natychmiast, zapalczywy jak zawsze, obrzucił siebie obelgami za to, że myśl ta nie przyszła mu do głowy wcześniej. Żołnierze nie szli zwartym szeregiem, były między nimi odstępy. Przy dużej zręczności i trafnym wyliczeniu można było skulić się, przeskoczyć między dwoma legionistami, dopaść wózka i wskoczyć nań. Wtedy Jeszua będzie wybawiony od męczarni.

Wystarczy jedna chwila, by uderzyć Jeszuę nożem w plecy i krzyknąć mu: „Jeszua! Ocaliłem cię i odchodzę wraz z tobą! To ja, Mateusz, twój wierny i jedyny uczeń!".

A gdyby Bóg zechciał sprzyjać i zesłał jeszcze jedną chwilę wolności, to może zdążyłby zabić i siebie samego, uniknąwszy w ten sposób śmierci na słupie. To zresztą mało już obchodziło Mateusza Lewitę, byłego poborcę podatkowego. Obojętne mu było, jak zginie. Chciał tylko jednego – by Jeszua, który nigdy w życiu nie zrobił nikomu najmniejszej krzywdy, mógł uniknąć męki.

Plan był bardzo dobry, ale sęk w tym, że Lewita nie miał przy sobie noża. Nie miał także ani grosza.

Wściekły na siebie wydostał się z tłumu i pobiegł z powrotem do miasta. W jego płonącej głowie dygotała tylko jedna gorączkowa myśl – jak natychmiast, w jakikolwiek sposób, zdobyć w mieście nóż i jak potem dopędzić procesję.

Dobiegł do bramy miejskiej, lawirując w natłoku wsysanych przez miasto karawan, i po lewej stronie zobaczył otwarte drzwi sklepiku, w którym sprzedawano chleb. Dysząc ciężko po biegu rozpaloną drogą, Lewita opanował się, statecznie wszedł do sklepiku, dostojnie pozdrowił stojącą za ladą właścicielkę, poprosił ją, by zdjęła z półki leżący u samej góry bochen, który z niewiadomego powodu spodobał mu się bardziej niż inne, a kiedy ta się obróciła, w milczeniu szybko chwycił z lady coś, co było najlepsze – długi, wyostrzony jak brzytew nóż chlebowy, i natychmiast wybiegł ze sklepu.

W kilka minut później był znowu na drodze do Jafy. Ale procesji już nie było widać. Pobiegł. Niekiedy padał i łapiąc oddech, leżał przez chwilę w bezruchu. Leżał tak, zadziwiając ludzi, którzy jechali na mułach i szli pieszo ku Jeruszalaim. Leżał, nasłuchiwał, jak jego serce łomoce nie tylko w piersiach, ale także pod czaszką i w uszach. Wytchnąwszy nieco, zrywał się i biegł dalej, coraz wolniej jednak i wolniej. Kiedy wreszcie zobaczył w dali długą, wzbijającą kurz procesję, dochodziła już ona do stóp wzgórza.

– O Boże!... – jęknął Lewita, widząc, że nie zdąży. I nie zdążył.

Kiedy minęła czwarta godzina kaźni, udręka Lewity osiągnęła szczyt i Mateusz wpadł we wściekłość. Wstał z kamienia, cisnął na ziemię niepotrzebnie, jak teraz myślał, ukradziony nóż, rozdeptał flaszę, pozbawiając się w ten sposób wody, zdarł z głowy kefi, chwycił się za swoje rzadkie włosy i zaczął sam siebie przeklinać.

Przeklinał siebie, wykrzykując bezsensowne słowa, ryczał i pluł, znieważał swych rodziców za to, że wydali na świat głupca. Widząc, że klątwy i wyzwiska nie skutkują, że nic się nie zmienia na spalonym przez słońce wzgórzu, zacisnął wyschłe pięści, zmrużył oczy, wzniósł ramiona ku niebu, ku słońcu, które zniżało się, coraz bardziej wydłużając cienie, i odchodziło, aby zapaść w Morze Śródziemne, i zażądał od Boga natychmiastowego cudu. Domagał się, by Bóg niezwłocznie zesłał Jeszui śmierć.

Otworzył oczy, przekonał się, że na wzgórzu wszystko pozostało, jak było, tyle tylko, że przygasły punkty płonące na piersiach centuriona. Słońce świeciło w grzbiety skazańców, których twarze skierowane były ku Jeruszalaim. Wtedy Lewita zawołał:

– Przeklinam ciebie, Boże!

Naderwanym głosem krzyczał, że przekonał się o niesprawiedliwości boskiej i nie ma zamiaru wierzyć w Boga dłużej.

– Jesteś głuchy! – ryczał Mateusz. – Gdybyś nie był głuchy, usłyszałbyś mnie i zabiłbyś go w tejże chwili!

Mrużąc oczy, Lewita czekał na ogień, który spadnie z nieba i porazi go. Nic takiego się nie stało, więc Lewita z zaciśniętymi powiekami nadal wykrzykiwał obelżywą i szyderczą przemowę do niebios. Krzyczał, że jest najzupełniej zawiedziony, krzyczał także, że są jeszcze inni bogowie i inne religie. Tak. Inny Bóg nie dopuściłby do tego, nigdy by nie dopuścił do tego, by takiego człowieka jak Jeszua spalało na słupie słońce.

– Byłem w błędzie! – krzyczał zupełnie zachrypnięty Lewita. – Ty jesteś Bogiem zła! A może twoje oczy całkiem już przesłonił dym z ofiarnych ołtarzy świątyni, a twoje uszy nie słyszą już niczego prócz dźwięku trąb kapłanów? Nie jesteś wszechmogący! Jesteś Bogiem nieprawości! Przeklinam cię, Boże łotrów, opiekunie zbójców, natchnienie zbrodniarzy!

Wtedy coś wionęło w twarz byłego poborcy, coś zaszeleściło u jego stóp. Powiało raz jeszcze i Lewita otworzył oczy, i zobaczył, że czy to pod wpływem jego klątw, czy też z jakiegoś innego powodu cały świat się zmienił. Słońce zniknęło, nie doszedłszy do morza, w którym tonęło co wieczora. Pochłonęła je groźna i nieubłagana chmura burzowa, nadciągająca niebem od zachodu. Na jej krawędziach kipiała już biała piana, czarny i dymny jej brzuch przeświecał żółto. Chmura warczała i od czasu do czasu wysypywały się z niej ogniste nici. Przez drogę do Jafy i przez nędzną dolinę Ge-hinnom nad namiotami wiernych przetaczały się wzbite nagłym uderzeniem wiatru słupy kurzu.

Lewita zamilkł, zastanawiał się, czy burza, która zwali się za chwilę na Jeruszalaim, odmieni cokolwiek w losach nieszczęsnego Jeszui. I natychmiast, patrząc na nici ognia przekrawające chmury, zaczął prosić o to, by grom uderzył w słup Jeszui. Patrząc ze skruchą w czyste, niepochłonięte jeszcze przez chmurę niebo, w którym sępy kładły się na skrzydło, aby uciec przed burzą, Lewita pomyślał, że nierozumnie pospieszył się ze swymi klątwami – teraz Bóg go nie wysłucha.

Spojrzawszy na podnóże góry, Lewita wpatrzył się w miejsce, gdzie stał rozsypany oddział jazdy, i zobaczył, że zaszły tam znaczne zmiany. Patrząc z góry, widział jak na dłoni bieganinę żołnierzy wyciągających dzidy z ziemi i narzucających na ramiona płaszcze, widział luzaków, którzy cwałowali ku drodze, prowadząc za cugle kare wierzchowce. Jazda odchodziła, to było oczywiste. Lewita osłaniał się ramieniem przed bijącym w twarz kurzem, spluwał i starał się zrozumieć, co też może znaczyć, że konnica zamierza odejść. Spojrzał wyżej i zobaczył wspinającą się ku miejscu straceń postać w purpurowej wojskowej chlamidzie. Wtedy były poborca poczuł chłód w sercu, przeczuł bowiem coś radosnego.

Tym, który w piątej godzinie męczarni łotrów wspinał się na szczyt, był dowódca kohorty – wraz z ordynansem przygalopował z Jeruszalaim. Na skinienie Szczurzej Śmierci rozstąpił się łańcuch żołnierzy i centurion oddał honory trybunowi. Ten odprowadził Szczurzą Śmierć na bok i coś mu szepnął. Centurion zasalutował po raz drugi i poszedł w kierunku grupki oprawców, którzy rozsiedli się na kamieniach u podnóża słupów. Trybun zaś skierował swoje kroki ku temu, który siedział na trójnożnym stołku, a siedzący powstał uprzejmie na jego powitanie. Jemu również trybun coś cicho powiedział, po czym obaj poszli w stronę słupów. Przyłączył się do nich przełożony służby świątynnej.

Szczurza Śmierć spojrzał z obrzydzeniem na brudne szmaty leżące na ziemi koło słupów, łachmany, które do niedawna stanowiły odzież przestępców, a którymi wzgardzili oprawcy, odwołał dwu oprawców i rzucił im rozkaz:

– Za mną!

Od najbliższego słupa dobiegała ochrypła bezsensowna piosenka. Muchy i słońce sprawiły, że wiszący na nim Gestas pod koniec trzeciej godziny kaźni zwariował, teraz śpiewał cicho coś o winoroślach, a okręcona zawojem głowa kiwała mu się z rzadka, wtedy muchy leniwie podrywały się z jego twarzy, by niebawem powrócić.

Dismas na drugim słupie cierpiał bardziej niż dwaj pozostali, ponieważ nie tracił przytomności, i często, miarowo rzucał głową to w lewo, to w prawo, tak by uchem uderzać o ramię.

Jeszua miał więcej szczęścia niż tamci dwaj. Już w pierwszej godzinie popadł w omdlenie, a potem stracił przytomność, zwiesił głowę w zawoju, który się rozwinął. Przeto muchy i ślepaki zupełnie go oblepiły, tak że twarz jego znikła pod rojącą się czarną masą. W pachwinie, na brzuchu i pod pachami zasiadły tłuste ślepaki i ssały żółte obnażone ciało.

Jeden z oprawców, posłuszny skinieniom człowieka w kapturze, wziął włócznię, a drugi przyniósł pod słup wiadro i gąbkę. Pierwszy z nich wzniósł włócznię i postukał nią po wyciągniętych i przywiązanych sznurami do poprzecznej belki rękach Jeszui, najpierw po jednej, potem po drugiej. Ciało, na którym wystąpiły wszystkie żebra, drgnęło. Oprawca powiódł końcem włóczni po brzuchu. Wówczas Jeszua podniósł głowę, muchy poderwały się z brzęczeniem, odsłoniła się zapuchnięta od ich ukąszeń twarz ukrzyżowanego, twarz o obrzękłych powiekach, twarz nie do poznania.

Ha-Nocri rozkleił powieki i popatrzył na dół. Jego oczy, jasne zazwyczaj, były teraz zmętniałe.

– Ha-Nocri! – powiedział oprawca.

Ha-Nocri poruszył opuchniętymi wargami i odezwał się ochrypłym głosem zbójcy:

– Czego chcesz? Po coś do mnie podszedł?

– Pij! – powiedział oprawca. I nasycona wodą gąbka zatknięta na ostrzu włóczni wzniosła się ku wargom Jeszui. W oczach skazańca rozbłysła radość, przypadł do gąbki i chciwie zaczął wysysać wilgoć. Od sąsiedniego słupa dał się słyszeć głos Dismasa:

– Niesprawiedliwość! Jestem takim samym łotrem jak on!

Dismas wyprężył się, ale nie zdołał się poruszyć, jego ręce w trzech miejscach przywiązane były do poprzecznej belki pierścieniami powrozów. Wciągnął brzuch, wpił się paznokciami w końce belki, głowę miał zwróconą w stronę słupa Jeszui, w oczach Dismasa płonęła wściekłość.

Chmura kurzu okryła szczyt wzgórza, zrobiło się znacznie ciemniej. Kiedy kurz się uniósł, centurion krzyknął:

– Milczeć tam na drugim słupie!

Dismas zamilkł. Jeszua oderwał się od gąbki i starając się, by jego głos zabrzmiał łagodnie i przekonywająco, co mu się nie udało, poprosił oprawcę ochryple:

– Pozwól mu się napić!

Robiło się coraz mroczniej. Chmura, sunąc ku Jeruszalaim, zalała już połowę nieba, kipiel białych obłoków poprzedzała tamtą, pełną czarnej wody i ognia chmurę. Błysnęło, grom uderzył nad samym wzgórzem. Oprawca zdjął gąbkę z ostrza włóczni.

– Sław wielkodusznego hegemona! – szepnął uroczyście i lekkim ruchem dźgnął Jeszuę w serce. Ów drgnął, szepnął:

– Hegemon...

Krew pociekła mu po brzuchu, dolna szczęka zadrżała nerwowo, głowa opadła.

Kiedy uderzył drugi piorun, oprawca poił już Dismasa i z tymiż słowami:

– Sław hegemona! – zabił i jego także.

Gestas, który postradał zmysły, krzyknął z przerażenia, skoro tylko ujrzał koło siebie oprawcę, ale kiedy gąbka dotknęła jego warg, zaryczał i wbił w nią zęby.

W kilka sekund później i jego ciało zwisło, na ile pozwalały na to sznury.

Człowiek w kapturze szedł w ślad za oprawcą i centurionem, za nim podążał przełożony służby świątynnej. Stanąwszy przy pierwszym słupie, człowiek w kapturze uważnie przyjrzał się zakrwawionemu Jeszui, trącił białą dłonią jego stopę i powiedział do tych, którzy mu towarzyszyli:

– Nie żyje.

To samo powtórzyło się również przy dwóch pozostałych słupach.

Następnie trybun dał znak centurionowi, zawrócił i zaczął schodzić ze szczytu wraz z dowódcą służby świątynnej i człowiekiem w kapturze. Zapadł półmrok, błyskawice bruździły czarne niebo. Nagle brysnął z niego ogień i krzyk centuriona: „Zwijać kordon!"

– zagłuszył grzmot. Szczęśliwi żołnierze zbiegali ze wzgórza, wkładając hełmy w biegu.

Ciemność okryła Jeruszalaim.

Ulewa lunęła nagle, zastała centurie w połowie zbocza. Woda runęła tak gwałtownie, że gdy żołnierze zbiegali na dół, już pędziły za nimi w pogoń rozpasane strumienie. Żołnierze ślizgali się i przewracali na rozmiękłej glinie, spiesząc ku równej drodze, którą – ledwie już widoczną za przesłoną wody – odjeżdżała do Jeruszalaim przemoczona do suchej nitki konnica. Po kilku minutach w dymnej kipieli burzy, wody i ognia na wzgórzu pozostał jeden tylko człowiek.

Potrząsając nie na darmo ukradzionym nożem, osuwając się z oślizgłych usków, czepiając się, czego się dało, niekiedy pełznąc na kolanach, wspinał się ku słupom. To znikał w nieprzeniknionej mgle, to nagle ukazywał się w migotliwym błysku.

Dotarłszy do słupów, już po kostki w wodzie, zdarł z siebie ciężki teraz, bo przemoczony tallit, pozostał w samej koszuli i przypadł do nóg Jeszui. Przeciął sznury na goleniach, wspiął się na dolną belkę poprzeczną, objął Jeszuę i wyzwolił jego ramiona z górnych pęt. Nagie mokre ciało Jeszui zwaliło się na Mateusza i przewróciło go na ziemię. Lewita chciał je natychmiast zarzucić sobie na ramię, ale pomyślał o czymś, i to go powstrzymało. Pozostawił w wodzie na ziemi ciało z odrzuconą do tyłu głową i rozkrzyżowanymi ramionami i pobiegł do pozostałych słupów, nogi rozjeżdżały mu się w gliniastej mazi. Przeciął więzy także na tamtych słupach i jeszcze dwa ciała zwaliły się na ziemię.

Minęło kilka minut i na wierzchołku wzgórza zostały tylko te dwa ciała i trzy puste słupy. Woda lała się z nieba, przekręcając te ciała.

Ani Lewity, ani ciała Jeszui na szczycie wzgórza wówczas już nie było.

17

Niespokojny dzień

W piątek rano, to znaczy nazajutrz po przeklętym seansie, cały personel Variétés – główny księgowy Wasilij Stiepanowicz Łastoczkin, dwóch innych księgowych, trzy maszynistki, obie kasjerki, gońcy, bileterzy i sprzątaczki – słowem wszyscy, którzy znajdowali się w teatrze, nie pracowali, lecz siedząc na parapetach wychodzących na Sadową okien, przyglądali się temu, co się dzieje pod murem Variétés. Pod murem tym ustawiła się w dwóch rzędach wielotysięczna kolejka, której koniec znajdował się na placu Kudrińskim. Na początku tej kolejki stało ze dwudziestu dobrze znanych w teatralnej Moskwie koników.

Kolejka była bardzo wzburzona, zwracała na siebie uwagę obywateli przechodniów i zajmowała się roztrząsaniem pasjonujących opowieści o wczorajszym niebywałym seansie czarnej magii. Opowieści te niezmiernie zdetonowały głównego księgowego Wasilija Stiepanowicza, który wczoraj nie był na spektaklu. Bileterzy opowiadali niestworzone rzeczy. Opowiadali między innymi, że po zakończeniu niezwykłego seansu niektóre obywatelki biegały po ulicy nieprzyzwoicie porozbierane, i różne inne historie w tym guście. Skromny i spokojny Łastoczkin, słuchając gadaniny o wszystkich tych cudach, mrugał tylko oczyma i zupełnie nie wiedział, co ma począć, a powinien był coś zrobić, właśnie on, a nie kto inny, ponieważ był teraz najstarszy stanowiskiem wśród personelu Variétés.

O dziesiątej rano złakniona biletów kolejka tak napęczniała, że wieść o niej dotarła do milicji i z zadziwiającą szybkością zostały przysłane patrole, zarówno piesze, jak konne, które zaprowadziły w kolejce niejaki porządek. Jednak długi na kilometr ogonek sam przez się był rzeczą ogromnie gorszącą i wprawiał w osłupienie przechodniów na Sadowej, nawet kiedy stał spokojnie.

Wszystko to działo się na zewnątrz, wewnątrz zaś budynku Variétés również panował nieopisany rozgardiasz. Od wczesnego rana w gabinecie Lichodiejewa, w gabinecie Rimskiego, w księgowości, w kasie i w gabinecie Warionuchy rozdzwoniły się telefony i dzwoniły już bez ustanku. Najpierw Łastoczkin coś odpowiadał, odpowiadała także kasjerka, coś tam mamrotali do słuchawek bileterzy, a potem w ogóle wszyscy przestali podnosić słuchawki, doprawdy bowiem nie mieli co odpowiadać na pytania, gdzie jest Lichodicjew, Warionucha, Rimski. Próbowali z początku spławiać rozmówcę informacją: „Lichodiejew jest w domu", ale wtedy po tamtej stronie słuchawki mówiono, że do domu już dzwonili i że w domu twierdzili, że Lichodiejew jest w Variétés.

Zadzwoniła wzburzona dama domagająca się rozmowy z Rimskim, poradzono jej, żeby zadzwoniła do jego żony, na co słuchawka odrzekła wśród szlochu, że ona właśnie jest żoną Rimskiego i że Rimskiego nigdzie nie ma. Działo się coś niepojętego. Sprzątaczka zdążyła już opowiedzieć wszystkim, że kiedy przyszła do gabinetu dyrektora finansowego, żeby posprzątać, zobaczyła drzwi otwarte na oścież, palące się lampy, wybite szyby w oknie wychodzącym na ogród, na podłodze sponiewierany fotel, ale nikogo w gabinecie nie było.

O jedenastej wdarła się do Variétés madame Rimska. Szlochała i załamywała ręce. Główny księgowy zupełnie stracił głowę i nie wiedział, co ma jej poradzić. A o wpół do jedenastej zjawiła się milicja. Jej pierwsze pytanie, zupełnie zresztą słuszne, brzmiało:

– Co się tu u was dzieje, obywatele? O co chodzi?

Personel podał tyły, na placu pozostał blady, zdenerwowany Wasilij Stiepanowicz. Trzeba było wreszcie zacząć nazywać rzeczy po imieniu i przyznać, że administracja Variétés w osobach dyrektora, dyrektora finansowego i administratora zaginęła i nie wiadomo, gdzie się znajduje, że konferansjera po wczorajszym seansie odwieziono do szpitala psychiatrycznego i że, krótko mówiąc, ten wczorajszy spektakl był po prostu skandaliczny.

Uspokoiwszy, na ile się dało, szlochającą madame Rimską, wyprawiono ją do domu i zainteresowano się przede wszystkim opowieścią sprzątaczki o tym, w jakim to stanie zastała ona gabinet dyrektora finansowego. Poproszono pracowników, aby zechcieli powrócić do swych zajęć, a w budynku Variétés zjawiły się niebawem organa śledcze, którym towarzyszył jasnopopielaty, spiczastouchy, muskularny pies o zdumiewająco mądrych ślepiach. Pracownicy Variétés od razu zaczęli szeptać po kątach, że ten pies to niezrównany Askaro we własnej osobie. I tak też było. Poczynania psa wprawiły wszystkich w podziw. Askaro, skoro tylko wbiegł do gabinetu dyrektora finansowego, warknął, wyszczerzył potworne żółtawe kły, przywarował i, z jakimś smutkiem, a zarazem wściekłością w ślepiach, poczołgał się w kierunku rozbitego okna. Nagle, przezwyciężając strach, zerwał się, wskoczył na parapet i dziko, złowrogo zawył, zadzierając ku górze swój spiczasty pysk. Nie dawał się spędzić z parapetu, warczał, wzdrygał się i usiłował wyskoczyć przez okno.

Wyprowadzono psa z gabinetu, zaprowadzono go do westybulu, stamtąd przez drzwi frontowe wybiegł na ulicę i przyprowadził idących za nim na postój taksówek. Na postoju zgubił ślad, którym dotąd szedł. W związku z czym Askara odwieziono.

Organa śledcze ulokowały się w gabinecie Warionuchy, tam też po kolei zaczęły wzywać tych wszystkich pracowników Variétés, którzy byli świadkami wczorajszych zajść na seansie. Trzeba tu dodać, że śledztwo na każdym kroku musiało przezwyciężać nieprzewidziane trudności. Nić co chwila rwała się w ręku.

Afisze na przykład... Były? Były. Ale w nocy zaklejono je nowymi i teraz nie ma ani jednego, choć się powieś! Skąd się wziął ten cały mag? A kto go tam wie. Zapewne jednak zawarto z nim jakąś umowę?

– Pewnie zawarto – odpowiadał przejęty główny księgowy.

– Więc skoro ją zawarto, to musiała przejść przez księgowość?

– Bez wątpienia – odpowiadał zdenerwowany Wasilij Stiepanowicz.

– Więc gdzież ona jest?

– Nie ma – blednąc coraz bardziej i rozkładając ręce, odpowiadał księgowy.

I rzeczywiście, ani w skoroszytach księgowości, ani u dyrektora finansowego, ani u Lichodiejewa, ani u Warionuchy nie było nawet śladu umowy.

Jak brzmi nazwisko tego maga? Łastoczkin nie wie, nie było go wczoraj na seansie. Bileterzy nie wiedzą, kasjerka z kasy biletowej marszczyła czoło, marszczyła, medytowała, wreszcie powiedziała:

– Wo... zdaje się – Woland...

A może nie Woland? Może i nie Woland. Może Faland. Stwierdzono, że w biurze turystyki zagranicznej o żadnym Wolandzie ani Falandzie, magu, w ogóle nie słyszano.

Goniec Karpow zeznał, jakoby ten mag miał się zatrzymać u Lichodiejewa w domu. Naturalnie, pojechano tam natychmiast, ale żadnego maga na Sadowej nie było. Nie było również Lichodiejewa. Nie było także służącej Gruni i nikt nie wiedział, gdzie się podziała. Nikanora Iwanowicza, prezesa zarządu, nie ma. Proleżniewa też nie ma!

Słowem – jakaś historia nie z tej ziemi: zniknęło całe kierownictwo administracji teatru, wczoraj odbył się straszny, skandaliczny seans, a kto go przeprowadził i z czyjej inicjatywy – nie wiadomo.

Tymczasem zbliżało się południe, a o dwunastej powinno się otworzyć kasę. Ale o tym, oczywista, nawet mowy być nie mogło! Na drzwiach Variétés zaraz wywieszono wielki arkusz kartonu z napisem: „Odwołuje się dzisiejszy spektakl". W kolejce, poczynając od jej czoła, zapanowało wzburzenie, ale podenerwowawszy się trochę, ogonek zaczął się jednak z wolna rozchodzić i mniej więcej po godzinie na Sadowej nie było po nim śladu. Organa śledcze opuściły Variétés, aby kontynuować swoje prace w innym miejscu, pracowników zwolniono do domów, zatrzymując tylko dyżurnych, i Variétés zamknęło swe podwoje.

Księgowy Łastoczkin miał przed sobą dwa niecierpiące zwłoki zadania. Po pierwsze – pojechać do Komisji Nadzoru Widowisk i Rozrywek Lżejszego Gatunku i złożyć raport o wczorajszych zajściach, a po drugie – wpaść do wydziału finansowo-widowiskowego, żeby wpłacić wczorajsze wpływy z kasy – dwadzieścia jeden tysięcy siedemset jedenaście rubli.

Pedantyczny i obowiązkowy Wasilij Stiepanowicz zapakował pieniądze w gazetę, przewiązał paczkę szpagatem, włożył ją do teczki i – świetnie znając instrukcję – poszedł oczywiście nie do autobusu ani nie do tramwaju, tylko na postój taksówek.

Skoro tylko kierowcy trzech taksówek zobaczyli zmierzającego w kierunku postoju pasażera z wypchaną teczką, natychmiast pustymi taksówkami odjechali mu sprzed nosa, nie wiedzieć czemu oglądając się przy tym z wściekłością.

Zdumiony tym księgowy przez dłuższą chwilę stał w osłupieniu, nie mogąc dociec, co też by to miało znaczyć.

Po trzech minutach podjechała pusta taksówka, kierowca skrzywił się na widok pasażera.

– Wolny? – zapytał Łastoczkin, odkaszlnąwszy ze zdumieniem.

– Pokaż pan pieniądze – nie patrząc na pasażera, ze złością odpowiedział kierowca.

Coraz bardziej oszołomiony księgowy ścisnął pod pachą drogocenną teczkę, wyciągnął z porfela czerwońca i pokazał go szoferowi.

– Nie pojadę! – krótko oświadczył kierowca.

– Przepraszam bardzo... – zaczął księgowy, ale kierowca przerwał mu:

– Trójek pan nie ma?

Zupełnie już zbity z tropu księgowy wyjął z portfela dwa trzyrublowe banknoty i pokazał je kierowcy.

– Wsiadaj pan! – krzyknął taksówkarz i tak trzepnął w chorągiewkę taksometru, że o mało jej nie złamał. – Jedziemy.

– Zabrakło panu drobnych? – nieśmiało zapytał księgowy.

– Drobnych pełna kieszeń! – zaryczał szofer i w lusterku ukazały się jego przekrwione oczy. – Już trzeci raz dziś mi się to zdarza. Innym też się zdarzało. Daje taki sukinsyn czerwońca, ja mu cztery pięćdziesiąt reszty. Wysiada, łobuz. Za pięć minut patrzę – zamiast czerwońca etykieta z butelki mineralnej! – W tym miejscu kierowca wypowiedział kilka nienadających się do druku uwag. – Drugi jechał na Zubowski. Czerwoniec. Daję trzy ruble reszty. Wysiadł. Sięgam do portmonetki, a tam – pszczoła. W palec mnie ucięła! Ach ty!... – Szofer znów wmontował nienadające się do druku wyrazy. – A czerwońca nie ma. Wczoraj w tym Variétés (nie do druku) jakiś cholerny magik odstawił numer z czerwońcami (słowa nie do druku)...

Księgowy oniemiał, nastroszył się, zrobił taką minę, jakby nawet samą nazwę Variétés słyszał po raz pierwszy w życiu, i pomyślał sobie: „Patrzcie, patrzcie...".

Przyjechawszy, gdzie należy, i szczęśliwie zapłaciwszy za kurs, księgowy wszedł do budynku, ruszył korytarzem w stronę gabinetu kierownika i już po drodze zorientował się, że przychodzi nie w porę. W kancelarii komisji widowisk panowało zamieszanie. Przebiegła koło księgowego gończyni z wybałuszonymi oczyma, w chusteczce zsuniętej na tył głowy.

– Nie ma, nie ma, nie ma! Nie ma, kochani! – krzyczała nie wiadomo do kogo. – Marynarka jest i spodnie są, ale w marynarce nic nie ma! Zniknęła w jakichś drzwiach, zza których zaraz dobiegły brzęki tłuczonych naczyń. Z sekretariatu wybiegł znajomy buchaltera, kierownik pierwszego wydziału komisji, ale był w takim stanie, że nie poznał księgowego, i zaraz zniknął gdzieś bez śladu.

Wstrząśnięty tym wszystkim Łastoczkin wszedł do sekretariatu, przez który wchodziło się do gabinetu przewodniczącego komisji, i tu popadł w ostateczne zdumienie.

Zza zamkniętych drzwi gabinetu dobiegał gromki głos, niewątpliwie należący do Prochora Piotrowicza, przewodniczącego. „Ruga kogoś czy co?" – pomyślał stropiony buchalter, obejrzał się i zobaczył taki obrazek – w skórzanym fotelu, odrzuciwszy głowę na oparcie, szlochając niepowstrzymanie, leżała z mokrą chusteczką w dłoni, wyciągnąwszy nogi prawie na środek pokoju, sekretarka osobista przewodniczącego, piękna Anna Ryszardowna.

Anna Ryszardowna całą brodę miała umazaną szminką, a po jej brzoskwiniowych policzkach spływały z rzęs czarne strugi rozwodnionego tuszu.

Widząc, że ktoś wszedł, Anna Ryszardowna zerwała się, rzuciła się do księgowego, pochwyciła go za klapy i zaczęła nim potrząsać, wołając jednocześnie:

– Chwała Bogu, znalazł się przynajmniej jeden odważny! Wszyscy pouciekali, wszyscy zdradzili! Chodźmy, chodźmy do niego, ja już nie wiem, co robić! – I nadal szlochając, pociągnęła księgowego do gabinetu.

Wszedłszy tam, Wasilij Stiepanowicz przede wszystkim upuścił teczkę, a wszystkie myśli w jego głowie stanęły dęba. Trzeba przyznać, że powodów było dosyć.

Za ogromnym biurkiem, na którym stał masywny kałamarz, siedział pusty garnitur i nieumoczonym w atramencie piórem wodził po papierze. Garnitur był w krawacie, z butonierki sterczało mu wieczne pióro, ale ponad kołnierzykiem nie było ani szyi, ani głowy, z mankietów nie wychylały się dłonie. Ubranie pogrążone było w pracy i w ogóle nie zauważało panującego wokół zamętu. Słysząc, że ktoś wszedł, odchyliło się w fotelu i spod kołnierzyka rozbrzmiał dobrze księgowemu znany głos Prochora Piotrowicza:

– O co chodzi? Przecież na drzwiach jest napisane, że nie przyjmuję.

Piękna sekretarka wrzasnęła i załamując dłonie, zawołała:

– Widzi pan? Widzi pan? Niech pan coś zrobi, żeby wrócił!

Ktoś właśnie stanął w drzwiach gabinetu, jęknął i wybiegł. Księgowy poczuł, że ugięły się pod nim nogi, i przysiadł na brzeżku krzesła, nie zapominając wszakże o podniesieniu teczki. Urodziwa sekretarka skakała wokół buchaltera, szarpała go za marynarkę i wołała:

– Ja zawsze, zawsze go ostrzegałam, kiedy się pieklił! No i dopieklił się! – Ślicznotka podbiegła do biurka i tkliwym, melodyjnym głosem, trochę przez nos, bo była zapłakana, zawołała: – Proszeńka! Gdzie jesteś?

– Kto tu dla pani jest „Proszeńka"? – jeszcze głębiej zapadając w fotel, wyniośle zasięgnął informacji garnitur.

– Nie poznaje! Mnie nie poznaje! Coś takiego!... – załkała sekretarka.

– Proszę nie szlochać w moim gabinecie! – gniewnie powiedział zapalczywy garnitur w prążki i rękawem przyciągnął do siebie kolejny plik papierów, najwyraźniej zamierzając napisać na każdym z nich swoją decyzję.

– Nie, nie mogę na to patrzeć, nie, nie mogę! – krzyknęła Anna Ryszardowna i wybiegła do sekretariatu, a za nią jak z procy wypadł księgowy.

– Siedzę, niech pan sobie wyobrazi – opowiadała sekretarka, znowu wczepiając się w rękaw księgowego – a tu wchodzi kot. Czarny, wielki jak hipopotam. Ja, oczywiście, krzyczę na niego: „A psik!". Uciekł, a zamiast niego wchodzi tłuścioch, też ma jakiś taki koci pysk, i powiada: „Co to, obywatelko, krzyczycie «a psik!» na interesantów?" – i z miejsca szast do Prochora Piotrowicza. Ja oczywiście za nim krzyczę: „Czy pan zwariował?". A on jak ostatni cham – prosto do Prochora Piotrowicza i siada w fotelu, naprzeciwko niego. No, i... Prochor Piotrowicz to dusza człowiek, ale nerwowy. Uniósł się, to prawda. Nerwy ma stargane, haruje jak wół – no cóż, wybuchnął: „Co to za wchodzenie bez zameldowania?". A ten bezczelny typ, niech pan sobie wyobrazi, rozwalił się w fotelu i mówi z uśmiechem: „Przyszedłem, powiada, obgadać interes". Prochor Piotrowicz znowu się uniósł: „Jestem zajęty". A ten, niech pan sobie wyobrazi, na to: „Nieprawda, wcale pan nie jest zajęty...". Coo? Wtedy, oczywiście, skończyła się cierpliwość Prochora Piotrowicza, wrzasnął: „Co to ma znaczyć? Wyrzucić go stąd natychmiast, niech mnie diabli porwą!". A ten, niech pan sobie wyobrazi, uśmiechnął się i powiada: „Niech diabli porwą. To się da zrobić!". I – trach! Nie zdążyłam nawet krzyknąć, patrzę, nie ma tego z kocim pyskiem, i sie... siedzi... garnitur... Eeee! – zawyła, rozwarłszy usta, które zupełnie już zatraciły jakikolwiek kontur.

Zakrztusiła się szlochem, nabrała tchu i zaczęła pleść zupełnie już od rzeczy:

– I pisze, pisze, pisze! Zwariować można! Rozmawia przez telefon! Garnitur! Wszyscy pouciekali jak zające!

Buchalter stał i dygotał. Ale los przyszedł mu z pomocą. Spokojnym, rzeczowym krokiem wchodziła do sekretariatu milicja w sile dwóch funkcjonariuszy. Na ich widok ślicznotka jęła szlochać jeszcze gorliwiej, dłonią zaś wskazywała drzwi gabinetu.

– Wiecie co, obywatelko, przestańcie szlochać – spokojnie powiedział jeden z milicjantów, księgowy zaś, czując, że jego obecność jest tutaj najzupełniej zbyteczna, wyskoczył z sekretariatu i po minucie był już na świeżym powietrzu. W głowie miał przeciąg, huczało w niej jak w kominie, a w tym huku można było usłyszeć strzępki bileterskich opowieści o wczorajszym kocie, który uczestniczył w seansie. „Ehe! Czy to aby nie nasz koteczek?".

Nic nie wskórawszy w komisji, Łastoczkin postanowił udać się do jej oddziału, który mieścił się w zaułku Wagańkowskim, i żeby trochę się uspokoić, drogę do oddziału przebył na piechotę.

Miejski zarząd widowisk, filia komisji, mieścił się w nadgryzionej zębem czasu willi w głębi podwórza i wyróżniał się porfirowymi kolumnami w westybulu. Nie owe kolumny wszakże, ale to, co się wśród nich działo, robiło owego dnia niesamowite wrażenie na interesantach.

Kilku zagapionych petentów stało i patrzyło na płaczącą panienkę, która siedziała przy stoliku zawalonym specjalistycznymi dziełkami o tematyce widowiskowej. W tej chwili panienka ta nikogo nie zachęcała do nabywania tej literatury, na współczujące zaś pytania machała tylko ręką, podczas gdy z góry, z dołu i z boków, ze wszystkich stron sypały się dzwonki co najmniej dwudziestu zachłystujących się telefonów.

Popłakawszy sobie nieco, sprzedawczyni nagle drgnęła, krzyknęła histerycznie:
– O, znowu!
I nieoczekiwanie zaśpiewała drżącym dyszkantem:

Morze przesławne, Bajkale ty nasz...

Na schodach zjawił się goniec, pogroził komuś pięścią i głuchym, bezbarwnym barytonem ciągnął w duecie z dziewoją:

Łajbo dziurawa, płyń burzy na przekór...

Do głosu gońca przyłączyły się dalsze głosy, chór rozrastał się, aż wreszcie pieśń zagrzmiała we wszystkich pomieszczeniach oddziału. W najbliższym pokoju, pod szóstką, gdzie mieściła się rachuba, dominował czyjś potężny, zachrypnięty *basso profondo*. Śpiewającym akompaniował wzmagający się hałas rozdzwonionych telefonów.

Żagle podarte wciągnijcie na maszt!...

– darł się goniec na schodach.
Łzy płynęły dziewoi po twarzy, próbowała zacisnąć zęby, ale usta same się jej otwierały i śpiewała o oktawę wyżej niż goniec:

Już niedaleko do brzegu.

Oniemiałych interesantów oddziału zadziwiło to, że chórzyści, rozsiani przecież po różnych zakątkach budynku, śpiewali zadziwiająco zgodnie, zupełnie jak gdyby cały chór stał i wpatrywał się w niewidzialnego dyrygenta.
Przechodnie na Wagańkowskim zatrzymywali się koło sztachet ogrodzenia, dziwiła ich panująca w oddziale wesołość.
Skoro tylko odśpiewano pierwszą zwrotkę, śpiew urwał się nagle, jakby na skinienie dyrygenta. Goniec zaklął cicho i uciekł.
Wtedy otworzyły się drzwi frontowe i stanął w nich obywatel w letnim płaszczu, spod którego wyzierał biały fartuch. Towarzyszył mu milicjant.

– Błagam pana, doktorze, niech pan coś zrobi! – histerycznie krzyknęła dziewoja.

Sekretarz oddziału wybiegł na schody i najwyraźniej zapłoniony ze wstydu, zażenowany, zacinając się, zaczął mówić:

– Widzi pan, doktorze, zdarzył się tu przypadek jakiejś masowej hipnozy i trzeba koniecznie... – Nie dokończył zdania, zaczął się krztusić własnymi słowami i nagle zaśpiewał tenorem:

Szyłka i Nerczyńsk niestraszne nam dziś...

– Dureń – krzyknęła dziewoja, ale nie wyjaśniła, kogo za durnia uważa, tylko wykonała wysiloną ruladę i sama również zaśpiewała o Szyłce i Nerczyńsku.

– Proszę się wziąć w garść! Proszę przestać śpiewać! – zwrócił się do sekretarza doktor.

Wszystko wskazywało, że sekretarz sam wiele by dał za to, żeby przestać śpiewać, ale właśnie nie mógł przestać i wraz z całym chórem zakomunikował przechodniom w zaułku, że w „górach nie pożarł żarłoczny go zwierz i kule strażników chybiły".

Skoro tylko zwrotka dobiegła końca, dziewoja pierwsza otrzymała od lekarza swoją porcję waleriany, po czym doktor popędził za sekretarzem do innych, żeby ich również napoić.

– Przepraszam, obywatelko – zwrócił się nagle do dziewoi Łastoczkin. – Czy nie odwiedził was czarny kot?

– Jaki znów kot! – gniewnie zawołała dziewoja. – Osioł siedzi w naszej filii, osioł! – i dodała: – No to co, że usłyszy, wszystko zaraz opowiem! – I rzeczywiście opowiedziała, co zaszło.

Okazało się, że kierownik oddziału miejskiego, który (zdaniem dziewoi) „ostatecznie rozłożył rozrywki lżejszego gatunku", miał manię organizowania najrozmaitszych kółek.

– Mydlił oczy kierownictwu! – darła się dziewoja.

W ciągu roku kierownik zdołał zorganizować kółko miłośników Lermontowa, kółko szachowo-warcabowe, kółko ping-ponga i kółko jazdy konnej. Odgrażał się, że do lata zorganizuje jeszcze kółko słodkowodnych wioślarzy oraz kółko alpinistów. I oto dzisiaj, w czasie przerwy obiadowej, kierownik wchodzi...

– ... i prowadzi pod rękę jakiegoś sukinsyna – opowiadało dziewczę – którego nie wiadomo skąd wytrzasnął, w kraciastych spodenkach, w pękniętych binoklach i... morda zupełnie nie do przyjęcia!...

Dziewoja opowiedziała, że kierownik z miejsca przedstawił gościa wszystkim, którzy akurat byli na obiedzie w stołówce, jako wybitnego specjalistę w dziedzinie organizowania chórów amatorskich.

Twarze niedoszłych alpinistów posmutniały, ale kierownik zaraz zaapelował do wszystkich, by nie upadali na duchu, specjalista zaś żartował, dowcipkował i uroczyście zapewniał, iż śpiew zajmuje bardzo niewiele czasu, natomiast pożytków ze śpiewania płynących jest, mówiąc między nami, cała fura.

I oczywiście – opowiadała dziewoja – Fanow i Kosarczuk, znane w całym oddziale lizusy, wyrwali się pierwsi i zgłosili się do chóru. Wtedy i reszta pracowników zrozumiała, że śpiewu nie da się uniknąć, i też zapisała się do kółka. Śpiewać postanowiono w czasie przerw obiadowych, ponieważ resztę czasu zajmował Lermontow i warcaby. Kierownik, chcąc świecić przykładem, oświadczył, że dysponuje tenorem, a dalej wszystko potoczyło się jak w koszmarnym śnie. Kraciasty specjalista-dyrygent rozwrzeszczał się:

– Do-mi-sol-do! – Powyciągał co bardziej nieśmiałych zza szaf, za którymi usiłowali się ukryć przed śpiewaniem, u Kosarczuka doszukał się słuchu absolutnego, jęczał i skamlał, prosił, by uszanować w nim starego cerkiewnego regenta i solistę, stukał kamertonem o palec, błagał, by zaintonować *Morze przesławne...*

Więc zagrzmiała pieśń. Nawet ładnie im to wyszło. Kraciasty rzeczywiście znał się na rzeczy. Prześpiewali pierwszą zwrotkę. Wtedy były dyrygent cerkiewny przeprosił, powiedział: „Ja tylko na minutkę..." – i zniknął. Myśleli, że naprawdę wróci po minucie. Ale minęło dziesięć minut, a jego jak nie ma, tak nie ma. Pracowników oddziału ogarnęła radość – uciekł!

Ale nagle jakoś tak odruchowo zaśpiewali drugą zwrotkę. Zaczął Kosarczuk, który nie miał może absolutnego słuchu, ale dysponował dość miłym wysokim tenorem. Prześpiewali. Dyrygenta jak nie ma, tak nie ma! Rozeszli się do swoich zajęć, ale nikt nie zdążył nawet usiąść, kiedy – mimo woli – zaśpiewali znowu. Próbowali przestać – guzik! Ze trzy minuty siedzą cicho i znowu zaczynają. Posiedzą cicho – i znów! Połapali się wreszcie, że stało się nieszczęście. Kierownik ze wstydu zamknął się w swoim gabinecie!

W tym momencie opowieść dziewoi została przerwana – waleriana nic nie pomogła.

W kwadrans później za sztachety na Wagańkowskim wjechały trzy ciężarówki. Załadował się na nie cały personel oddziału z kierownictwem na czele.

Skoro tylko pierwsza ciężarówka, podskoczywszy w bramie, wjechała w zaułek, stojący w skrzyni wozu i trzymający się wzajem za ramiona pracownicy otworzyli usta i w całym zaułku rozległa się popularna pieśń. Podjęła ją druga ciężarówka, za nią trzecia. Z tą pieśnią odjechali. Spieszący do swoich spraw przechodnie tylko pobieżnie rzucali okiem na ciężarówki i bynajmniej się nie dziwili, sądzili bowiem, że to wycieczka wyjeżdża za miasto. A oni rzeczywiście jechali za miasto, tyle że nie na wycieczkę, ale do kliniki profesora Strawińskiego.

W pół godziny później księgowy, który zupełnie stracił głowę, dotarł wreszcie do wydziału finansowego z nadzieją, że pozbędzie się wreszcie państwowych pieniędzy. Nauczony doświadczeniem przede wszystkim zajrzał ostrożnie do długiej sali, w której za matowymi szybami ze złoconymi napisami siedzieli urzędnicy. Nie zauważył żadnych oznak paniki ani zamieszania. Panował spokój, jak przystało na szanujący się urząd.

Łastoczkin wsunął głowę w okienko, nad którym widniał napis „Przyjmowanie wpłat", przywitał jakiegoś nieznanego sobie urzędnika i uprzejmie poprosił o blankiet wpłaty.

– Po co to panu? – zapytał urzędnik w okienku.

Buchalter zdumiał się.

– Chcę wpłacić pieniądze. Jestem z Variétés.

– Chwileczkę – odparł urzędnik i błyskawicznie zastawił siatką otwór w szybie.

„Dziwne!"... – pomyślał księgowy. Miał powody do zdziwienia. Coś takiego spotykało go po raz pierwszy w życiu. Każdy wie, jak trudno jest podjąć pieniądze, wtedy zawsze mogą się wyłonić jakieś trudności. Ale księgowemu w jego trzydziestoletniej praktyce ani razu nie zdarzyło się jeszcze, żeby ktoś, wszystko jedno, czy to osoba prywatna, czy prawna, stwarzał kłopoty, kiedy mu się daje pieniądze.

Ale siateczka odsunęła się wreszcie i buchalter znowu przywarł do okienka.

– Dużo pan tego ma? – zapytał urzędnik.

– Dwadzieścia jeden tysięcy siedemset jedenaście rubli.

– Ho, ho! – nie wiedzieć czemu ironicznie odparł urzędnik i podał księgowemu zielony arkusik.

Buchalter wprawnie wypełnił dobrze sobie znany blankiet i zaczął rozwiązywać sznurek na paczce. Kiedy rozpakował swój bagaż, pociemniało mu w oczach, zaskowyczał boleśnie.

Zawirowały mu przed oczyma zagraniczne banknoty – były tam paczki kanadyjskich dolarów, angielskich funtów szterlingów, holenderskich guldenów, łotewskich łatów, koron estońskich...

– To jeden z tych magików z Variétés! – rozległ się nad oniemiałym księgowym groźny głos. I Wasilij Stiepanowicz natychmiast został aresztowany.

18

Pechowi goście

Kiedy pedantyczny buchalter mknął taksówką, aby u celu swej podróży zobaczyć urzędujący garnitur, z wagonu numer dziewięć pierwszej klasy (z miejscówkami) kijowskiego pociągu, który właśnie przyjechał do Moskwy, wysiadł wraz z innymi dostojnie wyglądający pasażer z fibrową walizeczką w ręku. Pasażerem tym był wujek nieboszczyka Berlioza we własnej osobie, Maksymilian Andriejewicz Popławski, ekonomista-planista, mieszkający w Kijowie, na byłej ulicy Instytuckiej. Przyczyną przyjazdu Popławskiego do Moskwy była otrzymana przezeń przedwczoraj wieczorem depesza następującej treści:

„przed chwilą na patriarszych przejechał mnie tramwaj pogrzeb piątek godzina trzecia przyjeżdżaj berlioz".

Popławski był uważany – i słusznie – za jednego z najmądrzejszych ludzi w Kijowie. Ale nawet najmądrzejszy człowiek, otrzymawszy tego rodzaju depeszę, znalazłby się w kropce. Skoro ktoś telegrafuje, że został przejechany, to chyba jasne, że nie został przejechany na śmierć. Ale w takim razie dlaczego mowa o pogrzebie? Może jest w tak ciężkim stanie, że przewiduje nieuniknioną śmierć? To oczywiście jest możliwe, ale nawet wtedy co najmniej dziwne jest dokładne oznaczenie terminu – skąd Berlioz może wiedzieć, że pochowają go właśnie w piątek i to akurat o trzeciej? Zdumiewająca depesza!

Jednakże mądrzy ludzie w tym właśnie celu mają rozum, żeby się nim posługiwać w podobnie skomplikowanych przypadkach. Wszystko jest proste. Skutkiem niedopatrzenia treść depeszy została zniekształcona. Słowo „mnie" niewątpliwie trafiło do niej z innego telegramu zamiast słowa „Berlioza", a to z kolei zamieniono na „Berlioz" i przesunięto na koniec depeszy. Z taką poprawką sens depeszy stawał się jasny, chociaż naturalnie tragiczny.

Kiedy osłabła rozpacz, której wybuch zdumiał małżonkę Popławskiego, wujek Berlioza niezwłocznie zaczął się zbierać do wyjazdu. Musimy tu ujawnić pewną tajemnicę wuja Maksymiliana. Bez wątpienia przykro mu było, że siostrzeniec żony poległ w kwiecie wieku. Jako człowiek trzeźwo myślący rozumiał jednak, że jego obecność na pogrzebie Berlioza nie jest konieczna. Niemniej wuj Maksymilian bardzo się spieszył do Moskwy. O co więc chodziło? Chodziło o mieszkanie. Mieszkanie w Moskwie – to nie byle co! Nie wiadomo dlaczego, Kijów nie podobał się Popławskiemu, i myśl o tym, żeby przenieść się do Moskwy, nękała go ostatnimi czasy tak uparcie, że zaczął źle sypiać po nocach.

Nie cieszyły go wiosenne rozlewiska Dniepru, kiedy wody, zatapiając łachy na niskim brzegu, zlewały się z horyzontem. Nie cieszył go z niczym nieporównywalny przepiękny widok, jaki roztaczał się u podnóża pomnika kniazia Włodzimierza. Nie sprawiały mu radości słoneczne plamy tańczące wiosną na wyłożonych cegłą alejkach Władimirskiej Gorki. Chciał tylko jednego – przenieść się do Moskwy.

Ogłoszenia w gazetach o zamianie mieszkania na Instituckiej na mniejsze w Moskwie nie dawały rezultatu. Chętnych nie było, a jeśli nawet z rzadka się pojawiali, to ich propozycje były niesolidne i podejrzane.

Depesza wstrząsnęła Popławskim. Taką okazję grzech byłoby pominąć. Rozsądni ludzie wiedzą, że taka okazja się nie powtarza.

Jednym słowem, nie bacząc na trudności, należało odziedziczyć mieszkanie siostrzeńca na Sadowej. Tak, było to przedsięwzięcie trudne, nawet bardzo trudne, ale trudności te należało za wszelką cenę przezwyciężyć. Doświadczony wuj Maksymilian wiedział, że pierwszym krokiem do tego celu powinno być następujące posunięcie – należało zameldować się przynajmniej na pobyt czasowy w trzech pokojach zmarłego krewniaka.

Tak więc w piątek wuj Maksymilian wszedł do lokalu, w którym mieściła się administracja domu numer 302-A na ulicy Sadowej w Moskwie.

W wąskim pokoju, w którym na ścianie wisiał plakat w obrazowej formie pouczający, jak należy ratować życie tonących w rzece, przy stole siedział w całkowitym osamotnieniu nieogolony człowiek w średnim wieku, a w jego oczach czaił się strach.

– Czy mogę się widzieć z prezesem spółdzielni? – uprzejmie poinformował się ekonomista-planista, uchylając kapelusza i stawiając walizeczkę na wolnym krześle.

To najzwyklejsze, wydawałoby się, pytanie nie wiedzieć czemu tak wytrąciło siedzącego z równowagi, że aż zmienił się na twarzy. Zezując ze strachu, niewyraźnie wymamrotał, że prezesa nie ma.

– A może jest u siebie w mieszkaniu? – zapytał Popławski. – Mam do niego wyjątkowo pilną sprawę.

Siedzący znów bardzo niejasno powiedział coś, z czego wszakże można było zrozumieć, że w mieszkaniu prezesa również nie ma.

– A kiedy będzie?

Na to pytanie siedzący przy stole w ogóle nie odpowiedział, tylko z udręką popatrzył w okno.

– Aha!... – mruknął do siebie mądry Popławski i zapytał o sekretarza.

Dziwny człowiek przy stole aż zaczerwienił się z wysiłku i znowu powiedział niewyraźnie, że sekretarza także brak... że nie wiadomo, kiedy przyjdzie, i że... sekretarz jest chory...

– Aha!... – mruknął znów do siebie Popławski. – Ale przecież ktoś musi być w zarządzie?

– Ja jestem – słabym głosem odparł nieogolony.

– Widzi pan – stanowczo zaczął Popławski – jestem jedynym spadkobiercą mego zmarłego siostrzeńca Berlioza, którego, jak panu wiadomo, przejechał na Patriarszych Prudach tramwaj, i prawo zobowiązuje mnie do objęcia spadku znajdującego się w naszym mieszkaniu...

– O niczym nie wiem... – smętnie przerwał Popławskiemu nieogolony.

– Bardzo przepraszam – dźwięcznym głosem powiedział Popławski – pan jest członkiem zarządu i jest pan zobowiązany...

W tym momencie do pokoju wszedł jakiś obywatel. Siedzący na jego widok zbladł.

– Członek zarządu Piatnażko? – zapytał siedzącego przybyły.

– Tak jest – ledwie dosłyszalnie odpowiedział Piatnażko.

Przybysz szepnął coś siedzącemu, kompletnie załamany Piatnażko wstał z krzesła i za chwilę Popławski został sam w pustym pokoju zarządu.

„A to komplikacja! Trzeba było trafu, że ich wszystkich od razu..." – myślał niezadowolony Popławski, idąc przez asfaltowe podwórko do mieszkania numer pięćdziesiąt.

Skoro tylko ekonomista-planista zadzwonił do drzwi, otworzono mu i Maksymilian Andriejewicz wszedł do mrocznego przedpokoju. Zdziwiła go nieco okoliczność, że nie wiadomo było, kto mu właściwie otworzył – w przedpokoju nie było nikogo poza siedzącym na krześle olbrzymim czarnym kotem.

Popławski odkaszlnął, poszurał nogami, i wówczas otworzyły się drzwi gabinetu i wyszedł do przedpokoju Korowiow. Wuj Maksymilian skłonił się uprzejmie, acz z godnością i powiedział:

– Moje nazwisko Popławski. Jestem wujkiem... – Ale nie zdążył skończyć, kiedy Korowiow wyszarpnął z kieszeni brudną chustkę, wtulił w nią nos i zapłakał.

– ... nieboszczyka Berlioza...

– A jakże, a jakże! – przerwał mu Korowiow, odejmując chustkę od twarzy. – Jak tylko na pana spojrzałem, od razu domyśliłem się, że to pan! – Przy tych słowach zatrząsł się od szlochu i zaczął wykrzykiwać: – Cóż za nieszczęście, nieprawdaż? Co to się na tym świecie wyprawia!

– Tramwaj? – szeptem zapytał Popławski.

– Na amen! – krzyknął Korowiow i potoki łez popłynęły mu spod binokli. – Na amen! Widziałem na własne oczy! Może mi pan wierzyć – raz – i leci głowa! Prawa noga – chrust, i na pół! Lewa – chrust, i na pół! Oto do czego doprowadziły te tramwaje! – I nie mogąc się najwidoczniej opanować, wstrząsany łkaniem Korowiow wparł nos w ścianę obok lustra.

Wujaszek Berlioza był szczerze wzruszony zachowaniem nieznajomego. „A mówią, że w naszych czasach nikt się już niczym nie przejmuje!" – pomyślał Popławski, czując, że jemu samemu również zbiera się na płacz. Ale jednocześnie nieprzyjemna chmurka osnuła mu duszę i natychmiast przez głowę prześlizgnęła się jak żmijka myśl: – Czy też ten tak serdeczny człowiek nie zameldował się już aby w mieszkaniu nieboszczyka? Zdarzały się podobne wypadki...

– Przepraszam, czy pan był przyjacielem mego niezapomnianego Miszy? – zapytał Popławski, ocierając rękawem lewe suche oko, prawym zaś obserwując zrozpaczonego Korowiowa. Ale ten tak się rozszlochał, że z jego słów nie sposób było nic zrozumieć, oprócz „chrust, i na pół!'". Napłakawszy się do woli, Korowiow odkleił się wreszcie od ściany i powiedział:

– Nie, nie mogę już dłużej! Pójdę i zażyję trzysta kropel waleriany na eterze… – tu zwrócił w stronę Popławskiego kompletnie zalaną łzami twarz i dodał: – Ach, te tramwaje!

– Przepraszam, czy to pan do mnie depeszował? – zapytał wuj Maksymilian, zachodząc w głowę, kim też może być ten zdumiewająco płaczliwy facet.

– On depeszował – odpowiedział Korowiow, wskazując palcem kota.

Popławski wytrzeszczył oczy, sądząc, że się przesłyszał.

– Nie, siły mnie już opuszczają, tracę zmysły – pociągając nosem, mówił dalej Korowiow – jak tylko sobie przypomnę: noga pod kołem… takie koło waży z dziesięć pudów… Chrust!… Pójdę, położę się, może sen mi ześle zapomnienie. – I momentalnie zniknął z przedpokoju.

Kot zaś poruszył się, zeskoczył z krzesła, stanął na tylnych łapach, podparł się pod boki, otworzył paszczę i powiedział:

– No, więc ja wysłałem depeszę. I co dalej?

Popławskiemu zawirowało w głowie, stracił władzę w rękach i nogach, wypuścił z ręki walizkę i opadł na krzesło naprzeciw kota.

– Zdaje się, że zapytałem wyraźnie i po rosyjsku – surowo powiedział kot. – Co dalej?

Ale Popławski nie udzielił żadnej odpowiedzi.

– Dowód osobisty! – wrzasnął kot, wyciągając puchatą łapę.

Niczego nie pojmując i nie widząc niczego prócz dwu iskier płonących w kocich ślepiach, Popławski wyrwał z kieszeni dowód osobisty niczym sztylet z pochwy. Kot wziął ze stolika pod lustrem okulary w grubej czarnej oprawie, włożył je na mordę, co sprawiło, że wyglądał jeszcze godniej, po czym wyjął dowód z drżącej dłoni Popławskiego.

„Ciekawe – zemdleję czy nie?…" – pomyślał Popławski. Z oddali dobiegało pochlipywanie Korowiowa, przedpokój wypełniał zapach waleriany, eteru i jeszcze jakiegoś mdlącego paskudztwa.

– Który komisariat wydał ten dowód? – zapytał kot, wpatrując się w otwarty dokument. Odpowiedź nie nastąpiła. – Czterysta dwunasty – powiedział kot sam do siebie, przesuwając łapą po trzymanym do góry nogami dowodzie. – No tak, oczywiście! Znam ten komisariat, tam wydają dowody, komu popadło. A ja bym, na przykład, nie wydał dowodu takiemu jak pan. Za nic bym nie wydał! Tylko raz bym spojrzał na pańską twarz i momentalnie bym odmówił! – Kot tak się rozgniewał, że cisnął dowodem o podłogę.

– Pańska obecność na pogrzebie zostaje odwołana – oficjalnym głosem mówił dalej kot. – Będzie pan łaskaw powrócić do miejsca stałego zamieszkania – i wrzasnął w drzwi: – Azazello!

Na to wezwanie do przedpokoju wbiegł niski kulawiec w obcisłym czarnym trykocie, z nożem za pasem, rudy, z żółtym kłem, z bielmem na lewym oku.

Popławski poczuł, że brak mu powietrza, wstał z krzesła i trzymając rękę na sercu, zaczął się cofać.

– Azazello, wyprowadź pana! – polecił kot i wyszedł z przedpokoju.

– Popławski – cicho i przez nos powiedział rudy – mam nadzieję, że już wszystko jest jasne?

Popławski kiwnął głową.

– Natychmiast wracaj do Kijowa – mówił dalej Azazello – siedź tam cicho jak mysz pod miotłą i niech ci się nawet nie śni o żadnych mieszkaniach w Moskwie. Jasne?

Ten niski, który swoim kłem, nożem i białym okiem wprawiał Popławskiego w śmiertelne przerażenie, sięgał ekonomiście zaledwie do pasa, ale działał energicznie, sprawnie i w sposób zorganizowany.

Przede wszystkim podniósł dowód osobisty i podał go Maksymilianowi Andriejewiczowi, który przyjął dokument zamarłą ręką. Następnie ten, którego nazwano Azazellem, jedną ręką wziął walizkę, drugą otworzył drzwi, ujął pod ramię wujaszka Berlioza i wyprowadził go na schody. Popławski oparł się o ścianę. Azazello zaś bez żadnego klucza otworzył walizkę, wyjął z niej zawiniętą w przetłuszczoną gazetę olbrzymią pieczoną kurę bez jednej nogi i ułożył ją na podłodze. Następnie wyjął dwie zmiany bielizny, pasek służący do ostrzenia brzytwy, jakąś książkę, jakiś futerał i wszystko to – oprócz kury – strącił nogą w czeluść klatki schodowej. W ślad za tym poleciała opróżniona walizka. Słychać było, jak wylądowała na dole – sądząc po odgłosie, który stamtąd dobiegł, odleciało od niej wieko.

Następnie rudy opryszek ujął kurę za udo i całym ptakiem tak mocno i tak straszliwie uderzył Popławskiego na płask w ucho, że tułów kury oderwał się, udko zaś pozostało w dłoni Azazella...

„W domu Obłońskich zapanował kompletny zamęt" – jak to sprawiedliwie zdefiniował znakomity pisarz Lew Tołstoj. Z pewnością nie inaczej wyraziłby się i w tym przypadku. W głowie Popławskiego zapanował właśnie kompletny zamęt. Najpierw przebiegła mu przed oczyma długa iskra, potem jej miejsce zajął jakiś żałobny wąż, który na moment przyćmił majowy dzień, i Popławski zleciał ze schodów, trzymając w rękach swój dowód osobisty.

Dotarłszy do półpiętra, wybił nogą szybę i usiadł na stopniu. Pędząca w podskokach beznoga kura wyprzedziła go i spadła na parter. Azazello, który pozostał na górze, w mig ogryzł kurzą nogę, kość wsadził do bocznej kieszeni trykotu, zawrócił do mieszkania i zatrzasnął za sobą drzwi.

Tymczasem na dole rozległy się ostrożne kroki wchodzącego na górę człowieka.

Popławski zbiegł jeszcze pół piętra w dół i aby nabrać tchu, usiadł na drewnianej ławce na podeście.

Jakiś malutki, niemłody już człowieczek o niezwykle smutnej twarzy, w staromodnym garniturze z czesuczy, w słomkowym kapeluszu z zieloną wstążką, idąc na górę, zatrzymał się obok Popławskiego.

– Najmocniej przepraszam – smutno zapytał człowieczek w czesuczy – gdzie tu będzie mieszkanie numer pięćdziesiąt?

– Wyżej – krótko odparł Popławski.

– Najuprzejmiej dziękuję, obywatelu – równie smutno powiedział człowieczek i poszedł na górę. Popławski zaś wstał i zbiegł na dół.

Mógłby ktoś zapytać, czy to aby nie na milicję spieszył wuj Maksymilian, chcąc poskarżyć się na rozbójników, którzy w biały dzień obeszli się z nim tak bezceremonialnie? Nie, skądże, bynajmniej, to można stwierdzić ponad wszelką wątpliwość. Pójść na milicję i powiedzieć, że oto, kochani moi, przed chwilą kot w okularach studiował mój dowód osobisty, a potem facet w trykocie i z nożem... – O, nie, obywatele, wuj Maksymilian był naprawdę mądrym człowiekiem.

Był już na dole, kiedy tuż obok drzwi wejściowych zobaczył drzwi jakiejś komórki. Szyba w tych drzwiach była wybita. Popławski schował dowód osobisty do kieszeni i rozejrzał się w nadziei, że zobaczy wyrzucone rzeczy. Ale nie było po nich nawet śladu. Popławski nawet sam się zdziwił, jak mało go to obeszło. Zawładnęła nim teraz nieodparta pokusa – zobaczyć, co się stanie z tym człowieczkiem, i w ten sposób raz jeszcze sprawdzić, co się dzieje w owym przeklętym mieszkaniu. Bo istotnie, jeżeli tamten pytał o mieszkanie numer pięćdziesiąt, to znaczy, że wybrał się tam po raz pierwszy. A zatem zmierzał teraz wprost w łapy szajki, która rozgościła się pod pięćdziesiątym. Coś podpowiadało Popławskiemu, że człowieczek ów bardzo szybko opuści to mieszkanie. Na żaden pogrzeb żadnego siostrzeńca Maksymilian Andriejewicz oczywiście już się nie wybierał, a do kijowskiego pociągu miał jeszcze sporo czasu. Ekonomista rozejrzał się i dał nura do komórki. Właśnie wtedy na górze stuknęły drzwi. „To tamten wszedł..." – pomyślał Popławski i serce mu zamarło. W komórce było chłodno, śmierdziało myszami i starym obuwiem. Wuj Maksymilian usiadł na jakimś pieńku i postanowił, że zaczeka. Pozycja była dogodna, z komórki było widać wejściowe drzwi klatki schodowej numer sześć.

Oczekiwanie trwało jednak dłużej, niż przypuszczał ekonomista. Przez cały ten czas na klatce schodowej, nie wiedzieć czemu, nie było żywego ducha. Słychać było każdy dźwięk. Wreszcie na czwartym piętrze stuknęły drzwi. Popławski zamarł. Tak, to jego kroczki. „Schodzi...". Otworzyły się drzwi piętro niżej. Kroczki ucichły. Kobiecy głos. Głos smutnego człowieczka, tak, to jego głos... Powiedział coś w rodzaju: „Odczep się, na miłość boską...". Ucho Popławskiego sterczało w rozbitej szybie. Dobiegł do tego ucha kobiecy śmiech. Żwawe, szybkie kroki kogoś, kto schodzi. Mignęły kobiece plecy. Kobieta z zieloną ceratową torbą wyszła z klatki schodowej na podwórko. Znowu słychać kroki tamtego człowieczka. „Dziwne! Wraca do mieszkania? Może też należy do gangu? Tak, wraca. Znowu otworzyły się drzwi na górze. No cóż, poczekajmy jeszcze chwilę...".

Ale niedługo trzeba było czekać. Trzasnęły drzwi. Kroczki. Kroki umilkły. Rozpaczliwy krzyk. Miauczenie kota. Szybkie, drobniutkie kroczki na dół, na dół, na dół!

Popławski doczekał się. Żegnając się znakiem krzyża i mamrocząc coś pod nosem, przemknął obok niego ów smutny człowieczek w zupełnie mokrych spodniach, bez kapelusza, z obłędem w oczach i ze śladami pazurów na łysinie. Szarpnął klamkę drzwi wejściowych, był tak przerażony, że nie mógł się zorientować, jak też się one otwierają – na zewnątrz czy do środka. Wreszcie pokonał je i wyskoczył na dwór, na słońce.

Mieszkanie zostało sprawdzone. Nie myśląc dłużej ani o zmarłym siostrzeńcu, ani o mieszkaniu, wzdrygając się na samą myśl o niebezpieczeństwie, na które się naraził, wuj Maksymilian, szepcąc tylko dwa słowa: „Wszystko jasne, wszystko jasne!", wybiegł na podwórze. W parę minut później trolejbus unosił ekonomistę-planistę w kierunku Dworca Kijowskiego.

Tymczasem kiedy ekonomista siedział w komórce na dole, małemu człowieczkowi przydarzyła się wyjątkowo nieprzyjemna historia. Człowieczek ten był bufetowym w Variétés i nazywał się Andriej Fokicz Sokow. Dopóki w teatrze trwało śledztwo, Andriej Fokicz trzymał się na uboczu i zauważono tylko, że był jeszcze smutniejszy niż zwykle, zauważono także, że wypytywał gońca Karpowa o adres maga.

A więc bufetowy, minąwszy na schodach ekonomistę, wszedł na czwarte piętro i zadzwonił do mieszkania numer pięćdziesiąt.

Otworzono mu natychmiast, ale Andriej Fokicz wzdrygnął się, cofnął i nie od razu wszedł do środka. Było to zrozumiałe. Otworzyła drzwi dziewoja, która nie miała na sobie nic oprócz kokieteryjnego koronkowego fartuszka i białego czepeczka. Gwoli prawdy dodać tu trzeba, że na nogach miała złote pantofelki. Dziewczyna zbudowana była bez zarzutu, a za jedyny defekt jej urody można było uznać purpurową bliznę na szyi.

– No, cóż, skoro pan dzwonił, to niech pan wchodzi – powiedziała dziewczyna, wlepiając w bufetowego rozpustne zielone oczy.

Andriej Fokicz jęknął, zamrugał oczami, zdjął kapelusz i wszedł do przedpokoju. W tejże chwili zadzwonił w przedpokoju telefon. Bezwstydna pokojówka oparła nogę na krześle, podniosła słuchawkę i powiedziała:

– Halo!

Bufetowy nie wiedział, gdzie ma oczy podziać, przestępował z nogi na nogę i myślał: „Patrzcie no, jaką pokojówkę ma ten cudzoziemiec! Tfu, co za ohyda!". I odwrócił oczy, aby nie oglądać tych obrzydliwości.

Wielki, mroczny przedpokój był całkowicie zawalony dziwnymi przedmiotami i ubiorami. Z oparcia krzesła zwisał na przykład czarny płaszcz na płomieniście czerwonej podszewce, na stoliku przed lustrem leżała długa szpada o lśniącej rękojeści ze złota. Trzy szpady o srebrnych rękojeściach stały w kącie, zupełnie jakby to były jakieś parasole czy laski. Na jelenich rogach zaś wisiały berety z orlimi piórami.

– Tak – mówiła do słuchawki pokojówka. – Kto? Baron Meigel? Słucham pana. Tak. Pan artysta będzie dziś w domu. Tak, będzie mu bardzo miło powitać pana. Tak, goście... Frak albo czarny żakiet. Co? O dwudziestej w nocy. – Pokojówka skończyła rozmowę, odłożyła słuchawkę i zwróciła się do bufetowego:

– Czym mogę panu służyć?

– Muszę się koniecznie zobaczyć z obywatelem artystą.

– Tak? Koniecznie właśnie z nim?

– Z nim właśnie – smutnie odpowiedział bufetowy.

– Zapytam – powiedziała z widocznym wahaniem pokojówka, uchyliła drzwi do gabinetu nieboszczyka Berlioza i zameldowała:

– Rycerzu, przybył tu jakiś człeczyna, który mówi, że musi się zobaczyć z messerem.

– A niech wejdzie – dobiegł z gabinetu skrzekliwy głos Korowiowa.

– Proszę wejść do salonu – powiedziała dziewczyna tak zwyczajnie, jak gdyby była ubrana po ludzku, uchyliła drzwi do salonu, sama zaś wyszła z przedpokoju.

Kiedy bufetowy wszedł tam, dokąd go zaproszono, zapomniał nawet o sprawie, z którą przyszedł, tak bardzo zadziwiło go urządzenie pokoju. Przez witrażowe szyby wielkich okien (kaprys zaginionej bez śladu wdowy po jubilerze) wpadało niezwykłe, jakby cerkiewne, światło. Mimo że dzień był ciepły i wiosenny, w wielkim staroświeckim kominku płonęły polana. Ale w pokoju bynajmniej nie było gorąco, przeciwnie, owionęła wchodzącego jakaś piwniczna wilgoć. Na tygrysiej skórze przed kominkiem, dobrodusznie mrużąc oczy w blasku ognia, siedział czarny kot. Był tu także stół, na którego widok bogobojny bufetowy wzdrygnął się – stół nakryto cerkiewnym złotogłowiem. Na obrusie ze złotogłowiu stało mnóstwo pękatych, omszałych, zakurzonych butelek. Pomiędzy butelkami lśnił półmisek, od razu było widać, że półmisek ten jest ze szczerego złota. Przed kominkiem niski, rudy, z nożem za pasem przypiekał na długiej stalowej szpadzie kawałki mięsa, krople soku spadały w ogień i dym buchał w przewód kominowy. Pachniało nie tylko pieczystym, ale również jakimiś wyjątkowo mocnymi perfumami i kadzidłem, na skutek czego bufetowemu, który wiedział już z gazet o śmierci Berlioza – z nich to dowiedział się adresu nieboszczyka – przyszło do głowy, że być może odprawiano tutaj mszę żałobną za duszę Berlioza, ale Andriej Fokicz natychmiast odpędził od siebie tę myśl jako całkowicie idiotyczną.

Oszołomiony bufetowy niespodziewanie usłyszał niski bas:

– Czym zatem mogę panu służyć?

I wówczas ujrzał w półmroku tego, którego szukał.

Profesor czarnej magii spoczywał na niezwykle rozległym tapczanie, pełnym porozrzucanych poduszek. Bufetowemu wydawało się, że artysta był tylko w czarnej bieliźnie i w równie czarnych pantoflach o spiczastych nosach.

– Jestem – znękanym głosem zaczął bufetowy – kierownikiem bufetu w teatrze Variétés...

Artysta, jakby zatykając usta bufetowemu, wyciągnął upierścienioną, połyskującą szlachetnymi kamieniami rękę i przemówił z wielkim zapałem:

– Nie, nie, nie! Ani słowa więcej! Nigdy, w żadnym wypadku! Niczego do ust nie wezmę w pańskim bufecie! Przechodziłem wczoraj, szanowny panie, obok pańskiego bufetu i do tej chwili nie mogę zapomnieć ani jesiotra, ani bryndzy! Łaskawco! Zielona bryndza nie istnieje, ktoś musiał pana oszukać. Bryndza powinna być biała. A herbata? Przecież to pomyje! Widziałem na własne oczy, jak jakaś niechlujna dziewczyna wlewała z wiadra surową wodę do waszego wielkiego samowara, a herbatę tymczasem nalewano w dalszym ciągu. Nie, mój drogi, tak być nie może!

– Przepraszam – przemówił oszołomiony tą niespodziewaną napaścią Andriej Fokicz – przyszedłem w innej sprawie i jesiotr nic tu nie ma do rzeczy...

– Jakże to, jesiotr nie ma nic do rzeczy, skoro jest zepsuty?

– Przysłano nam jesiotra drugiej świeżości – oznajmił bufetowy.

– Kochaneczku, to nonsens!

– Co nonsens?

– Druga świeżość to nonsens! Świeżość bywa tylko jedna – pierwsza i tym samym ostatnia. A skoro jesiotr jest drugiej świeżości, to oznacza to po prostu, że jest zepsuty.

– Proszę mi wybaczyć, ale... – zaczął znów bufetowy, nie wiedząc, jak się odczepić od napastliwego artysty.

– Wybaczyć nie mogę – stanowczo odparł tamten.

– Przyszedłem w innej sprawie – powiedział kompletnie skołowany bufetowy.

– W innej sprawie? – zdziwił się zagraniczny mag. – A jakież to inne sprawy mogły pana do mnie sprowadzić? Jeśli mnie pamięć nie myli, to z osób zbliżonych profesją do pana znałem tylko pewną markietankę, a i to było dawno, kiedy pana jeszcze nie było na świecie. No cóż, rad jestem panu. Azazello! Taboret dla pana kierownika bufetu!

Ten, który piekł mięso, odwrócił się, przeraził bufetowego swym kłem i zręcznie podsunął mu jeden z ciemnych dębowych zydlów. Innych służących do siedzenia sprzętów w pokoju tym nie było. Bufetowy wykrztusił:

– Dziękuję najuprzejmiej – i opadł na stołek. Tylna nóżka mebla natychmiast złamała się z trzaskiem i bufetowy z lekkim okrzykiem boleśnie uderzył siedzeniem o podłogę. Padając, zaczepił o sąsiedni taboret i wylał sobie na spodnie stojący na taborecie puchar czerwonego wina.

Artysta wykrzyknął:

– Och! Czy pan się nie potłukł?

Azazello pomógł bufetowemu wstać i podał mu inny taboret. Pełnym żałości głosem bufetowy nie zgodził się na propozycję gospodarza, aby zdjąć spodnie i wysuszyć je przed kominkiem i, bezgranicznie zmieszany, w mokrych spodniach i mokrej bieliźnie nieufnie przysiadł na nowym taborecie.

– Lubię siedzieć nisko – powiedział artysta – upadek nie jest wówczas tak niebezpieczny. Tak, stanęliśmy zatem na jesiotrze. Kochaneczku, świeżość, świeżość, świeżość – oto co powinno stanowić dewizę każdego bufetowego. Ale à propos, czy nie byłby pan łaskawy poczęstować się…

W purpurowym świetle kominka błysnęła przed bufetowym szpada i Azazello położył na złotym talerzu syczący kawałek mięsa, skropił je sokiem z cytryny i podał bufetowemu złoty dwuzębny widelec.

– Ja… najuprzejmiej…

– Nie, nie, proszę spróbować!

Bufetowy przez uprzejmość włożył kawałeczek do ust i od razu zrozumiał, że mięso, które je, jest naprawdę bardzo świeże i, co najważniejsze, niezwykle smaczne. Ale zajadając wonne, smakowite, soczyste mięso, omal nie udławił się i nie spadł po raz drugi z taboretu. Z sąsiedniego pokoju wleciał wielki ciemny ptak i leciutko musnął skrzydłem łysinę bufetowego.

Kiedy usiadł na gzymsie kominka obok zegara, okazało się, że to sowa. „Boże wszechmogący!... – pomyślał nerwowy jak wszyscy bufetowi Andriej Fokicz. – To dopiero mieszkanko!".

– Pucharek wina? Białe, czerwone? Wina jakich krain zwykł pan pijać o tej porze?

– Najzupełniej... jestem niepijący...

– Szkoda! Zatem ma pan może ochotę na partyjkę kości? Czy też woli pan jakąś inną grę? Karty, domino?

– Nie gram – odrzekł umęczony już bufetowy.

– To bardzo źle – stwierdził gospodarz. – Cóż, jeśli wolno, przyzna pan, że kryje się coś niedobrego w mężczyznach, którzy unikają wina, gier, towarzystwa pięknych kobiet i ucztowania. Tacy ludzie albo są ciężko chorzy, albo w głębi duszy nienawidzą otoczenia. Co prawda zdarzają się wyjątki! Wśród tych, z którymi wypadało mi ucztować, zdarzali się od czasu do czasu niewiarygodni szubrawcy!... Słucham więc, co pana sprowadza?

– Wczoraj był pan łaskaw pokazywać sztuki...

– Ja? – zawołał zdumiony mag. – Pan daruje! Raczy pan chyba żartować. Mnie to przecież nawet nie przystoi!

– Proszę mi wybaczyć – powiedział speszony bufetowy. – Ale przecież... seans czarnej magii...

– Ach, no tak, no tak! Mój drogi, wyjawię panu tajemnicę. Wcale nie jestem artystą, zachciało mi się po prostu popatrzeć na mieszkańców Moskwy w masie, a najwygodniej mi to było zrobić w teatrze. No więc moja świta – kiwnął głową w kierunku kota – zorganizowała ten seans, ja zaś przecież siedziałem tylko i patrzyłem na publiczność. Ale niechże się pan tak nie zmienia na twarzy, proszę mi raczej powiedzieć, co sprowadza pana do mnie w związku z tym seansem?

– Przepraszam najuprzejmiej, ale ośmielam się przypomnieć, że między innymi poleciały tam z sufitu banknoty... – Bufetowy zniżył głos i obejrzał się z zażenowaniem. – No i wszyscy je łapali. Przychodzi więc do mnie do bufetu młody człowiek, daje czerwońca, ja mu wydaję osiem pięćdziesiąt reszty... Potem drugi...

– Też młody?

– Nie, starszy. Przychodzi potem trzeci, czwarty... A ja wszystkim wydaję resztę. A dzisiaj sprawdzam kasę – a w kasie zamiast pieniędzy kawałki papieru. Na sto dziewięć rubli nacięli bufet.

– Aj-ja-jaj! – zawołał artysta. – Czyżby oni naprawdę sądzili, że to są prawdziwe pieniądze? Nawet nie dopuszczam do siebie myśli, że mogli to zrobić świadomie.

Znękany bufetowy spojrzał zezem, ale nic nie powiedział.

– Czyżby kanciarze? – zapytał gościa zaniepokojony mag. – Czyżby wśród mieszkańców Moskwy mogli się znaleźć kanciarze?

W odpowiedzi bufetowy uśmiechnął się tak gorzko, że wszelkie wątpliwości zostały rozwiane – tak, niewątpliwie w Moskwie zdarzają się kanciarze.

– To podłość! – oburzył się Woland. – Pan jest człowiekiem ubogim. Prawda? Pan jest ubogi?

Bufetowy wciągnął głowę w ramiona i od razu stało się jasne, że jest on ubogim człowiekiem.

– Ile wynoszą pańskie oszczędności?

Pytanie zadane było życzliwym tonem, niemniej jednak pytania takiego nie można uznać za taktowne. Bufetowy zmieszał się.

– Dwieście czterdzieści dziewięć tysięcy rubli w pięciu oddziałach kasy oszczędności – rozległ się z sąsiedniego pokoju pęknięty głos – a w domu pod podłogą dwieście złotych dziesiątek.

Bufetowego jakby przylutowało do taboretu.

– No, to rzeczywiście nie są pieniądze – lekceważąco powiedział do swego gościa Woland – chociaż szczerze mówiąc, nawet tyle nie jest panu potrzebne. Kiedy ma pan zamiar umrzeć?

Tego bufetowy już nie zniósł.

– Nikt tego wiedzieć nie może i nikogo nie powinno to obchodzić – powiedział.

– Powiedzmy, że nikt nie wie – rozległ się z gabinetu ten sam wstrętny głos. – Też mi dwumian Newtona! Umrze on za dziewięć miesięcy, w przyszłym roku, w lutym, na raka wątroby w klinice Pierwszego Moskiewskiego Uniwersytetu Państwowego na sali numer cztery.

Bufetowy zżółkł na twarzy.

– Dziewięć miesięcy... – w zadumie liczył Woland. – Dwieście czterdzieści dziewięć tysięcy... Po zaokrągleniu wypada dwadzieścia siedem tysięcy na miesiąc... niewiele, ale na skromne utrzymanie wystarczy... Do tego jeszcze te dziesiątki...

– Dziesiątek nie da się upłynnić – wtrącił się znowu ten sam głos mrożący krew w sercu bufetowego. – Po śmierci Andrieja Fokicza dom natychmiast zostanie zburzony, a monety zostaną przekazane do Banku Narodowego.

– Zresztą nie radziłbym panu kłaść się do kliniki – mówił dalej artysta. – Co za sens umierać na szpitalnej sali, gdzie słychać tylko jęki i rzężenie śmiertelnie chorych? Czy nie lepiej wydać ucztę za te dwadzieścia siedem tysięcy, a potem zażyć truciznę i przenieść się na tamten świat przy dźwiękach strun, wśród oszołomionych winem pięknych kobiet i wesołych przyjaciół?

Bufetowy siedział nieruchomo, bardzo się postarzał. Ciemne kręgi otoczyły jego oczy, policzki mu obwisły, a dolna szczęka opadła.

– Zresztą, dość tych marzeń! – zawołał gospodarz. – Do rzeczy! Niech pan pokaże te kawałki papieru.

Zdenerwowany bufetowy wyciągnął z kieszeni paczkę, wyciągnął ją i osłupiał – zawinięte w gazetę leżały czerwońce...

– Mój drogi, jest pan istotnie niezdrów – wzruszając ramionami, powiedział Woland.

Bufetowy, uśmiechając się dziko, wstał z taboretu.

– Aa... – powiedział, jąkając się – a jeżeli one znowuż... tego...

– Hm... – zamyślił się artysta – wtedy niech pan znowu do nas przyjdzie. Serdecznie prosimy, jestem niezmiernie rad, że pana poznałem...

W tym momencie wyskoczył z gabinetu Korowiow, wczepił się w dłoń bufetowego, począł nią potrząsać, błagając przy tym Andrieja Fokicza, aby wszystkim, ale to wszystkim przekazał jego najserdeczniejsze pozdrowienia.

Z trudem zbierając myśli, bufetowy ruszył do przedpokoju.

– Hella, odprowadź pana! – krzyczał Korowiow.

Znowu ta ruda i goła w przedpokoju! Bufetowy wśliznął się w drzwi, pisnął „do widzenia!" – i poszedł jak pijany. Zszedł trochę niżej, usiadł na stopniu, wyjął paczkę, sprawdził – czerwońce były na miejscu.

Wtedy z mieszkania na tym piętrze, na którym przysiadł, wyszła kobieta z zieloną torbą. Kiedy zobaczyła człowieka siedzącego na schodach i tępo wpatrzonego w czerwońce, uśmiechnęła się i powiedziała z zadumą:

– Co za dom! Ten też od samego rana pijany... Znowu wybili szybę na schodach! – Przyjrzała się bufetowemu uważniej i dodała:

– E, niektórzy, jak widzę, to siedzą na pieniądzach! Podzieliłbyś się ze mną, co?

– Odczep się, na miłość boską! – przeraził się bufetowy i raz-
-dwa schował banknoty.

Kobieta roześmiała się.

– Całuj psa w nos, liczykrupo! Żartowałam... – i poszła na dół.

Bufetowy powoli wstał, podniósł rękę, żeby poprawić kapelusz, i przekonał się, że na głowie go nie ma. Okropnie mu się nie chciało wracać, ale żal mu było kapelusza. Wahał się przez moment, zawrócił jednak i zadzwonił.

– Czego pan jeszcze chce? – zapytała przeklęta Hella.

– Zostawiłem kapelusz... – wyszeptał bufetowy, wskazując swoją łysinę. Hella odwróciła się. Bufetowy splunął w myśli i zamknął oczy. Kiedy je otworzył, Hella podawała mu kapelusz i szpadę z ciemną rękojeścią.

– To nie moje... – szepnął bufetowy, odpychając szpadę i pospiesznie wkładając kapelusz.

– Czyżby pan przyszedł bez szpady? – zdziwiła się Hella.

Bufetowy coś odburknął i szybko poszedł na dół. W tym kapelu-
szu było mu, nie wiedzieć czemu, niewygodnie, za gorąco w głowę. Andriej Fokicz zdjął kapelusz, podskoczył ze strachu i wydał cichy okrzyk – trzymał w ręku aksamitny beret z wyleniałym kogucim piórem. Bufetowy przeżegnał się. W tejże sekundzie beret zamiau-
czał, przemienił się w czarnego kociaka, wskoczył z powrotem na głowę Andrieja Fokicza i wszystkimi pazurami wbił się w jego łysi-
nę. Bufetowy wydał histeryczny okrzyk zgrozy i popędził na dół, kociak zaś spadł mu z głowy i prysnął po schodach na górę.

Kiedy bufetowy znalazł się pod gołym niebem, pobiegł truchtem do bramy i na zawsze opuścił piekielny dom numer 302-A.

Dokładnie wiadomo, co się dalej działo z bufetowym. Kiedy wy-
dostał się na ulicę, dziko rozejrzał się dokoła, jak gdyby czegoś szukając. Po chwili był już po drugiej stronie ulicy, w aptece.

Skoro tylko wyrzekł: „Proszę mi powiedzieć...", kobieta za ladą zawołała:

– Przecież pan ma całą głowę we krwi!

W pięć minut później bufetowy był zabandażowany, wiedział już, że za najlepszych specjalistów od chorób wątroby uważa się profe-
sorów Bernadskiego i Kuźmina, zapytał, do którego z nich bliżej,

oczy zapłonęły mu radością, kiedy dowiedział się, że Kuźmin mieszka w sąsiednim podwórku, w maleńkiej białej willi, i w dwie minuty później znalazł się w owej willi.

Domek był staroświecki, ale bardzo, bardzo sympatyczny. Bufetowy pamiętał, że pierwszą spotkaną tam osobą była zgrzybiała niania, która chciała zaopiekować się jego kapeluszem, ponieważ jednak Andriej Fokicz takowego nie posiadał, niania, poruszając bezzębnymi szczękami, gdzieś sobie poszła.

Zamiast niej, pod lustrem w jakimś łukowato sklepionym przejściu, objawiła się kobieta w średnim wieku i z miejsca oświadczyła, że zapisać do profesora może dopiero na dziewiętnastego, nie wcześniej. Bufetowy błyskawicznie znalazł jedyne właściwe wyjście. Spojrzał gasnącym wzrokiem gdzieś poza przejście, tam gdzie w niewątpliwej poczekalni siedziały trzy osoby, i wyszeptał:

– Jestem śmiertelnie chory...

Kobieta ze zdumieniem popatrzyła na zabandażowaną głowę bufetowego, zawahała się i powiedziała:

– Skoro tak... – i wpuściła bufetowego do poczekalni.

W tejże chwili otworzyły się drzwi naprzeciwko i zabłysły w nich czyjeś złote binokle. Kobieta w fartuchu powiedziała:

– Obywatele, ten chory zostanie przyjęty poza kolejką.

Bufetowy nawet nie zdążył mrugnąć, jak znalazł się w gabinecie profesora Kuźmina. Podłużny pokój nie miał w sobie nic lekarskiego, uroczystego ani strasznego.

– Co się panu stało? – przyjemnym głosem zapytał profesor Kuźmin, z niejakim niepokojem patrząc na zabandażowaną głowę Sokowa.

– Przed chwilą dowiedziałem się z wiarygodnego źródła – odpowiedział bufetowy, zdziczałym wzrokiem wpatrując się w oszklone zdjęcie jakiejś grupy – że w lutym przyszłego roku umrę na raka wątroby. Błagam, niech pan powstrzyma tego raka.

Profesor Kuźmin opadł na wysokie gotyckie oparcie skórzanego fotela.

– Pan daruje, ale nie rozumiem... Czy pan... był u lekarza? Dlaczego ma pan zabandażowaną głowę?

– U jakiego lekarza?... Zobaczyłby pan tego lekarza... – odpowiedział bufetowy i zaczął nagle szczękać zębami. – A na głowę proszę nie zwracać uwagi, głowa nic do tego nie ma... Niech pan

plunie na głowę, ona nie ma z tym nic wspólnego... Rak wątroby
– proszę go powstrzymać...

– Pan wybaczy, ale kto to panu powiedział!?

– Niech mu pan wierzy! – płomiennie poprosił bufetowy. – Już
on dobrze wie, co mówi!

– Nic nie rozumiem! – wzruszając ramionami i odjeżdżając z fotelem od biurka, mówił profesor. – Skądże ktoś może wiedzieć,
kiedy pan umrze? Tym bardziej że, jak rozumiem, to nie jest
lekarz!

– Na sali numer cztery Pierwszej Kliniki Uniwersyteckiej – odpowiedział Andriej Fokicz.

Wtedy profesor popatrzył na swego pacjenta, na jego głowę, na
wilgotne spodnie i pomyślał: „Wariat, no, tego mi tu jeszcze brakowało...". Zapytał:

– Pije pan wódkę?

– Nigdy do ust nie wziąłem – odpowiedział bufetowy.

W chwilę później leżał rozebrany na ceratowej kozetce, a profesor ugniatał mu brzuch. Należy tu dodać, że Andriej Fokicz znacznie poweselał. Profesor zapewnił go kategorycznie, że teraz, a w każdym razie w obecnej chwili, nie ma żadnych objawów nowotworu,
ale jeżeli... jeżeli nastraszony przez jakiegoś szarlatana pacjent tak
bardzo się obawia raka, to trzeba zrobić wszystkie analizy...

Profesor pisał coś, wyjaśniał, dokąd należy pójść i co tam należy
zanieść... Dał też Andriejowi Fokiczowi karteczkę do neurologa,
profesora Bourre'a, twierdził bowiem, że system nerwowy bufetowego jest w fatalnym stanie.

– Ile jestem panu winien, profesorze? – subtelnym drżącym głosem zapytał bufetowy, wyciągając gruby portfel.

– Ile pan uważa – oschle odpowiedział profesor.

Bufetowy wyjął trzydzieści rubli, wyłożył je na stół, a następnie
nieoczekiwanym miękkim ruchem, jak gdyby posługiwał się kocią
łapką, postawił na czerwońcach pobrzękujący słupek owinięty
w starą gazetę.

– A to co takiego? – zapytał Kuźmin i podkręcił wąsa.

– Niech pan nie wzgardzi, panie profesorze – wyszeptał bufetowy. – Błagam, niech pan zatrzyma raka!

– Proszę natychmiast zabrać to złoto – powiedział dumny z siebie profesor. – Niech pan lepiej leczy nerwy. Proszę od razu jutro

oddać mocz do analizy, proszę nie pić zbyt wiele herbaty i jeść zupełnie bez soli.

– Nawet zupy nie solić? – zapytał bufetowy.

– Niczego nie solić – polecił profesor.

– Ech! – czule patrząc na profesora, zabierając dziesiątki i sunąc tyłem w kierunku drzwi, smętnie wykrzyknął bufetowy.

Pacjentów profesor tego wieczora miał niewielu, z nadejściem zmierzchu wyszedł ostatni z nich. Zdejmując fartuch, profesor spojrzał na to miejsce, na którym bufetowy zostawił czerwońce, i zobaczył, że nie ma tam żadnych banknotów, leżą natomiast na biurku trzy etykietki z butelek „Abrau-Durso".

– Diabli wiedzą, co to takiego! – zamruczał Kuźmin, ciągnąc za sobą po podłodze fartuch i studiując papierki. – Okazuje się, że to był nie tylko schizofrenik, ale także oszust! Ale nie mogę zrozumieć, czego on mógł chcieć ode mnie? Czyżby przyszedł po skierowanie na analizę moczu? Oo! Na pewno ukradł palta!

– i profesor rzucił się do przedpokoju, zapominając włożyć w rękaw fartucha drugą rękę. – Pani Kseniu! – przenikliwym głosem krzyknął w drzwiach przedpokoju. – Niech pani sprawdzi, czy są palta?

Okazało się, że palta są. Ale za to kiedy profesor, zrzuciwszy nareszcie z siebie fartuch, wrócił do biurka, stanął jak wryty, nie mogąc oderwać od niego oczu. Tam gdzie przed chwilą leżały etykietki, siedział teraz czarny kociak-sierotka, pyszczek miał nieszczęśliwy i miauczał nad spodeczkiem mleka.

– Co to takiego, o Boże?! To przecież... – I Kuźmin poczuł chłód na karku.

Na cichy i żałosny okrzyk profesora przybiegła Ksenia Nikitiszna i z miejsca uspokoiła go, zapewniając, że to któryś z pacjentów musiał podrzucić kotka, co się często przydarza profesorom.

– Powodzi im się na pewno nie najlepiej – wyjaśniła Ksenia Nikitiszna – no, a u nas, oczywiście...

Zaczęli się zastanawiać, kto by to mógł zrobić. Podejrzenie padło na staruszkę z wrzodem żołądka.

– Ona, oczywiście – mówiła Ksenia Nikitiszna – myśli: tak czy owak śmierć mi pisana, a kociaka szkoda.

– Przepraszam! – krzyknął Kuźmin. – A co z mlekiem?... Też staruszka przyniosła? Razem ze spodeczkiem, tak?

– Przyniosła w buteleczce, a tu wylała na spodek – wytłumaczyła Ksenia Nikitiszna.

– W każdym razie proszę zabrać i kociaka, i spodek – powiedział Kuźmin i odprowadził Ksenię Nikitisznę do drzwi. Kiedy wrócił, sytuacja uległa już zmianie. Wieszając fartuch na gwoździu, profesor usłyszał śmiech na podwórku. Wyjrzał i oczywiście osłupiał. Przez podwórko biegła w stronę oficyny dama w samej tylko koszuli. Profesor wiedział nawet, jak się owa dama nazywa – Maria Aleksandrowna. Jakiś chłopiec śmiał się.

– Co to ma być? – powiedział z dezaprobatą Kuźmin.

W tym momencie za ścianą w pokoju jego córki patefon zagrał fokstrota *Alleluja* i w tejże chwili za profesorskimi plecami rozległo się ćwierkanie wróbla. Kuźmin odwrócił się i zobaczył, że po jego biurku skacze sobie ogromny wróbel.

„Hm... tylko spokojnie! – pomyślał profesor. – Ptak wleciał, kiedy odchodziłem od okna. Wszystko w porządku!" – zalecił sobie, czując, że wszystko jest w najzupełniejszym nieporządku, i to głównie z powodu tego wróbla. Kiedy profesor przyjrzał mu się, od razu spostrzegł, że wróbel ten to nie jest zwyczajny wróbel. Obmierzły ptak chromał na lewą łapkę, najwyraźniej wymałpiał się, powłóczył nogą, wybijał synkopy, jednym słowem tańczył fokstrota przy dźwiękach patefonu niczym pijany przy barze, zachowywał się tak po chamsku, jak tylko potrafił, i obelżywie patrzył na profesora.

Dłoń Kuźmina spoczęła na aparacie telefonicznym, profesor miał zamiar zadzwonić do swego kolegi Bourre'a, chciał go zapytać, o czym też mogą świadczyć tego rodzaju wróbelki w wieku lat sześćdziesięciu i co to znaczy, jeżeli do tego nagle człowiekowi zaczyna się kręcić w głowie?

Tymczasem wróbel usiadł na ofiarowanym niegdyś profesorowi kałamarzu, napaskudził do niego (ja nie żartuję!), następnie wzbił się w górę, zawisł w powietrzu, po czym z rozpędu, dziobem niczym ze stali, uderzył w szkło fotografii przedstawiającej grono absolwentów uniwersytetu z roku 1894, rozbił to szkło na drobne kawałki i wyfrunął przez okno.

Profesor zmienił decyzję i zamiast zadzwonić do profesora Bourre'a, zadzwonił do wypożyczalni pijawek, powiedział, że mówi profesor Kuźmin, i poprosił, by mu niezwłocznie przysłano pijawki do domu. Odłożył słuchawkę, znów odwrócił się do biurka i wrzasnął. Za biurkiem w czepku siostry miłosierdzia siedziała kobieta z torbą, a na torbie napisane było: „Pijawki". Krzyk wyrwał się profesorowi, kiedy spojrzał na usta kobiety – były to męskie usta wykrzywione od ucha do ucha i sterczał z nich kieł. Oczy siostry były martwe.

– Pieniążki się schowa – męskim basem powiedziała siostra.

– Po co mają się tu poniewierać. – Ptasią łapą zgarnęła etykietki i powoli rozpłynęła się w powietrzu.

Minęły dwie godziny. Profesor Kuźmin siedział na swoim łóżku w sypialni, pijawki wisiały mu na skroniach, za uszami i na szyi. W nogach łóżka siedział na jedwabnej kołdrze siwowąsy profesor Bourre, patrzył na Kuźmina ze współczuciem i pocieszał go, że wszystko to głupstwo. W oknie była już noc.

Nie wiemy, jakie jeszcze przedziwne rzeczy działy się w Moskwie tej nocy, i oczywiście nie zamierzamy tego dociekać, tym bardziej że czas już, abyśmy przeszli do drugiej części tej jakże prawdziwej opowieści. Za mną, czytelniku!

CZĘŚĆ
DRUGA

19

Małgorzata

Za mną, czytelniku! Któż to ci powiedział, że nie ma już na świecie prawdziwej, wiernej, wiecznej miłości? A niechże wyrwą temu kłamcy jego plugawy język! Za mną, czytelniku mój, podążaj za mną, a ja ci ukażę taką miłość!

O, nie! Mistrz był w błędzie, kiedy w lecznicy, gdy przemijała północna godzina, mówił Iwanowi z goryczą, że ona zapomniała go już. Tak stać się nie mogło. Oczywiście, że nie zapomniała o nim. Zdradźmy przede wszystkim tajemnicę, której mistrz nie chciał zdradzić Iwanowi. Ukochana mistrza miała na imię Małgorzata. Wszystko, co opowiadał o niej nieszczęsnemu poecie, było zresztą prawdą. Opisał swą ukochaną wiernie, Małgorzata była piękna i mądra. I jeszcze jedno trzeba tutaj dodać – można stwierdzić z całym przekonaniem, że jest wiele kobiet, które nie wiem co dałyby za to, aby zamienić się z Małgorzatą. Trzydziestoletnia bezdzietna Małgorzata była żoną wybitnego specjalisty, który w dodatku dokonał pewnego odkrycia o ogólnopaństwowym znaczeniu. Jej mąż był młody, przystojny, dobry, uczciwy i uwielbiał żonę. Małgorzata zajmowała z mężem całe piętro pięknej willi stojącej w ogrodzie przy jednej z uliczek w pobliżu Arbatu. Uroczy zakątek! Każdy może się o tym sam przekonać, jeśli tylko zechce się udać do owego ogrodu. Niechże się zwróci do mnie, ja mu podam adres, wskażę drogę, willa stoi do dziś.

Małgorzacie nigdy nie brakowało pieniędzy. Mogła kupić wszystko, na co miała ochotę. Wśród znajomych jej męża było wielu interesujących ludzi. Małgorzata nigdy nie dotknęła prymusa, nie zaznała udręk wspólnego mieszkania. Słowem… czy była szczęśliwa?

Ani przez chwilę! Odkąd, mając lat dziewiętnaście, wyszła za mąż i trafiła do tej willi, nie zaznała szczęścia. O, bogowie, o, bogowie moi! Czegóż jeszcze brakowało tej kobiecie, w której oczach jarzyły się nieustannie jakieś niepojęte ogniki? Czegóż jeszcze trzeba było tej leciutko zezującej wiedźmie, która wtedy, na wiosnę, niosła bukiet mimozy? Nie wiem, nie mam pojęcia. Mówiła zapewne prawdę – potrzebny był jej on, mistrz, a wcale nie żadna gotycka willa ani własny ogródek, ani pieniądze. Mówiła prawdę – ona go kochała.

Nawet mnie, rzetelnemu sprawozdawcy, ale przecież człowiekowi postronnemu, serce się ściska, kiedy pomyślę, co czuła Małgorzata, kiedy następnego dnia przyszła do domku mistrza (na szczęście nie zdążywszy się rozmówić z mężem, który nie wrócił w zapowiedzianym terminie) i dowiedziała się, że mistrza już nie ma. Zrobiła wszystko, żeby czegokolwiek się o nim dowiedzieć, i rzecz jasna, nie dowiedziała się niczego. Wróciła więc do willi i mieszkała tam nadal.

Ale skoro tylko z trotuarów i z jezdni zniknął brudny śnieg, skoro tylko zadął w lufciki niespokojny, niosący lekki zapach zgnilizny, wiosenny wiatr, Małgorzata zatęskniła silniej niż w zimie. Często długo i gorzko płakała potajemnie. Nie wiedziała, kogo kocha – żywego czy zmarłego? A im więcej mijało rozpaczliwych dni, tym częściej, zwłaszcza o zmierzchu, powracała myśl, że jest związana z kimś, kto nie żyje.

Musiała albo zapomnieć o nim, albo umrzeć sama. Przecież tak nie sposób żyć! Tak nie można! Zapomnieć o nim, za wszelką cenę zapomnieć! Ale nieszczęście na tym właśnie polega, że zapomnieć o nim nie umie.

– Tak, tak, tak, popełniłam ten sam błąd – mówiła Małgorzata, siedząc zimą przy piecu i patrząc w ogień rozpalony na pamiątkę owego ognia, który płonął wówczas, gdy mistrz pisał *Poncjusza Piłata*. – Dlaczego wtedy w nocy zostawiłam go samego? Dlaczego? Przecież to było szaleństwo! Wróciłam nazajutrz, uczciwie, tak jak obiecałam, ale było już za późno. Tak, wróciłam za późno, jak ten nieszczęsny Mateusz Lewita!

Wszystkie te słowa były oczywiście niedorzeczne, bo i cóż, prawdę mówiąc, by się zmieniło, gdyby została tamtej nocy u mistrza? Czyby go ocaliła? To śmieszne! – moglibyśmy zawołać, ale przecież nie uczynimy tego w obecności doprowadzonej do ostatecznej rozpaczy kobiety.

W takiej udręce przetrwała Małgorzata Nikołajewna zimę i doczekała wiosny.

Tego samego dnia, kiedy powstał ów niedorzeczny zamęt spowodowany zjawieniem się w Moskwie czarnego maga, w piątek, kiedy przepędzono i wysłano z powrotem do Kijowa wujaszka Berlioza, kiedy aresztowano księgowego i kiedy wydarzyło się jeszcze mnóstwo innych nonsensownych i niepojętych rzeczy, Małgorzata obudziła się około południa w swojej sypialni, której półokrągłe, trzyskrzydłowe okno znajdowało się w wykuszu willi.

Obudziwszy się, nie zapłakała, jak to się często zdarzało, obudziła się bowiem z przeczuciem, że dziś wreszcie coś się wydarzy. I kiedy zdała sobie z tego sprawę, zaczęła to uczucie troskliwie pielęgnować w obawie, by jej nie opuściło.

– Wierzę! – szeptała uroczyście. – Wierzę! Coś się wydarzy! Nie może się nie wydarzyć, bo i za jakie to przewiny, prawdę mówiąc, miałabym cierpieć dożywotnią mękę? Przyznaję, kłamałam, oszukiwałam, żyłam potajemnym życiem, które ukrywałam przed ludźmi, ale przecież nie można karać za to aż tak okrutnie!... Niewątpliwie coś się wydarzy, ponieważ nic nie może trwać wiecznie. A poza tym mój sen był proroczy, dam za to głowę...

Tak szeptała Małgorzata, patrząc na wypełniające się słońcem pąsowe zasłony, ubierając się pospiesznie, rozczesując przed potrójnym lustrem krótkie kręcone włosy.

Sen, który się tej nocy przyśnił Małgorzacie, był rzeczywiście niezwykły. Rzecz w tym, że w okresie jej zimowej udręki ani razu nie przyśnił jej się mistrz. W nocy zostawiał ją w spokoju, męczyła się tylko we dnie. Aż tu nagle się przyśnił.

Przyśniła się Małgorzacie jakaś okolica, której nie znała – beznadziejna, posępna, pod chmurnym niebem wczesnej wiosny. Przyśniło jej się strzępiaste, rozpędzone, popielate niebo, a pod tym niebem niema chmara gawronów. Jakiś koślawy mostek, pod mostkiem mętna wiosenna rzeczułka. Smętne, nędzarskie, na wpół nagie drzewa. Samotna osika, a dalej – pośród drzew za jakimś warzywnikiem – domek z bierwion: ni to kuchnia w ogrodzie, ni to łaźnia, ni to diabli wiedzą co! Wszystko naokoło jakieś nieżywe i tak przygnębiające, że aż ciągnie, żeby się powiesić na tej osice koło mostku. Wiatr nie powieje, obłok nie drgnie, żywej duszy. Piekielne zaiste miejsce dla żywego człowieka!

I oto, wyobraźcie sobie, otwierają się drzwi tego domku z bierwion i staje w nich on. To dość daleko, ale widać go wyraźnie. Jest obdarty, trudno się zorientować, co właściwie ma na sobie. Potargany, nieogolony. Oczy smutne, pełne lęku. Przywołuje ją ruchem ręki, wzywa do siebie. Małgorzata, zachłystując się martwym powietrzem, pobiegła ku niemu, skacząc z kępy na kępę, i wtedy się obudziła. „Sen ten może oznaczać tylko jedno z dwojga – rozmyślała – jeżeli nie żyje, a wzywał mnie do siebie, to znaczy, że przyszedł po mnie i że niebawem umrę. To bardzo dobrze – w takim razie szybko się skończy moja udręka. Ale jeżeli żyje, to sen może znaczyć tylko jedno – że chciał mi o sobie przypomnieć! Chce powiedzieć, że się jeszcze zobaczymy... Tak, zobaczymy się bardzo niedługo!".

Małgorzata, ciągle jeszcze w stanie podniecenia, ubrała się i zaczęła wmawiać sobie, że w gruncie rzeczy wszystko bierze bardzo dobry obrót, a takie momenty trzeba umieć uchwycić i wykorzystać. Mąż wyjechał na delegację na całe trzy dni. Przez całe trzy doby więc będzie pozostawiona samej sobie, nikt nie przeszkodzi jej rozmyślać, o czym tylko będzie chciała, marzyć, o czym jej się żywnie podoba. Wszystkie pięć pokoi na piętrze willi, całe to mieszkanie, którego pozazdrościłyby jej dziesiątki tysięcy ludzi w Moskwie, jest do jej wyłącznej dyspozycji.

Ale uzyskawszy na całe trzy dni wolność, Małgorzata z owego wspaniałego mieszkania wybrała miejsce bynajmniej nie najwspanialsze. Wypiła herbatę i przeszła do ciemnego pokoiku bez okien, w którym przechowywano walizki i gdzie stały dwie wielkie szafy pełne przeróżnych rupieci. Przykucnęła, wysunęła dolną szufladę pierwszej z tych szaf i spod sterty ścinków jedwabiu wyjęła tę jedyną cenną rzecz, która jej została w życiu. Małgorzata trzymała w ręku stary, oprawny w brązową skórę album, w którym było zdjęcie mistrza, książeczkę oszczędnościową na jego imię, na której było dziesięć tysięcy, zaprasowane między kawałkami bibułki do papierosów płatki zasuszonej róży i część dużego brulionu, zapisanego na maszynie i nadpalonego u dołu.

Wróciwszy z tymi skarbami do sypialni, Małgorzata zatknęła fotografię za potrójne lustro i mniej więcej przez godzinę siedziała, trzymając na kolanach uszkodzony przez ogień brulion, kartkując go i czytając po wielekroć to, co po spaleniu nie miało już ani początku, ani końca: „Ciemność, która nadciągnęła znad Morza

Śródziemnego, okryła znienawidzone przez procuratora miasto. Zniknęły wiszące mosty, łączące świątynię ze straszliwą wieżą Antoniusza, otchłań zwaliła się z niebios i pochłonęła skrzydlatych bogów ponad hipodromem, pałac Hasmonejski wraz z jego strzelnicami, bazary, karawanseraje, zaułki, stawy... Jeruszalaim, wielkie miasto, zniknęło, jak gdyby nie istniało"...

Małgorzata chciała czytać dalej, ale dalej oprócz nierówno wystrzępionego zwęglonego papieru nie było już nic.

Ocierając łzy, odłożyła brulion, wsparła łokcie na toaletce i długo tak siedziała naprzeciw swego lustrzanego odbicia, nie spuszczając oczu ze zdjęcia. Potem łzy obeschły. Małgorzata starannie złożyła swój skarb i w ciemnym pokoju dźwięcznie szczęknął zamek.

Małgorzata wkładała w przedpokoju palto, chciała wyjść na spacer. Śliczna Natasza, jej służąca, zapytała, co ma zrobić na drugie danie, a otrzymawszy odpowiedź, że jest to obojętne, ażeby się trochę rozerwać, zaczęła rozmowę ze swą chlebodawczynią, opowiadając jej Bóg wie co, na przykład, że wczoraj w teatrze sztukmistrz wyczyniał takie sztuki, że wszystkim oko zbielało, każdemu dawał za darmo po dwa flakony zagranicznych perfum i pończochy, a potem, jak seans się skończył, publika wyszła na ulicę i patrzeć, a tu wszyscy są golusieńcy! Małgorzata opadła na krzesło w przedpokoju pod lustrem i zaniosła się śmiechem.

– Natasza! Jak ci nie wstyd – mówiła – umiesz czytać i pisać, jesteś mądra dziewczyna... W kolejkach plotą diabli wiedzą co, a ty to powtarzasz!

Natasza oblała się rumieńcem i z wielkim żarem zaprotestowała, że to wcale nie żadne łgarstwo, że na własne oczy widziała dzisiaj w spożywczym na Arbacie jedną obywatelkę, która przyszła do sklepu w pantoflach, a jak poszła do kasy płacić, to jej pantofle zniknęły z nóg i została w samych pończochach. Oczy wybałuszyła, a na pięcie dziura! A to były zaczarowane pantofle właśnie z tego seansu.

– I tak poszła?

– I tak poszła! – wołała Natasza, czerwieniąc się coraz bardziej, że jej nie wierzą. – A wczoraj, Małgorzato Nikołajewna, to milicja ze stu ludzi wieczorem zabrała. Obywatelki z tego seansu biegały po Twerskiej w samych reformach.

– No oczywiście, Daria ci naopowiadała – mówiła Małgorzata Nikołajewna – już dawno zauważyłam, że to straszna kłamczucha.

Ta pocieszna rozmowa zakończyła się miłą dla Nataszy niespodzianką. Małgorzata poszła do sypialni i wróciła, niosąc parę pończoch i flakon wody kolońskiej. Powiedziawszy Nataszy, że także chce pokazać sztukę, podarowała jej zarówno pończochy, jak i wodę kolońską, i powiedziała, że prosi tylko o jedno – żeby Natasza nie biegała w samych pończochach po Twerskiej i żeby nie słuchała tego, co wygaduje Daria. Pani i służąca ucałowały się i rozeszły.

Osunąwszy się na wygodne miękkie oparcie fotela w trolejbusie, Małgorzata jechała Arbatem i to rozmyślała o swoich sprawach, to przysłuchiwała się, o czym do siebie szepczą dwaj siedzący przed nią obywatele.

Ci zaś, oglądając się niekiedy w obawie, czy ktoś ich nie słyszy, szeptali o jakichś zupełnie niestworzonych rzeczach. Duży, tęgi, mięsisty, o bystrych świńskich oczkach, który siedział przy oknie, cicho komunikował swemu niziutkiemu sąsiadowi, że trumnę trzeba było nakryć czarną kapą...

– Niemożliwe! – szeptał wstrząśnięty niziutki. – Coś podobnego! To niesłychane!... A co zrobił Żełdybin?

Poprzez miarowy warkot silnika trolejbusu można było usłyszeć słowa spod okna:

– Milicja... skandal... no, po prostu mistyka!

Z tych strzępków Małgorzacie udało się zestawić coś, co miało jaki taki sens. Obywatele ci szeptali sobie, że jakiemuś nieboszczykowi (nie mówili jakiemu) skradziono dziś rano z trumny głowę! To właśnie dlatego ten Żełdybin tak się teraz denerwuje. A ci dwaj, co rozmawiają szeptem w trolejbusie, też mają coś wspólnego z okradzionym nieboszczykiem.

– Czy zdążymy pojechać po kwiaty? – niepokoił się mały. – Kremacja, powiadasz, o drugiej?

Wreszcie znudziło się Małgorzacie słuchanie tej tajemniczej gadaniny o głowie ukradzionej z trumny i ucieszyła się, że już wysiada.

W kilka chwil później siedziała na ławce pod murem Kremla, usiadła tak, że mogła widzieć plac Maneżu.

Mrużyła oczy w ostrym słońcu, rozpamiętywała swój dzisiejszy sen, wspominała, jak to przez równiutko rok dzień w dzień o tej samej godzinie siadywała na tejże ławce z mistrzem. I zupełnie tak samo jak wtedy leżała na ławce obok niej czarna torebka. Mistrz nie siedział dziś obok niej, ale Małgorzata rozmawiała z nim w myślach:

„Jeżeli jesteś na zesłaniu, to dlaczego nie dajesz znaku życia? Ludzie przecież dają znać o sobie. Przestałeś mnie kochać? Nie, jakoś nie mogę w to uwierzyć. A więc zesłano cię i umarłeś... Jeśli tak, to proszę – zwolnij mnie, pozwól mi wreszcie żyć, oddychać!". Małgorzata sama sobie odpowiedziała w zastępstwie mistrza: „Jesteś wolna... Czyż ja cię trzymam w niewoli?". A potem znów protestowała: „O nie, cóż to za odpowiedź? Odejdź z mojej pamięci, dopiero wtedy będę wolna...".

Ludzie przechodzili obok Małgorzaty. Jakiś mężczyzna spojrzał spod oka na dobrze ubraną kobietę, zainteresowała go jej uroda i samotność. Odkaszlnął i usiadł na brzeżku tej samej ławki, na której siedziała Małgorzata. Zaczerpnął tchu i powiedział:

– Jednakowoż ładną mamy dziś pogodę...

Ale Małgorzata popatrzyła na niego tak posępnie, że mężczyzna wstał i odszedł.

„Oto masz przykład – mówiła w myśli Małgorzata do człowieka, do którego należała. – Dlaczego właściwie przepłoszyłam tego mężczyznę? Nudzi mi się, a ten lowelas w niczym nie jest gorszy od innych, no, może tylko to głupie «jednakowoż». Dlaczego siedzę jak sowa, sama jedna pod murem? Dlaczego zostałam wyrwana z życia?".

Zwiesiła głowę i pogrążyła się w smutku. Ale nagle ta sama co rano fala wzburzenia i oczekiwania uderzyła ją w pierś: „Tak, coś się dziś wydarzy!". Fala napłynęła po raz drugi i wtedy Małgorzata zrozumiała, że jest to fala dźwięków. Przez hałas miasta coraz wyraźniej przedzierał się głos bębna i dźwięki nieco fałszujących trąb.

Pierwszy ukazał się przejeżdżający stępa obok parkowego ogrodzenia konny milicjant, za nim maszerowali trzej piesi. Następnie ukazała się jadąca powoli ciężarówka z orkiestrą. Wreszcie wolno posuwający się otwarty nowy samochód-karawan, na nim trumna pokryta wieńcami, obok trumny w rogach platformy stało czworo ludzi – trzech mężczyzn i kobieta.

Nawet z tej odległości Małgorzata zauważyła, że ludzie w samochodzie obok trumny, towarzyszący nieboszczykowi w jego ostatniej drodze, są dziwnie zmieszani. Szczególnie wyraźnie dotyczyło to obywatelki stojącej w lewym tylnym rogu platformy. Pyzate policzki owej obywatelki jakby jeszcze bardziej rozpierała od wewnątrz jakaś pikantna tajemnica, a w jej zapłyniętych oczach igrały dwuznaczne ogniki. Zdawało się, że jeszcze chwilka, a obywatelka nie wytrzyma, mrugnie do nieboszczyka i powie: „Widział pan kiedyś coś podobnego? Kompletna mistyka!...". Równie stropieni byli i piesi z konduktu, którzy w liczbie około trzystu osób postępowali z wolna za wiozącą trumnę ciężarówką.

Małgorzata odprowadziła kondukt wzrokiem, wsłuchała się w zacichający w dali smętny głos wielkiego bębna, powtarzający ciągle jedno i to samo „bums, bums, bums", i myślała: „Jaki dziwny pogrzeb... i jaki smutek ogarnia od tego «bumsa». Ach, doprawdy, zaprzedałabym duszę diabłu, żeby się tylko dowiedzieć, czy on żyje?... Ciekawe, czyj to pogrzeb i dlaczego żałobnicy mają takie niezwykłe miny?".

– Michała Aleksandrowicza Berlioza – usłyszała obok siebie męski, nieco nosowy głos – przewodniczącego Massolitu.

Małgorzata odwróciła się zdziwiona i zobaczyła na ławce obok siebie obywatela, który musiał przysiąść się bezszelestnie, kiedy Małgorzata – zapatrzywszy się na żałobną procesję – ostatnie swoje pytanie przez roztargnienie wypowiedziała widocznie na głos.

Tymczasem kondukt zwolnił, najwidoczniej zatrzymały go światła na skrzyżowaniu.

– Tak – mówił dalej nieznajomy obywatel – panuje wśród nich doprawdy niespotykany nastrój. Wiozą nieboszczyka, a myślą tylko o tym, gdzie też się mogła zapodziać jego głowa.

– Jaka głowa? – zapytała Małgorzata, wpatrując się z uwagą w niespodziewanego rozmówcę. Sąsiad jej, jak się okazało, był niewielkiego wzrostu, płomiennie rudy, posiadał wielki kieł, na sobie zaś miał wykrochmaloną koszulę, pasiasty garnitur w dobrym gatunku, na nogach lakierki, a na głowie melonik. Krawat jaskrawy. Zdumiewające było to, że z kieszonki, w której zwykle mężczyźni noszą chusteczki lub wieczne pióra, wystawało mu ogryzione kurze udko.

– Proszę tylko pomyśleć – wyjaśniał rudy – dziś rano z sali u Gribojedowa ktoś gwizdnął z trumny głowę nieboszczyka.

– Jak to się mogło stać? – machinalnie zapytała Małgorzata, wspominając jednocześnie szepty w trolejbusie.

– A diabli wiedzą jak! – nonszalancko odpowiedział rudy. – Sądzę zresztą, że warto by o to zapytać Behemota. To niesamowite, jak zręcznie ją gwizdnęli! Co za skandal!... I co najważniejsze, niepojęte, komu i do czego może być potrzebna taka głowa!

Chociaż Małgorzata była bardzo zajęta swoimi sprawami, to jednak zadziwiły ją dziwaczne łgarstwa nieznanego obywatela.

– Chwileczkę! – zawołała nagle. – Jakiego Berlioza? Tego, co to dzisiaj w gazetach…

– A tak, tak…

– To znaczy, że za trumną idą literaci? – zapytała Małgorzata.

– No jasne, że literaci!

– A pan ich zna?

– Wszystkich co do jednego – odpowiedział rudy.

– Proszę mi powiedzieć – wyrzekła Małgorzata, a głos jej stał się głuchy – czy nie ma wśród nich krytyka Łatuńskiego?

– Jakże go może nie być? – odpowiedział rudy. – Ten w czwartym rzędzie z samego brzegu to właśnie on.

– Ten blondyn? – mrużąc oczy, zapytała Małgorzata.

– Z popielatymi włosami… o, wzniósł oczy do nieba!

– Podobny do pastora?

– O, to, to!

O nic więcej Małgorzata nie spytała – zapatrzyła się na Łatuńskiego.

– Jak widzę – z uśmiechem powiedział rudy – nienawidzi pani tego Łatuńskiego.

– Nienawidzę jeszcze paru innych osób – odpowiedziała Małgorzata – ale to niecіekawy temat, to pana nie zainteresuje.

Kondukt tymczasem ruszył w dalszą drogę, za pieszymi ciągnęły puste przeważnie samochody.

– Naturalnie, co w tym ciekawego, Małgorzato Nikołajewna!

Małgorzata zdziwiła się.

– Pan mnie zna?

Zamiast odpowiedzi rudy zamaszyście skłonił się melonikiem.

„Wypisz wymaluj – morda rozbójnika!” – pomyślała Małgorzata, wpatrując się w ulicznego przybłędę.

– A ja pana nie znam – powiedziała oschle.

– Skąd mnie pani może znać? A nawiasem mówiąc, to przysłano mnie do pani z interesem.

Małgorzata odsunęła się gwałtownie i zbladła.

– Od tego trzeba było zacząć – powiedziała – zamiast pleść diabli wiedzą co o jakiejś uciętej głowie! Chce mnie pan aresztować?

– Nic podobnego – zakrzyknął rudy. – Co to takiego – jeśli ktoś zaczyna rozmowę, musi się to bezwzględnie zakończyć aresztowaniem? Po prostu mam do pani interes.

– Nic nie rozumiem, jaki interes?

Rudy obejrzał się i powiedział tajemniczo:

– Polecono mi, żebym na dziś wieczór panią zaprosił.

– Co pan bredzi? Do kogo?

– Do pewnego bardzo ważnego cudzoziemca – przymrużając oko, znacząco powiedział rudy.

Małgorzata bardzo się rozgniewała.

– Jak widzę, pojawiła się nowa profesja – uliczny stręczyciel! – powiedziała, wstając z ławki, aby odejść.

– Do diabła z takimi zleceniami! – zawołał obrażony rudzielec i wymamrotał w ślad za Małgorzatą: – Idiotka!

– Drań! – odpowiedziała Małgorzata, odwracając się, i usłyszała wtedy głos rudego:

– Ciemność, która nadciągnęła znad Morza Śródziemnego, okryła znienawidzone przez procuratora miasto. Zniknęły wiszące mosty, łączące świątynię ze straszliwą wieżą Antoniusza, otchłań zwaliła się z niebios i pochłonęła skrzydlatych bogów ponad hipodromem... Jeruszalaim, wielkie miasto, zniknęło, jak gdyby nigdy nie istniało... Niech panią piekło pochłonie razem z tym nadpalonym brulionem i z zasuszoną różą! Niech sobie pani siedzi samotnie na ławce i błaga go, żeby wypuścił panią na wolność, pozwolił oddychać powietrzem, zniknął z pamięci!

Małgorzata ze zbielałą twarzą wróciła na ławkę. Rudy popatrzył na nią spod przymrużonych powiek.

– Nic nie rozumiem – powiedziała cicho. – O brulionie to jeszcze można się dowiedzieć... podejrzeć, podpatrzeć... Przekupił pan Nataszę, tak? Ale jak pan poznał moje myśli? – cierpienie zbruździło jej czoło i dodała: – Niech mi pan powie, kim pan jest? Z jakiej instytucji?

– To ci utrapienie... – wymruczał rudy i zaczął mówić głośniej: – Przepraszam, ale powiedziałem już pani, że nie jestem z żadnej instytucji. Niech pani usiądzie.

Małgorzata usłuchała bez sprzeciwu, ale siadając, zapytała jednak jeszcze raz:

– Kim pan jest?

– No, niech już będzie, nazywam się Azazello, ale przecież to i tak nic pani nie mówi.

– Czy mógłby mi pan powiedzieć, skąd pan wie o kartkach i o moich myślach?

– Nie mógłbym – oschle odparł Azazello.

– Ale pan coś o nim wie – błagalnie wyszeptała Małgorzata.

– Powiedzmy, że wiem.

– Błagam, niech mi pan powie tylko jedno... żyje? Niech mnie pan nie męczy!

– No, żyje, żyje – niechętnie odrzekł Azazello.

– O, Boże!

– Tylko proszę bez histerii – nachmurzył się Azazello.

– Przepraszam, przepraszam – szeptała pokorna teraz Małgorzata. – Oczywiście, rozgniewałam się na pana. Ale zgodzi się pan chyba, że kiedy na ulicy ktoś nagle zaprasza kobietę... nie mam przesądów, zapewniam pana – Małgorzata uśmiechnęła się niewesoło – ale nigdy nie widuję się z cudzoziemcami i nie mam ochoty nawiązywać z nimi stosunków towarzyskich... a przy tym mój mąż... na tym polega mój dramat, że żyję nie z tym, którego kocham... ale uważam, że byłoby podłością zmarnować mu karierę... Z jego strony spotkało mnie tylko dobro...

Azazello z widocznym znudzeniem wysłuchał tego niezbyt jasnego przemówienia i powiedział surowo:

– Poproszę, aby pani na chwilę przestała mówić.

Małgorzata pokornie zamilkła.

– Cudzoziemiec, do którego panią zapraszam, jest całkowicie niegroźny. I żywa dusza nie będzie wiedziała o pani wizycie. Za co jak za co, ale za to mogę pani ręczyć.

– A po co mu jestem potrzebna? – przebiegle zapytała Małgorzata.

– Tego dowie się pani później.

– Rozumiem... mam mu się oddać – powiedziała z zadumą Małgorzata.

Azazello jakoś wyniośle chrząknął i odpowiedział tak:

– Mogę panią zapewnić, że każda kobieta na świecie marzyłaby o tym – fizjonomię Azazella wykrzywił uśmieszek – ale muszę panią rozczarować, to się nie stanie.

– Co to za cudzoziemiec!? – tak głośno zawołała poruszona do głębi Małgorzata, że zwróciła na siebie uwagę mijających ławkę przechodniów. – I po co miałabym iść do niego?

Azazello pochylił się ku niej i szepnął znacząco:

– No, powiedzmy, że ma pani w tym interes... skorzysta pani z okazji...

– Co? – zawołała Małgorzata i oczy jej zrobiły się okrągłe. – Jeśli pana dobrze rozumiem, oznacza to, że będę się tam mogła czegoś o nim dowiedzieć?

Azazello w milczeniu skinął głową.

– Jadę! – z mocą zawołała Małgorzata i chwyciła go za rękę. – Jadę, dokąd pan tylko chce!

Azazello sapnął z ulgą, opadł na oparcie ławki, zakrywając plecami wyskrobane wielkimi literami słowo „Niura", i powiedział z ironią:

– Ciężka sprawa z tymi kobietami! – Wepchnął ręce w kieszenie i wyciągnął nogi przed siebie. – Dlaczego akurat mnie do tego oddelegowali? Niechby jechał Behemot, Behemot ma wdzięk...

Małgorzata zaczęła mówić z ironicznym i gorzkim uśmiechem:

– Niech pan przestanie mnie mistyfikować i zamęczać zagadkami. Jestem i tak bardzo nieszczęśliwa, a pan to wykorzystuje... Pakuję się w jakąś dziwną historię, ale przysięgam, robię to tylko dlatego, że pan o nim wspomniał! Kręci mi się w głowie od tych wszystkich niepojętych rzeczy...

– Tylko bez dramatów – wykrzywiając się, powiedział Azazello. – Trzeba się też postawić i w mojej sytuacji. Dać administratorowi po mordzie albo wyrzucić z domu wujaszka, albo postrzelić kogoś, albo jakiś tam jeszcze drobiazg w tym stylu to moja właściwa specjalność. Ale rozmowy z zakochanymi kobietami – o, dziękuję, pokorny sługa!... Przecież już pół godziny panią namawiam... Więc jedzie pani?

– Jadę – prosto odpowiedziała Małgorzata.

– W takim razie zechce pani przyjąć to – powiedział Azazello, wyjął z kieszeni złote okrągłe puzderko i wręczył je Małgorzacie ze słowami: – Niechże je pani schowa, przecież ludzie patrzą. Ono się pani przyda, Małgorzato Nikołajewna, pani się solidnie zestarzała ze zmartwienia przez ostatnie pół roku. – Małgorzata zaczerwieniła się, ale nie odpowiedziała nic, a Azazello mówił dalej: – Dziś wieczorem, punktualnie o wpół do dziesiątej, będzie pani uprzejma rozebrać się do naga i natrzeć tą maścią twarz i całe ciało. Potem może pani robić, co pani chce, ale proszę nie oddalać się od telefonu. O dziesiątej zadzwonię do pani i powiem wszystko, co trzeba. Zostanie pani dostarczona na miejsce bez żadnych kłopotów i o nic nie będzie się pani musiała troszczyć. Jasne?

Małgorzata milczała chwilę, potem odrzekła:

– Jasne. To pudełko jest ze szczerego złota, widać po wadze. No cóż, świetnie rozumiem, że mnie przekupują i wciągają w jakąś ciemną historię i że drogo za to zapłacę...

– Co to ma znaczyć? – nieomal zasyczał Azazello. – Znowu?...

– Nie, niech pan poczeka!

– Proszę mi zwrócić krem!

Małgorzata mocniej zacisnęła puzderko w dłoni i powiedziała:

– O nie, proszę poczekać! Wiem, co ryzykuję. Ale decyduję się na to wszystko ze względu na niego, bo na nic na świecie nie mogę już liczyć i nie mam nadziei. Ale chcę panu powiedzieć, że jeśli pan mnie zgubi, to będzie panu wstyd. Tak, wstyd! Ginę przez moją miłość! – I dotykając serca, Małgorzata spojrzała w słońce.

– Niech pani odda! – ze złością krzyknął Azazello. – Proszę oddać i do diabła z tym wszystkim! Niech poślą Behemota!

– O, nie! – wprawiając w zdumienie przechodniów, zawołała Małgorzata. – Zgadzam się na wszystko, zgadzam się na tę komedię z wcieraniem maści, zgadzam się jechać, gdzie diabeł mówi dobranoc! Nie oddam!

– Ba! – wrzasnął nagle Azazello i wytrzeszczając oczy na sztachety parku, pokazał coś palcem.

Małgorzata spojrzała w stronę, gdzie wskazywał Azazello, ale nic szczególnego tam nie zauważyła. Kiedy odwróciła się znowu do Azazella, chcąc otrzymać wyjaśnienie w sprawie tego idiotycznego „ba!", już nie miał kto udzielić jej owego wyjaśnienia – tajemniczy rozmówca Małgorzaty zniknął.

Małgorzata pospiesznie sięgnęła do torebki, w której przed tym okrzykiem schowała puzderko, upewniła się, że jest, gdzie być powinno. Wówczas, nie myśląc już o niczym, szybko wybiegła z Ogrodu Aleksandrowskiego.

20

Krem Azazella

Poprzez gałęzie klonu widać było wiszący na wieczornym bezchmurnym niebie krągły księżyc. Lipy i akacje rozrysowały ziemię w ogrodzie w zawiły wzór plam światła i cieni. W otwartym, ale zasłoniętym storą półokrągłym oknie w wykuszu paliło się wściekłe światło elektryczne. W sypialni Małgorzaty płonęły wszystkie lampy, oświetlając panujący w pokoju nieopisany bałagan.

Na przykrytym kocem łóżku leżały koszulki, pończochy i świeża bielizna, zmięta zaś bielizna poniewierała się na podłodze obok rozdeptanego w pośpiechu pudełka papierosów. Pantofle stały na nocnym stoliku obok niedopitej filiżanki kawy i popielniczki, w której dymił niedopałek. Na oparciu krzesła wisiała czarna wieczorowa suknia. W pokoju pachniały perfumy. Przywędrował tu także skądś zapach rozgrzanego żelazka.

Małgorzata siedziała przed lustrem w zamszowych czarnych pantoflach i w płaszczu kąpielowym narzuconym na nagie ciało. Zegarek na złotej bransolecie leżał przed nią obok otrzymanego od Azazella puzdereczka i Małgorzata nie spuszczała oczu z cyferblatu.

Chwilami wydawało się jej, że zegarek się zepsuł i że jego wskazówki nie poruszają się. Poruszały się jednak, acz bardzo powoli, jak gdyby lepiąc się do tarczy, aż wreszcie dłuższa wskazówka osiągnęła dwudziestą dziewiątą minutę po dziewiątej. Serce Małgorzaty załomotało tak strasznie, że nie mogła nawet sięgnąć od razu po puzderko. Kiedy wzięła się w garść i otworzyła je, zobaczyła, że zawiera tłusty żółtawy krem. Wydało jej się, że krem ten ma zapach bagiennego szlamu. Końcem palca nabrała sobie na dłoń odrobinę kremu, a wtedy jeszcze wyraźniej zapachniało lasem i ziołami z bagnisk, po czym zaczęła dłonią wcierać sobie krem w policzki i w czoło.

Krem łatwo się rozsmarowywał i natychmiast się ulatniał, tak przynajmniej wydawało się Małgorzacie. Posmarowawszy się po kilkakroć, spojrzała w lustro i upuściła puzderko prosto na szkiełko zegarka, które promieniście pękło. Zasłoniła oczy dłonią, potem spojrzała raz jeszcze i roześmiała się niepohamowanie.

Brwi wyskubane w niteczki zagęściły się i równymi czarnymi łukami legły nad pozieleniałymi oczami. Delikatna pionowa zmarszczka u nasady nosa, która pojawiła się wtedy, w październiku, kiedy mistrz zaginął, zniknęła bez śladu. Zniknęły także żółtawe cienie na skroniach i ledwie zauważalne kurze łapki przy zewnętrznych kącikach oczu. Skóra na policzkach równomiernie poróżowiała, czoło stało się białe i jasne, a trwała ondulacja zniknęła również.

Na trzydziestoletnią Małgorzatę patrzyła z lustra kędzierzawa z natury, kruczowłosa dwudziestoletnia dziewczyna i trzęsła się ze śmiechu.

Naśmiawszy się do woli, Małgorzata jednym susem wyskoczyła ze szlafroka, zaczerpnęła więcej tłustego pienistego kremu i zaczęła mocno wcierać go sobie w skórę. Ciało jej natychmiast poróżowiało, rozgrzało się. Potem w jednej chwili, jak gdyby ktoś wyciągnął igłę z mózgu, zniknął ból w skroni, doskwierający przez cały wieczór po spotkaniu w Ogrodzie Aleksandrowskim, w mięśnie rąk i nóg wstąpiła siła, a potem ciało Małgorzaty stało się nieważkie.

Podskoczyła i zawisła w powietrzu nieco ponad dywanem, następnie coś ją powolutku zaczęło ściągać na ziemię, opadła.

– To mi krem! To mi krem! – zawołała, rzucając się na fotel.

Krem zmienił ją nie tylko zewnętrznie. Teraz w Małgorzacie, w każdej cząstce jej ciała, kipiała radość, którą odczuwała tak, jak gdyby w całym jej ciele kipiały maleńkie pęcherzyki. Małgorzata poczuła się wolna, wyzwolona ze wszystkiego. Poza tym było teraz zupełnie jasne, że stało się to, o czym już z rana powiedziało jej przeczucie, że opuszcza willę i porzuca swoje dotychczasowe życie na zawsze. Ale oto od tego dotychczasowego życia oddzieliła się myśl o tym, że zanim rozpocznie się to nowe, niezwykłe, to, co pociąga ją ku górze, w powietrze, ma do spełnienia jeszcze jeden, ostatni obowiązek. I tak jak stała, naga, co chwila wzbijając się w powietrze, pobiegła z sypialni do gabinetu męża, zapaliła tam światło, podbiegła do biurka. Na wyrwanej z notesu kartce napisała ołówkiem szybko, bez skreśleń, dużymi literami:

„Przebacz mi i zapomnij o mnie jak najszybciej. Opuszczam cię na zawsze. Nie szukaj mnie, to się na nic nie zda. Z powodu klęsk i nieszczęść, które na mnie spadły, zostałam wiedźmą. Czas na mnie. Żegnaj. Małgorzata".

Poczuła ogromną ulgę, przeleciała do sypialni, a zaraz za nią wbiegła tam obładowana rzeczami Natasza. I wszystkie te rzeczy, drewniane ramiączko z suknią, koronkowe chusteczki, niebieskie jedwabne pantofelki na prawidłach i pasek, wszystko to natychmiast posypało się na podłogę, a Natasza plasnęła w wolne już teraz dłonie.

– Co, ładna jestem? – ochrypłym głosem głośno krzyknęła Małgorzata.

– Jakże to tak? – szeptała, cofając się, Natasza. – Jak pani to robi, Małgorzato Nikołajewna?

– To krem! Krem, krem! – odpowiedziała Małgorzata, wskazując błyszczące złote pudełeczko i okręcając się przed lustrem.

Natasza, zapominając o leżącej na podłodze zmiętej sukience, podbiegła do trema i pożądliwie płonącymi oczyma wpatrzyła się w resztkę maści. Jej wargi coś szeptały. Ponownie odwróciła się do Małgorzaty i powiedziała w zachwyceniu:

– Skóra! Co za skóra! Pani skóra świeci! – Opamiętała się jednak, podbiegła do sukienki, podniosła ją i zaczęła otrzepywać.

– Daj spokój! Zostaw to! – wołała do niej Małgorzata. – Do diabła z nią! Zostaw to wszystko! A zresztą lepiej weź ją sobie na pamiątkę. Słyszysz, weź ją sobie na pamiątkę. Zabierz sobie wszystko, co jest w tym pokoju!

Ogłupiała Natasza, przez chwilę stojąc nieruchomo, patrzyła na Małgorzatę, potem rzuciła się jej na szyję i całując ją, wołała:

– Jak atłas! Aż jaśnieje! Czysty atłas! A brwi! Jakie brwi!

– Weź sobie wszystkie szmatki, perfumy i schowaj do swojego kuferka – wołała Małgorzata – tylko nie bierz kosztowności, bo cię posądzą o kradzież!

Natasza zgarnęła w tobół wszystko, co jej wpadło w ręce – sukienki, pantofle, pończochy i bieliznę – i wybiegła z sypialni.

Tymczasem gdzieś po przeciwnej stronie zaułka wyrwał się z otwartego okna i wyleciał w świat huraganowy, wirtuozerski walc, do uszu Małgorzaty dobiegł także warkot podjeżdżającego przed bramę samochodu.

– Zaraz zadzwoni Azazello – zawołała, słuchając napływającego w zaułek walca. – Zadzwoni! A cudzoziemiec jest niegroźny, tak, teraz rozumiem, że jest niegroźny!

Samochód zawarczał, odjeżdżając spod bramy. Stuknęła furtka i na płytach prowadzącej do willi alejki zatupotały kroki.

„To Nikołaj Iwanowicz, poznaję jego kroki – pomyślała Małgorzata – trzeba będzie zrobić na pożegnanie coś ciekawego i zabawnego".

Małgorzata odciągnęła z okna zasłonę i usiadła bokiem na parapecie, objęła ramionami kolano. Światło księżyca polizało jej prawy bok. Uniosła głowę do księżyca i przybrała poetyczny i zamyślony wyraz twarzy. Jeszcze dwukrotnie obcasy uderzyły o płyty, potem kroki nagle ucichły. Małgorzata chwilę jeszcze podziwiała księżyc, westchnęła, bo tak wypadało, a potem odwróciła głowę i w ogrodzie rzeczywiście zobaczyła Nikołaja Iwanowicza, który mieszkał na parterze w tej samej willi. Księżyc oświetlał go wyraźnie. Nikołaj Iwanowicz siedział na ławce i wszystko wskazywało na to, że usiadł na niej zupełnie nieoczekiwanie. Binokle na jego nosie przekrzywiły się dziwacznie, teczkę ściskał w dłoniach.

– A, dobry wieczór, Nikołaju Iwanowiczu – smutnym głosem powiedziała Małgorzata. – Jak się pan ma? Wraca pan z zebrania?

Nikołaj Iwanowicz nic na to nie odpowiedział.

– A ja – ciągnęła Małgorzata, jeszcze bardziej wychylając się z okna – siedzę, jak pan widzi, sama, nudzę się, patrzę sobie na księżyc i słucham walca...

Lewą dłonią powiodła po skroni, poprawiając kosmyk włosów, potem powiedziała gniewnie:

– To niegrzecznie, Nikołaju Iwanowiczu! Mimo wszystko jestem przecież kobietą! Przecież to chamstwo – nie odpowiadać, kiedy ktoś mówi do pana.

Nikołaj Iwanowicz, którego w świetle księżyca widać było aż do ostatniego guziczka na szarej kamizelce, aż do ostatniego włoska w jasnej, spiczastej bródce, nagle uśmiechnął się dzikim uśmiechem, wstał z ławki i najwyraźniej zupełnie ogłupiał ze zmieszania, zamiast zdjąć kapelusz, machnął w bok teczką i ugiął kolana, jak gdyby zamierzał ruszyć w prysiudy.

– Ach, jaki pan jest nudny, Nikołaju Iwanowiczu! – ciągnęła Małgorzata. – W ogóle tak żeście mi wszyscy obrzydli, że nie potrafię panu tego wyrazić, i jestem ogromnie szczęśliwa, że się z wami rozstaję! A niech was diabli wezmą!

W tej chwili w pokoju, za plecami Małgorzaty, zadzwonił telefon.

Małgorzata zerwała się z parapetu i, zapominając o Nikołaju Iwanowiczu, chwyciła słuchawkę:

– Mówi Azazello – odezwano się w słuchawce.

– Azazello, kochany! – zawołała Małgorzata.

– Już czas. Niech pani wylatuje – powiedział w słuchawce Azazello, a ton, którym mówił, świadczył, że szczery entuzjazm Małgorzaty sprawiał mu przyjemność. – Kiedy będzie pani przelatywała nad bramą, proszę krzyknąć: „Niewidzialna!". Potem niech pani sobie trochę polata nad miastem, żeby się przyzwyczaić, a następnie proszę lecieć na południe, za miasto i wprost nad rzekę. Tam już na panią czekają!

Małgorzata odwiesiła słuchawkę i jednocześnie w sąsiednim pokoju rozległo się drewniane kuśtykanie i coś zaczęło dobijać się do drzwi. Małgorzata otworzyła i szczotka do zamiatania, włosiem ku górze, tańcząc, wleciała do pokoju. Końcem kija stepowała po podłodze, wierzgała i rwała się ku oknu. Małgorzata pisnęła z zachwytu i wskoczyła na oklep na szczotkę. Dopiero wtedy błysnęła jeźdźczyni myśl, że wśród całego tego zamieszania zapomniała się ubrać. Pogalopowała do łóżka, złapała pierwszą z brzegu rzecz, jakąś niebieską koszulkę. Wymachując nią niczym sztandarem, wyleciała przez okno. Jeszcze głośniej buchnął ponad ogrodem walc.

Małgorzata z okna spłynęła ku ziemi i zobaczyła na ławce Nikołaja Iwanowicza. Zastygł na ławce kompletnie oszołomiony, wsłuchując się w krzyki i hałasy dobiegające z oświetlonej sypialni lokatorów z góry.

– Żegnam pana, Nikołaju Iwanowiczu! – zawołała Małgorzata, tańcząc przed nim na szczotce.

Nikołaj Iwanowicz jęknął i przebiegając dłońmi po ławce, odsunął się jak mógł – tak że strącił nawet na ziemię teczkę.

– Żegnajcie na zawsze! Odlatuję! – zagłuszając dźwięki walca, wołała Małgorzata. Zrozumiała teraz, że koszulka nie jest jej do niczego potrzebna i, zachichotawszy złowieszczo, zarzuciła ją Nikołajowi Iwanowiczowi na głowę. Oślepiony Nikołaj Iwanowicz zwalił się z ławki na płyty alejki.

Małgorzata obejrzała się, żeby po raz ostatni popatrzeć na willę, w której tak długo cierpiała, i w jaśniejącym oknie zobaczyła wykrzywioną ze zdumienia twarz Nataszy.

– Żegnaj, Nataszo! – zawołała Małgorzata i poderwała szczotkę.

– Niewidzialna! Niewidzialna! – krzyknęła jeszcze głośniej i pomiędzy gałęziami klonu, które smagnęły ją po twarzy, przemknęła nad bramą i wyleciała w zaułek.

A w ślad za nią poleciał całkiem już oszalały walc.

21

Lot

Niewidzialna i wolna! Niewidzialna i wolna!... Małgorzata przeleciała nad swoim zaułkiem, znalazła się nad innymi, krzyżującymi
się z tamtym pod kątem prostym. W jednej chwili pozostawiła za
sobą tę wyłataną, wycerowaną, krzywą i długą uliczkę, wypaczone
drzwi sklepu z materiałami łatwopalnymi, gdzie sprzedają naftę na
kubki i flakony płynu na pasożyty, i wtedy zrozumiała, że aczkolwiek jest zupełnie wolna i niewidzialna, to przecież nawet w upojeniu powinna zachować odrobinę rozsądku. Doprawdy tylko cudem
zdołała przyhamować i uniknąć roztrzaskania się o starą narożną
latarnię. Uchyliła się jednak, mocniej ścisnęła szczotkę i poleciała
wolniej, wypatrując przewodów elektrycznych i umieszczonych
w poprzek trotuaru szyldów.

Trzecia z kolei uliczka prowadziła wprost na Arbat. Doleciawszy
tam, Małgorzata całkiem już się oswoiła z kierowaniem szczotką,
zorientowała się, że szczotka posłusznie reaguje na najlżejsze do-
tknięcie dłoni czy nogi, zrozumiała, że kiedy leci nad miastem,
musi być bardzo uważna i nie może szaleć. Poza tym już w zaułku
stało się jasne, że przechodnie nie widzą latawicy. Nikt nie zadzie-
rał głowy, nie wołał: „Popatrz, popatrz!", nikt nie uskakiwał na
bok, nie piszczał ani nie mdlał, nikt nie wybuchał obłąkańczym
śmiechem.

Małgorzata leciała bezgłośnie, bardzo powoli, niezbyt wysoko,
mniej więcej na poziomie pierwszego piętra. Ale nawet przy tak
powolnym locie na rogu oślepiająco rozjarzonego Arbatu trochę źle
obliczyła odległość i uderzyła ramieniem o jakąś oświetloną tarczę,
na której namalowana była strzałka. To rozgniewało Małgorzatę.
Osadziła posłuszną szczotkę, odleciała na bok, a potem runęła na

tarczę i kijem od szczotki rozbiła ją znienacka w drobny mak. Posypało się z brzękiem szkło, przechodnie odskoczyli, gdzieś rozległ się gwizdek, a Małgorzata po tym niepotrzebnym wyczynie roześmiała się.

„Na Arbacie muszę być jeszcze ostrożniejsza – pomyślała – tyle tu wszystkiego ponapychali, że trudno się połapać". Zaczęła nurkować między przewodami elektrycznymi. Przepływały pod nią dachy trolejbusów, autobusów i samochodów osobowych, chodnikiem zaś – tak się wydawało patrzącej z góry Małgorzacie – płynęły rzeki kaszkietów. Wypływały z tych rzek małe strumyczki, które wpadały w ogniste czeluści wieczornych sklepów.

„Ech, co za ciżba! – pomyślała gniewnie Małgorzata. – Szpilki nie ma gdzie wetknąć".

Minęła Arbat, wzniosła się wyżej, na wysokość trzeciego piętra, i mijając jarzące się oślepiająco rurki na narożnym budynku teatru, wpłynęła w wąski zaułek zabudowany wysokimi kamienicami. Wszystkie okna w tych domach były pootwierane, ze wszystkich dobiegała muzyka z radia. Małgorzata z ciekawości zajrzała do któregoś okna. Zobaczyła kuchnię. Na blasze huczały dwa prymusy, obok nich stały i przemawiały się dwie kobiety.

– Jak się wychodzi z klozetu, to trzeba gasić po sobie światło, tyle pani powiem, Pelagio Piotrowna – mówiła ta, przed którą stał rondel z jakąś parującą potrawą – bo jak nie, to wystąpimy, żeby panią wykwaterowali.

– A pani to też dobra! – odpowiadała druga.

– Obieście dobre! – powiedziała dźwięcznie Małgorzata, pokonując parapet i wpływając do kuchni.

Obie zwaśnione odwróciły się na dźwięk głosu i zamarły z brudnymi łyżkami w dłoniach. Małgorzata ostrożnie wsunęła między nie rękę, zakręciła kurki obu prymusów, zgasiła je. Kobiety jęknęły i pootwierały usta. Ale Małgorzacie już się znudziło w kuchni i wyleciała z powrotem w zaułek.

Na końcu uliczki zwróciła jej uwagę wspaniała bryła siedmiopiętrowego, najwyraźniej dopiero co wybudowanego domu. Małgorzata obniżyła lot, wylądowała i zobaczyła, że fasada domu oblicowana jest czarnym marmurem, za szerokimi oszklonymi drzwiami widać czapkę ze złotym galonem i guziki portiera, a nad wejściem umieszczono złocone litery: „Dom Dramlitu".

Małgorzata przyglądała się napisowi, zastanawiała się, co też by mogło znaczyć to słowo – „Dramlit". Wzięła szczotkę pod pachę, weszła do sieni, potrącając drzwiami zdumionego portiera, i zobaczyła na ścianie obok windy wielką czarną tablicę, a na niej wypisane białymi literami numery mieszkań i nazwiska lokatorów. Wieńczący listę napis „Dom Dramaturga i Literata" spowodował, że Małgorzata wydała zduszony drapieżny okrzyk. Wzniosła się nieco w powietrze i zaczęła pilnie czytać te nazwiska: Chustow, Dwubratski, Kwant, Bieskudnikow, Łatuński...

– Łatuński! – wrzasnęła przenikliwie. – Łatuński! To przecież on... Przecież to on zgubił mistrza!

Portier przy drzwiach, wytrzeszczając oczy, a nawet podskakując ze zdumienia, patrzył na czarną tablicę, niezdolny zrozumieć, co to za dziwy – czemu mianowicie lista lokatorów zaczęła nagle krzyczeć.

Tymczasem Małgorzata spiesznie wzlatywała schodami na górę, powtarzając w jakimś upojeniu:

– Łatuński osiemdziesiąt cztery... Łatuński osiemdziesiąt cztery...

I oto na lewo osiemdziesiąt dwa, na prawo osiemdziesiąt trzy, jeszcze wyżej, na lewo osiemdziesiąt cztery! Tu! Otóż i wizytówka: „O. Łatuński".

Zeskoczyła ze szczotki, kamienna podłoga podestu mile chłodziła jej rozpalone stopy. Zadzwoniła raz, zadzwoniła drugi. Nikt jednak nie otwierał. Mocniej nacisnęła guzik, usłyszała wściekły dzwonek w mieszkaniu Łatuńskiego. Tak, lokator spod osiemdziesiątego czwartego na siódmym piętrze do grobowej deski powinien być wdzięczny nieboszczykowi Berliozowi za to, że prezes Massolitu wpadł pod tramwaj i że zebranie poświęcone jego pamięci wyznaczone zostało akurat na ten wieczór. Pod szczęśliwą gwiazdą urodził się krytyk Łatuński – gwiazda ta ustrzegła go przed spotkaniem z Małgorzatą, która owego piątku została wiedźmą.

Nikt nie otwierał. Zatem Małgorzata co prędzej ruszyła na dół; odliczając piętra, doleciała na parter, wymknęła się na ulicę, popatrzyła w górę, odliczyła piętra od zewnątrz, sprawdziła jeszcze raz – zastanawiała się, które okna mogą należeć do mieszkania Łatuńskiego. Tak, to musiało być tych pięć ciemnych narożnych okien na siódmym piętrze. Upewniwszy się co do tego, Małgorzata uniosła się w powietrze i w kilka sekund później wchodziła przez otwarte okno do nieoświetlonego pokoju, w którym srebrzyło się tylko wąziutkie pasemko księżycowej poświaty na podłodze. Małgorzata pobiegła po tym pasemku, namacała wyłącznik.

Po chwili w całym mieszkaniu paliło się światło. Szczotka stała w kącie. Upewniwszy się, że nie ma w domu nikogo, Małgorzata otworzyła drzwi na klatkę schodową, sprawdziła, czy opatrzone są właściwą wizytówką. Wizytówka była na swoim miejscu, Małgorzata trafiła właściwie.

No cóż, krytyk Łatuński podobno jeszcze dziś blednie, kiedy sobie przypomni ów straszliwy wieczór, do dziś imię Berlioza wymawia ze czcią. Doprawdy nie wiadomo, jaka posępna i bezecna zbrodnia upamiętniłaby ten wieczór – Małgorzata wyszła z kuchni, trzymając ciężki młotek.

Naga i niewidzialna latawica hamowała się, jak mogła, usiłując zachować spokój, ale ręce jej się trzęsły z niecierpliwości. Starannie wycelowawszy, uderzyła w klawisze fortepianu, i w całym mieszkaniu rozbrzmiał pierwszy żałobny akord. Bogu ducha winny gabinetowy beckerowski instrument krzyczał jak opętany. Wyłamywały się klawisze, kość słoniowa, którą były oklejone, pryskała na wszystkie strony. Instrument jęczał, wył, chrypiał, podzwaniał. Pod ciosem młotka pękło lśniące wieko, zabrzmiało to jak wystrzał z rewolweru. Małgorzata, ciężko dysząc, demolowała i rozrywała młotkiem struny. Wreszcie zmęczona opadła na fotel, żeby odsapnąć.

W łazience straszliwie szumiała woda, w kuchni także. „Chyba już się przelewa na podłogę..." – pomyślała Małgorzata i dorzuciła na głos:

– Ale nie ma się co zasiadywać.

Z kuchni do przedpokoju rwał już strumień. Chlupiąc po wodzie bosymi stopami, Małgorzata wiadrami nosiła wodę z kuchni do gabinetu i wlewała ją do szuflad biurka. Następnie w tymże gabinecie rozbiła młotkiem drzwi szafy i pobiegła do sypialni. Rozbiła lustrzaną trzydrzwiową szafę, wyciągnęła z niej garnitur krytyka i utopiła go w wannie. Zabrała z gabinetu kałamarz i polała atramentem wzbite poduchy na małżeńskim łożu.

Spustoszenia, których dokonywała, sprawiały Małgorzacie mnóstwo satysfakcji, ale jednocześnie wydawało jej się przez cały czas, że osiąga zbyt mierne rezultaty. Zaczęła więc niszczyć, co popadło. Tłukła doniczki z fikusami w pokoju, w którym stał fortepian. Nie kończąc dzieła, wracała do sypialni i kuchennym nożem cięła prześcieradła, tłukła oszklone fotografie. Nie czuła zmęczenia, tylko pot spływał po niej strumieniami.

Tymczasem pod osiemdziesiątym drugim, piętro niżej, gosposia dramatopisarza Kwanta siedziała w kuchni, popijała herbatę i zachodziła w głowę, co też to za hałasy, łomoty i bieganinę słychać na górze. Zadarła głowę i nagle zobaczyła, że sufit w oczach zmienia kolor, z białego staje się trupiosiny. Plama rosła w oczach, zaczęły nabrzmiewać na niej krople. Gosposia przez dwie minuty siedziała, przyglądając się dziwnemu zjawisku, aż wreszcie rzęsisty deszcz lunął z sufitu i zabębnił po podłodze. Wtedy zerwała się, podstawiła miednicę, co niewiele pomogło, ponieważ deszcz padał na coraz większym obszarze, lało się już na kuchnię i na stół pełen naczyń. Krzyknęła więc, wybiegła na klatkę schodową i zaraz w mieszkaniu Łatuńskiego zaczął urywać się dzwonek.

– No, już dzwonią... Czas kończyć – powiedziała Małgorzata. Dosiadła szczotki, nasłuchując kobiecego głosu drącego się w dziurkę od klucza:

– Otwórzcie! Otwórzcie! Dusia, otwórz! To od was woda się leje? Zalało nas!

Małgorzata uniosła się na metr ponad podłogę i uderzyła młotkiem w żyrandol. Dwie żarówki eksplodowały, na wszystkie strony posypały się kryształowe wisiorki. Przestano krzyczeć w dziurkę od klucza, ze schodów dobiegł tupot nóg. Małgorzata wypłynęła przez okno, znalazłszy się za oknem, zamachnęła się z lekka i uderzyła młotkiem w szybę. Szkło załkało i po marmurowym frontonie sypnęła się na dół kaskada odłamków. Małgorzata podleciała do następnego okna. Daleko w dole na chodniku rozbiegali się przechodnie, jeden z dwóch stojących pod bramą samochodów zatrąbił i odjechał. Skończywszy z oknami Łatuńskiego, Małgorzata poszybowała do sąsiedniego mieszkania. Ciosy padały gęściej, zaułek wypełnił się brzękiem tłuczonego szkła. Z pierwszej klatki schodowej wybiegł portier, spojrzał w górę, zawahał się przez moment, najwyraźniej nie wiedząc, co ma robić, wziął do ust gwizdek, zagwizdał wściekle. Ze szczególną pasją rozbiwszy przy akompaniamencie tego gwizdu ostatnie okno na siódmym piętrze, Małgorzata spłynęła niżej i zaczęła wybijać szyby na szóstym piętrze. Zmęczony długotrwałym nieróbstwem za zwierciadlanymi drzwiami klatki schodowej portier wkładał w gwizd całą duszę, przy czym precyzyjnie sunął za Małgorzatą niby akompaniator. W przerwach, kiedy przelatywała od okna do okna, nabierał tchu, a przy każdym ciosie Małgorzaty gwizdał, wydymając policzki i świdrując nocne powietrze aż do samego nieba.

Wysiłki jego połączone z wysiłkami rozwścieczonej Małgorzaty dały świetne wyniki. W kamienicy trwała panika. Otwierano niepotłuczone jeszcze okna, czyjeś głowy ukazywały się w nich i natychmiast znikały, natomiast otwarte dotąd okna zamykano. W domach naprzeciwko ukazywały się w oknach na oświetlonym tle ciemne sylwetki ludzi, którzy usiłowali zrozumieć, dlaczego to bez żadnego wyraźnego powodu lecą szyby w nowym gmachu Dramlitu.

Tłum biegł zaułkiem w stronę domu Dramlitu, a i w samym domu po wszystkich klatkach schodowych biegali miotający się bez celu i sensu ludzie. Gosposia Kwanta krzyczała do tych, którzy biegli po schodach, że zalało ich mieszkanie, a wkrótce przyłączyła się do niej służąca Chustowa spod osiemdziesiątego, dwa piętra niżej. U Chustowów zaczęło się lać z sufitów, w kuchni i w łazience. W końcu w kuchni Kwantów oderwał się od sufitu olbrzymi kawał tynku, potłukł wszystkie brudne naczynia, a potem zaczęła się prawdziwa ulewa, ze szpar wybrzuszonej, namokniętej podsufitki lunęło jak z cebra.

Przelatując obok przedostatniego okna na trzecim piętrze, Małgorzata zajrzała do środka i zobaczyła człowieka, który w panice naciągał na twarz maskę gazową. Przeraził się i wypadł z pokoju, kiedy Małgorzata uderzyła młotkiem w szybę.

Straszliwy pogrom zakończył się znienacka. Obniżywszy lot na wysokość drugiego piętra, Małgorzata zajrzała do zaciągniętego cienką zasłoną okna przy ścianie szczytowej. W pokoju paliła się słaba nocna lampka z abażurem. W małym łóżeczku z siatką siedział czteroletni może chłopczyk i z przerażeniem nasłuchiwał, co się dzieje. Nikogo dorosłego nie było w pokoju. Widocznie wszyscy wybiegli z mieszkania.

– Tłuką szyby – powiedział chłopczyk i zawołał: – Mamo!
Nikt mu nie odpowiedział, a wówczas chłopczyk oświadczył:
– Mamo, ja się boję.
Małgorzata uchyliła zasłony i wleciała do pokoju.
– Boję się – powtórzył chłopczyk i zaczął drżeć.

– Nie bój się, nie bój się, malutki – powiedziała Małgorzata, starając się nadać swemu ochrypłemu na wietrze, zbrodniczemu głosowi jak najłagodniejsze brzmienie. – To chłopcy wybijali szyby.

– Z procy? – zapytał chłopczyk i przestał dygotać.

– Z procy, z procy – przytaknęła Małgorzata – śpij już.

– To Sitnik – powiedział chłopiec – on ma procę.

– Pewnie, że on!

Chłopczyk chytrze spojrzał gdzieś w bok i zapytał:

– A gdzie ty jesteś, ciociu?

– Mnie nie ma – odpowiedziała Małgorzata – ja ci się śnię.

– Tak sobie myślałem – powiedział chłopczyk.

– Kładź się – poleciła Małgorzata – podłóż rękę pod policzek, a ja ci się będę śniła.

– No to się śnij – przystał na to mały, natychmiast się położył i podłożył dłoń pod policzek.

– Opowiem ci bajkę – zaczęła mówić Małgorzata i położyła rozpaloną dłoń na ostrzyżonej główce. – Była sobie razu pewnego ciocia... Nie miała dzieci i w ogóle nie była szczęśliwa. Więc ta ciocia najpierw długo płakała, a potem zrobiła się taka zła... – Małgorzata zamilkła, zabrała dłoń; chłopczyk spał.

Po cichutku odłożyła młotek na parapet i wyleciała za okno. Przed domem był sądny dzień. Ludzie krzyczeli coś, biegali po chodniku zasypanym potłuczonym szkłem. Wśród nich widać już było milicjantów. Nagle zagrzmiał dzwon i od strony Arbatu wpadł w zaułek czerwony samochód strażacki z drabiną.

Ale Małgorzata nie interesowała się tym, co będzie dalej. Uważając, żeby nie zaczepić o żaden przewód, ścisnęła mocniej szczotkę i w mgnieniu oka wzniosła się ponad dach pechowego domu. Zaułek pod nią przechylił się na bok i zapadł gdzieś w głąb. Pod stopami Małgorzaty miejsce jego zajęła ciżba dachów, pod różnymi kątami poprzecinana połyskliwymi ścieżkami. Wszystko to nagle odpłynęło w bok, łańcuszki świateł rozmazały się i zlały ze sobą.

Małgorzata wzbiła się jeszcze wyżej, wówczas ziemia pochłonęła całą tę ciżbę dachów, a na ich miejscu pojawiło się na dole jezioro rozedrganych świateł elektrycznych i owo jezioro znienacka wzniosło się ponownie ku górze i znalazło ponad głową Małgorzaty – pod jej stopami zabłysnął księżyc. Zrozumiała, że wywinęła koziołka, wróciła do normalnej pozycji, obejrzała się i zobaczyła, że jeziora już nie ma i że tam, za jej plecami, widać już tylko różowiejącą na horyzoncie łunę. W sekundę później zniknęła i ona, a Małgorzata zrozumiała, że jest sam na sam z pędzącym nad jej głową, nieco w lewo od niej, księżycem. Włosy Małgorzaty już od dawna były zmierzwione, księżycowa poświata ze świstem opływała jej ciało. Widząc, jak dwa szeregi rzadkich światełek w dole zlewają się w dwie nieprzerwane ogniste kreski, widząc, jak szybko owe kreski pozostają w tyle i nikną, Małgorzata domyśliła się, że leci z niesamowitą szybkością, i zdumiało ją, że nie zapiera jej tchu.

Minęło jeszcze kilka sekund i daleko w dole nad czernizną ziemi rozjarzyła się nowa elektryczna łuna, zwaliła się pod stopy lecącej, ale w tejże chwili zawirowała jak śmigło i zapadła się pod ziemię. Jeszcze kilka sekund – i ponownie zobaczyła to samo.

– Miasta! Miasta! – zawołała Małgorzata. Potem dwa czy trzy razy widziała pod sobą jakieś mętne odbłyskujące klingi, spoczywające w otwartych czarnych futerałach, domyśliła się, że to rzeki.

Zadzierając głowę do góry i spoglądając w lewo, lecąca napawała się widokiem księżyca, który jak oszalały pędził nad nią, z powrotem ku Moskwie, a zarazem w jakiś niepojęty sposób stał nieporuszony, tak że widać było na nim wyraźnie coś ciemniejszego i tajemniczego, ni to smoka, ni to konika garbuska, który zwracał w stronę porzuconego miasta swój spiczasty pysk.

Wtedy Małgorzata pomyślała, że w gruncie rzeczy niepotrzebnie tak zaciekle popędza tę szczotkę, że traci w ten sposób szansę obejrzenia czegokolwiek i upojenia się lotem. Coś podpowiadało jej, że tam, dokąd leci, zaczekają na nią i że nie ma powodu zanudzać się tą szaloną szybkością i wysokością.

Odwróciła szczotkę włosiem ku przodowi, tak że kij zadarł się ku górze, bardzo zwolniła i zniżyła się tuż nad ziemię. Ten poślizg jak na powietrznych sankach sprawił jej ogromną rozkosz. Ziemia przybliżyła się, a w bezkształtnym dotąd czarnym gąszczu ujawniły się jej tajemnice i uroki nocy księżycowej. Ziemia zbliżała się i Małgorzata czuła już zapach zieleniejących lasów. Leciała tuż nad pokrytą rosą łąką, potem nad stawem. W dole chóralnie śpiewały żaby, a gdzieś w oddali, nie wiadomo dlaczego budząc niepokój serca, dudnił pociąg. Małgorzata zobaczyła go niebawem. Pełzł powoli jak gąsienica i sypał w powietrze iskry. Małgorzata wyprzedziła go, przeleciała nad jeszcze jednym lustrem wodnym, przepłynął pod jej nogami drugi księżyc, jeszcze bardziej obniżyła lot i poszybowała, omal nie zawadzając stopami o wierzchołki olbrzymich sosen.

Za plecami Małgorzaty dał się słyszeć basowy poszum rozcinanego powietrza, poszum ów zaczął dopędzać lecącą. Powoli do owego poszumu czegoś, co mknęło niczym pocisk, dołączył się słyszalny w promieniu wielu wiorst śmiech kobiecy. Małgorzata obejrzała się i zobaczyła, że dopędza ją jakiś tajemniczy ciemny kształt. Kształt ów, w miarę jak doganiał Małgorzatę, stawał się coraz wyrazistszy, widać już było, że jest to jeździec. Wreszcie wszystko stało się jasne – zwalniając biegu, dopędziła Małgorzatę Natasza.

Była zupełnie naga, jej potargane włosy rozwiewał wiatr, leciała na oklep na spaśnym wieprzu, który w przednich racicach ściskał teczkę, zadnimi zaś wściekle młócił powietrze. Niekiedy połyskujące w świetle księżyca, a potem znów gasnące binokle zsuwały mu się z nosa, i trzymając się na tasiemce, leciały za nim, kapelusz zaś co chwila zsuwał się wieprzowi na oczy. Małgorzata, przyjrzawszy się dokładniej, rozpoznała w opasie Nikołaja Iwanowicza, a wówczas jej przemieszany ze śmiechem Nataszy śmiech zagrzmiał ponad lasami.

– Nataszka! – przenikliwym głosem zawołała Małgorzata. – Nasmarowałaś się kremem?

– Kochana! – odpowiedziała jej Natasza, budząc swoimi wrzaskami drzemiące sosnowe bory. – Królowo ty moja francuska! Przecież ja i jemu posmarowałam łysinę, jemu też!

– Księżniczko! – płaczliwie zawył wieprz, galopując z amazonką na grzbiecie.

– Najmilsza! Małgorzato Nikołajewna! – wołała Natasza, galopując obok Małgorzaty – przyznaję się, wzięłam krem! Też chcę żyć i latać! Wybacz mi, królowo, ale ja nie wrócę, za nic nie wrócę! Ach, jak mi dobrze, Małgorzato Nikołajewna!... Oświadczył mi się – Natasza trąciła palcem w kark skonfundowanego sapiącego knura – oświadczył! Jak do mnie mówiłeś, co? – wołała, pochylając się do ucha wieprza.

– Bogini! – skomlił wieprz – nie mogę lecieć tak szybko! W ten sposób mogę pogubić ważne dokumenty, Natalio Prokofiewna, ja protestuję!

– Idź do diabła razem z twoimi dokumentami! – wołała Natasza, śmiejąc się zuchwale.

– Ciszej, Nataszo Prokofiewna, jeszcze nas ktoś usłyszy! – błagalnie wrzeszczał knur.

Natasza leciała obok i wśród śmiechów opowiadała Małgorzacie, co po jej odlocie zaszło w willi.

Wyznała, że nawet nie tknęła żadnej z podarowanych jej rzeczy, rozebrała się do naga, pobiegła po krem i niezwłocznie się nim nasmarowała. Po czym stało się z nią to samo, co przedtem stało się z jej chlebodawczynią. Podczas gdy Natasza śmiejąc się z radości, zachwycała się przed lustrem swą czarodziejską urodą, otworzyły się drzwi i stanął przed nią Nikołaj Iwanowicz. Był niezmiernie podniecony, trzymał w rękach koszulkę Małgorzaty i swój własny kapelusz oraz teczkę. Zobaczywszy Nataszę, Nikołaj Iwanowicz zaniemówił. A kiedy oprzytomniał, oświadczył, czerwony jak rak, że uważał, iż jest jego obowiązkiem podnieść koszulkę i przynieść ją osobiście…

– Czego on nie wygadywał, ten świntuch! – piszczała i śmiała się Natasza. – Do czego mnie nie namawiał! Jaką forsę obiecywał! Mówił, że Kławdia Pietrowna o niczym się nie dowie! Co, może powiesz, że kłamię? – wołała do wieprza Natasza, ten zaś, skonfundowany, tylko odwracał ryj.

Rozigrawszy się w sypialni, Natasza maznęła kremem Nikołaja Iwanowicza i osłupiała, zdumiona. Twarz wielce szanownego lokatora z parteru zwinęła się w ryj, jego dłonie i stopy przemieniły się w racice. Nikołaj Iwanowicz spojrzał w lustro, dziko zawył w rozpaczy, ale było już za późno. W kilka chwil później z Nataszą na grzbiecie, szlochając rozpaczliwie, wylatywał z Moskwy gdzieś do diabła.

– Domagam się przywrócenia mi mojego normalnego wyglądu! – nagle ni to z wściekłością, ni to błagalnie zakwiczał ochryple wieprzek. – Nie mam zamiaru lecieć na jakieś nielegalne zebranie! Małgorzato Nikołajewna, pani jest obowiązana przywołać do porządku swoją pomoc domową!

– Ach, to ja teraz dla ciebie jestem pomoc domowa? Pomoc domowa? – wołała Natasza, targając wieprza za ucho. – A byłam bogini? Jak ty do mnie mówiłeś?

– Wenero! – płaczliwie odpowiedział wieprz, przelatując nad szumiącym wśród głazów strumieniem i potrącając racicami gałęzie leszczyn.

– Wenero! Wenero! – triumfalnie zawołała Natasza, jedną rękę opierając na biodrze, drugą zaś wyciągając ku księżycowi. – Małgorzato! Królowo! Niech się pani za mną wstawi, niech mnie przyjmą na wiedźmę! Dla pani zrobią wszystko, to w pani mocy!

I Małgorzata odparła:

– Dobrze, obiecuję ci.

– Dziękuję! – krzyknęła Natasza i nagle ostro i jakoś smętnie zawołała: – Ej! Ej! Prędzej, prędzej! Żywiej no, gazu!

Ścisnęła piętami zapadnięte od szaleńczego galopu boki wieprza i ten tak się poderwał do biegu, że znowu rozprul powietrze, i po chwili Natasza mignęła daleko na przedzie jako mały czarny punkcik, a potem całkiem zniknęła z oczu, ucichł poszum jej lotu.

Małgorzata nadal leciała powoli przez nieznane pustynne okolice, nad wzgórzami, które usiane były leżącymi wśród ogromnych samotnych sosen wielkimi otoczakami. Leciała nie ponad wierzchołkami sosen, ale niżej, pomiędzy ich pniami wysrebrzonymi z jednej strony przez księżyc. Lekki cień lecącej pełzł przed nią po ziemi, księżyc był teraz za plecami Małgorzaty.

Wyczuwała bliskość wody, domyślała się, że cel musi być już niedaleko. Sosny rozstąpiły się i Małgorzata poszybowała powoli nad kredowe urwisko. W dole, za owym urwiskiem, leżała w ciemnościach rzeka. Mgła czepiała się porastających zbocze krzaków, snuła się między nimi, a przeciwległy brzeg rzeki był równinny i płaski. Pod samotną kępą jakichś rozłożystych drzew chwiało się na nim światełko ogniska i widać było tam jakieś poruszające się sylwetki. Wydało się Małgorzacie, że dobiega stamtąd jakaś wesolutka wibrująca muzyka. Dalej, tak daleko jak tylko można było sięgnąć spojrzeniem, nie było widać na wysrebrzonej równinie żadnych ludzkich siedzib ani w ogóle żywego ducha.

Małgorzata ześlizgnęła się z urwiska i spiesznie opuściła ponad wodę. Woda nęciła ją po napowietrznej jeździe. Odrzuciła szczotkę i z rozbiegu, głową w dół, dała nura w nurt. Jej lekkie ciało przecięło lustro jak strzała, bryzgi wody sięgnęły nieomal do samego księżyca. Woda była ciepła niczym w łaźni i Małgorzata, wychynąwszy z głębiny, popływała sobie do woli w tej nocnej rzece, sama, samiuteńka jak palec.

W pobliżu Małgorzaty nie było nikogo, ale nieco dalej słychać było zza krzaków pluski i prychanie – tam również ktoś się kąpał.

Małgorzata wybiegła na brzeg. Ciało jej po kąpieli płonęło. Nie czuła najmniejszego zmęczenia i radośnie podtańcowywała na wilgotnej murawie.

Nagle przestała tańczyć, zaczęła bacznie nasłuchiwać. Prychanie przybliżyło się, z krzaków rokity wylazł jakiś goły tłuścioch w czarnym, załamanym do tyłu cylindrze. Jego stopy oblepiało muliste błoto; wydawało się, że amator kąpieli ma na nogach czarne trzewiki. Sądząc po tym, jak sapał i czkał, musiał być nieźle zawiany, co zresztą potwierdził fakt, że rzeka zaczęła nagle wydzielać zapach koniaku.

Na widok Małgorzaty grubas zagapił się na nią, po czym radośnie zawołał:

– Nie! Czy mnie wzrok nie myli? Czyżby to była ona? Klaudyno, wesoła wdówko, przecież to ty! I ty tu jesteś? – Już chciał się witać.

Małgorzata cofnęła się i odparła z godnością:

– A idźże do wszystkich diabłów! Jaka ja dla ciebie Klaudyna? Uważaj, z kim rozmawiasz! – i zastanowiwszy się przez moment, uzupełniła swoje przemówienie długim, nienadającym się do druku przekleństwem. Wszystko to podziałało na lekkomyślnego tłuściocha otrzeźwiająco.

– Oj! – zawołał po cichutku i zadrżał – pokornie proszę o wybaczenie, najjaśniejsza królowo Margot! Wziąłem panią za kogo innego. To wina tego przeklętego koniaku! – Tłuścioch przykląkł na jedno kolano, uchylił cylindra, skłonił się i mieszając zdania rosyjskie z francuskimi, wymamrotał jakąś bzdurę o krwawym weselu swego paryskiego przyjaciela Guessarda, o koniaku i o tym, że jest załamany z powodu tej przykrej pomyłki.

– Spodnie byś lepiej włożył, sukinsynu – powiedziała ułagodzona Małgorzata.

Grubas wyszczerzył radośnie zęby, widząc, że Małgorzata się nie gniewa, i z zachwytem oznajmił, że w chwili obecnej jest bez spodni jedynie dlatego, iż przez roztargnienie pozostawił je na brzegu Jeniseju, gdzie uprzednio się kąpał, ale że niezwłocznie tam odlatuje, na szczęście to dwa kroki stąd, po czym, polecając się łaskawej pamięci, zaczął wychodzić tyłem i cofał się tak długo, póki się nie poślizgnął i nie spadł na wznak do wody. Ale nawet padając, zachował na obramowanej bokobrodami twarzy uśmiech zachwytu i oddania.

Następnie Małgorzata gwizdnęła przeraźliwie, wskoczyła na szczotkę, która posłusznie podleciała na ten gwizd, i przemknęła nad wodą na drugi brzeg. Cień kredowej góry nie sięgał tutaj i cały brzeg zalany był światłem księżyca.

Skoro tylko Małgorzata dotknęła wilgotnych traw, muzyka spod wierzb zagrzmiała donośniej, weselej strzelił z ogniska snop iskier. Gałęzie wierzb usiane były widocznymi w księżycowej poświacie delikatnymi puszystymi baziami, a pod tymi gałęziami siedziały w dwóch szeregach żaby o tłustych pyskach, nadymały się, jakby były z gumy, i przygrywały na fujarkach brawurowego marsza. Przed każdą muzykantką wisiał na wierzbowej nitce kawałek świecącego próchna, próchno oświetlało nuty, chybotliwy odblask ognia pełgał po żabich pyskach.

Marsza tego grano na cześć Małgorzaty. Przyjęto ją nadzwyczaj uroczyście. Przejrzyste rusałki przerwały swój taniec ponad rzeką i machały do Małgorzaty wodorostami, nad zielonkawym pustynnym brzegiem popłynęły ich donośne jękliwe pozdrowienia. Spoza wierzb wyskoczyły nagie wiedźmy, ustawiły się w szereg, zaczęły przysiadać w dwornych ukłonach. Ktoś na koźlich nogach podbiegł i przypadł do dłoni Małgorzaty, rozesłał na trawie jedwab, zapytał, czy przyjemnie się królowej kąpało, zaproponował, by królowa zechciała się położyć i nieco odpocząć.

Małgorzata tak też uczyniła. Koźlonogi podał jej kielich szampana, wychyliła go i od razu zrobiło jej się raźniej. Zapytała, gdzie jest Natasza. Odpowiedziano jej, że Natasza już się wykąpała i poleciała na swoim wieprzu do Moskwy, by uprzedzić tam, że Małgorzata wkrótce nadciągnie, i by pomóc przygotować dla niej szaty.

Niedługi pobyt Małgorzaty pod wierzbami upamiętnił pewien epizod: w powietrzu rozległ się gwizd i czarne ciało, jawnie chybiąc celu, runęło do wody. W chwilę później stanął przed Małgorzatą ten sam tłuścioch-bokobrodacz, który tak niekorzystne wrażenie wywarł na niej na tamtym brzegu. Widocznie zdążył skoczyć nad Jenisej, ponieważ był we fraku, chociaż mokry od stóp do głów. Koniak raz jeszcze spłatał mu figla – lądując, trafił jednak do wody. Ale nawet w tych niefortunnych okolicznościach nie rozstał się ze swym uśmiechem i rozbawiona Małgorzata pozwoliła mu ucałować swoją dłoń.

Potem wszyscy zaczęli się zbierać do drogi. Rusałki dokończyły swój taniec w księżycowej poświacie i rozpłynęły się. Koźlonogi z szacunkiem zapytał, na czym Małgorzata przyleciała nad rzekę. Dowiedziawszy się, że przybyła na oklep na szczotce, powiedział:
– Och, jakże można, to nie uchodzi! – Migiem sporządził z dwu patyków jakiś podejrzany telefon i zażądał od kogoś, by w tej sekundzie przysłał samochód, co rzeczywiście w tej samej sekundzie zostało wykonane.

Spadł na ostrów bułany kabriolet, ale za kierownicą nie siedział zwyczajny szofer, tylko czarny długodzioby gawron w ceratowym kaszkiecie i w rękawicach z rozpiętymi mankietami. Wysepka pustoszała. Rozpłynęły się w blasku księżyca odlatujące wiedźmy. Ognisko dogasało, węgle pokrywały się siwym popiołem.

Koźlonogi podsadził Małgorzatę, spoczęła na przestronnym tylnym siedzeniu bułanego samochodu. Samochód zawył, skoczył i wzniósł się nieomal do samego księżyca, ostrów zniknął, zniknęła rzeka, Małgorzata pomknęła do Moskwy.

22

Przy świecach

Miarowy warkot lecącego wysoko ponad ziemią samochodu kołysał Małgorzatę do snu, a światło księżyca mile ją rozgrzewało. Zamknęła oczy, wystawiła twarz na wiatr i z niejakim smutkiem myślała o brzegu nieznanej rzeki, który opuściła i którego – czuła to – już nigdy więcej nie zobaczy. Po wszystkich cudach i cudeńkach dzisiejszego wieczoru domyślała się już, do kogo ją wiozą, ale to jej nie przerażało. Nadzieja, że uda jej się tam zdobyć na powrót swoje szczęście, czyniła ją nieustraszoną. Zresztą niedługo miała marzyć w samochodzie o tym szczęściu. Czy to gawron był takim mistrzem w swoim rzemiośle, czy to samochód był tak doskonały, dość że wkrótce, otworzywszy oczy, zobaczyła pod sobą nie ciemność boru, lecz rozedrgane jezioro świateł Moskwy. Czarny ptak-kierowca odkręcił w locie prawe przednie koło, a potem wylądował na jakimś zupełnie bezludnym cmentarzu gdzieś w pobliżu Dorogomiłowa.

Wysadziwszy przy którymś grobowcu o nic niepytającą Małgorzatę wraz z jej szczotką, gawron zapuścił silnik i skierował samochód wprost na wąwóz za cmentarzem. Samochód runął w ten wąwóz z łoskotem i roztrzaskał się. Gawron z szacunkiem zasalutował, usiadł na oklep na kole i odleciał.

A wtedy zza jednego z pomników ukazał się czarny płaszcz. Błysnął w świetle księżyca kieł i Małgorzata poznała Azazella. Gestem zachęcił ją, by dosiadła szczotki, sam wskoczył na długi rapier, oboje wzbili się w powietrze i w kilka sekund później, nie zauważeni przez nikogo, wylądowali na Sadowej przed domem numer 302-A.

Kiedy niosąc pod pachą szczotkę i rapier weszli do bramy, Małgorzata zauważyła w niej zniecierpliwionego człowieka w kaszkiecie i w butach z cholewami, który zapewne czekał na kogoś. Choć kroki Małgorzaty i Azazella były zupełnie lekkie, ów samotny człowiek usłyszał je i drgnął z niepokojem, nie rozumiejąc, skąd też one dobiegają.

Drugiego człowieka, który zdumiewająco przypominał pierwszego, spotkali przed szóstą klatką. I znowu powtórzyła się ta sama historia. Kroki... Człowiek ów odwrócił głowę z niepokojem, spochmurniał. Kiedy zaś drzwi otworzyły się i zamknęły, pobiegł za niewidzialnymi przybyszami, zajrzał na klatkę, ale nic oczywiście nie zobaczył.

Trzeci, wierna kopia drugiego, a co za tym idzie i pierwszego, dyżurował na podeście drugiego piętra. Palił mocne papierosy i Małgorzata, mijając go, zakaszlała. Palacz niby ukłuty szpilką poderwał się z ławeczki, na której siedział, i jął się niespokojnie rozglądać, podszedł do poręczy, spojrzał w dół. Małgorzata i jej przewodnik stali już w tym momencie pod drzwiami mieszkania numer pięćdziesiąt.

Nie zadzwonili. Azazello bezszelestnie otworzył je własnym kluczem.

Pierwszą rzeczą, która uderzyła Małgorzatę, były ciemności, w jakich się znalazła. Ciemno było jak w lochu, więc mimo woli chwyciła płaszcz Azazella, bała się bowiem, że się potknie. Ale nagle, gdzieś daleko i wysoko, zamigotało światełko jakiejś lampki, zaczęło się przybliżać. Azazello wyjął Małgorzacie spod ramienia szczotkę i szczotka bezgłośnie zniknęła w ciemnościach.

Zaczęli wchodzić po jakichś szerokich schodach, Małgorzacie wydawało się, że schody nigdy się nie skończą. Zdumiało ją, że w przedpokoju zwykłego moskiewskiego mieszkania mogą się pomieścić takie niezwykłe, niewidoczne, ale przecież dobrze wyczuwalne schody. Ale stopnie się skończyły, Małgorzata zorientowała się, że stoi na podeście. Światełko zbliżyło się tuż-tuż i Małgorzata ujrzała oświetloną twarz wysokiego czarnego mężczyzny, który trzymał latarkę w dłoni. Ci, którzy w owe dni mieli nieszczęście stanąć na jego drodze, rozpoznaliby go oczywiście natychmiast, nawet przy tym wątłym świetle kaganka. Był to Korowiow, alias Fagot.

Jego powierzchowność jednakże bardzo się zmieniła. Migotliwy płomyk odbłyskiwał już nie w pękniętych binoklach, które od dawna powinny były znaleźć się na śmietniku, tylko w monoklu, co prawda również pękniętym. Wąsiki na jego bezczelnej twarzy były podkręcone i wypomadowane, a czerń Korowiowa dawała się bardzo prosto wytłumaczyć – był we fraku. Tylko gors mu bielał.

Mag, regent cerkiewny, czarodziej, tłumacz czy diabli wiedzą kto wreszcie, słowem – Korowiow, skłonił się i zatoczywszy latarenką łuk w powietrzu, zaprosił Małgorzatę, by podążyła za nim. Azazello zniknął.

„Zadziwiająco niezwykły wieczór – myślała Małgorzata – wszystkiego mogłam się spodziewać, ale przecież nie tego. Światło im się zepsuło czy co? Ale najbardziej zdumiewające są rozmiary tego pomieszczenia... Jakim cudem wszystko to może się zmieścić w moskiewskim mieszkaniu? Przecież to absolutnie niemożliwe!".

Choć kaganek Korowiowa rzucał bardzo wątłe światło, Małgorzata zorientowała się, że jest w sali monstrualnych rozmiarów, w sali kolumnowej, ciemnej i na pierwszy rzut oka ciągnącej się w nieskończoność. Korowiow przystanął obok jakiejś kanapy, odstawił kaganek na jakiś postument, gestem zaproponował Małgorzacie, by usiadła, sam zaś ulokował się obok w malowniczej pozie, z łokciami wspartymi na postumencie.

– Pani pozwoli, że się jej przedstawię – zaskrzypiał Korowiow. – Jestem Korowiow. Dziwi panią, że nie ma światła? Myśli pani z pewnością, że chodzi o oszczędność? Skądże! Niech pierwszy lepszy kat, chociażby jeden z tych, którzy dziś, nieco później, będą mieli zaszczyt ucałować pani kolano, na tym oto postumencie odrąbie mi głowę, jeśli to o to chodzi! Po prostu messer nie lubi światła elektrycznego, więc włączymy je w ostatniej chwili. A wtedy, proszę mi wierzyć, będzie go dosyć. Możliwe nawet, że byłoby lepiej, gdyby go było mniej.

Korowiow spodobał się Małgorzacie i jego zgrzytliwa gadanina podziałała na nią uspokajająco.

– Nie – odpowiedziała Małgorzata – najbardziej mnie zdumiewa, gdzie się to wszystko mieści. – Powiodła wokół dłonią, podkreślając w ten sposób nieskończony ogrom sali.

Korowiow uśmiechnął się słodko, co spowodowało, że poruszyły się cienie w zmarszczkach jego nosa.

– To zupełnie proste! – odparł. – Ci, którzy są otrzaskani z piątym wymiarem, bez trudu mogą powiększyć lokal do potrzebnych rozmiarów. Powiem więcej, łaskawa pani – do czort wie jakich rozmiarów! Zdarzało mi się zresztą – paplał dalej Korowiow – spotykać ludzi, którzy nie tylko nie mieli zielonego pojęcia o piątym wymiarze, ale w ogóle o niczym nie mieli zielonego pojęcia, niemniej dokonywali najprawdziwszych cudów, jeśli chodzi o powiększenie swoich mieszkań. Tak więc opowiadano mi na przykład, że pewien mieszkaniec stolicy, otrzymawszy trzy pokoje z kuchnią na Ziemlanym Wale, bez żadnego tam piątego wymiaru i innych takich rzeczy, od których można dostać kołowacizny, w mgnieniu oka przerobił je na cztery pokoje z kuchnią – jeden pokój przedzielił przepierzeniem na pół.

Następnie zamienił to mieszkanie na dwa oddzielne mieszkania w różnych dzielnicach Moskwy, jedno trzy-, a drugie dwupokojowe. Przyzna pani sama, że to już czyni pięć pokoi. Trzypokojowe zamienił na dwa oddzielne po dwa pokoje z kuchnią i stał się posiadaczem, jak sama pani to widzi, sześciu pokoi, co prawda rozrzuconych chaotycznie po całej Moskwie. Zamierzał właśnie wykonać ostatnią i najbardziej popisową woltę i zamieścił w gazecie ogłoszenie, że chce zamienić sześć pokoi w różnych punktach Moskwy na jedno pięciopokojowe mieszkanie na Ziemlanym Wale, kiedy jego działalność została przerwana z przyczyn całkowicie od niego niezależnych. Być może, że zajmuje i teraz jakiś pokój, mogę panią jednak zapewnić, że nie w Moskwie. Proszę, to się nazywa człowiek z głową na karku, a pani tu opowiada o piątym wymiarze!

Małgorzata, choć o piątym wymiarze nawet się nie zająknęła – mówił o nim tylko Korowiow – wysłuchawszy opowieści o przygodach kombinatora mieszkaniowego, roześmiała się wesoło. Korowiow tymczasem ciągnął:

– Ale do rzeczy, do rzeczy, Małgorzato Nikołajewna. Jest pani bardzo mądrą kobietą i bez wątpienia domyśliła się już pani, kim jest nasz gospodarz?

Serce Małgorzaty załomotało, skinęła głową.

– No, więc tak, więc tak – mówił Korowiow. – Jesteśmy wrogami wszelkich niedomówień i tajemniczości. Raz do roku messer wydaje bal. Jest to wiosenny bal pełni księżyca, zwany też balem stu królów. Tłumy!... – W tym miejscu Korowiow złapał się za szczękę, jak gdyby nagle rozbolał go ząb. – Zresztą mam nadzieję, że sama się pani o tym przekona. Tak więc, jak sama pani zapewne się domyśla, messer jest kawalerem. Potrzebna jest jednak gospodyni. – Korowiow rozłożył ręce. – Chyba przyzna pani, że bez gospodyni...

Małgorzata słuchała, starając się nie uronić ani słowa, uczuła chłód pod sercem, nadzieja szczęścia powodowała zawrót głowy.

– Utarła się tradycja – mówił dalej Korowiow – że gospodyni balu musi mieć na imię Małgorzata, to po pierwsze, a po drugie – powinna pochodzić z miejscowości, w której bal się odbywa. A my, jak pani zapewne zauważyła, podróżujemy i obecnie znajdujemy się w Moskwie. Odszukaliśmy w tym mieście sto dwadzieścia jedną Małgorzatę, i czy pani uwierzy – Korowiow z rozpaczą klepnął się po udzie – żadna nie pasuje! Aż wreszcie szczęśliwy traf...

Tu uśmiechnął się znacząco, przegiął się w talii i Małgorzata znowu poczuła chłód pod sercem.

– Krótko mówiąc – zawołał Korowiow – żeby się nie rozwodzić: czy zgadza się pani przyjąć na siebie te obowiązki?

– Zgadzam się! – zdecydowanie odpowiedziała Małgorzata.

– To wszystko – powiedział Korowiow i unosząc latarenkę, dodał: – Proszę za mną.

Poszli pomiędzy kolumny, wreszcie dotarli do jakiejś innej sali, w której, nie wiedzieć czemu, mocno pachniało cytrynami, słychać było jakieś szelesty i w której coś musnęło głowę Małgorzaty. Wzdrygnęła się.

– Proszę się nie obawiać – słodko uspokoił Korowiow, ujmując Małgorzatę pod rękę – błazeńskie pomysły Behemota z okazji balu, nic więcej. W ogóle niech mi będzie wolno poradzić pani, Małgorzato, niech się pani niczego nie boi. To rozsądne. Nie chcę przed panią ukrywać, że bal zapowiada się wspaniale. Ujrzymy tu osoby, których zakres władzy był w swoim czasie nieograniczony. Lecz doprawdy to zabawne, a nawet smutne, jak mikroskopijne są ich możliwości w porównaniu z możliwościami tego, do którego świty mam zaszczyt należeć... Zresztą i w pani żyłach płynie królewska krew.

– Jak to, królewska krew? – tuląc się do Korowiowa, szepnęła lękliwie Małgorzata.

– Ach, królowo – filuternie terkotał Korowiow – kwestie krwi to najzawilsze problemy na świecie! Gdyby tak popytać poniektóre prababcie, te zwłaszcza, które cieszyły się nieskazitelną reputacją, to wyszłyby na jaw, szanowna Małgorzato Nikołajewna, zdumiewające sekrety! Ani trochę nie przesadzę, jeśli mówiąc o tym, napomknę o dziwacznie tasowanej talii kart. Są sprawy, w których nie odgrywają najmniejszej roli ani różnice stanowe, ani nawet granice państw. Dość, jeśli powiem, że pewna szesnastowieczna królowa Francji byłaby, jak sądzę, niezmiernie zaciekawiona, gdyby jej ktoś powiedział, że po wielu, wielu latach jej piękną prapraprawnuczkę będę w Moskwie prowadził pod rękę przez sale balowe. Ale jesteśmy już na miejscu.

Korowiow zdmuchnął swoją latarenkę i zniknęła ona z jego dłoni, a Małgorzata zobaczyła na posadzce smużkę światła wydobywającą się spod jakichś ciemnych drzwi. Korowiow cicho zapukał do tych drzwi. Wtedy Małgorzata tak się zdenerwowała, że zęby jej zaszczękały, a przez ciało przebiegł dreszcz.

Drzwi otworzyły się. Pokój okazał się bardzo mały. Małgorzata zobaczyła szerokie dębowe łoże, na nim brudne, zmięte i skopane prześcieradła i poduszki. Przed łożem stał dębowy stół na rzeźbionych nogach, a na stole – kandelabr z gniazdami na świece w kształcie szponiastych ptasich łap. W siedmiu takich złotych szponach płonęło siedem grubych woskowych świec. Prócz kandelabra znajdowała się na stole wielka szachownica z figurami nader misternej roboty. Na malutkim wytartym dywaniku stała niska ławka. Był tam jeszcze jeden stół, stał na nim jakiś złoty puchar i drugi kandelabr, którego ramiona wymodelowano na kształt węży. W pokoju unosił się zapach siarki i smoły. Na posadzce krzyżowały się cienie obu świeczników.

Wśród obecnych Małgorzata od razu poznała Azazella, teraz ubranego we frak i stojącego w głowach łoża. Wystrojony Azazello nie przypominał już owego rozbójnika, jakim wydał się wtedy Małgorzacie w Ogrodzie Aleksandrowskim, ukłonił się jej również z nieopisaną galanterią.

Naga wiedźma, ta sama Hella, która tak zgorszyła czcigodnego bufetowego Variétés, i ta sama, niestety, którą, na całe szczęście, kogut spłoszył owej nocy po osławionym seansie, siedziała na podłodze, na dywaniku przed łożem, i mieszała w garnku coś, z czego buchały opary siarki.

Oprócz nich znajdowało się jeszcze w pokoju olbrzymie czarne kocisko, które siedziało na wysokim taborecie przy stoliku szachowym i trzymało w prawej łapie szachowego konia.

Hella wstała i pokłoniła się Małgorzacie. Kocur zeskoczył z taboretu i uczynił to samo. Szurgając prawą zadnią łapą, upuścił konia i żeby go odszukać, wlazł pod łoże.

Umierająca ze strachu Małgorzata w zdradliwych cieniach świec ledwie zdołała to wszystko zauważyć. Jej uwagę przykuwało posłanie – siedział na nim ten, którego jeszcze tak niedawno biedny Iwan przekonywał na Patriarszych Prudach, że szatan nie istnieje. Ten właśnie nieistniejący siedział na łożu.

Dwoje oczu wpiło się w twarz Małgorzaty. Prawe, ze złotą iskierką na dnie, przewiercało każdego na wylot, lewe, puste i czarne, było wąskie jak ucho igielne, jak otwór bezdennej studni ciemności i cieni. Twarz Wolanda była wykrzywiona, prawy kącik jego ust opadł ku dołowi, wysokie łysiejące czoło bruździły głębokie, równoległe do ostrych brwi zmarszczki. Skórę na jego twarzy jak gdyby na wiek wieków przepaliła opalenizna.

Woland leżał wyciągnięty na pościeli, ubrany tylko w długą nocną koszulę, brudną i pocerowaną na lewym ramieniu. Jedną gołą nogę podkulił pod siebie, drugą wyciągnął i wsparł na ławeczce. Hella nacierała właśnie kolano tej ciemnej nogi jakąś maścią.

Małgorzata dostrzegła jeszcze na nieowłosionej piersi Wolanda misternej roboty skarabeusza z ciemnego kamienia na złotym łańcuszku, żuk miał na grzbiecie jakieś hieroglify. Na masywnym postumencie obok Wolanda stał dziwny, jak gdyby żywy, globus, oświetlony z jednej strony promieniami słońca.

Przez kilka sekund trwało milczenie. „Ocenia mnie" – pomyślała Małgorzata i wysiłkiem woli spróbowała opanować drżenie kolan.

Woland uśmiechnął się wreszcie i przemówił, jego roziskrzone oko zabłysło przy tym.

– Witam cię, królowo, i proszę, byś mi wybaczyła mój domowy strój.

Głos Wolanda był tak niski, że przy niektórych sylabach przechodził w chrypienie.

Woland podniósł z łoża długą szpadę, pochylił się, pogrzebał szpadą pod łóżkiem i powiedział:

– Wyłaź! Przerywamy partię. Mamy gościa.

– Ależ w żadnym razie – niczym sufler lękliwie świsnął Małgorzacie nad uchem Korowiow.

– Ależ... – zaczęła Małgorzata.

– Messer – tchnął jej w ucho Korowiow.

– Ależ, messer – opanowawszy się, cicho, ale wyraźnie powiedziała Małgorzata, potem uśmiechnęła się i dodała: – Bardzo proszę, niechże pan nie przerywa sobie partii. Jestem pewna, że każde pismo szachowe wiele by zapłaciło za to, by móc tę partię opisać.

Azazello cicho chrząknął z zadowolenia, Woland zaś uważnie przyjrzał się Małgorzacie i powiedział jakby do siebie samego:

– Tak, miał rację Korowiow. Jak dziwacznie tasują się karty. Ta krew!

Wyciągnął rękę i przywołał ją skinieniem. Podeszła, nie wyczuwając bosymi stopami posadzki. Woland położył jej na ramieniu swoją ciężką, jak gdyby z kamienia wykutą, a zarazem gorącą jak płomień rękę, przyciągnął Małgorzatę ku sobie i posadził ją obok siebie na łożu.

– No, skoro jest pani tak ujmująco uprzejma – powiedział – czego się zresztą spodziewałem, to dajmy spokój ceremoniom – znów przechylił się przez krawędź łoża i krzyknął: – Długo jeszcze będzie trwał ten cyrk pod łóżkiem? Wyjdziesz ty stamtąd, Hansie przeklęty!

– Nie mogę znaleźć konia – przytłumionym, fałszywym głosem odezwał się spod łóżka kocur – pocwałował gdzieś, a zamiast niego skacze tu jakaś żaba.

– Czy nie wydaje ci się aby, że jesteś na jarmarku? – zapytał Woland, udając zagniewanie. – Nie ma i nie było pod łóżkiem żadnej żaby! Zachowaj te tandetne sztuczki dla Variétés. Jeśli w tej chwili nie wyjdziesz, będziemy uważali, że poddałeś partię, przeklęty dezerterze!

– Za nic, messer – wrzasnął kot i natychmiast wylazł spod łóżka z koniem w łapie.

– Pragnę polecić pani... – zaczął Woland, ale sam sobie przerwał: – Nie, nie mogę patrzeć na tego błazna. Proszę tylko spojrzeć, co on z siebie zrobił pod tym łóżkiem!

Zakurzony, stojący na tylnych łapach kocur kłaniał się tymczasem Małgorzacie. Miał teraz pod szyją białą muszkę, a na piersiach dyndało mu na rzemyku oprawne w masę perłową damskie lorgnon. Poza tym pozłocił sobie wąsy.

– Co to ma znaczyć? – zawołał Woland. – Dlaczegoś sobie pozłocił wąsy? I po kiego diabła ci ta muszka, skoro nie masz nawet spodni?

– Spodnie nie obowiązują kota, messer – niezmiernie z siebie zadowolony odpowiedział kocur. – Może polecisz mi, messer, włożyć jeszcze buty? Koty w butach występują jedynie w bajkach, messer. Ale czy zdarzyło ci się kiedykolwiek widzieć na balu kogoś, kto by nie był w muszce? Nie chciałbym znaleźć się w ośmieszającej sytuacji ani ryzykować, że zostanę wyrzucony za drzwi. Każdy przystraja się, jak może. Weź pod uwagę, messer, że to, co powiedziałem, odnosi się także do lorgnon!

– Ale wąsy?...

– Nie rozumiem – oschle zaprotestował kocur – dlaczego Azazello i Korowiow, goląc się dzisiaj, mogli się posypać białym pudrem, i w czym biały puder jest lepszy od złotego? Upudrowałem sobie wąsy, i to wszystko! Co innego, gdybym się ogolił! Ogolony kot to rzeczywiście shocking, zgoda, zawsze to przyznam. Ale w ogóle – głos kota zadrżał z obrazy – widzę, że robi się tu jakieś osobiste wycieczki pod moim adresem, widzę też, że staje przede mną poważny problem – czy aby powinienem iść na bal? Cóż mi na to odpowiesz, messer?

I obrażony kocur tak się nadął, że zdawało się – jeszcze sekunda, a pęknie.

– Ach, cóż to za nicpoń – mówił Woland, kiwając głową – ilekroć sytuacja na szachownicy staje się dla niego beznadziejna, zaczyna odwracać uwagę jak najmarniejszy szarlatan na moście. Siadaj natychmiast i skończ z tymi tandetnymi sztuczkami.

– Usiądę – odparł kot, siadając – ale z tym ostatnim nie mogę się zgodzić. To, co powiedziałem, to nie żadne tandetne sztuczki, jak byłeś łaskaw, messer, wyrazić się w obecności damy, ale konsekwentny ciąg sylogizmów, które oceniliby właściwie tacy znawcy przedmiotu, jak Sekstus Empiryk, Martianus Capella, a być może nawet sam Arystoteles.

– Szach królowi – oznajmił Woland.

– Ależ proszę, proszę bardzo – powiedział kot i jął przyglądać się szachownicy przez lorgnon.

– Tak więc – Woland zwrócił się do Małgorzaty – pragnę przedstawić pani, *mia donna*, moją świtę. Ten, który się tu wygłupia, to kot Behemot, Azazella i Korowiowa już pani zna, a oto Hella, moja wierna służka – jest roztropna, pojętna i we wszystkim potrafi usłużyć.

Piękna Hella uśmiechnęła się, zwracając ku Małgorzacie pełne zieleni oczy, i nadal nabierała na dłoń maści, po czym smarowała nią kolano Wolanda.

– No, to by było wszystko – zakończył Woland i skrzywił się, bo Hella mocniej ścisnęła jego kolano. – Towarzystwo, jak pani widzi, nieduże, mieszane i prostoduszne. – Zamilkł i zaczął obracać stojący przed nim globus tak przemyślnie sporządzony, że błękitne oceany falowały na nim, a na biegunie zalegała czapa ze śniegu i lodu, zupełnie jak prawdziwa.

Na szachownicy tymczasem panował popłoch. Wytrącony z równowagi król w białej opończy dreptał po swoim polu i w rozpaczy wznosił ręce do nieba. Trzej biali piechurzy – lancknechci z halabardami, patrzyli skonsternowani na laufra, który wymachiwał szpadą i wskazywał przed siebie, tam gdzie na sąsiadujących polach, białym i czarnym, stali czarni jeźdźcy Wolanda na ognistych rumakach, które ryły kopytami pola.

Małgorzatę niezmiernie zainteresowało i zdumiało to, że figury szachowe były żywe.

Kot odjął lorgnon od oczu i delikatnie trącił swego króla w plecy. Zdesperowany król ukrył twarz w dłoniach.

– Sprawy stoją kiepsko, drogi Behemocie – cicho, jadowitym głosem powiedział Korowiow.

– Sytuacja jest poważna, ale bynajmniej nie beznadziejna – oświadczył Behemot. – Ba, więcej, nie mam żadnych wątpliwości co do ostatecznego zwycięstwa. Wystarczy właściwie przeanalizować sytuację.

Analizę tę rozpoczął w dość niecodzienny sposób, robił mianowicie jakieś miny i mrugał do własnego króla.

– Nic nie pomaga – zauważył Korowiow.

– Och! – wrzasnął Behemot – papugi uciekły, przewidziałem to zresztą!

Rzeczywiście skądś z dala dobiegał szum wielu skrzydeł. Korowiow i Azazello wybiegli z pokoju.

– Niech diabli wezmą was i wasze balowe pomysły! – nie spuszczając oczu ze swego globusa, burknął Woland.

Gdy tylko Korowiow i Azazello zniknęli, mruganie Behemota przybrało na sile. Biały król zrozumiał wreszcie, czego od niego żądają. Nagle ściągnął z siebie płaszcz, cisnął go na pole i uciekł z szachownicy. Laufer narzucił na ramiona porzucone królewskie okrycie i zajął miejsce władcy.

Korowiow i Azazello wrócili.

– Lipa jak zawsze – burczał Azazello, zezując na Behemota.

– Przesłyszałem się – odparł kot.

– No, cóż, długo to jeszcze będzie trwało? – zapytał Woland.

– Szach królowi.

– Musiałem się chyba przesłyszeć, *mon maître* – odparł kot.

– Król nie jest i nie może być pod szachem.

– Powtarzam, szach królowi.

– Messer – fałszywie przerażonym tonem oznajmił kot – jesteś przemęczony, król nie jest pod szachem.

– Król jest na d2 – nie patrząc na szachownicę, powiedział Woland.

– Messer, jestem niepocieszony! – zawył kot, a na jego pysku odmalowała się groza – na tym polu nie ma króla!

– Co takiego? – zapytał z niedowierzaniem Woland i spojrzał na szachownicę. Stojący na królewskim polu laufer odwracał się i zasłaniał ramieniem.

– Ach, ty draniu! – z zadumą powiedział Woland.

– Messer! Raz jeszcze muszę zaapelować do logiki! – przyciskając łapy do piersi, mówił kot. – Jeśli grający obwieszcza szach królowi, gdy po królu na szachownicy nie pozostało już nawet wspomnienie, to taki szach nie ma mocy prawnej!

– Poddajesz się czy nie? – straszliwym głosem zawołał Woland.

– Zastanowię się, jeśli wolno – pokornie odpowiedział kot, wsparł łokcie na stole, zasłonił łapami uszy i zaczął się zastanawiać. Długo medytował, wreszcie powiedział:

– Poddaję się.

– Zabić tę upartą bestię – szepnął Azazello.

– Tak, poddaję się – powiedział kot – ale poddaję się wyłącznie dlatego, że nie mogę grać w atmosferze rozpętanej przez zawistnych nagonki. – Wstał, a figury szachowe weszły do pudła.

– Hella, już czas – powiedział Woland i Hella zniknęła z pokoju.

– Noga mnie rozbolała, a tu ten bal...

– Może ja... – nieśmiało poprosiła Małgorzata.

Woland spojrzał na nią uważnie i podsunął jej kolano.

Gorąca jak lawa maź parzyła dłonie, ale Małgorzata, nie krzywiąc się i starając się nie sprawić bólu, wcierała ją w kolano Wolanda.

– Moi doradcy utrzymują, że to reumatyzm – nie spuszczając z niej oczu, mówił Woland – podejrzewam jednak nie bez podstaw, że ten ból w kolanie to pamiątka po pewnej czarującej wiedźmie, z którą zawarłem bliższą znajomość w roku 1571 w Brockenhill, na Diabelskiej Katedrze.

– Ach, czyż to możliwe? – zawołała Małgorzata.

– Głupstwo! Za trzysta lat przejdzie! Zalecano mi całe mnóstwo lekarstw, ale ja po staroświecku stosuję babcine sposoby. Fantastyczne zioła zostawiła mi w spadku ta zjadliwa staruszka, moja babka! A, skoro już o tym mowa, czy pani nic nie dolega? Może jest coś, co panią dręczy, może jakiś smutek zatruwa pani serce?

– Nie, messer, nic takiego nie istnieje – odparła mądra Małgorzata – teraz zaś, kiedy jestem u pana, czuję się doskonale.

– Krew to wielka rzecz... – nie wiadomo co mając na myśli, wesoło powiedział Woland i dodał: – Widzę, że zainteresował panią mój globus.

– O, tak, nigdy jeszcze nie widziałam niczego podobnego.

– Niebrzydki drobiazg. Prawdę mówiąc, nie lubię słuchać dzienników radiowych. Zawsze czytają je jakieś dziewczątka, które niewyraźnie wymawiają nazwy miejscowości. W dodatku co trzecia sepleni, jakby specjalnie tam takie dobierano. Mój globus jest znacznie wygodniejszy w użyciu, tym bardziej że muszę mieć ścisłe informacje o tym, co się dzieje. Czy widzi pani ten, na przykład, skrawek omywanego przez ocean lądu? Proszę popatrzeć, jak się rozżarzył. Wybuchła tam wojna. Jeśli przyjrzy mu się pani z bliska, zobaczy pani wszystko dokładnie.

Małgorzata pochyliła się w stronę globusa i spostrzegła, że kwadracik ziemi powiększa się, nabiera wyrazistych barw i przekształca się jak gdyby w mapę plastyczną. Potem zobaczyła także wstążeczkę rzeki i jakąś osadę nad tą rzeką. Dom wielkości ziarnka grochu rozrósł się, był teraz jak pudełko zapałek. Nagle dach owego domu bezgłośnie wzleciał w kłębach czarnego dymu ku górze, ściany runęły i z piętrowego pudełeczka nie pozostało nic prócz garstki popiołu, z której walił czarny dym. Nachyliwszy się jeszcze bliżej, Małgorzata zobaczyła maleńką figurkę leżącej na ziemi kobiety, a obok niej, w kałuży krwi, maleńkie dziecko z rozrzuconymi rączkami.

– I po wszystkim – powiedział z uśmiechem Woland – przynajmniej nie zdążyło nagrzeszyć. Abbadona pracuje bez zarzutu.

– Nie chciałabym znajdować się pośród przeciwników owego Abbadony – oświadczyła Małgorzata. – Po czyjej on jest stronie?

– Im dłużej z panią rozmawiam – uprzejmie powiedział Woland – tym dobitniej się przekonuję, jak bardzo jest pani mądra. Mogę panią uspokoić. Abbadona jest wyjątkowo obiektywny i jednakowo współczuje obydwom walczącym stronom. Dzięki temu obie strony osiągają zawsze jednakowe wyniki. Abbadona! – niezbyt głośno zawołał Woland i natychmiast ze ściany wyłoniła się chuda postać w ciemnych okularach. Okulary te zrobiły na Małgorzacie tak wielkie wrażenie, że krzyknęła cichutko i wtuliła twarz w nogę Wolanda. – Niechże pani da spokój! – zawołał Woland. – Ach, jacy nerwowi są dzisiaj ludzie! – z rozmachem klepnął Małgorzatę po plecach, aż zadudniło. – Przecież widzi pani, że on jest w okularach. Poza tym nigdy jeszcze się nie zdarzyło, i zresztą nigdy się nie zdarzy, żeby Abbadona ukazał się komukolwiek przedwcześnie. W końcu i ja tu jestem. Jest pani moim gościem! Po prostu chciałem go pani pokazać.

Abbadona stał bez ruchu.

– Czy on mógłby zdjąć na chwilę te okulary? – zapytała Małgorzata, drżąc i tuląc się do Wolanda. Teraz jednak drżała już z ciekawości.

– Co to, to nie – z powagą odpowiedział Woland, skinął dłonią Abbadonie i ten zniknął. – Co chciałeś powiedzieć, Azazello?

– Messer – odparł Azazello – spieszę donieść, że mamy dwoje obcych: jakąś piękną dziewczynę, która zanudza błaganiami, żeby ją pozostawiono przy jej pani, a wraz z nią, przepraszam za wyrażenie, przybył jej wieprz.

– Dziwnie się zachowują te piękne dziewczyny! – zauważył Woland.

– To Natasza, Natasza! – zawołała Małgorzata.

– No, to pozostawcie ją przy jej pani. A wieprza – do kuchni.

– Chcecie go zarżnąć? – z przerażeniem krzyknęła Małgorzata. – Na litość, messer, przecież to Nikołaj Iwanowicz, lokator z parteru. To nieporozumienie, Natasza, widzi pan, maznęła go kremem i...

– Ależ proszę pani – powiedział Woland – po kiego diabła miałby go kto zarzynać? Niech sobie posiedzi z kucharzami, i koniec. Przyzna pani przecież, że nie mogę go wpuścić do sali balowej.

– No, tego by jeszcze brakowało – dorzucił Azazello i zameldował: – Zbliża się północ, messer.

– Tak? To dobrze. – Woland zwrócił się do Małgorzaty: – Zatem proszę panią... z góry dziękuję. Proszę nie tracić odwagi i niczego się nie bać. Niech pani nie pije nic prócz wody, bo osłabnie pani i będzie pani ciężko. Już czas!

Małgorzata wstała z dywanika, a wówczas w drzwiach zjawił się Korowiow.

23

Wielki bal u szatana

Zbliżała się północ, trzeba było się spieszyć. Małgorzata widziała wszystko jak przez mgłę. Zapamiętała świece i basen z malachitu. Kiedy stanęła na dnie owego basenu, Hella i Natasza, która Helli pomagała, oblały ją jakąś gęstą, czerwoną cieczą. Małgorzata poczuła słonawy smak na wargach i zrozumiała, że kąpią ją we krwi. Miejsce krwawego płaszcza zajął potem inny, gęsty, przejrzysty, różowawy, i Małgorzacie zakręciło się w głowie od zapachu olejku różanego. Następnie położono ją na kryształowym łożu i zaczęto wycierać do sucha jakimiś wielkimi zielonymi liśćmi. Wtedy wdarł się tam kocur i zaczął pomagać. Przycupnął w nogach łoża i naśladując ulicznego pucybuta, nacierał stopy Małgorzaty.

Małgorzata nie pamiętała, kto uszył jej pantofle z płatków bladej róży, nie pamiętała, w jaki sposób te pantofle same zapięły się na złote klamerki. Jakaś nieznana siła poderwała ją i postawiła przed lustrem – we włosach jej błysnął królewski brylantowy diadem. Nie wiedzieć skąd zjawił się Korowiow i zawiesił Małgorzacie na piersiach na ciężkim łańcuchu ciężki medalion w owalnej ramie, przedstawiający czarnego pudla. Ta ozdoba strasznie zaciążyła królowej. Łańcuch z miejsca zaczął ocierać jej kark, medalion przyginał ją ku ziemi. Było jednak coś, co wynagrodziło Małgorzacie kłopoty, jakie jej sprawiał łańcuch z czarnym pudlem – był to szacunek, jaki jej zaczęli okazywać Korowiow i Behemot.

– To nic, to nic, to nic – mamrotał Korowiow przed drzwiami komnaty, w której znajdował się basen. – Cóż robić, tak trzeba, tak trzeba... Ale niech pani pozwoli, królowo, że dam pani jeszcze tylko jedną radę. Pośród gości będą różni, o, bardzo różni, ale nikogo, królowo Margot, proszę nie wyróżniać! Jeśli nawet ktoś się pani nie spodoba... ja wiem, oczywiście, że nie da pani tego po sobie poznać, o tym nie ma mowy! Zauważy, natychmiast zauważy! Jedyne wyjście to polubić kogoś takiego, trzeba go polubić, królowo! Gospodyni balu zostanie za to po stokroć wynagrodzona. I jeszcze jedno – proszę nie zapomnieć o nikim! Chociaż uśmiech, jeżeli nie starczy czasu, żeby rzucić jakieś słówko, choćby najlżejsze skinienie głowy! Cokolwiek pani zechce, byle tylko nikt nie został pominięty. Inaczej uświerkną ze zgryzoty...

I oto eskortowana przez Korowiowa i Behemota Małgorzata przekroczyła próg komnaty, w której był basen, i znalazła się w zupełnych ciemnościach.

– Ja, ja – szeptał kot – ja dam sygnał!

– Dawaj! – odpowiedział z ciemności Korowiow.

– Bal!!! – przeraźliwie wrzasnął kot i w tejże chwili Małgorzata krzyknęła i na kilka sekund zamknęła oczy. Bal zwalił się na nią najpierw pod postacią jasności, a zarazem dźwięku i zapachu. Unoszona pod rękę przez Korowiowa zobaczyła, że znalazła się w tropikalnym lesie. Papugi o czerwonych piersiach i zielonych ogonach przefruwały z liany na lianę i ogłuszająco darły się: „Jestem zachwycona!". Ale las, w którym duszno było niczym w łaźni, wkrótce się skończył, znaleźli się w przestronnej balowej sali pełnej kolumn z jakiegoś roziskrzonego żółtawego kamienia. Sala ta, podobnie jak las, była zupełnie pusta, tylko pod każdą kolumną stali obnażeni Murzyni w srebrnych zawojach. Kiedy wleciała do sali Małgorzata ze swoją świtą, w której nie wiedzieć skąd znalazł się również Azazello, twarze Murzynów poszarzały z przejęcia. Wówczas Korowiow puścił rękę Małgorzaty i szepnął:

– Wprost na tulipany!

Przed Małgorzatą wyrosła niska ściana białych tulipanów, a za tą ścianą Małgorzata zobaczyła nieprzeliczone ognie w małych kloszach, pod nimi zaś białe gorsy i czarne wyfraczone plecy. Zrozumiała teraz, skąd dobiegały odgłosy balu. Zwalił się na nią ryk trąb, a przedzierający się poprzez ów ryk wzlot skrzypiec oblał ją całą niczym krwią. Stupięćdziesięcioosobowa orkiestra grała poloneza.

Górujący nad orkiestrą mężczyzna we fraku, zobaczywszy Małgorzatę, zbladł, zaczął się uśmiechać i nagle gestem obu rąk nakazał orkiestrze, by wstała. Ani na moment nie przestając grać, cała orkiestra, stojąc, spowiła Małgorzatę w dźwięki. Górujący nad muzykami mężczyzna odwrócił się od nich i szeroko rozrzuciwszy ramiona, skłonił się Małgorzacie, a ona uśmiechnęła się i pomachała mu dłonią.

– Nie, to za mało, za mało – spiesznie jął szeptać Korowiow – on przez całą noc nie będzie mógł spać. Proszę zawołać do niego: „Witam pana, królu walca!".

Małgorzata zawołała tak i zdumiało ją, że jej głos jest dźwięczny jak dzwon i że zagłuszył całą orkiestrę. Mężczyzna na podium zadrżał ze szczęścia i lewą dłoń przyłożył do piersi, prawą zaś, w której trzymał białą batutę, w dalszym ciągu wymachiwał.

– To za mało, za mało – znów wyszeptał Korowiow – proszę spojrzeć tam, w lewo, na pierwsze skrzypce, i proszę skinąć, tak aby każdy pomyślał, że właśnie jego pani dostrzegła. Tu są same światowe sławy. O, ten, za pierwszym pulpitem, to Vieuxtemps!... Tak, świetnie... A teraz dalej!

– Kto dyryguje? – zawołała Małgorzata, odlatując.

– Johann Strauss! – wrzasnął kocur. – I niech mnie powieszą na lianie w tropikalnym lesie, jeśli kiedykolwiek na jakimkolwiek balu grała już taka orkiestra! Osobiście ich zapraszałem! I proszę zwrócić uwagę, że ani jeden nie zachorował, ani jeden nie odmówił!

W następnej sali nie było kolumn, zamiast nich po jednej stronie stała ściana czerwonych, różowych i mlecznobiałych róż, a po drugiej – ściana dubeltowych japońskich kamelii. Między tymi dwiema ścianami biły już z pluskiem fontanny i szampan pienił się bąbelkami w trzech basenach, z których pierwszy był przezroczysty i fioletowy, drugi rubinowy, a trzeci z kryształu. Wśród tych basenów krzątali się Murzyni w jasnoczerwonych turbanach i srebrnymi czerpakami napełniali z basenów płaskie puchary. W ścianie z róż była mała nisza, w której gorączkował się na estradzie ktoś w czerwonym fraku. Przed nim przeraźliwie głośno dudnił jazz-band. Skoro tylko dyrygent ujrzał Małgorzatę, zgiął się przed nią w ukłonie, tak że dłońmi dotykał podłogi, po czym wyprostował się i krzyknął przenikliwie:

– Alleluja!

Klepnął się po kolanie raz, potem na krzyż po drugim – dwa, wyrwał z ręki siedzącego z brzegu muzyka talerz i trzasnął nim o kolumnę.

Małgorzata odlatując, dostrzegła jeszcze, że jazzman-wirtuoz, walcząc z polonezem, który dął jej w plecy, bije swoich jazzbandzistów talerzem po głowach, a oni przysiadają z komicznym, udawanym przerażeniem.

Wylecieli wreszcie na podest, na którym, jak się zorientowała Małgorzata, witał ją w ciemnościach Korowiow z latarenką. Teraz ów podest zalewało oślepiające światło padające z kryształowych winnych gron. Świta zatrzymała tu Małgorzatę, pod lewym jej ramieniem znalazła się niska kolumienka z ametystu.

– Jeśli będzie już bardzo ciężko, można oprzeć na niej rękę – szepnął Korowiow. Jakiś czarnoskóry podłożył pod nogi Małgorzaty poduszkę, na której wyhaftowano złotego pudla, i na poduszce tej posłuszna czyimś dłoniom Małgorzata postawiła prawą nogę, zgiąwszy ją w kolanie.

Spróbowała się rozejrzeć. Korowiow i Azazello stali przy niej w uroczystych pozach. Obok Azazella stali trzej młodzieńcy, którzy trochę przypominali Abbadonę. W plecy wiało zimnem. Małgorzata obejrzała się i zobaczyła, że z marmurowej ściany za jej plecami tryska i spływa do oblodzonego basenu musujące wino. Przy lewej nodze wyczuwała coś ciepłego i puszystego. Był to Behemot.

Małgorzata znajdowała się u szczytu ogromnych, zasłanych dywanem schodów. W dole, tak daleko, że zdawało się, iż patrzy przez odwróconą lornetkę, widziała olbrzymią kordegardę z gigantycznym kominkiem, w którego czarnej i zimnej czeluści bez trudu mogłaby się zmieścić pięciotonowa ciężarówka. Ani w kordegardzie, ani na rzęsiście oświetlonych schodach nie było nikogo. Dźwięk trąb dobiegał teraz do Małgorzaty z daleka.

Stali tak w bezruchu mniej więcej przez minutę.

– A gdzież goście? – zapytała Korowiowa Małgorzata.

– Nadejdą, królowo, nadejdą, zaraz nadejdą. Nie będziesz się mogła uskarżać na ich brak. Słowo daję, wolałbym drwa rąbać, niż witać ich tutaj, na tym podeście.

– Co? Rąbać drwa?! – podchwycił rozmowny kot. – Ja bym wolał być konduktorem w tramwaju, a to doprawdy najpodlejsze zajęcie na świecie!

– Wszystko powinno być gotowe wcześniej, królowo – tłumaczył Korowiow, a jego oko błyskało zza pękniętego monokla. – Nic paskudniejszego, niż gdy pierwszy przybywający gość snuje się i nie wie, co ma począć, a jego ślubna megiera szeptem wierci mu dziurę w brzuchu za to, że przyjechali za wcześnie. Takie bale należy wyrzucać na śmietnik, królowo.

– Wyłącznie na śmietnik – przytaknął kot.

– Do północy zostało najwyżej dziesięć sekund – oznajmił Korowiow – zaraz się zacznie.

Małgorzacie się wydawało, że te sekundy ciągną się niezwykle długo. Najwyraźniej minęły już i nic się w ogóle nie stało. Aliści nagle coś huknęło w przepastnym kominku i wyskoczyła stamtąd szubienica, na której dyndał rozsypujacy się w proch wisielec. Wisielec ów urwał się ze stryczka, upadł na posadzkę i oto wyskoczył z niego piękny rudy młodzieniec we fraku i w lakierkach. Wybiegła z kominka mała, na wpół zetlała trumna, otworzyło się wieko i wypadły z niej inne zwłoki. Piękny młodzieniec podskoczył ku nim z galanterią i podał im ramię. Ze zwłok tych uformowała się naga ruchliwa kobieta w czarnych pantoflach i z czarnymi piórami na głowie i oboje pospiesznie zaczęli wstępować po schodach.

– Otóż i pierwsi! – zawołał Korowiow. – Monsieur Jacques z małżonką. Mam zaszczyt przedstawić pani, królowo, jednego z najbardziej interesujących mężczyzn. Z powołania fałszerz pieniędzy, zdrajca stanu, ale doprawdy zdolny alchemik. Wsławił się tym – szepnął na ucho Małgorzacie – że otruł kochankę króla. A to się przecież nie każdemu zdarza! Proszę popatrzeć, jaki przystojny!

Pobladła Małgorzata z otwartymi ustami patrzyła na dół i zobaczyła, że zarówno trumna, jak szubienica znikają w jakichś bocznych drzwiczkach kordegardy.

– Jakże się cieszę! – wrzasnął kot prosto w nos wspinającego się po schodach pana Jacques'a.

Tymczasem na dole wyłonił się z kominka bezgłowy szkielet z oderwaną ręką, zwalił się na ziemię i przemienił w mężczyznę we fraku.

Małżonka pana Jacques'a już przyklękła przed Małgorzatą na jedno kolano i – pobladła z przejęcia – całowała jej kolano.

– Królowo… – bełkotała małżonka pana Jacques'a.

– Królowa jest zachwycona! – wrzeszczał Korowiow.

– Królowo… – cicho powiedział piękny pan Jacques.

– Jesteśmy zachwyceni! – zawodził kocur.

Młodzi ludzie, towarzysze Azazella, uśmiechali się martwo, acz uprzejmie, i już odciągali pana Jacques'a i jego małżonkę na bok, do kielichów z szampanem, które trzymali w dłoniach Murzyni. Po schodach wbiegł samotny mężczyzna we fraku.

– Hrabia Robert – szepnął Małgorzacie Korowiow – także ciekawa postać. Proszę zwrócić uwagę, królowo, jak zabawnie się składa

– to odwrotny przypadek. Hrabia Robert był kochankiem królowej i otruł swoją żonę.

– Bardzo nam miło, hrabio! – zawołał Behemot.

Z kominka po kolei jedna po drugiej wychynęły trzy trumny, roztrzaskały się i rozpadły, za nimi wyskoczył ktoś w czarnej pelerynie, a następny, który wybiegł z czarnej czeluści, uderzył tego w pelerynie nożem w plecy. Z dołu dobiegł przytłumiony okrzyk. Z kominka wypadł trup w stanie nieomal zupełnego rozkładu. Małgorzata zamknęła oczy, czyjaś ręka podsunęła jej pod nos flakon z solami trzeźwiącymi. Wydało się Małgorzacie, że była to ręka Nataszy.

Na schodach zrobiło się tłoczno. Na każdym ich stopniu znajdowali się teraz, z dala zupełnie identyczni, mężczyźni we frakach, którym towarzyszyły nagie kobiety, różniące się od siebie tylko kolorem pantofelków i piór na głowach.

Kulejąc, zbliżała się do Małgorzaty dama w dziwnym drewnianym sabocie na lewej nodze. Oczy miała spuszczone niczym mniszka, była chuda, niepozorna, a na szyi, nie wiedzieć czemu, miała szeroką zieloną przepaskę.

– Kto to jest ta... zielona? – machinalnie spytała Małgorzata.

– Nader czarująca i nad wyraz czcigodna dama – szeptał Korowiow. – Polecam ją twojej uwadze, królowo – to signora Tofana. Była niezmiernie popularna wśród młodych, uroczych neapolitanek, a także mieszkanek Palermo, zwłaszcza tych, którym znudzili się mężowie. Przecież zdarza się tak, że żona ma dość męża...

– Tak – głucho odparła Małgorzata, uśmiechając się jednocześnie do dwóch wyfraczonych, którzy skłonili się przed nią po kolei, całując jej kolano i dłoń.

– A zatem – Korowiow potrafił szeptać do Małgorzaty, zarazem głośno wykrzykując do kogoś: – Książę! Kieliszeczek szampana? Jestem zachwycony!... Tak więc signora Tofana wczuwała się w sytuację tych biednych kobiet i sprzedawała im jakowąś wodę we flaszeczkach. Żona wlewała tę wodę mężowi do zupy, mąż spożywał posiłek, pięknie dziękował i czuł się znakomicie. Co prawda po paru godzinach zaczynał mieć ogromne pragnienie, potem kładł się do łóżka i nie mijał dzień, a piękna neapolitanka, która podała swemu mężowi tak znakomitą zupę, była już wolna jak wiosenny wiatr.

– A cóż ona ma na nodze? – pyta Małgorzata, nieustannie podając rękę gościom, którzy wyprzedzili kuśtykającą signorę Tofanę.
– I po co ta zielona opaska na szyi? Ma zwiędłą szyję?
– Jakże się cieszę, *mon prince*! – wołał Korowiow, szepcąc jednocześnie do Małgorzaty: – Szyja jest w porządku, ale signorę spotkała w więzieniu pewna nieprzyjemność. Na nodze ma ona, królowo, bucik hiszpański, a ta szarfa pochodzi stąd, że strażnicy więzienni dowiedziawszy się, że około pięciuset zbyt pochopnie wybranych mężów opuściło na wieki Neapol i Palermo, tak się zdenerwowali, że udusili signorę Tofanę w jej celi.

– Jakże jestem szczęśliwa, o szlachetna królowo, że spotkał mnie tak wielki zaszczyt... – szeptała Tofana, jak to czynią mniszki, usiłując jednocześnie przyklęknąć, w czym przeszkadzał jej bucik hiszpański. Korowiow i Behemot pomogli signorze wstać.

– Bardzo mi miło – odpowiedziała jej Małgorzata, jednocześnie podając dłoń innym.

Po schodach płynął na górę potok gości. Małgorzata nie mogła już widzieć, co się dzieje w kordegardzie. Machinalnie podnosiła i opuszczała rękę, monotonnie uśmiechała się do gości. Na podeście panował już zgiełk, z opuszczonych przez Małgorzatę sal balowych jak szum morza napływała muzyka.

– A to nieciekawa postać. – Korowiow nie szeptał już, mówił głośno, wiedząc, że wśród zgiełku wielu głosów nikt go teraz nie usłyszy. – Uwielbia bale, stale marzy o tym, żeby się poskarżyć na swoją chusteczkę.

Spojrzenie Małgorzaty wyłowiło wśród wchodzących na górę tę, którą wskazywał Korowiow. Była to młoda, dwudziestoletnia kobieta, niezwykle pięknie zbudowana, ale oczy miała natarczywe i niespokojne.

– Co to za chusteczka? – zapytała Małgorzata.

– Przydzielono do niej pokojówkę – wyjaśniał Korowiow – i ta pokojówka od trzydziestu lat kładzie jej w nocy na stoliku koło łóżka chustkę do nosa. Kiedy się budzi, chustka już tam leży. Paliła ją już w piecu, topiła w rzece, ale to nic nie pomogło.

– Co to za chusteczka? – powtórzyła szeptem Małgorzata, podnosząc i opuszczając rękę.

– Z granatową obwódką. Rzecz w tym, że kiedy pracowała w kawiarni, właściciel pewnego razu zawołał ją do piwnicy, a w dziewięć miesięcy później urodziła chłopczyka, wyniosła go do lasu i wcisnęła mu do ust chusteczkę, a potem go zakopała. Przed sądem mówiła, że nie miałaby mu co dać jeść.

– A gdzież ów właściciel kawiarni? – zapytała Małgorzata.

– Królowo – zaskrzeczał nagle z dołu kocur – pozwól, że cię zapytam, co tu ma do rzeczy właściciel kawiarni? Przecież to nie on dusił w lesie noworodka!

Małgorzata, nie przestając się uśmiechać i kiwać prawą dłonią, ostre paznokcie lewej wpiła w ucho Behemota i szepnęła do kota:

– Jeśli, ścierwo, jeszcze raz ośmielisz się wtrącić do rozmowy...

Behemot zupełnie niebalowo pisnął i zachrypiał:

– Królowo... ucho mi spuchnie... po co psuć bal spuchniętym uchem?... Mówiłem z punktu widzenia prawa... już milczę, milczę, uważaj mnie nie za kota, lecz za rybę, tylko proszę puść ucho!

Małgorzata puściła ucho i natarczywe, posępne oczy znalazły się przed Małgorzatą.

– Jestem szczęśliwa, królowo i pani, że zostałam zaproszona na wielki bal pełni księżyca!

– A ja się cieszę, że panią widzę – odpowiedziała jej Małgorzata. – Bardzo się cieszę. Czy lubi pani szampana?

– Co pani robi, królowo? – rozpaczliwie, lecz bezgłośnie krzyknął do ucha Małgorzaty Korowiow. – Zrobi się zator.

– Lubię – błagalnie powiedziała kobieta i nagle zaczęła bezmyślnie powtarzać: – Frieda, Frieda, Frieda! O, królowo, ja jestem Frieda!

– Niech się więc pani dzisiaj upije, Friedo, i niech pani o niczym nie myśli – powiedziała Małgorzata.

Frieda wyciągnęła do niej obie ręce, ale Korowiow i Behemot nader zręcznie uchwycili ją pod ramiona i Frieda zgubiła się w tłumie.

Teraz z dołu walił tłum, szturmując niemal podest, na którym stała Małgorzata. Nagie kobiety wchodziły po schodach w towarzystwie wyfraczonych mężczyzn. Płynęły na Małgorzatę ich ciała smagłe i białe, i barwy kawowego ziarna, i całkiem czarne. W rudych, czarnych, kasztanowych i jasnych jak len włosach w ulewie światła skrzyły się i tańczyły, sypiąc iskry, szlachetne kamienie.

I – jakby ktoś pokropił tę nacierającą kolumnę mężczyzn kropelkami blasku – z ich piersi bryzgały światłem brylantowe spinki. Teraz Małgorzata co sekunda czuła na kolanie muśnięcie warg, co sekunda podawała dłoń do ucałowania, twarz jej ściągnęła się w nieruchomą powitalną maskę.

– Jestem zachwycony – monotonnie śpiewał Korowiow – jesteśmy zachwyceni... królowa jest zachwycona...

– Królowa jest zachwycona... – powtarzał za plecami przez nos Azazello.

– Jestem zachwycony! – wykrzykiwał kot.

– Markiza... – mamrotał Korowiow – otruła ojca, dwóch braci i dwie siostry, szło o spadek... Królowa jest zachwycona!... Pani Minkina... Ach, jaka piękna! Troszkę nerwowa. Po co było przypalać twarz pokojówce szczypcami do zawijania loków? Oczywiście że w tych warunkach musieli ją zarżnąć... Królowa jest zachwycona... Królowo, chwileczka uwagi! – Cesarz Rudolf, czarodziej i alchemik... To również alchemik, powieszono go... Ach, otóż i ona! Ach, jaki wspaniały dom publiczny prowadziła w Strasburgu!... Jesteśmy zachwyceni!... Moskiewska krawcowa, uwielbiamy ją wszyscy za jej niewyczerpaną fantazję... Miała atelier i wymyśliła rzecz okropnie zabawną: wywierciła w ścianie pracowni dwie okrągłe dziurki.

– A damy nie wiedziały? – zapytała Małgorzata.

– Wszystkie wiedziały, co do jednej, królowo – odpowiedział Korowiow. – Jestem zachwycony!... Ten dwudziestoletni chłopiec od dziecka wyróżniał się osobliwym charakterem, marzyciel i dziwak. Pokochała go pewna dziewczyna, on zaś pewnego dnia wziął i sprzedał ją do domu publicznego...

Z dołu rwała rzeka gości, końca tej rzeki nie było widać. Jej źródło – ów ogromny kominek – stale ją zasilało. Minęła tak godzina, zaczęła się druga. Małgorzata zauważyła, że jej łańcuch staje się coraz cięższy. Coś dziwnego działo się też z jej ręką. Teraz za każdym razem, kiedy ją podnosiła, Małgorzata musiała się skrzywić. Ciekawe komentarze Korowiowa przestały ją interesować. Zarówno skośnookie twarze mongolskie, jak twarze białe i czarne zobojętniały jej, chwilami zlewały się ze sobą, powietrze zaś między nimi nie wiadomo dlaczego zaczynało drgać i falować. Silny ból, jakby od ukłucia igłą, przeszył jej prawe ramię i Małgorzata, zacisnąwszy zęby, oparła łokieć o postument. Z sali za jej plecami dobiegały teraz jakieś szelesty, jak gdyby bicie skrzydeł o ścianę, było oczywiste, że tańczą tam nieprzeliczone zastępy gości, i wydawało się Małgorzacie, że rytmicznie pulsuje nawet masywna, marmurowa mozaika i kryształowa posadzka owej przedziwnej sali.

Ani cezar Gajus Kaligula, ani Messalina nie zainteresowali już Małgorzaty, podobnie jak nie wzbudził jej zainteresowania żaden z królów, książąt, kawalerów, samobójców, wisielców, dozorców więziennych i szulerów, katów, konfidentów i zdrajców, szaleńców, tajniaków, deprawatorów, żadna z trucicielek ani rajfurek. Imiona ich wszystkich poplątały jej się w głowie, twarze ich zlały się w jedną olbrzymią bezkształtną masę, i tylko jedna twarz uporczywie trwała w jej pamięci – okolona prawdziwie płomienną brodą twarz Maluty Skuratowa. Nogi uginały się pod Małgorzatą, nieustannie się bała, że wybuchnie płaczem. Najwięcej cierpień przyczyniało jej prawe kolano, w które ją całowano. Spuchło, skóra na nim posiniała, choć dłoń Nataszy kilkakrotnie pojawiała się przy nim z gąbką i przecierała je czymś pachnącym. Pod koniec trzeciej godziny Małgorzata spojrzała w dół oczyma, w których nie było już nadziei, i zadrżała z radości – tłum gości rzedł.

– Prawa rządzące przybywaniem gości na bal są, królowo, niezmienne – szeptał Korowiow – teraz fala zacznie opadać. Głowę dam, że to już ostatnie chwile naszych męczarni. Otóż i grupa hulaków z Brocken, oni zawsze przyjeżdżają na końcu. No tak, oto oni. Dwa pijane wampiry… to już koniec? Ach, nie, jest jeszcze jeden… nie, dwaj!

Po schodach wchodzili dwaj ostatni goście!

– O, to ktoś nowy – mrużąc zza szkiełka oko, mówił Korowiow.
– Ach, tak, tak. Któregoś dnia odwiedził go Azazello i przy koniaku podsunął mu pomysł, jak się pozbyć pewnego człowieka, którego rewelacji na swój temat nadzwyczaj tamten się obawiał. Polecił więc swemu znajomemu, który był od niego uzależniony, spryskać ściany gabinetu trucizną…

– Jak się nazywa? – zapytała Małgorzata.

– Ach, doprawdy, sam jeszcze nie wiem – odparł Korowiow.
– Trzeba zapytać Azazella.

– A kto to ten drugi?

– To właśnie jego posłuszny podwładny. Jestem zachwycony! – zawołał Korowiow do tych dwóch ostatnich.

Schody opustoszały. Na wszelki wypadek odczekali jeszcze chwilę. Ale z kominka nie wyszedł już nikt.

W sekundę później Małgorzata, nie rozumiejąc, jak to się stało, znalazła się znowu w komnacie, w której był basen, zapłakała, tak bardzo bolała ją ręka i noga, i upadła wprost na posadzkę. Ale Hella i Natasza wśród pocieszeń znów ją zaciągnęły pod krwawy prysznic, znów wysmarowały jej ciało i Małgorzata znowu ożyła.

– Jeszcze, jeszcze, królowo Margot – szeptał Korowiow, który znalazł się obok niej – trzeba oblecieć sale, aby czcigodni goście nie czuli się zaniedbywani.

I Małgorzata znowu wyleciała z komnaty, w której był basen. Na estradzie za tulipanami, tam gdzie grała orkiestra króla walca, biesił się teraz małpi jazzband. Wielki goryl o kosmatych bokobrodach trzymał w ręku trąbkę i dyrygował, podtańcowując ociężale. Orangutany zasiadły szeregiem, dęły w błyszczące trąbki. Na ich grzbietach zasiadły na oklep wesołe szympansy z harmoniami. Dwa pawiany płaszczowe o lwich grzywach grały na fortepianach, lecz fortepianów tych nie było słychać wśród grzmotów, popiskiwań i uderzeń saksofonów, skrzypiec i bębnów w łapach gibbonów, mandryli i koczkodanów. Na zwierciadlanej posadzce nieprzebrane mnóstwo sczepionych ze sobą par, wirując w jednym kierunku, zadziwiając zręcznością i gracją ruchów, sunęło jak mur, który zamierza zmieść wszystko, cokolwiek znajdzie się na jego drodze. Żywe atłasowe motyle trzepotały nad tańczącym tłumem, z plafonów sypały się kwiaty. Kiedy przygasło światło elektryczne, w kapitelach kolumn rozjarzyły się miriady robaczków świętojańskich, w powietrzu pływały błędne ogniki bagienne.

Potem Małgorzata znalazła się w okolonym kolumnadą basenie nieprawdopodobnych rozmiarów. Gigantyczny czarny Neptun wyrzucał z gardzieli szeroki różowy strumień. Nad basenem unosiła się odurzająca woń szampana. Panowała tu niewymuszona wesołość. Damy wśród śmiechów oddawały torebki do potrzymania swoim kawalerom albo Murzynom biegającym z prześcieradłami kąpielowymi w dłoniach i z krzykiem skakały strzałką do basenu. Pieniste słupy szampana strzelały ku górze. Kryształowe dno basenu podświetlone od dołu jarzyło się przebijającym przez warstwy wina światłem i widać było w tym winie srebrzyste ciała pływających. Kobiety wyskakiwały z basenu pijaniutkie. Pod kolumnami dzwoniły śmiechy, huczały jak jazz.

W całym tym rozgardiaszu wryła się Małgorzacie w pamięć jedna pijaniusieńka twarz kobieca o oczach bezmyślnych, ale nawet w tej bezmyślności błagalnych, i wypłynęło w pamięci jedno słowo: „Frieda". Małgorzacie zaczęło się kręcić w głowie od zapachu wina, zamierzała już wyjść, kiedy kot wykonał w basenie numer, który ją zatrzymał. Behemot odprawił przy paszczy Neptuna jakieś czary i natychmiast wzburzona masa szampana z sykiem i łoskotem zniknęła z basenu, Neptun zaś zionął teraz ciemnożółtą falą bez piany i bez iskierek. Damy piszcząc i wołając: „Koniak!", uciekły znad brzegu basenu za kolumny. W kilka sekund później basen był pełen, a kot zrobił w powietrzu potrójne salto i runął w spieniony koniak. Wylazł z basenu, parskając, muszkę miał rozmoczoną, utracił pozłotę wąsów oraz lorgnon. Za przykładem Behemota odważyła się pójść tylko jedna dama, właśnie owa pomysłowa krawcowa, i jej kawaler, bliżej nieznany młody Mulat. Oboje skoczyli w koniak, ale wtedy Korowiow chwycił Małgorzatę pod rękę i opuścili kąpiących się.

Małgorzacie wydawało się, że lecąc, widziała gdzieś w wielkich kamienistych stawach całe góry ostryg. Potem przelatywała nad szklaną posadzką, pod którą płonęły piekielne paleniska, a między nimi krzątali się biali kucharze. Potem, kiedy już prawie nic do niej nie docierało, zobaczyła jakieś ciemne lochy, w których płonęły pochodnie, a dziewczęta podawały skwierczące na rozżarzonych węglach mięso, biesiadnicy pili tam wielkimi kuflami jej zdrowie. Widziała jeszcze białe niedźwiedzie, które grały na harmoniach i tańczyły na estradzie kamaryńskiego. Sztukmistrza-salamandrę, który nie płonął w ogniu kominka... I po raz drugi zaczęły opuszczać ją siły.

– Ostatnie wejście – szepnął zafrasowany Korowiow – i będziemy wolni!

Małgorzata z nieodstępnym Korowiowem u boku znowu znalazła się w sali balowej, ale teraz już tam nie tańczono – nieprzeliczone tłumy cisnęły się pod kolumnami, środek sali pozostawiając wolny. Małgorzata nie pamiętała, kto pomógł jej wstąpić na podwyższenie, które ukazało się na środku owej opróżnionej części sali. Kiedy wstąpiła na nie, usłyszała ku swemu zdziwieniu, że gdzieś bije północ, która według jej rachuby dawno już minęła. Z ostatnim uderzeniem nie wiedzieć gdzie bijącego zegara cisza opadła na tłumy gości.

I wtedy Małgorzata znowu zobaczyła Wolanda. Szedł w towarzystwie Abbadony, Azazella i jeszcze kilku podobnych do Abbadony, czarnowłosych i młodych. Zauważyła teraz, że naprzeciw jej podwyższenia przygotowano drugie, dla Wolanda. Ale Woland nie skorzystał z niego. Małgorzatę zdumiało, że Woland przyszedł na to ostatnie wielkie wyjście na balu ubrany dokładnie tak samo, jak był ubrany w sypialni. Zwisała mu z ramion ta sama brudna, pocerowana nocna koszula, na nogach miał te same przydeptane ranne pantofle. Trzymał w ręku szpadę, ale posługiwał się tą obnażoną szpadą jak laską – wspierał się na niej.

Z lekka kulejący Woland stanął koło przygotowanego dlań podwyższenia i natychmiast znalazł się przed nim Azazello z tacą w dłoni – na tacy tej Małgorzata zobaczyła odciętą ludzką głowę z wybitymi przednimi zębami. Nadal trwała cisza jak makiem siał, tylko raz przerwał ją daleki i niepojęty w tych okolicznościach odgłos dzwonka, zwykle umieszczanego przy drzwiach frontowych.

– Michale Aleksandrowiczu – niezbyt głośno zwrócił się do głowy Woland, a wtedy powieki zabitego uniosły się i Małgorzata drgnęła – w martwej twarzy zobaczyła żywe, pełne myśli i cierpienia oczy.

– Wszystko się sprawdziło, prawda? – ciągnął Woland, patrząc w oczy głowy. – Głowę odcięła kobieta, posiedzenie nie doszło do skutku, a ja mieszkam w pańskim mieszkaniu. To fakt. A fakty to najbardziej uparta rzecz pod słońcem. Nas jednak interesuje to, co będzie dalej, a nie ów dokonany już fakt. Zawsze był pan zagorzałym głosicielem teorii, według której po odcięciu głowy życie człowieka się urywa, człowiek zamienia się w proch i odchodzi w niebyt. Miło mi zakomunikować panu w obecności mych gości, aczkolwiek mogą oni posłużyć jako dowód prawdziwości zgoła innej teorii, że teoria pańska jest równie solidna, jak i błyskotliwa. Zresztą wszystkie teorie są siebie warte. Jest między nimi i taka, która głosi, że każdemu będzie dane to, w co wierzy. Niech się zatem tak stanie. Pan odchodzi w niebyt, a ja, wznosząc toast za istnienie, z radością spełnię ten kielich, w który pan się przekształci.

Woland wzniósł szpadę. Natychmiast mięśnie okrywające czaszkę pociemniały i skurczyły się, a potem odpadły po kawałku, oczy zniknęły i wkrótce Małgorzata ujrzała na tacy żółtawą czaszkę na złotej nóżce, z oczami ze szmaragdów i zębami z pereł. Pokrywa czaszki odchyliła się na zawiasie.

– Za chwileczkę, messer – powiedział Korowiow, zauważywszy pytające spojrzenie Wolanda – stanie on przed tobą. W tej grobowej ciszy słyszę już skrzyp jego lakierków, słyszę, jak dźwięczy odstawiany na stół kielich, z którego po raz ostatni w tym życiu napił się szampana. Ale otóż i on.

Kierując się w stronę Wolanda, wchodził do sali nowy samotny gość.

Spośród mnóstwa pozostałych gości mężczyzna zewnętrznie nie wyróżniał się niczym, poza jednym – dosłownie chwiał się z przerażenia, co było widać nawet z daleka. Na policzkach płonęły mu krwawe plamy, oczy biegały w potwornym strachu. Był ledwie przytomny, co można uznać za najbardziej uzasadnione – oszałamiało go wszystko, a przede wszystkim, rzecz jasna, strój Wolanda.

Przyjęty został wszakże niezmiernie serdecznie.

– A-a-a, nasz drogi baron Meigel – z życzliwym uśmiechem zwrócił się Woland do gościa, którego oczy zrobiły się wielkie jak filiżanki. – Miło mi polecić uwadze państwa – zwrócił się Woland do gości – wielce szanownego barona Meigla, urzędnika Komisji Widowisk na stanowisku oprowadzającego cudzoziemców po godnych uwagi miejscach w tej stolicy.

I w tym momencie Małgorzata zamarła, poznała bowiem owego Meigla. Widywała go niekiedy w moskiewskich teatrach i restauracjach. „Zaraz... – pomyślała Małgorzata – więc to chyba znaczy, że on także umarł?...".

Ale ta sprawa natychmiast została wyjaśniona.

– Drogi baron – ciągnął z radosnym uśmiechem Woland – był tak ujmująco uprzejmy, że dowiedziawszy się o moim przyjeździe do Moskwy, natychmiast zadzwonił do mnie i zaofiarował mi swoje usługi w dziedzinie, w której osiągnął biegłość, to znaczy zapragnął pokazać mi to, co w Moskwie godne uwagi. Rozumie się samo przez się, że byłem szczęśliwy, mogąc zaprosić go do siebie.

Małgorzata zobaczyła, że Azazello tymczasem przekazuje tacę i czaszkę Korowiowowi.

– Ale, ale, baronie – nieoczekiwanie ściszając konfidencjonalnie głos, ciągnął Woland – rozeszły się słuchy o pańskiej nadzwyczajnej żądzy wiedzy. Powiadają, że wespół z pańską nie mniej zaskakującą rozmownością zwraca ona na siebie powszechną uwagę. Co więcej, złe języki puściły już w obieg takie słowa, jak donosiciel i szpicel. A ponadto są już pewne oznaki, świadczące o tym, że nie dalej niż za miesiąc doprowadzi to pana do nader żałosnego końca. Tak więc, aby oszczędzić panu nużącego oczekiwania, postanowiliśmy przyjść mu z pomocą, korzystając z tego, że pan sam się zaprosił do mnie z zamiarem podsłuchania i podpatrzenia wszystkiego, co się da podsłuchać i podpatrzyć.

Baron zrobił się bledszy niż Abbadona, który z natury był wyjątkowo blady, a potem zaszło coś strasznego. Abbadona stanął przed baronem i zdjął na sekundę swoje okulary. W tejże chwili w dłoniach Azazella coś błysnęło ogniem, coś niezbyt głośno trzasnęło, jak gdyby ktoś klasnął w dłonie, baron zaczął się przewracać na wznak, szkarłatna krew buchnęła z jego piersi, zalała wykrochmaloną koszulę i kamizelkę. Pod bijący jej strumień Korowiow podstawił czaszkę, po czym napełnioną podał Wolandowi. Ciało barona leżało już bez życia na podłodze.

– Piję wasze zdrowie, panowie – niezbyt głośno powiedział Woland i wznosząc puchar, dotknął go wargami.

Wówczas zaszła w nim metamorfoza. Zniknęła pocerowana koszula i przydeptane kapcie. Woland miał teraz na sobie jakąś czarną chlamidę, a u biodra – stalową szpadę. Szybko podszedł do Małgorzaty, podał jej puchar i powiedział rozkazująco:

– Pij!

Małgorzacie zakręciło się w głowie, zachwiała się, ale puchar dotykał już jej warg, a czyjeś głosy – nie mogła się zorientować czyje – szeptały jej do uszu:

– Proszę się nie bać, królowo... Proszę się nie bać, królowo, krew dawno już wsiąkła w ziemię. Tam gdzie ją rozlano, dojrzewają już winne grona.

Małgorzata, nie otwierając oczu, wypiła łyk i słodki prąd przebiegł przez jej żyły, zaczęło jej dzwonić w uszach. Wydało jej się, że ogłuszająco pieją koguty, że gdzieś grają marsza. Tłumy gości zaczęły zatracać człowieczy wygląd – wyfraczeni mężczyźni i kobiety obrócili się w proch, w nicość. Na oczach Małgorzaty rozpad ogarnął całą salę, napłynął zapach grobowca.

Rozpadły się kolumny, pogasły światła, wszystko roztajało i nie było już żadnych fontann, kamelii ani tulipanów. Było po prostu to, co było – skromny salonik jubilerowej i smużka światła dobywającego się przez jego niedomknięte drzwi. I Małgorzata weszła w owe niedomknięte drzwi.

24

Przywołanie mistrza

W sypialni Wolanda wszystko było tak jak przed balem. Woland siedział w nocnej koszuli na łóżku, Hella nie nacierała mu już nogi, lecz nakrywała stół do kolacji, na którym przedtem grano w szachy. Korowiow i Azazello, zdjąwszy fraki, zasiedli za stołem, a obok nich ulokował się oczywiście kot, który nie zechciał się rozstać ze swoją muszką, choć muszka owa zamieniła się tymczasem w idealnie brudną szmatkę. Małgorzata podeszła, chwiejąc się na nogach, i oparła się o stół. Wówczas Woland, jak poprzednio, przywołał ją gestem i wskazał jej miejsce obok siebie.

– No co, bardzo panią wymęczyli? – zapytał.

– O nie, messer – odparła Małgorzata, ale powiedziała to tak cicho, że ledwo ją było słychać.

– Noblesse oblige – zauważył kocur i nalał Małgorzacie do smukłego kieliszka jakiegoś przejrzystego płynu.

– To wódka? – słabym głosem zapytała Małgorzata.

Kot poczuł się dotknięty i aż podskoczył na krześle.

– Na litość boską, królowo – zachrypiał – czy ośmieliłbym się nalać damie wódki? To czysty spirytus.

Małgorzata uśmiechnęła się i chciała odsunąć kieliszek.

– Proszę pić śmiało – powiedział Woland i Małgorzata natychmiast wzięła kieliszek do ręki.

– Siadaj, Hella – powiedział Woland i wyjaśnił Małgorzacie: – Noc pełni księżyca to noc świąteczna, więc wieczerzam w małym gronie przyjaciół i sług. A zatem – jak się pani czuje? Jak przebiegł ten męczący bal?

– Znakomicie! – zaterkotał Korowiow. – Wszyscy byli oczarowani, zakochani, zdruzgotani! Ileż taktu, jakaż dystynkcja, wdzięk i charme!

Woland w milczeniu wzniósł kieliszek i trącił się z Małgorzatą. Małgorzata pokornie wypiła, przekonana, że spirytus ją dobije. Nic złego się jednak nie stało. Ożywcze ciepło rozgrzało wnętrzności, coś miękko uderzyło ją po karku, powróciły siły, poczuła się tak, jakby wstała po długim orzeźwiającym śnie, poczuła także wilczy apetyt. Kiedy uświadomiła sobie, że od wczoraj rana nic nie jadła, głód ów stał się jeszcze dotkliwszy... Zaczęła chciwie jeść kawior.

Behemot ukroił sobie kawałek ananasa, posolił go, popieprzył, zjadł, a potem tak brawurowo chlapnął drugą setkę spirytusu, że wszyscy zaczęli mu bić brawo.

Kiedy Małgorzata wypiła drugi kieliszek, świece w lichtarzach rozjarzyły się jaśniej, w kominku przybyło płomieni. W ogóle nie zaszumiało jej w głowie. Gryząc białymi zębami mięso, przyglądała się, jak Behemot smaruje musztardą ostrygę.

– Połóż jeszcze na to winogrono – trącając kocura w bok, cicho powiedziała Hella.

– Proszę mnie nie pouczać – odparł Behemot – nie pierwszy raz siedzę przy stole, spokojna głowa!

– Ach, jak miło się je kolację tak właśnie, zwyczajnie, przy kominku – skrzeczał Korowiow – w szczupłym gronie...

– Nie, Fagocie – protestował kocur – bal ma także swoje uroki, ma rozmach...

– Nie ma w nim żadnych uroków ani żadnego rozmachu, a te kretyńskie niedźwiedzie i tygrysy w barze swoim rykiem o mało nie przyprawiły mnie o migrenę – powiedział Woland.

– Tak jest, messer – powiedział kot – jeśli uważasz, że nie ma rozmachu, ja także niezwłocznie zacznę być tego samego zdania.

– Uważaj! – ostrzegł go Woland.

– Żartowałem – z pokorą wyjaśnił kocur – a co do tygrysów, to każę je usmażyć.

– Tygrysy są niejadalne – powiedziała Hella.

– Tak sądzisz? W takim razie posłuchajcie – zaczął kot i mrużąc oczy z zadowolenia, opowiedział, jak to kiedyś błądził po pustyni przez dziewiętnaście dni, żywiąc się jedynie mięsem upolowanego tygrysa. Wszyscy z zainteresowaniem wysłuchali tej zajmującej opowieści, a kiedy Behemot skończył, wszyscy zawołali chóralnie:

– Łgarstwo!

– A najciekawsze w tym łgarstwie jest to – powiedział Woland – że jest to łgarstwo od pierwszego do ostatniego słowa.

– Ach tak? Łgarstwo? – zawołał kot i wszyscy sądzili, że zacznie protestować, ale on tylko cicho powiedział: – Historia nas rozsądzi.

– A proszę mi powiedzieć – zwróciła się do Azazella ożywiona po wypitym alkoholu Margot – zastrzelił go pan, tego eksbarona?

– Naturalnie – odparł Azazello. – Jakże miałem go nie zastrzelić? Koniecznie trzeba go było zastrzelić.

– Tak się zdenerwowałam! – zawołała Małgorzata. – To było tak nieoczekiwane!

– Nie było w tym nic nieoczekiwanego – zaprotestował Azazello, a Korowiow zawył i jęknął:

– Jakże tu się nie zdenerwować? Pode mną aż nogi się zatrzęsły! Bach! Bach! I baron leży!

– O mało nie dostałem ataku histerii – dodał kot, oblizując łyżkę z kawioru.

– Ale jednego nie rozumiem – mówiła Małgorzata, a złote iskry kryształu tańczyły w jej oczach – czy na zewnątrz nie było słychać muzyki i w ogóle rozgwaru całego tego balu?

– Oczywiście, że nie było słychać, królowo – wyjaśnił Korowiow – to trzeba robić tak, żeby nie było słychać. Trzeba to robić precyzyjnie.

– No tak, oczywiście… Bo przecież ten człowiek na schodach, przecież on… wtedy kiedy Azazello i ja mijaliśmy go… i ten drugi przy wejściu na klatkę schodową… sądzę, że on obserwował wasze mieszkanie…

– Słusznie, słusznie! – wołał Korowiow – słusznie, droga Małgorzato! To, co pani mówi, potwierdza moje podejrzenia! Oczywiście, on obserwował mieszkanie! Sam w pierwszej chwili wziąłem go za jakiegoś roztargnionego privat-docenta albo za zakochanego, który wyczekuje na schodach. Ale nie, nie! Coś mi piknęło w sercu! On obserwował mieszkanie! I ten drugi przed wejściem także! I tamten w bramie również!

– A ciekawe, co by było, gdyby tak przyszli, żeby was aresztować? – zapytała Małgorzata.

– Z całą pewnością przyjdą, czarująca królowo, z całą pewnością – odpowiedział Korowiow. – Czuje serce moje, że przyjdą. Nie teraz oczywiście, ale we właściwym czasie przyjdą bez wątpienia. Sądzę jednak, że nic ciekawego się nie zdarzy.

– Ach, jak ja się zdenerwowałam, kiedy ten baron upadł! – mówiła Małgorzata, najwyraźniej dotąd jeszcze przeżywając pierwsze morderstwo, jakie zdarzyło się jej widzieć. – Pan z pewnością dobrze strzela?

– Nie narzekam – odpowiedział Azazello.

– Na ile kroków? – zadała mu Małgorzata niezupełnie jasne pytanie.

– To zależy do czego – roztropnie odparł Azazello – co innego trafić młotkiem w szybę krytyka Łatuńskiego, a zupełnie co innego – trafić go w serce.

– W serce! – zawołała Małgorzata, nie wiadomo dlaczego chwytając się za własne serce. – W serce! – powtórzyła głucho.

– Co to za krytyk Łatuński? – przyglądając się Małgorzacie, zapytał Woland.

Azazello, Korowiow i Behemot jakoś wstydliwie pospuszczali oczy, Małgorzata zaś, czerwieniąc się, odpowiedziała:

– Taki jeden krytyk… Dziś wieczorem zdemolowałam mu całe mieszkanie.

– Proszę, proszę! A czemuż to?…

– Ten człowiek, messer – wyjaśniła Małgorzata – zgubił pewnego mistrza.

– Ale dlaczegóż się pani sama fatygowała? – zapytał Woland.

– Pozwól mi, messer – zrywając się z krzesła, radośnie zawrzasnął kocur.

– Siedź! – burknął Azazello, wstając. – Sam tam zaraz pojadę…

– Nie! – zawołała Małgorzata. – Nie, błagam, messer, nie trzeba!

– Jak pani sobie życzy – odparł Woland, a Azazello usiadł na swoim miejscu.

– Więc na czym to stanęliśmy, nieoszacowana królowo Margot? – mówił Korowiow. – Ach, tak, serce… W serce to on trafia – Korowiow wyciągnął swój długi palec w kierunku Azazella – jak chce. W dowolny przedsionek albo w dowolną komorę – do wyboru.

Małgorzata nie od razu zrozumiała, a zrozumiawszy, zawołała ze zdumieniem:

– Ale przecież ich nie widać!

– Złociutka – skrzeczał Korowiow – cała sztuka na tym polega, że są niewidoczne! Na tym właśnie polega cały dowcip! W przedmiot, który widać, każdy potrafi trafić!

Korowiow wyjął z szuflady stołu siódemkę pik, podał ją Małgorzacie i poprosił, by zechciała zaznaczyć paznokciem dowolne serduszko. Małgorzata zaznaczyła to w prawym górnym rogu. Hella schowała kartę pod poduszkę i zawołała:

– Gotowe!

Azazello, który siedział tyłem do poduszki, wyjął z kieszeni sztuczkowych spodni oksydowany samopowtarzalny pistolet, oparł sobie lufę na ramieniu i nie odwracając się w stronę łoża, wystrzelił, wywołując zabawne przerażenie Małgorzaty. Spod przestrzelonej poduszki wyjęto siódemkę. Zaznaczone przez Małgorzatę serduszko było przedziurawione.

– Nie chciałabym się spotkać z panem, kiedy będzie pan miał w ręku rewolwer – powiedziała Małgorzata, spoglądając kokieteryjnie na Azazella. Pasjami lubiła ludzi, którzy to, co robią, robią po mistrzowsku.

– Królowo bezcenna – piszczał Korowiow – nikomu bym nie radził spotkać się z nim nawet wtedy, kiedy nie będzie miał w ręku żadnego rewolweru! Daję słowo honoru byłego dyrygenta chóru cerkiewnego, słowo honoru byłego zapiewajły, że nie ma czego zazdrościć człowiekowi, który na swej drodze spotka Azazella.

Kot podczas eksperymentu ze strzelaniem siedział zasępiony, aż wreszcie oświadczył:

– Podejmuję się pobić ten rekord z siódemką.

Azazello warknął coś w odpowiedzi. Kot jednak był uparty i zażądał nie jednego, ale dwóch rewolwerów. Azazello wyjął drugi rewolwer z drugiej tylnej kieszeni spodni i krzywiąc się pogardliwie, podał zarozumialcowi. Zaznaczyli na siódemce dwa serduszka. Kot, odwrócony od poduszki, długo się przygotowywał. Małgorzata siedziała, zatykając uszy palcami, i patrzyła na sowę, która drzemała na gzymsie kominka. Kot wypalił z obu rewolwerów, jednocześnie wrzasnęła Hella, z kominka spadła martwa sowa i stanął rozbity zegar. Hella, której jedna dłoń była zakrwawiona, z wyciem wczepiła się w sierść kota, on jej we włosy, i oboje zwinięci w kłębek potoczyli się po podłodze. Jeden z kieliszków spadł ze stołu i rozbił się.

– Zabierzcie ode mnie tę wściekłą diablicę! – wył kocur, usiłując się wyrwać Helli, która siedziała na nim okrakiem. Rozdzielono walczących, Korowiow dmuchnął na przestrzelony palec Helli, palec się zagoił.

– Nie mogę strzelać, kiedy ktoś mi gada nad uchem! – krzyczał Behemot i usiłował z powrotem wepchnąć na miejsce ogromny kłąb wyrwanej mu z grzbietu sierści.

– Idę o zakład – uśmiechając się do Małgorzaty, powiedział Woland – że on ten numer zrobił naumyślnie. Behemot strzela całkiem nieźle.

Hella pogodziła się z kotem i ucałowali się na znak zgody. Wyjęli kartę spod poduszki, obejrzeli ją. Prócz serduszka, które przestrzelił Azazello, żadne nie było uszkodzone.

– To niemożliwe – zapewniał kot, patrząc przez kartę na światło lichtarza.

Wesoła kolacja trwała dalej. Świece w kandelabrach opływały, falami ciągnęło przez pokój suche wonne ciepło kominka. Małgorzata najadła się, ogarnęło ją uczucie błogości. Patrzyła, jak szare kółka dymu znad cygara Azazella żeglują do kominka i jak kocur chwyta je na koniuszek szpady. Nie chciało jej się nigdzie stąd odchodzić, choć odnosiła wrażenie, że jest już bardzo późno. Według wszelkich oznak dochodziła szósta rano. Wykorzystała więc chwilę milczenia, zwróciła się do Wolanda i nieśmiało, niepewnie powiedziała:

– Chyba czas już na mnie... Jest późno...

– Dokąd się pani spieszy? – zapytał Woland uprzejmie, ale nieco oschle. Pozostali milczeli, udawali, że są pochłonięci obserwowaniem kółeczek dymu z cygara.

To do reszty zmieszało Małgorzatę.

– Tak, już czas – powtórzyła i odwróciła się, jak gdyby szukając narzutki czy płaszcza. Poczuła się nagle zażenowana nagością. Wstała od stołu, Woland w milczeniu podniósł z łóżka swój brudny znoszony szlafrok, a Korowiow narzucił go Małgorzacie na ramiona.

– Dziękuję panu, messer – zaledwie dosłyszalnie powiedziała Małgorzata i pytająco popatrzyła na Wolanda. Uśmiechnął się w odpowiedzi tyleż uprzejmie, co obojętnie. Czarna rozpacz natychmiast wypełniła jej serce. Małgorzata poczuła się oszukana. Nikt najwyraźniej nie zamierzał zaproponować żadnej nagrody za jej usługi na balu, nikt jej także nie zatrzymywał. Na domiar złego było dla niej zupełnie oczywiste, że nie ma dokąd iść. Przelotna myśl o tym, że trzeba będzie wrócić do willi, wywołała w niej wewnętrzny wybuch rozpaczy. A może ma poprosić sama, jak to jej doradzał Azazello, kiedy ją wodził na pokuszenie w Ogrodzie Aleksandrowskim? „Nie, za nic!" – powiedziała sobie.

– Wszystkiego dobrego, messer – powiedziała na głos, pomyślała zaś: „Byle się stąd wydostać, potem już jakoś trafię nad rzekę i się utopię".

– Proszę usiąść – rozkazał nagle Woland.

Małgorzata zmieniła się na twarzy i usiadła.

– Chce pani może powiedzieć coś na pożegnanie?

– Nie, messer, nie mam nic do powiedzenia – dumnie odparła Małgorzata – poza tym, że jeśli jestem jeszcze potrzebna, to jestem gotowa zrobić wszystko, czego będziesz sobie życzył. Nie jestem ani trochę zmęczona i bardzo dobrze bawiłam się na balu. Tak że gdyby miał potrwać jeszcze dłużej, znowu ofiarowałabym moje kolano, by tysiące szubieniczników i morderców mogły je ucałować. – Małgorzata patrzyła na Wolanda jak przez zasłonę, jej oczy napełniały się łzami.

– Słusznie! Ma pani zupełną rację! – dźwięcznie, straszliwie zawołał Woland – tak właśnie trzeba!

– Tak właśnie trzeba! – powtórzyła jak echo świta Wolanda.

– To była próba – powiedział Woland – niech pani nigdy nikogo i o nic nie prosi! Nigdy i o nic, tych zwłaszcza, którzy są od pani potężniejsi. Sami zaproponują, sami wszystko dadzą. Siadaj, dumna kobieto. – Woland zdarł z Małgorzaty ciężki szlafrok i Małgorzata znowu siedziała na posłaniu obok Wolanda. – A więc, Margot – ciągnął Woland łagodniejszym już głosem – czego pani chce za to, że była dziś pani gospodynią mego balu? Czego żąda pani za swoją nagość na balu? Na ile ocenia pani swoje kolano? Jakich strat przyczynili pani moi goście, których przed chwilą nazwała pani szubienicznikami? Proszę mówić! I proszę już teraz mówić bez skrępowania, ponieważ propozycja wyszła ode mnie.

Serce Małgorzaty załomotało, westchnęła głęboko, zaczęła się zastanawiać.

– No, cóż to, śmielej! – zachęcał Woland. – Proszę rozbudzić swoją wyobraźnię, niechże jej pani da ostrogę! Już za samą obecność przy zamordowaniu tego, niech mu ziemia ciężką będzie, łotra barona należy się człowiekowi nagroda, zwłaszcza jeśli ten człowiek jest kobietą. A więc?

Małgorzacie zaparło dech, chciała już wypowiedzieć od dawna formułowane w duchu najgorętsze życzenie, ale nagle pobladła, otworzyła usta, wytrzeszczyła oczy. „Frieda! Frieda, Frieda! – krzyczał jej w uszach czyjś natrętny błagalny głos. – Ja jestem Frieda!" – i Małgorzata, zacinając się co słowo, zaczęła mówić:

– A zatem, jak rozumiem... mogę... wyrazić jedno życzenie?

– Zażądać, zażądać, *mia donna* – uśmiechając się porozumiewawczo, odparł Woland. – Zażądać spełnienia jednego życzenia.

Ach, jak zręcznie, jak dobitnie Woland, powtarzając słowa Małgorzaty, podkreślił to „jedno życzenie"!

Małgorzata westchnęła raz jeszcze i powiedziała:

– Chcę, aby przestano podsuwać Friedzie tę chustkę, którą zadusiła swoje dziecko.

Kocur wzniósł ślepia ku niebu, westchnął donośnie, ale nic nie powiedział, może dlatego, że przypomniał sobie o swoim pokiereszowanym uchu.

– Ponieważ – uśmiechnąwszy się, zaczął mówić Woland – możliwość wzięcia przez panią łapówki od tej idiotki Friedy jest oczywiście najzupełniej wykluczona – nie dałoby się to przecież pogodzić z pani królewską godnością – doprawdy nie wiem, co mam począć. Mam chyba tylko jedno wyjście – zaopatrzyć się w szmaty i pozatykać nimi wszystkie szpary w ścianach mej sypialni.

– O czym pan mówi, messer? – zdumiała się Małgorzata, usłyszawszy te doprawdy niepojęte słowa.

– Najzupełniej się z tobą zgadzam, messer – wmieszał się do rozmowy kocur – właśnie szmatami! – I rozdrażniony kot trzasnął łapą w stół.

– Mówię o miłosierdziu – wyjaśnił swoje słowa Woland, nie spuszczając z Małgorzaty płomiennego oka. – Niekiedy najzupełniej nieoczekiwanie i zdradliwie wciska się ono w najmniejsze szczeliny. Dlatego właśnie mówiłem o szmatach...

– To samo miałem na myśli! – zawołało kocisko i na wszelki wypadek odchyliło się od Małgorzaty, osłaniając swoje spiczaste uszy umazanymi różowym kremem łapami.

– Wynoś się! – powiedział doń Woland.

– Nie wypiłem jeszcze kawy – odparł kot – więc jak mogę wyjść? Czyżby, messer, w świąteczną noc gości przy stole dzielono na dwie kategorie? Jedni – pierwszej, a inni – jak mawiał ten smutny sknera-bufetowy – drugiej świeżości?

– Milcz! – przykazał kotu Woland i zwracając się do Małgorzaty, zapytał: – O ile zdołałem się zorientować, jest pani człowiekiem niespotykanej dobroci? Człowiekiem wyjątkowo moralnym?

– O, nie – odpowiedziała z naciskiem Małgorzata – wiem, że z panem można rozmawiać tylko szczerze, więc powiem panu z całą szczerością, na jaką mnie stać – jestem lekkomyślna. Wstawiam się za Friedą tylko dlatego, że byłam tak nierozważna i zrobiłam jej nadzieję. Ona czeka, messer, ona wierzy w moją potęgę. A jeśli się zawiedzie, ja znajdę się w okropnej sytuacji. Przez całe życie nie zaznam spokoju. Cóż robić, tak się złożyło.

– Aa – powiedział Woland – rozumiem.

– Sprawi pan to? – zapytała cicho Małgorzata.

– W żadnym razie – odpowiedział Woland – zaszło tu, droga królowo, małe nieporozumienie. Każdy resort powinien się zajmować własnymi sprawami. Nie przeczę, mamy dość duże możliwości, znacznie większe, niż sądzą niektórzy niezbyt dalekowzroczni ludzie...

– Ach, bez porównania większe – nie wytrzymał i wtrącił się kocur, najwyraźniej niezmiernie z tych możliwości dumny.

– Zamilcz wreszcie, u diabła! – rzucił w jego stronę Woland i zwracając się do Małgorzaty, kontynuował: – Ale jakiż jest sens zajmować się tym, czym, jak już powiedziałem, zająć się powinien inny resort? A zatem ja tego nie zrobię, pani to załatwi sama.

– A czy na moje życzenie zostanie to załatwione?

Azazello ironicznie wybałuszył na Małgorzatę pokrytą bielmem źrenicę, ukradkiem pokręcił rudą głową i prychnął.

– Niech pani spróbuje, cóż za utrapienie – mruknął Woland, pokręcił globus i jął się wpatrywać w jakiś punkt na nim, najwyraźniej oprócz rozmowy z Małgorzatą zaprzątnięty również innymi sprawami.

– No, Frieda... – podpowiedział Korowiow.

– Frieda! – przeraźliwie krzyknęła Małgorzata.

Drzwi otworzyły się na oścież i wbiegła do komnaty naga, potargana, ale zupełnie już trzeźwa kobieta o szalonych oczach. Wyciągnęła ręce do Małgorzaty, a Małgorzata majestatycznie oznajmiła:

– Wybaczono ci. Nie będą ci już więcej przynosić chustki.

Usłyszeli jęk Friedy, Frieda padła na twarz, legła krzyżem przed Małgorzatą. Woland machnął ręką i Frieda zniknęła im sprzed oczu.

– Dziękuję, żegnam was – powiedziała Małgorzata i wstała.

– Jak sądzisz, Behemocie – rzekł Woland – nie będziemy chyba żerować w noc święta na uczynkach kogoś, kto jest tak dalece niepraktyczny? – zwrócił się ku Małgorzacie: – A zatem to się nie liczy, ja przecież nic nie zrobiłem. Czego pani pragnie dla siebie?

Zapadło milczenie. Przerwał je Korowiow, szepcąc Małgorzacie do ucha:

– Donno ty moja brylantowa, radzę, niech pani będzie tym razem rozsądniejsza! No, bo przecież fortuna może się pani wymknąć!

– Chcę, by mi natychmiast, w tej chwili, zwrócono mego ukochanego mistrza – powiedziała Małgorzata i twarz jej zeszpecił nagły grymas.

Natenczas do komnaty wdarł się wicher, spłaszczyły się płomienie świec w lichtarzach, wydęła się ciężka zasłona na oknie, okno otworzyło się i w dali na wysokości ukazał się krągły, nie poranny jednak, tylko północny księżyc. Z parapetu okna spełzła na podłogę zielonkawa chusta nocnej poświaty i zjawił się na niej nocny gość Iwana, ten, który nazywał siebie mistrzem. Miał na sobie szpitalną odzież, był w szlafroku, w rannych pantoflach i w czarnej czapeczce, z którą się nie rozstawał. Nerwowy grymas zniekształcił jego nieogoloną twarz, mistrz z obłąkańczym lękiem patrzył z ukosa na płomyki świec, księżycowy strumień wrzał wokół niego.

Małgorzata poznała go od razu, jęknęła, klasnęła w dłonie i podbiegła do mistrza. Całowała go w czoło, w usta, tuliła się do kłującego policzka, a długo powstrzymywane łzy płynęły teraz strumieniem po jej twarzy. Wymawiała jedno tylko słowo, powtarzała je bezmyślnie:

– Ty... ty... ty...

Mistrz odsunął ją od siebie i głuchym głosem powiedział:

– Nie płacz, Margot, nie dręcz mnie, jestem bardzo chory. – Chwycił się parapetu, jak gdyby zamierzając wskoczyć nań i uciec, i wpatrując się w siedzących za stołem, zawołał: – Boję się, Margot! Znowu zaczynają się halucynacje!

Małgorzata krztusiła się od szlochu, szeptała:

– Nie, nie, nie... Niczego się nie bój... jestem przy tobie... jestem przy tobie...

Korowiow nie wiedzieć kiedy zręcznie podsunął mistrzowi krzesło i mistrz usiadł, Małgorzata zaś padła na kolana, przytuliła się do boku chorego i tak zamarła. Była bardzo przejęta, nawet nie zauważyła, że jakoś nagle przestała już być naga, że ma teraz na sobie czarny jedwabny płaszcz. Chory spuścił głowę i wbił w ziemię posępny chory wzrok.

– Tak – powiedział po chwili milczenia Woland – nieźle go załatwili. – Zwrócił się do Korowiowa: – Daj no, rycerzu, temu człowiekowi coś wypić.

Małgorzata drżącym głosem błagała mistrza:

– Wypij! Wypij! Boisz się? Oni ci pomogą, wierz mi!

Chory wziął kieliszek i wypił to, co w nim było, ale ręka mu zadrżała, kieliszek wypadł z niej i stłukł się u jego stóp.

– To na szczęście, na szczęście – szepnął do Małgorzaty Korowiow. – Proszę popatrzeć, przychodzi do siebie.

Rzeczywiście, spojrzenie chorego było już mniej dzikie, spokojniejsze.

– Ale to ty, Margot? – zapytał księżycowy gość.

– To ja, możesz być tego pewien – odpowiedziała Małgorzata.

– Jeszcze! – polecił Woland.

Kiedy mistrz osuszył drugi kieliszek, jego oczy ożywiły się, oprzytomniały.

– Teraz to co innego – mrużąc oczy, powiedział Woland – teraz możemy porozmawiać. Kim pan jest?

– Teraz jestem nikim – odparł mistrz i uśmiech wykrzywił mu usta.

– Skąd pan przybywa?

– Z domu udręki. Jestem chory umysłowo – odpowiedział przybysz.

Małgorzata nie mogła znieść tych słów, zapłakała znowu. Potem otarła oczy i powiedziała:

– Straszne słowa! Straszne! On jest mistrzem, messer, musisz o tym wiedzieć! Uzdrów go, on jest tego wart!

– Czy pan wie, z kim pan teraz rozmawia? – zapytał przybysza Woland. – U kogo się pan znajduje?

– Wiem – odpowiedział mistrz. – W domu wariatów moim sąsiadem był ten chłopiec, Iwan Bezdomny. Opowiedział mi o panu.

– Oczywiście, oczywiście – powiedział Woland – miałem przyjemność zetknąć się z tym młodym człowiekiem na Patriarszych Prudach. O mało co mnie samego nie doprowadził do obłędu, dowodząc mi, że nie istnieję. Ale pan wierzy, że to rzeczywiście jestem ja?

– Cóż robić, muszę wierzyć – powiedział przybysz – ale oczywiście byłbym znacznie spokojniejszy, gdybym mógł uważać pana za wytwór halucynacji! – Tu spostrzegł się i dodał: – O, przepraszam!...

– No cóż, skoro sprawi to, że będzie pan spokojniejszy, to proszę tak uważać – uprzejmie odparł Woland.

– Nie, nie! – mówiła przestraszona Małgorzata i potrząsała mistrza za ramię. – Opamiętaj się! Stanąłeś naprawdę przed nim!

Kocur i teraz się wtrącił:

– Za to ja wyglądam jak najprawdziwsza halucynacja. Proszę zwrócić uwagę na mój profil w świetle księżyca. – Wlazł w słup księżycowego światła i chciał coś jeszcze dodać, ale poproszono go, żeby się zamknął, więc odparł: – Dobrze, dobrze, mogę milczeć! Będę milczącą halucynacją. – I zamilkł.

– Proszę powiedzieć, dlaczego Małgorzata nazywa pana mistrzem? – zapytał Woland.

Mistrz uśmiechnął się i powiedział:

– To słabostka, którą należy jej wybaczyć. Małgorzata ma zbyt wysokie mniemanie o powieści, którą napisałem.

– O czym była ta powieść?

– O Poncjuszu Piłacie.

I oto znowu rozchwiały się, rozedrgały języczki świec, zadzwoniła zastawa na stole – Woland roześmiał się gromowo, ale śmiech ten nikogo nie przestraszył ani nie zdumiał. Behemot nie wiadomo dlaczego zaczął bić brawo.

– O czym? O czym? O kim? – przestając się śmiać, powtórzył pytanie Woland. – Właśnie teraz? To niebywałe! Nie mógł pan sobie znaleźć innego tematu? Chciałbym przejrzeć tę pańską powieść. – I wyciągnął otwartą dłoń.

– Niestety, nie mogę tego zrobić – odparł mistrz – spaliłem ją w piecu.

– Przepraszam, nie mogę w to uwierzyć – odpowiedział Woland – to niemożliwe, rękopisy nie płoną. – Odwrócił się do Behemota i powiedział: – Ano, Behemocie, daj no tu tę powieść.

Kot momentalnie zerwał się z krzesła i wszyscy zobaczyli, że siedział na grubym pliku maszynopisów. Egzemplarz, który leżał na wierzchu, kocur z ukłonem podał Wolandowi. Małgorzata zadrżała, była znów zdenerwowana do łez, krzyknęła:

– Oto on!

Rzuciła się do Wolanda i dodała z uniesieniem:

– Wszechpotężny! Wszechpotężny!

Woland wziął do ręki podany egzemplarz, odwrócił go, odłożył i w milczeniu, bez uśmiechu zapatrzył się na mistrza. Ale mistrz nie wiadomo dlaczego posmutniał, zaczął się niepokoić, wstał z krzesła, załamał ręce i zwracając się do dalekiego księżyca, zaczął mamrotać, dygocąc:

– I w nocy, i przy księżycu nie zaznam spokoju!... Czemuż nie pozostawiono mnie w spokoju? O, bogowie, o, bogowie moi!...

Małgorzata wczepiła się w szpitalny szlafrok, przytuliła się do mistrza i także zaczęła mamrotać, smutna, zalana łzami:

– Boże, dlaczego nie pomaga ci lekarstwo?...

– To nic, to nic, to nic – szeptał Korowiow, uwijając się wokół mistrza – to nic, to nic... Jeszcze kieliszeczek, a ja też dla towarzystwa...

I kieliszeczek zaigrał, rozbłysnął w świetle księżyca i kieliszek ten pomógł. Posadzono mistrza z powrotem na krześle, twarz chorego uspokoiła się.

– No, teraz wszystko jest jasne – potwierdził Woland i smukłym palcem stuknął w rękopis.

– Zupełnie jasne – potwierdził kot, zapominając, że obiecał być milczącą halucynacją. – Teraz myśl przewodnia tego dzieła jest dla mnie całkiem oczywista. Coś powiedział, Azazello? – zwrócił się do milczącego Azazella.

– Powiedziałem – odparł tamten przez nos – że warto by cię utopić.

– Więcej miłosierdzia, Azazello – odparł mu kocur – nie podsuwaj takiej myśli memu władcy. Możesz mi wierzyć, że co noc ukazywałbym ci się w takim samym księżycowym stroju, jak nasz biedny mistrz, i kiwałbym na ciebie palcem, i przywrałbym cię do siebie. Jak byś się wtedy czuł, o Azazello?

– No, Małgorzato – znowu włączył się do rozmowy Woland – niech więc pani powie, czego pani pragnie?

Oczy Małgorzaty rozbłysły, błagalnie zwróciła się do Wolanda:

– Pozwólcie mi szepnąć mu parę słów.

Woland skinął głową, a Małgorzata przypadła mistrzowi do ucha i coś szeptała. Usłyszano odpowiedź mistrza:

– Nie, za późno. Niczego już nie chcę od życia, prócz tego jednego – chcę widzieć ciebie. Ale radzę ci jeszcze raz, opuść mnie, ze mną zginiesz.

– Nie, nie zostawię cię – odparła Małgorzata i zwróciła się do Wolanda. – Proszę, żebyśmy znów się znaleźli w suterenie przy zaułku Arbackim, żeby znowu paliła się lampa i żeby wszystko było jak dawniej.

Tu mistrz się zaśmiał i ujmując od dawna już potarganą głowę Małgorzaty, powiedział:

– Ach, messer, niech pan nie słucha tej biednej kobiety! W owej suterenie już od dawna mieszka kto inny, a w ogóle to się nie zdarza, żeby cokolwiek znowu było tak, jak już było. – Przytknął policzek do głowy swej ukochanej, objął Małgorzatę i zaczął mruczeć: – Biedna... biedna...

– Nie zdarza się, powiada pan? – powiedział Woland. – To prawda. Ale my jednak spróbujemy. – I zawołał: – Azazello!

I zaraz zwalił się z sufitu na podłogę ogłupiały, bliski obłędu obywatel w samej bieliźnie, ale nie wiedzieć czemu z walizką w dłoni i w kaszkiecie. Trząsł się i kucał ze strachu.

– Mogarycz? – zapytał Azazello tego, który spadł im z nieba.

– Alojzy Mogarycz – drżąc, odpowiedział mu tamten.

– To ty po przeczytaniu artykułu Łatuńskiego o powieści tego człowieka napisałeś na niego donos, że przechowuje on nielegalną literaturę? – zapytał Azazello.

Świeżo przybyły obywatel zsiniał i zalał się łzami skruchy.

– Chciałeś zająć jego mieszkanie? – najserdeczniej, jak umiał, powiedział nosowym głosem Azazello.

W pokoju dał się słyszeć syk rozwścieczonej kotki i Małgorzata z okrzykiem:

– Popamiętasz wiedźmę, popamiętasz! – wczepiła się paznokciami w twarz Alojzego Mogarycza.

Powstało zamieszanie.

– Co ty wyprawiasz? – rozpaczliwie jęknął mistrz. – Margot, nie kompromituj się!

– Protestuję! To nie kompromitacja! – wrzeszczał kot.

Korowiow odciągnął Małgorzatę.

– Wstawiłem wannę... – szczękając zębami, darł się pokrwawiony Mogarycz i z przerażenia zaczął bredzić od rzeczy: – Samo pobielenie... zaprawa...

– To bardzo dobrze, że wstawiłeś wannę – powiedział z aprobatą Azazello – on powinien zażywać kąpieli. – I wrzasnął: – Won!

Mogarycza przekręciło do góry nogami i wyniosło z sypialni Wolanda przez otwarte okno.

Mistrz wytrzeszczył oczy, szepnął:

– To jest chyba jeszcze lepsze od tego, o czym opowiadał Iwan!

– Rozglądał się, głęboko wstrząśnięty, wreszcie rzekł do kota: – Przepraszam, czy to ty... Czy to pan... – zająknął się, nie wiedząc, jak powinien się zwracać do kocura. – Czy to pan jest tym kotem, który wsiadał do tramwaju?

– Ja – przytaknął kot, który czuł się pochlebiony, i dodał: – Miło mi słyszeć, że się pan tak uprzejmie zwraca do kota. Nie wiadomo, dlaczego wszyscy mówią do kotów „ty", choć jako żywo żaden kot nigdy z nikim nie pił bruderszaftu.

– Wydaje mi się, że niezupełnie jest pan kotem – niepewnie odparł na to mistrz. – Tak czy owak, zaczną mnie szukać w szpitalu – dodał nieśmiało, zwracając się do Wolanda.

– Dlaczego mieliby szukać! – uspokoił go Korowiow i w jego ręku znalazły się jakieś papiery, jakieś księgi: – Pańska historia choroby?

– Tak...

Korowiow cisnął historię choroby do kominka.

– Nie ma dokumentu, więc nie ma i człowieka – powiedział z zadowoleniem.

– A to jest księga meldunkowa pańskiego gospodarza?

– Taak...

– Zobaczymy, kto tu jest zameldowany? Alojzy Mogarycz? – Korowiow dmuchnął na stronicę księgi meldunkowej. – Raz-dwa i już go nie ma, i nigdy, proszę zwrócić na to uwagę, nigdy nie było. A gdyby się ten pański gospodarz zdziwił, to niech mu pan powie, że mu się ten Alojzy przyśnił. Mogarycz? Co znowu za Mogarycz? Żaden Mogarycz nigdy nie istniał! – I zasznurowana księga ulotniła się z rąk Korowiowa. – I księga jest już w biurku właściciela domku.

– Bardzo słusznie pan zauważył – mówił mistrz, wstrząśnięty maestrią Korowiowa – że skoro nie ma dokumentu, to nie ma również człowieka. To właśnie mnie nie ma – nie mam żadnych dokumentów.

– Przepraszam – zawołał Korowiow – to właśnie halucynacja, oto jest pański dokument. – I Korowiow podał dokument mistrzowi. Potem przewrócił oczyma i słodko wyszeptał do Małgorzaty: – A oto pani skarb, Małgorzato Nikołajewna. – I Korowiow wręczył Małgorzacie wielki brulion z nadpalonymi brzegami, zasuszoną różę, zdjęcie i książeczkę oszczędnościową, tę ostatnią ze szczególną troskliwością. – Dziesięć tysięcy, które była pani uprzejma wpłacić, Małgorzato Nikołajewna. Cudzego nam nie trzeba.

– Prędzej mi łapy uschną, niż sięgnę po cudze – nadął się i wrzasnął kocur, który tańczył na walizce, starając się upchnąć w niej wszystkie egzemplarze nieszczęsnej powieści.

– A oto i pani dokumencik – ciągnął Korowiow, podając Małgorzacie dokument, a potem zwracając się do Wolanda, zameldował z szacunkiem: – Już wszystko, messer!

– Nie, to jeszcze nie wszystko – odparł, odrywając się od globusa, Woland. – *Mia donna* droga, dokąd pani rozkaże odesłać jej świtę? Mnie ona nie jest potrzebna.

I natychmiast przez otwarte drzwi wbiegła naga Natasza, plasnęła w dłonie i zawołała do Małgorzaty:

– Życzę pani dużo szczęścia, Małgorzato Nikołajewna! – Skinęła mistrzowi głową i znowu zwróciła się do Małgorzaty: – Ja przecież doskonale wiedziałam, dokąd pani chodzi.

– Służące wiedzą wszystko – znacząco wznosząc łapę, zauważył kot. – Jest błędem sądzić, że są ślepe.

– Czego chcesz, Natasza? – zapytała Małgorzata. – Wracaj do willi.

– Małgorzato Nikołajewna, złociutka – błagalnie zaczęła Natasza i padła na kolana. – Niech pani ich uprosi – wskazała oczyma Wolanda – niech mnie zatrzymają jako wiedźmę. Nie chcę wracać do willi! Nie wyjdę ani za inżyniera, ani za technika! Monsieur Jacques oświadczył mi się wczoraj na balu. – Natasza rozwarła zaciśniętą pięść i pokazała jakieś złote monety.

Małgorzata spojrzała pytająco na Wolanda. Woland skinął głową. Wówczas Natasza rzuciła się Małgorzacie na szyję, głośno ją pocałowała i z okrzykiem triumfu wyleciała przez okno.

Zastąpił ją Nikołaj Iwanowicz. Przybrał znowu swoją ludzką postać, był jednak niezmiernie ponury, a nawet chyba zirytowany.

– O, tego to zwolnię ze szczególną przyjemnością – powiedział Woland, patrząc z odrazą na lokatora z parteru. – Z wyjątkową przyjemnością, do takiego stopnia jest tu zbyteczny.

– Bardzo proszę o wydanie mi zaświadczenia – tocząc dzikim wzrokiem, powiedział z wielkim naciskiem Nikołaj Iwanowicz – zaświadczenia, gdzie spędziłem dzisiejszą noc.

– W celu okazania komu? – surowo zapytał kocur.

– W celu okazania milicji i mojej żonie – powiedział stanowczo Nikołaj Iwanowicz.

– Zazwyczaj nie wydajemy zaświadczeń – powiedział kot i nadął się – ale dla pana zrobimy chyba wyjątek.

I Nikołaj Iwanowicz ani się obejrzał, a już goła Hella siedziała przy maszynie, a kot dyktował jej:

– Zaświadcza się niniejszym, że okaziciel niniejszego zaświadczenia, Nikołaj Iwanowicz, spędził wyżej wymienioną noc na balu u szatana, gdzie został zaangażowany jako środek lokomocji... otwórz, Hella, nawias, a w nawiasie napisz „wieprz”. Podpisano – Behemot.

– A data? – pisnął były wieprz.

– Dat nie wpisujemy, z datą dokument byłby nieważny – powiedział kot, składając niedbały podpis. Potem wyjął skądś pieczątkę, chuchnął na nią urzędowo, odbił na papierze słowo „zapłacono” i wręczył ów papier lokatorowi z parteru. Po czym lokator z parteru zniknął bez śladu, a na jego miejscu zjawił się nowy nieoczekiwany gość.

– A to znów kto? – z obrzydzeniem zapytał Woland, dłonią osłaniając się przed blaskiem świec.

Warionucha zwiesił głowę, westchnął i cicho powiedział:

– Zwolnijcie mnie, nie mogę być wampirem. Przecież myśmy z Hellą wtedy o mało co nie wyprawili Rimskiego na tamten świat. A ja nie jestem krwiożerczy. Wypuśćcie mnie!

– Co to znowu za brednie? – marszcząc czoło, powiedział Woland. – Jaki Rimski? Co to znowu za bzdura?

– Proszę się nie denerwować, messer – odezwał się Azazello i zwrócił się do Warionuchy: – Przez telefon nie należy nikomu ubliżać. Przez telefon nie należy kłamać. Zrozumiano? Nie będziesz tego więcej robił?

Warionusze z radości zamąciło się w głowie, twarz mu się rozpromieniła i, ogłupiały, zaczął mamrotać:

– Jak Boga ko… to jest, chciałem powiedzieć… Wasza Wyso… zaraz po obiedzie… – Warionucha przyciskał dłonie do piersi i patrzył na Azazella błagalnie.

– Dobra. Do domu! – powiedział Azazello i Warionucha rozpłynął się.

– Teraz zostawcie mnie z nimi samego – polecił Woland, wskazując na mistrza i Małgorzatę.

Polecenie Wolanda zostało wykonane błyskawicznie. Po chwili milczenia Woland zwrócił się do mistrza:

– A zatem – do sutereny na Arbacie? A kto będzie w takim razie pisał? A marzenia, a natchnienie?

– Nie mam już żadnych marzeń i natchnienie mnie opuściło – powiedział mistrz – nikt mnie już nie interesuje oprócz niej. – Znów położył dłoń na głowie Małgorzaty. – Złamali mnie, jestem zmęczony i chcę do sutereny.

– A pańska powieść? A Piłat?

– Znienawidziłem tę powieść – odparł mistrz. – Zbyt wiele przez nią wycierpiałem.

– Błagam cię – żałośnie prosiła Małgorzata – nie mów tak. Dlaczego się nade mną znęcasz? Przecież wiesz, że w tę książkę włożyłam całe swoje życie. – I zwracając się do Wolanda, dodała: – Niech pan go nie słucha, messer. Zbyt jest umęczony.

– Ale o czymś przecież trzeba pisać – mówił Woland. – Jeśli pan skończył z tym procuratorem, to niech pan się zabierze chociażby do takiego Alojzego.

Mistrz uśmiechnął się.

– Tego Łapszennikowa nie wydrukuje, zresztą, prawdę mówiąc, to nieciekawe.

– Więc co panu wypełni życie? Przecież grozi panu nędza?

– Proszę bardzo, proszę bardzo – przygarniając do siebie Małgorzatę, odparł mistrz. Objął ją za ramiona i dodał: – Ona się opamięta, odejdzie ode mnie…

– Nie sądzę – powiedział przez zęby Woland i ciągnął: – A zatem człowiek, który spisał dzieje Poncujsza Piłata, odchodzi do sutereny i ma zamiar spocząć tam przy lampie i żyć w nędzy?

Małgorzata oderwała się od mistrza i z wielkim żarem zaczęła mówić:

– Zrobiłam wszystko, co mogłam, podsuwałam mu najbardziej kuszące pomysły. Ale on na nic się nie zgadza.

– Ja wiem, o czym mu pani szeptała – zaprotestował Woland – ale to wcale nie jest najbardziej porywające. A ja panu powiem – z uśmiechem zwrócił się do mistrza – że pańska powieść sprawi panu jeszcze niejedną niespodziankę.

– To bardzo smutne – odpowiedział mistrz.

– Nie, to nie jest smutne – powiedział Woland. – Nie ma w tym niczego strasznego. No cóż, Małgorzato Nikołajewna, wszystko zostało wykonane. Czy może mi pani coś zarzucić?

– Ależ skądże, messer!

– Więc niechże pani przyjmie to ode mnie na pamiątkę – powiedział Woland i wyjął spod poduszki niewielką, zdobioną diamentami złotą podkówkę.

– Nie, nie, nie, z jakiej racji?

– Szuka pani zwady ze mną? – zapytał Woland i uśmiechnął się. Ponieważ płaszcz nie miał kieszeni, Małgorzata położyła podkówkę na serwetce, którą następnie zawiązała w węzełek. I w tej właśnie chwili doznała olśnienia. Spojrzała w okno, za którym świecił księżyc, i powiedziała:

– Czegoś tu nie rozumiem… Co to właściwie jest – ciągle północ i północ, a przecież już dawno powinien nadejść świt, czyż nie?

– Świąteczną północ miło jest zatrzymać nieco dłużej – odpowiedział Woland. – No, to życzę szczęścia wam obojgu!

Małgorzata modlitewnie wyciągnęła obie dłonie do Wolanda, ale nie ośmieliła się doń zbliżyć i tylko zawołała cicho:

– Żegnaj! Żegnaj, messer!

– Do zobaczenia – powiedział Woland.

Małgorzata w czarnym płaszczu, a mistrz w szpitalnym szlafroku wyszli na korytarz mieszkania po jubilerowej. W korytarzu paliła się świeca i oczekiwała ich tam świta Wolanda. Kiedy wyszli z korytarza, Hella niosła walizkę, w której była powieść i cały skarb Małgorzaty, kot zaś pomagał Helli.

Przy drzwiach wejściowych Korowiow skłonił się i zniknął, a reszta wyszła na schody odprowadzić mistrza i Małgorzatę. Klatka schodowa była pusta. Kiedy mijali podest drugiego piętra, coś miękko stuknęło o podłogę, ale nikt nie zwrócił na to uwagi. Przy samych drzwiach, już na dole, Azazello dmuchnął w górę i skoro tylko weszli na podwórze, na które nie zaglądał księżyc, zobaczyli człowieka w kaszkiecie i w butach z cholewami, który spał przed wejściem na schody, i to najwyraźniej spał jak zabity, a także stojący przy samym wyjściu z klatki schodowej czarny samochód z wygaszonymi światłami. Na przedniej szybie niewyraźnie rysowała się sylwetka gawrona.

Kiedy mieli już wsiadać do samochodu, przerażona Małgorzata krzyknęła cicho:

– O Boże, zgubiłam podkowę!

– Wsiadajcie do samochodu – powiedział Azazello – i poczekajcie na mnie. Zaraz wrócę, muszę tylko zobaczyć, co się właściwie stało. – I zawrócił.

A stało się, co następuje: na jakiś czas przed tym, nim mistrz i Małgorzata oraz całe towarzystwo wyszli z mieszkania numer pięćdziesiąt, z mieszkania pod czterdziestym ósmym, które znajdowało się piętro niżej w tym samym pionie, wyszła na schody chuda kobieta z bańką i torbą. Była to ta właśnie Annuszka, która w środę na nieszczęście Berlioza rozlała przy turnikiecie olej słonecznikowy.

Nikt nie wiedział i z pewnością nikt się nigdy nie dowie, czym się zajmowała w Moskwie ta kobieta i z czego żyła. Wiedziano o niej tylko tyle, że codziennie można ją było spotkać z bańką – albo i z bańką, i z torbą – bądź w mydlarni, bądź na targu, bądź pod bramą, bądź na schodach, najczęściej jednak w kuchni mieszkania pod czterdziestym ósmym, gdzie zamieszkiwała owa Annuszka. Poza tym było powszechnie wiadomo, że gdziekolwiek się znajdowała, gdziekolwiek się pojawiała, tam natychmiast wybuchały dzikie awantury; możemy jeszcze dodać, że była ona powszechnie znana jako Gangrena.

Gangrena Annuszka nie wiadomo dlaczego wstawała bardzo wcześnie, a dzisiaj coś wyrwało ją ze snu jeszcze przed pierwszym brzaskiem, zaraz po dwunastej. Przekręcił się klucz w drzwiach, wsunął się w nie nos, a następnie cała reszta Annuszki, drzwi zostały zatrzaśnięte i Annuszka zamierzała już gdzieś wyruszyć, kiedy piętro wyżej huknęły drzwi, ktoś popędził na dół po schodach, wpadł na Annuszkę i odepchnął ją na bok tak mocno, że kobieta uderzyła potylicą w ścianę.

– Gdzie cię diabeł nosi w samych gaciach? – piskliwie wrzasnęła Annuszka, łapiąc się za kark.

Człowiek w samej bieliźnie, w kaszkiecie, z walizką w ręku, nie otwierając oczu, powiedział Annuszce niesamowitym, sennym głosem:

– Piecyk w łazience... ton... samo pobielenie ile kosztowało...
– i z płaczem zaryczał: – Won!

Zerwał się i pobiegł nie na dół, tylko z powrotem na górę, w kierunku okna z wybitą szybą, i przez to okno do góry nogami wyleciał na podwórze. Annuszka nawet o swoim karku zapomniała, jęknęła i też podbiegła do okna. Położyła się, przywarła brzuchem do podłogi i wystawiła głowę na zewnątrz, przekonana, że na oświetlonym latarnią asfalcie podwórka zobaczy roztrzaskane zwłoki człowieka z walizką... Ale asfalt podwórka był idealnie pusty.

Pozostawało więc uznać, że ów dziwny i senny osobnik wyleciał z domu jak ptak, nie pozostawiając po sobie najmniejszych śladów. Annuszka przeżegnała się i pomyślała: „Wesołe mieszkanko ta pięćdziesiątka! Nie na darmo ludzie gadają! To ci mieszkanko!".

Nie zdążyła tego na dobre pomyśleć, a już drzwi na górze trzasnęły znowu i znowu ktoś zbiegł stamtąd. Annuszka przycisnęła się do ściany i zobaczyła jakiegoś dość dystyngowanego obywatela z bródką, ale z odrobinę – tak się przynajmniej Annuszce wydało – prosiakowatą twarzą. Obywatel ów śmignął koło niej, podobnie jak tamten pierwszy opuścił dom przez okno i również ani mu w głowie było roztrzaskiwać się o asfalt. Annuszka zapomniała już, jaki miał być cel jej wymarszu, i została na schodach – żegnała się znakiem krzyża, pojękiwała i rozmawiała sama ze sobą.

Trzeci nie miał bródki, tylko okrągłą, wygoloną twarz, był w tołstojowskiej koszuli, zbiegł z góry niebawem i również wyfrunął przez okno.

Oddając Annuszce sprawiedliwość, musimy powiedzieć, że była kobietą żądną wiedzy i że postanowiła trochę poczekać – a nuż zdarzą się jeszcze jakieś nowe cuda? Drzwi na górze otworzyły się znowu, ale tym razem zaczęło schodzić całe towarzystwo; nie zbiegało, szło normalnie, jak ludzie. Annuszka odbiegła od okna, zeszła pół piętra do swoich drzwi, szybciuteńko je otworzyła, schowała się do przedpokoju i w wąskiej szparze niedomkniętych drzwi zamigotało jej oszalałe z ciekawości oko.

Jakiś niby chory, niby nie chory, dziwny, blady, zarośnięty, w czarnej czapeczce i w szlafroku niepewnie szedł po schodach. Troskliwie podtrzymywała go pod ramię jakaś damulka w czymś, co w półmroku wydawało się Annuszce habitem. Damulka była ni to bosa, ni to w jakichś przezroczystych, z pewnością zagranicznych, podartych na strzępy pantofelkach! Tfu, co tam pantofle!... Ta damulka przecież była goła! Ależ tak, ten habit narzuciła na gołe ciało!... „Wesołe mieszkanko!...". Wszystko w duszy Annuszki śpiewało, kiedy sobie wyobraziła, jak będzie o tym rano opowiadać sąsiadom.

Za dziwnie ubraną damulką podążała inna dama, zupełnie goła, niosąc walizeczkę, obok walizeczki zaś kręcił się ogromny czarny kocur. Annuszka przetarła oczy i mało brakowało, a zapiszczałaby na głos.

Zamykał pochód kulejący cudzoziemiec niskiego wzrostu, z bielmem na oku, bez marynarki, w białej frakowej kamizelce, pod krawatem. Całe to towarzystwo przedefilowało obok Annuszki i zeszło na dół. Coś stuknęło o podest.

Annuszka odczekała, aż kroki przycichły, jak wąż wyślizgnęła się zza drzwi, odstawiła bańkę pod ścianę, położyła się na podeście i zaczęła obmacywać podłogę. Po chwili miała w ręku serwetkę, a w niej coś ciężkiego. Oczy Annuszki stały się wielkie jak spodki, kiedy rozwinęła tę serwetkę. Podniosła klejnot ku oczom, a w oczach tych płonął wilczy zaiste ogień. W głowie Annuszki rozszalała się zawierucha:

„Nic nie wiem, niczego nie widziałam... Do siostrzeńca? A może rozpiłować na kawałki?... Kamienie można wydłubać i po kamyku – jeden na Pietrowkę, drugi na Smoleński... Nic nie wiem, nic nie widziałam...".

Schowała więc znalezisko za pazuchę, chwyciła bańkę i odkładając wyprawę na miasto, już zamierzała się wślizgnąć z powrotem do swego mieszkania, kiedy diabli wiedzą skąd wyrósł przed nią ten z białą piersią, bez marynarki, i cicho powiedział:

– Dawaj podkówkę i serwetkę!

– Jaką znowu podkówkę, jaką znowu serwetkę? – zdumiała się nader udatnie Annuszka. – Na oczy nie widziałam żadnej serwetki. Pijani jesteście, obywatelu, czy jak?

Białopierśny, nic już więcej nie mówiąc, twardymi jak poręcze w autobusie i jak one zimnymi palcami tak ścisnął gardło Annuszki,

że całkowicie odciął dopływ powietrza do jej płuc. Bańka wypadła Annuszce z ręki, upadła na podłogę. Potrzymawszy Annuszkę czas pewien bez powietrza, roznegliżowany cudzoziemiec rozluźnił uchwyt, Annuszka zaczerpnęła tchu i uśmiechnęła się.
– Ach, podkóweczkę? – przemówiła. – Już się robi! A więc to pańska podkóweczka? A ja patrzę: leży sobie w serwetce, to specjalnie wzięłam, żeby jej kto nie zabrał, bo potem to, wie pan, szukaj wiatru w polu!

Otrzymawszy podkóweczkę i serwetkę, cudzoziemiec jął uniżenie kłaniać się Annuszce, mocno ściskać jej rękę i gorąco dziękować z bardzo wyraźnym zagranicznym akcentem, takimi słowy:
– Jestem pani niezmiernie zobowiązany, madame. Ta podkówka to droga memu sercu pamiątka rodzinna. Pani będzie łaskawa za przechowanie tego drobiazgu przyjąć dwieście rubli znaleźnego.
– Wyjął pieniądze z kieszonki kamizelki i wręczył je Annuszce.

Uśmiechając się desperacko, Annuszka pokrzykiwała tylko:
– Ach, dziękuję panu najpokorniej! *Merci*! *Merci*!

Hojny cudzoziemiec jednym susem przesadził pół piętra, ale nim ostatecznie zniknął, krzyknął jeszcze z dołu, tylko już bez akcentu:
– Ty stara wiedźmo, jak jeszcze kiedy znajdziesz cudzą rzecz, to na milicję odnieś, a nie chowaj za pazuchę!

Annuszka, mając w rozdzwonionej głowie – wskutek wszystkich tych wydarzeń na klatce schodowej – zamęt, długo jeszcze z rozpędu powtarzała:
– *Merci*! *Merci*! *Merci*!... – ale cudzoziemca dawno już nie było.

Nie było także na podwórzu samochodu. Zwróciwszy Małgorzacie prezent od Wolanda, Azazello pożegnał się z nią, zapytał, czy wygodnie jej się siedzi, Hella soczyście wycałowała Małgorzatę, kot buchnął ją w mankiet, odprowadzający pomachali mistrzowi, który bez życia zapadł w kąt siedzenia, skinęli na gawrona i natychmiast rozpłynęli się w powietrzu, nie widząc widocznie powodu, by trudzić się wspinaczką po schodach. Gawron zapalił światła i wyjechał na ulicę, mijając śpiącego kamiennym snem człowieka w bramie. Światła wielkiego czarnego samochodu zniknęły wśród innych świateł na bezsennej, gwarnej Sadowej.

W godzinę później w suterenie maleńkiego domku przy jednym z zaułków w pobliżu Arbatu, w pierwszym pokoju, w którym wszystko było tak samo jak przed ową straszną zeszłoroczną nocą

jesienną, przy nakrytym aksamitną serwetą stole, pod lampą z abażurem, koło której stały w wazoniku konwalie, siedziała Małgorzata
i cicho płakała z wyczerpania na skutek przeżytych wstrząsów i ze
szczęścia. Leżał przed nią nadpalony brulion, a obok niego piętrzyła
się sterta innych, nienaruszonych. W domku panowała cisza. W maleńkim sąsiednim pokoiku leżał przykryty szlafrokiem, pogrążony
w głębokim śnie mistrz. Oddychał równo i cicho.

Małgorzata wypłakała się, sięgnęła po nienaruszone bruliony
i odnalazła to miejsce, które czytała przed spotkaniem z Azazellem
pod murem Kremla. Nie chciało jej się spać. Pieszczotliwie gładziła
maszynopis, jak głaszcze się ulubionego kota, obracała go w dłoniach, oglądała ze wszystkich stron, to zatrzymując się na karcie
tytułowej, to zaglądając na koniec. Wpadła jej nagle do głowy
straszna myśl, że wszystko to są czary, że za chwilę bruliony znikną,
że znajdzie się w swojej sypialni w willi, a kiedy się obudzi, będzie
musiała iść się utopić. Ale była to ostatnia straszna myśl, pogłos
długotrwałej udręki, w jakiej żyła. Nic nie znikało, wszechmocny
Woland był rzeczywiście wszechmogący, i Małgorzata mogła, ile
tylko chciała, chociażby do samego świtu, szeleścić stronicami bru-
lionów, przyglądać się im, całować je i czytać raz jeszcze słowa:
„Ciemność, która nadciągnęła znad Morza Śródziemnego, okryła
znienawidzone przez procuratora miasto...". Tak, ciemność...

25

Jak procurator usiłował ocalić Judę z Kiriatu

Ciemność, która nadciągała znad Morza Śródziemnego, okryła znienawidzone przez procuratora miasto. Zniknęły wiszące mosty, łączące świątynię ze straszliwą wieżą Antoniusza, otchłań zwaliła się z niebios i pochłonęła skrzydlatych bogów ponad hipodromem, pałac Hasmonejski wraz z jego strzelnicami, bazary, karawanseraje, zaułki, stawy... Jeruszalaim, wielkie miasto, zniknęło, jak gdyby nigdy nie istniało. Pożarła je ciemność, która przeraziła wszystko, co żyło w samym Jeruszalaim i w jego okolicach. Dziwna chmura przygnana została znad morza przed wieczorem czternastego dnia wiosennego miesiąca nisan.

Chmura ta zwaliła się już na nagie wzgórze zwane Łysą Czaszką, na którym oprawcy pospiesznie dobijali skazańców, zwaliła się na świątynię jeruszalaimską, dymnymi potokami spełzła ze wzgórza, na którym stał Przybytek, i zalała Dolne Miasto. Wlewała się w okienka i spędzała ludzi z krętych uliczek do domów. Niespieszno jej było podzielić się z ziemią swą wodą, obdzielała ją jedynie swoją barwą. Skoro tylko dymną czarną kipiel rozłupywał ogień, wzbijała się ku górze z nieprzejrzanych ciemności ogromna bryła świątyni z połyskującą łuską dachu. Ale ogień gasł natychmiast i świątynia pogrążała się w ciemnej otchłani. Wyrastała z niej po kilkakroć i znowu się zanurzała, a za każdym razem towarzyszył takiemu zanurzeniu łoskot właściwy kataklizmom.

Inne migotliwe rozbłyski wydobywały z otchłani stojący naprzeciw świątyni na zachodnim wzgórzu pałac Heroda Wielkiego; straszliwe bezokie posągi ze złota wzlatywały ku czarnemu niebu i wyciągały ku niemu ręce. Ale ogień niebieski znowu znikał i ciężkie uderzenia piorunów zapędzały złote idole w ciemność.

Ulewa lunęła nieoczekiwanie, a wtedy burza przemieniła się w huragan. W tym samym miejscu, gdzie około południa procurator rozmawiał z arcykapłanem, koło marmurowej ławy w ogrodzie, uderzenie podobne uderzeniu armatniego pocisku przełamało cyprys niby trzcinę. Wraz z pyłem wodnym i gradem wiatr wciskał pod kolumnadę tarasu zerwane róże, liście magnolii, kawałki strzaskanych gałęzi i piasek. Huragan szarpał ogrody.

W tej chwili znajdował się pod kolumnadą jeden tylko człowiek – procurator.

Nie siedział teraz na tronie, ale leżał na sofie przy niewielkim niskim stole zastawionym jadłem i dzbanami z winem. Po przeciwnej stronie stołu znajdowało się drugie łoże, puste. U stóp procuratora ciemniała niewytarta czerwona kałuża, podobna kałuży krwi, poniewierały się skorupy rozbitego dzbana. Sługę, który przed burzą nakrywał stół dla procuratora, nie wiedzieć czemu zmieszało spojrzenie hegemona, zdenerwował się, myśląc, że zrobił coś nie tak, jak należało, a rozgniewany na niego procurator rozbił dzban o mozaikową posadzkę i powiedział:

– Czemu nie patrzysz w twarz, kiedy podajesz? Czy coś ukradłeś?

Czarna twarz Afrykanina poszarzała, w jego oczach widać było śmiertelną trwogę, zadygotał i o mało nie rozbił drugiego dzbana, lecz gniew procuratora dlaczegoś minął równie szybko, jak nim owładnął. Afrykanin podskoczył, by zebrać skorupy i wytrzeć kałużę, ale procurator skinął nań gestem i niewolnik uciekł. Kałuża natomiast pozostała.

Teraz, podczas huraganu, Afrykanin krył się nieopodal niszy, w której stała biała statua przedstawiająca nagą kobietę z pochyloną głową, bał się nawinąć pod rękę nie w porę, a zarazem lękał się, że przegapi chwilę, kiedy procurator może go zawezwać do siebie.

Procurator, leżąc na łożu w półmroku burzy, sam nalewał sobie wino do pucharu, pił je długimi łykami, niekiedy brał do ręki chleb, kruszył go i przełykał maleńkie kawałeczki, od czasu do czasu wysysał ostrygi, żuł cytrynę i znowu popijał.

Gdyby nie łoskot wody, gdyby nie uderzenia piorunów, które, zdawało się, chciały rozpłatać pałacowy dach, gdyby nie stukot gradu młócącego stopnie tarasu, można by było usłyszeć, że procurator rozmawia sam ze sobą. I gdyby niepewne migotanie ogni niebieskich przemieniło się w trwalsze światło, ktoś, kto by na to patrzył, mógłby dostrzec, że twarz procuratora o oczach rozpalonych bezsennością i winem wyraża zniecierpliwienie, że procurator patrzy nie tylko na dwie białe róże, które utonęły w czerwonej kałuży, ale co chwila zwraca twarz w stronę ogrodu, tam skąd wpada pył wodny i piasek, że oczekuje na kogoś, oczekuje niecierpliwie.

Minął czas pewien, zaczęła rzednąć przesłona wody przed oczyma procuratora. Huragan, choć tak wściekły, słabł przecież. Nie trzeszczały już i nie spadały gałęzie. Pioruny i błyskawice były coraz rzadsze. Teraz przepływała nad Jeruszalaim już nie fioletowa o białych brzegach zasłona, ale zwykła szara chmura długotrwałej burzy. Burza przesuwała się w stronę Morza Martwego.

Teraz można już było usłyszeć z osobna i szum deszczu, i szum wody spadającej ściekami i wprost ze stopni owych schodów, po których procurator szedł w dzień, by ogłosić na placu wyrok. Wreszcie można było usłyszeć także zagłuszaną dotychczas fontannę. Rozjaśniało się. W szarej, oddalającej się ku wschodowi przesłonie pojawiły się błękitne prześwity.

Wtedy z oddali, poprzez bębnienie drobnego już teraz deszczyku, dobiegł do uszu procuratora tupot kilkuset kopyt i słabe dźwięki trąb. Procurator poruszył się, kiedy to usłyszał, jego twarz się ożywiła. Ala powracała z Nagiej Góry. Sądząc po odgłosach, mijała właśnie ów plac, na którym ogłoszono wyrok.

Wreszcie procurator usłyszał od dawna oczekiwane kroki i człapanie na schodach prowadzących na górny taras ogrodów, przed samą już kolumnadą. Wyciągnął szyję, jego oczy zabłysły, wyrażały radość.

Pomiędzy dwoma marmurowymi lwami ukazała się najpierw zakapturzona głowa, a potem zupełnie przemoczony człowiek w płaszczu, który oblepiał mu ciało. Był to ten sam człowiek, który przed wyrokiem spotkał się z procuratorem w zaciemnionej komnacie pałacu, który w czasie kaźni siedział na trójnożnym taborecie i bawił się kijaszkiem.

Nie zwracając uwagi na kałuże, zakapturzony gość przeszedł przez ogrodowy taras, wszedł na mozaikową posadzkę pod kolumnadą i wznosząc dłoń, powiedział miłym wysokim głosem:

– Bądź pozdrowiony, procuratorze! – Mówił po łacinie.

– Bogowie! – zawołał Piłat. – Przecież nie ma na tobie suchej nitki! Co za huragan! Prawda? Proszę, przejdź do mnie. Zechciej mi wyświadczyć tę łaskę i przebierz się niezwłocznie.

Przybysz odrzucił kaptur, odsłonił zupełnie mokrą głowę, włosy przywarły mu do czoła. Na wygoloną twarz przywołał uprzejmy uśmiech, podziękował za propozycję zmiany ubrania i zapewnił, że deszczyk bynajmniej mu nie zaszkodzi.

– Nie chcę tego słuchać – powiedział Piłat i klasnął w dłonie. Wezwał w ten sposób chowające się przed nim sługi i polecił im zatroszczyć się o przybysza, a potem niezwłocznie podać coś gorącego do jedzenia.

Na to, by wysuszyć włosy, zmienić obuwie i odzież i w ogóle doprowadzić się do porządku, gość procuratora potrzebował bardzo niewiele czasu i niebawem zjawił się na tarasie w suchych sandałach, w suchym purpurowym wojskowym płaszczu, uczesany.

Słońce tymczasem powróciło nad Jeruszalaim i zanim odeszło, by zatonąć w Morzu Śródziemnym, posyłało pożegnalne promienie znienawidzonemu przez procuratora miastu i wyzłacało wiodące na taras schody. Fontanna odżyła już zupełnie i rozśpiewała się ze wszystkich sił, wyszły na piasek gołębie, gruchały, przeskakiwały przez połamane gałązki, wydziobywały coś z mokrego piasku. Wytarto czerwoną kałużę, sprzątnięto skorupy, na stole dymiło mięsiwo.

– Słucham rozkazów procuratora – podchodząc do stołu, powiedział przybysz.

– Niczego nie usłyszysz, zanim nie usiądziesz i nie napijesz się wina – uprzejmie odpowiedział Piłat i wskazał wolną sofę.

Przybysz legł, sługa nalał do jego pucharu gęstego czerwonego wina. Inny służący, przechylając się ostrożnie przez ramię Piłata, napełnił puchar procuratora. Następnie procurator skinieniem głowy oddalił obydwu.

Kiedy przybysz pił i jadł, Piłat, pociągając wino drobnymi łyczkami, patrzył zmrużonymi oczyma na swego gościa. Człowiek, który przyszedł do Piłata, był w średnim wieku, miał bardzo miłą, krągłą, czystą twarz, mięsisty nos i włosy jakiegoś nieokreślonego koloru. Pojaśniały teraz, wysychając. Trudno byłoby orzec, jaka jest narodowość gościa. Tym, co dominowało w jego twarzy, była chyba dobroduszność, z którą zresztą kłóciły się oczy, a raczej nie tyle same oczy, ile sposób, w jaki miał zwyczaj patrzeć na swego rozmówcę. Zazwyczaj skrywał swoje małe oczy pod opuszczonymi, nieco dziwnymi, jak gdyby opuchniętymi powiekami. Wtedy w szparkach tych oczu jaśniała dobroduszna chytrość. Należy sądzić, że gość procuratora był człowiekiem wesołym. Ale niekiedy ze szparek humor ów znikał bez śladu, człowiek, którego gościł teraz procurator, szeroko otwierał oczy i znienacka patrzył na swego rozmówcę tak badawczo, jak gdyby chciał się szybko i dokładnie przyjrzeć niezauważalnemu znamieniu na nosie rozmówcy. Trwało to przez okamgnienie, po czym powieki znowu opadały, zwężały się szparki i znów zaczynała w nich jaśnieć dobroduszność i figlarna bystrość umysłu.

Przybysz nie odmówił również drugiego pucharu wina, z widoczną rozkoszą przełknął kilka ostryg, spróbował gotowanych jarzyn, zjadł kawałek mięsa. Zaspokoiwszy głód, pochwalił wino:

– Znakomity gatunek, procuratorze, ale to nie falerno?

– Caecubum. Trzydziestoletnie – odpowiedział uprzejmie procurator.

Gość przyłożył dłoń do serca, odmówił zjedzenia jeszcze czegokolwiek, powiedział, że jest najedzony. Wówczas Piłat napełnił swój puchar, gość uczynił to samo. Obaj ucztujący odlali nieco wina ze swoich pucharów do półmiska z mięsiwem i procurator, wznosząc puchar, powiedział głośno:

– Za nas, za ciebie, cezarze, ojcze Rzymian, drogi nam i najlepszy z ludzi!

Następnie dopili wino, Afrykanie sprzątnęli ze stołu jadło, pozostawiając owoce i dzbany. Procurator znowu oddalił skinieniem usługujących i został pod kolumnadą sam na sam ze swoim gościem.

– A zatem – powiedział Piłat niezbyt głośno – co możesz mi powiedzieć o nastrojach panujących w tym mieście?

Mimo woli popatrzył w tę stronę, gdzie za tarasami ogrodów, w dole, dopalały się kolumnady i płaskie dachy wyzłocone ostatnimi promieniami.

– Sądzę, procuratorze – odpowiedział gość – że nastroje w Jeruszalaim są obecnie zadowalające.

– Można zatem zaręczyć, że zamieszki już nam nie grożą?

– Ręczyć można – czule spoglądając na procuratora, odpowiedział gość – za jedną jedyną rzecz na tym świecie – za potęgę wielkiego cezara.

– By bogowie zesłali mu długie życie! – natychmiast podchwycił Piłat. – I pokój powszechny! – Milczał przez chwilę, potem ciągnął: – Sądzę więc, że wojska można już wycofać?

– Myślę, że kohorta Błyskawic może odejść – powiedział gość i dodał: – Dobrze by było, gdyby na pożegnanie przedefilowała jeszcze przez miasto.

– To bardzo dobra myśl – zgodził się z nim procurator. – Odeślę ją pojutrze, sam także odjadę i przysięgam na ucztę dwunastu bogów, przysięgam na lary, że wiele bym dał za to, aby móc to uczynić już dzisiaj!

– Nie lubisz jednak Jeruszalaim, procuratorze? – dobrodusznie zapytał gość.

– Na litość! – uśmiechając się, zawołał procurator. – Nie ma bardziej beznadziejnego miejsca na ziemi. Nie mówię już o przyrodzie – jestem chory za każdym razem, ilekroć muszę tu przyjechać – to jeszcze pół biedy!... Ale te święta!... Magowie, czarodzieje, wróżbici, te stada wiernych!... Fanatycy, fanatycy!... Ileż był wart ten jeden mesjasz, którego nagle zaczęli oczekiwać w tym roku! Człowiek jest przygotowany na to, że w każdej chwili może stać się świadkiem odrażającego przelewu krwi... Nieustannie trzeba przesuwać wojska, czytać donosy i skargi, a połowa z nich to donosy i skargi na mnie! Przyznasz, że to nudne. O, gdyby nie to, że jestem w służbie imperatora!...

– Tak, święta tu są ciężkie – przytaknął gość.

– Pragnę z całego serca, żeby się skończyły jak najrychlej – energicznie dorzucił Piłat. – Będę mógł wreszcie powrócić do Caesarei. Czy uwierzysz, że ta poroniona budowla Heroda – procurator machnął ręką w stronę kolumnad i stało się oczywiste, że ma na myśli pałac – po prostu doprowadza mnie do obłędu? Nie mogę tu sypiać. Świat nie widział dziwaczniejszej architektury!... Tak, ale wróćmy do rzeczy. Przede wszystkim – czy nie niepokoi cię ten przeklęty Bar Rabban?

W tym momencie gość wystrzelił swoje osobliwe spojrzenie w policzek procuratora. Ale zmrużone w grymasie obrzydzenia udręczone oczy Piłata patrzyły w dal, na leżącą u jego stóp, dogasającą w zmierzchu część miasta. Zgasło także spojrzenie gościa, jego powieki opadły.

– Należy sądzić, że Bar Rabban będzie teraz niegroźny jak jagnię – przemówił gość i zmarszczki pojawiły się na krągłej jego twarzy. – Niezręcznie mu się teraz buntować.

– Jest zbyt znany? – uśmiechnąwszy się, zapytał Piłat.

– Procurator, jak zawsze, widzi istotę sprawy.

– Ale w każdym razie – zauważył z niepokojem procurator i wzniósł długi cienki palec z czarnym kamieniem pierścienia – trzeba będzie...

– O, procurator może być pewien, że dopóki ja jestem w Judei, Bar nie uczyni ani jednego kroku, by moi ludzie nie deptali mu po piętach.

– Teraz jestem spokojny, zresztą zawsze jestem spokojny, kiedy ty jesteś tutaj.

– Jesteś dla mnie zbyt łaskaw, procuratorze!

– A teraz, proszę, opowiedz mi o kaźni – powiedział procurator.

– Co mianowicie interesuje procuratora?

– Czy tłum nie próbował w jakiś sposób wyrazić oburzenia? To, oczywista, najważniejsze.

– Nie – odparł gość.

– To bardzo dobrze. Stwierdziłeś zgon osobiście?

– Procurator może być tego pewien.

– A powiedz mi... czy przed powieszeniem na słupach podano im napój?

– Tak. Ale on – tu gość zamknął oczy – nie chciał go wypić.

– Kto mianowicie? – zapytał Piłat.

– Przepraszam, hegemonie! – zawołał gość. – Nie powiedziałem, kto? Ha-Nocri!

– Szaleniec! – powiedział Piłat i wykrzywił się nie wiedzieć czemu. Zadygotała żyłka pod jego lewym okiem. – Umierać na udar słoneczny! Czemuż nie przyjąć tego, na co zezwala prawo? W jakich słowach odmówił?

– Powiedział – odparł gość, znowu zamykając oczy – że dziękuje i nie ma żalu o to, że pozbawia się go życia.

– Do kogo nie ma żalu? – głucho zapytał Piłat.

– Tego, hegemonie, nie powiedział...

– Czy nie próbował głosić w obecności żołnierzy jakichś nauk?

– Nie, hegemonie, tym razem nie był wymowny. Jedyne, co powiedział, to że za jedną z najgorszych ułomności ludzkich uważa tchórzostwo.

– W związku z czym to powiedział? – usłyszał gość nagle zmatowiały głos.

– Tego nie sposób było zrozumieć. Zachowywał się w ogóle dziwnie, jak zresztą zawsze.

– Dlaczego dziwnie?

– Przez cały czas usiłował zajrzeć w oczy to temu, to owemu z otaczających, i przez cały czas uśmiechał się jakimś spłoszonym uśmiechem.

– Nic poza tym? – zapytał ochrypły głos.

– Poza tym nic.

Procurator stuknął pucharem, nalewając sobie jeszcze wina. Wysączywszy puchar do dna, powiedział:

– Chodzi o to, że jakkolwiek nie możemy, przynajmniej w tej chwili, znaleźć żadnych jego wyznawców czy też naśladowców, to przecież nie sposób zaręczyć, że ich w ogóle nie ma.

Gość słuchał uważnie, pochylił głowę.

– Zatem, aby ustrzec się jakichś niespodzianek – ciągnął procurator – bardzo proszę, aby jak najprędzej i nie nadając sprawie rozgłosu, uprzątnąć ciała wszystkich trzech skazańców i pogrzebać je potajemnie, cichaczem, tak żeby nikt już o nich nigdy nie usłyszał.

– Rozkaz, hegemonie – powiedział gość i wstał ze słowami: – Ponieważ sprawa jest skomplikowana i wielkiej wagi, proszę mi pozwolić odjechać natychmiast.

– Nie, usiądź jeszcze, proszę – powiedział Piłat, gestem powstrzymując swego gościa – są jeszcze dwie sprawy. Sprawa pierwsza – ogromne twoje zasługi w trudnej pracy komendanta tajnej służby przy procuratorze Judei pozwalają mi zameldować o nich Rzymowi, co z przyjemnością uczynię.

Wówczas zaróżowiła się twarz gościa, gość wstał, skłonił się procuratorowi i powiedział:

– Spełniam jedynie mój obowiązek w służbach imperatora.

– Chciałbym jednak prosić – ciągnął hegemon – o to, byś odrzucił propozycję awansu z przeniesieniem gdzie indziej, jeśli zostanie ci ona uczyniona, i abyś pozostał przy mnie. Za nic nie chciałbym rozstawać się z tobą. Niechaj cię wynagrodzą w jakiś inny sposób.

– Jestem szczęśliwy, że służę pod twymi rozkazami, hegemonie.

– Bardzo to dla mnie miłe. Zatem – sprawa druga. Chodzi o tego... jakże mu tam... Judę z Kiriatu.

Tu gość wystrzelił w procuratora swoje spojrzenie i, jak przystało, zaraz je zgasił.

– Powiadają, że – ciągnął procurator, ściszywszy głos – otrzymał pieniądze za to jakoby, że tak serdecznie podjął tego obłąkanego filozofa.

– Otrzyma je dopiero – sprostował cicho komendant tajnej służby.

– Czy to duża suma?

– Nikt tego wiedzieć nie może, hegemonie.

– Nawet ty? – powiedział hegemon i w jego zdziwieniu zabrzmiała pochwała.

– Nawet ja, niestety – spokojnie odpowiedział gość. – Ale wiem na pewno, że otrzyma te pieniądze dzisiejszego wieczora. Został na dzisiaj wezwany do pałacu Kajfasza.

– Ach, cóż to za chciwy człowiek, ten kiriatczyk! – zauważył z uśmiechem procurator. – Bo to przecież starzec, prawda?

– Procurator nigdy się nie myli, tym razem jednak się omylił – uprzejmie odparł gość – człowiek z Kiriatu jest młody.

– O! Czy mogę prosić o bliższą charakterystykę? Czy to fanatyk?

– O nie, procuratorze!

– Taak... Cóż jeszcze?

– Jest bardzo przystojny.

– A oprócz tego? Ma może jakąś słabość?

– Trudno jest wiedzieć wszystko o każdym mieszkańcu tak dużego miasta, procuratorze...

– O, nie, nie, Afraniuszu! Proszę, nie pomniejszaj swoich zasług.

– Ma on pewną słabość, procuratorze! – Gość zrobił małą pauzę. – Ma słabość do pieniędzy.

– A czym się zajmuje?

Afraniusz wzniósł oczy ku górze, zastanowił się i odpowiedział:

– Pracuje w kantorze wymiany, który należy do jednego z jego krewnych.

– Ach, tak, tak, tak, tak – procurator zamilkł, rozejrzał się, czy nikogo nie ma pod kolumnadą, a potem powiedział cicho: – A więc chodzi o to, że doniesiono mi, iż zostanie on tej nocy zasztyletowany.

Usłyszawszy to, gość nie tylko obrzucił procuratora osobliwym swym spojrzeniem, ale nawet zatrzymał je przez chwilę na rozmówcy, a potem powiedział:

– Zbyt pochlebny był twój sąd o mnie, procuratorze. Uważam, że nie zasługuję na to, abyś donosił o mnie Rzymowi. Mnie nic o tym nie wiadomo.

– Zasługujesz na najwyższe nagrody – odparł procurator. – Wiem jednak, że ten młody człowiek ma być dzisiejszej nocy zasztyletowany.

– Ośmielam się zapytać, od kogo pochodzą te wiadomości.

– Wybacz, że tego na razie nie zdradzę, tym bardziej że to wiadomości przypadkowe, niepewne i niejasne. Mam jednak obowiązek przewidzieć wszystko. Tego wymaga ode mnie mój urząd, a ja wierzę przede wszystkim moim przeczuciom, bo one nigdy mnie jeszcze nie zawiodły. Z raportu zaś, który otrzymałem, wynika, że ktoś z potajemnych przyjaciół Ha-Nocri, oburzony potworną zdradą tego wekslarza, zmawia się ze swymi kompanami, zamierzając zabić go dzisiejszej nocy, a pieniądze, które otrzymał za to, że zaprzedał gamalijczyka, podrzucić arcykapłanowi z notatką: „Zwracam przeklęte pieniądze".

Komendant tajnej służby nie rzucał już więcej na hegemona swoich nieoczekiwanych spojrzeń, przymknąwszy oczy, słuchał jego słów, a Piłat ciągnął:

– Pomyśl, proszę, czy przyjemnie będzie arcykapłanowi, kiedy w świąteczną noc otrzyma taki prezent?

– Czy przyjemnie? – odpowiedział, uśmiechając się, gość. – Sądzę, procuratorze, że to wywoła ogromny skandal.

– Jestem tego samego zdania. Dlatego właśnie chciałbym, byś zajął się tą sprawą, to znaczy, byś uczynił wszystko, co leży w twej mocy, by uchronić Judę z Kiriatu.

– Rozkaz twój zostanie spełniony – zaczął mówić Afraniusz – ale muszę cię, hegemonie, uspokoić. Zamysł zbrodniarzy jest nader trudny do wykonania. Proszę tylko pomyśleć – gość obejrzał się, mówiąc, po czym ciągnął dalej – muszą wyśledzić człowieka, zabić go, w dodatku muszą się dowiedzieć, ile dostał, i potem znaleźć sposób zwrócenia pieniędzy Kajfaszowi. I wszystko to w ciągu jednej nocy? Dzisiejszej nocy?

– A jednak zasztyletują go dzisiaj – powtórzył z uporem Piłat. – Mam takie przeczucie, powiadam ci! Nie zdarzyło się jeszcze, żeby przeczucie mnie zawiodło. – I grymas wykrzywił twarz procuratora, hegemon energicznie zatarł ręce.

– Rozkaz – służbiście powiedział gość, wstał, wyprostował się i nagle zapytał surowo: – A zatem zasztyletują go, hegemonie?

– Tak – odpowiedział Piłat. – Pokładam nadzieję jedynie w twojej zadziwiającej wszystkich sprawności.

Gość obciągnął ciężki pas pod płaszczem i powiedział:

– Bądź pozdrowiony!

– No tak! – zawołał niezbyt głośno Piłat. – Na śmierć zapomniałem. Przecież jestem twoim dłużnikiem!...

Gość zdziwił się.

– Doprawdy, procuratorze, nic mi nie jesteś winien.

– Ależ jak to! W czasie mego wjazdu do Jeruszalaim, pamiętasz, ten tłum żebraków... Chciałem jeszcze rzucić im trochę pieniędzy, ale już nie miałem i tyś mi ich użyczył!

– O, procuratorze, to drobiazg!

– Należy pamiętać także o drobiazgach. – Piłat odwrócił się, uniósł płaszcz, który leżał na tronie za jego plecami, wyjął spod niego skórzany woreczek i podał go gościowi. Ów skłonił się, kiedy go odbierał, i schował sakiewkę pod płaszczem.

– Czekam – powiedział Piłat – na raport o pogrzebaniu ciał, a także w sprawie tego Judy z Kiriatu, jeszcze dzisiejszej nocy, słyszysz, Afraniuszu – jeszcze dziś. Straży polecić, by mnie obudzono, skoro tylko nadejdziesz. Będę oczekiwał.

– Vale, procurator! – pożegnał Piłata komendant tajnej służby, odwrócił się i wyszedł spod kolumnady. Słychać było chrzęst mokrego piasku pod jego stopami, potem stukot jego butów po marmurze pomiędzy lwami, potem zniknęły jego nogi, potem tułów, wreszcie kaptur. Dopiero wtedy procurator zauważył, że słońce już zaszło i zapadł zmrok.

26

Złożenie do grobu

Może to właśnie ów mrok sprawił, że procurator tak bardzo się zmienił. Jak gdyby w oczach się postarzał, przygarbił, wydawać się mogło, że ogarnia go trwoga. W pewnej chwili rozejrzał się i drgnął, nie wiedzieć czemu, kiedy spojrzał na pusty tron, na którego oparciu leżał płaszcz. Nadeszła świąteczna noc, tańczyły swój balet wieczorne cienie i zmęczonemu procuratorowi przywidziało się zapewne, że ktoś siedzi na tym pustym tronie. Procurator nie oparł się małoduszności, obmacał płaszcz, odłożył go i zaczął spiesznie przechadzać się pod kolumnadą, to zacierał ręce, to podbiegał do stołu i chwytał puchar, to znów zatrzymywał się i bezmyślnie wpatrywał w mozaikę posadzki, jak gdyby usiłował odczytać z niej jakieś inskrypcje...

Dzisiaj już po raz drugi ogarniał go taki smutek. Pocierając skroń, w której po piekielnym bólu porannym pozostało jedynie tępe, uwierające wspomnienie, procurator wciąż usiłował zrozumieć, skąd się biorą jego duchowe katusze. I zrozumiał to bardzo szybko, postarał się jednak oszukać siebie. Było dlań jasne, że dziś coś bezpowrotnie utracił, a teraz chce to naprawić jakimiś błahymi, mizernymi działaniami, i że, co najważniejsze, na wszystko jest już za późno. Oszukiwanie zaś samego siebie polegało na tym, iż procurator usiłował sobie wmówić, że te obecne, wieczorne jego działania są nie mniej ważne niż wydany wyrok. Ale bardzo źle się to procuratorowi udawało.

Zawracając po raz któryś, zatrzymał się nagle i gwizdnął. Na ów gwizd rozległo się w mroku basowe naszczekiwanie i wbiegł z ogrodu pod kolumnadę ogromny szary pies o zaostrzonych uszach, w obroży nabijanej złoconymi blaszkami.

– Banga, Banga! – zawołał cicho procurator.

Pies stanął na dwóch łapach, przednie położył swemu panu na ramionach, o mało nie przewracając go na ziemię, i polizał go po policzku. Procurator usiadł na tronie. Banga, wysunąwszy ozór, ziając, położył się u stóp swego pana, ślepia jego wyrażały radość z tego, że skończyła się burza, jedyne w świecie zjawisko, którego bał się ten nieustraszony pies, a także z tego, że pies jest znowu tutaj, obok człowieka, którego kocha, szanuje i uważa za najpotężniejszą istotę na świecie, za pogromcę wszystkich innych ludzi, obok człowieka, dzięki któremu pies także może czuć się stworzeniem uprzywilejowanym, wywyższonym i niezwykłym. Ale ległszy u jego stóp i nawet nie patrząc na swego pana, tylko w wieczerniejący ogród, pies od razu pojął, że pana spotkało nieszczęście. Pokręcił się więc, wstał, zaszedł z boku i położył pysk i przednie łapy na kolanach procuratora, wilgotnym piaskiem brudząc poły jego płaszcza. Poczynania Bangi miały zapewne oznaczać, że pies chce pocieszyć swego pana i gotów jest wraz z nim stawić czoło przeciwnościom. Próbowały to wyrazić i zezujące na pana ślepia, i postawione wyostrzone uszy. I tak razem – pies i człowiek kochający się nawzajem – witali pod kolumnadą świąteczną noc.

Tymczasem gość procuratora miał mnóstwo do zrobienia. Opuściwszy górny taras przed kolumnadą, zszedł po schodach na następny taras ogrodów, skręcił w prawo i doszedł do mieszczących się na terenie pałacu koszar. To właśnie w tych koszarach kwaterowały owe dwie centurie: manipuł, który przyszedł na święto do Jeruszalaim wraz z procuratorem, a także tajna straż procuratora, która znajdowała się pod rozkazami gościa. Gość niedługo zabawił w koszarach, nie dłużej niż dziesięć minut, ale po upływie tych dziesięciu minut wyjechały z koszarowego podwórza trzy wozy wyładowane łopatami i kilofami, na jednym z wozów stała także beczka z wodą. Wozom towarzyszyło piętnastu konnych w szarych płaszczach. Eskortowane przez nich wozy wyjechały z terenu pałacu przez tylną bramę, skierowały się na zachód, przejechały za bramę w murze miejskim, dojechały ścieżką do traktu na Betlejem, pojechały tym traktem na północ, do skrzyżowania dróg przy bramie Hebronu, a stamtąd traktem na Jafę, tym samym, którym za dnia sunęła procesja ze skazańcami. Było już podówczas ciemno, a nad horyzontem wydźwignął się księżyc.

Wkrótce po odjeździe wozów i towarzyszącego im oddziałku wyjechał konno z pałacu także i gość procuratora, przebrany w ciemny zniszczony chiton. Gość nie pojechał jednak za miasto, lecz do miasta. Po pewnym czasie można było zobaczyć, jak podjeżdżał do twierdzy Antoniusza w północnej części miasta; twierdza ta sąsiadowała z wielką świątynią. W twierdzy gość także nie zabawił długo, stamtąd zaś ślad jego prowadził do Dolnego Miasta, do jego krzywych, splątanych zaułków. Gość przyjechał tu oklep na mule.

Dobrze znał miasto i bez trudu odnalazł ulicę, której szukał. Nazywano tę ulicę Grecką, ponieważ znajdowało się przy niej kilka greckich sklepów, a wśród nich jeden, w którym sprzedawano dywany. Przed tym właśnie sklepem gość zatrzymał swego muła, zsiadł i przywiązał zwierzę do pierścienia przy drzwiach. Sklep był już zamknięty. Gość wszedł w znajdujące się obok wejścia do sklepu drzwiczki i znalazł się na niewielkim kwadratowym podwórzu, obudowanym z trzech stron szopami. Na podwórzu skręcił za węgieł, znalazł się przed obrośniętym bluszczem tarasem domu mieszkalnego, rozejrzał się. Zarówno w domu, jak w szopach było ciemno, nie zapalono jeszcze światła. Gość zawołał cicho:

– Nisa!

Na to właśnie skrzypnęły drzwi i w półmroku wieczora ukazała się na tarasie młoda kobieta z odsłoniętą głową. Przechyliła się przez poręcz i lękliwie wpatrywała się w mrok, chciała zobaczyć, kto przyszedł. Poznawszy przybysza, uśmiechnęła się doń na powitanie, skinęła głową, pomachała ręką.

– Jesteś sama? – cicho zapytał po grecku Afraniusz.

– Sama – szepnęła stojąca na tarasie – mąż pojechał rano do Caesarei – tu kobieta obejrzała się na drzwi i dorzuciła szeptem: – Ale jest w domu służąca. – I zrobiła gest, który był zaproszeniem do wejścia.

Afraniusz rozejrzał się i wszedł na kamienne schodki. Potem oboje zniknęli wewnątrz domku. Afraniusz był u tej kobiety zupełnie krótko, z pewnością nie dłużej niż pięć minut. Potem opuścił dom, zszedłszy z tarasu, nasunął kaptur na oczy i wyszedł na ulicę. Po domach zapalano właśnie szabaśniki, przedświąteczny tłok na ulicach był już bardzo wielki i Afraniusz na swoim mule zginął w rzece przechodniów i jeźdźców. Nikt nie wie, dokąd stamtąd pojechał.

Natomiast kobieta, którą Afraniusz nazwał Nisą, zaczęła się przebierać, kiedy wyszedł, spieszyła się przy tym bardzo. Ale chociaż z trudem odnajdowała w ciemnym pokoju potrzebne jej rzeczy, nie zapalała świecznika ani nie wzywała służącej. Dopiero gdy była gotowa i miała już na głowie ciemny czepiec, rozległ się w domku jej głos:

– Gdyby ktoś o mnie pytał, powiedz, że poszłam do Enanty.

Dało się słyszeć w ciemności pomrukiwanie starej służącej:

– Do Enanty? Ciągle tylko ta Enanta! Przecież mąż zakazał ci do niej chodzić! To rajfurka, ta twoja Enanta! Powiem ja mężowi...

– No, no, no, milcz lepiej – powiedziała Nisa i wyślizgnęła się z domu jak cień. Jej sandały zastukotały po kamiennych płytach podwórka. Służąca, mamrocząc coś, zamknęła drzwi od tarasu. Nisa opuściła dom.

W tym samym czasie w innym zaułku Dolnego Miasta, w krętym zaułku schodzącym stopniami ku jednemu ze stawów miejskich, z furtki niepokaźnego domku, którego okna wychodziły na podwórze, a ślepa tylna ściana na zaułek, wyszedł młody człowiek ze starannie przystrzyżoną bródką, w białym opadającym na ramiona kefi, w nowym, odświętnym błękitnym tallicie obramowanym u dołu kutasikami, w nowiuteńkich poskrzypujących sandałach. Ów przystojny młodzieniec o orlim nosie, wystrojony jak na wielkie święto, szedł dziarsko, wyprzedzał przechodniów spieszących do domów, by zasiąść do świątecznego stołu, patrzył, jak jedno po drugim zapalają się okna. Młody człowiek poszedł wiodącą wzdłuż targowiska ulicą w stronę pałacu arcykapłana Kajfasza położonego u stóp wzgórza, na którym stała świątynia.

Wkrótce można było zobaczyć, jak wchodził do bramy pałacu Kajfasza. A jeszcze nieco później – jak ów pałac opuszczał.

Odwiedziwszy pałac, w którym płonęły już świeczniki i pochodnie, gdzie trwała świąteczna krzątanina, młody człowiek szedł jeszcze raźniej, jeszcze bardziej dziarsko, szedł z powrotem, w stronę Dolnego Miasta. Na rogu, tam gdzie ulica wychodziła na plac targowy, wyprzedziła go w tłoku zwiewna kobieta idąca krokiem jak gdyby tanecznym, kobieta w nasuniętym na same oczy czarnym kekryfalos. Wyprzedzając przystojnego młodzieńca, kobieta ta na sekundę zsunęła czepek nieco wyżej, rzuciła na młodego człowieka spojrzenie, ale nie zwolniła kroku, przeciwnie, przyspieszyła, jak gdyby chciała uciec przed tym, którego wyprzedziła.

Młody człowiek zauważył ją, co więcej – rozpoznał, a poznawszy, drgnął, zatrzymał się, z niedowierzaniem popatrzył na nią i natychmiast popędził jej śladem. O mało nie przewróciwszy jakiegoś niosącego dzban przechodnia, dogonił kobietę i ciężko dysząc, z podnieceniem zawołał:

– Nisa!

Kobieta odwróciła się, zmrużyła oczy, jej twarz przybrała chłodny wyraz niezadowolenia, oschle odpowiedziała po grecku:

– Ach, to ty, Judo! Nie poznałam cię w pierwszej chwili. To zresztą lepiej. Mówi się u nas, że ten, którego nie poznano, będzie bogaty...

Tak podniecony, że serce tłukło mu się jak ptak okryty czarnym kekryfalos, Juda, lękając się, by nikt z przechodniów go nie dosłyszał, zapytał urywanym szeptem:

– Dokąd idziesz, Nisa?

– Po co miałbyś to wiedzieć? – odpowiedziała Nisa, zwalniając kroku i patrząc na Judę wyniośle.

Wówczas w głosie Judy dała się słyszeć jakaś dziecinna nutka, szeptał zmieszany:

– Jakże to tak... Przecież umówiliśmy się... Chciałem wstąpić do ciebie, mówiłaś przecież, że przez cały wieczór będziesz w domu...

– Ach, nie, nie – odpowiedziała Nisa i kapryśnie odęła dolną wargę, co sprawiło, że Judzie wydało się, iż jej twarz, najpiękniejsza twarz, jaką kiedykolwiek widział, stała się jeszcze piękniejsza – zaczęłam się nudzić. Wy macie święto, a ja co mam robić? Siedzieć i słuchać, jak wzdychasz na tarasie? I w dodatku lękać się, czy służąca nie powie o tym mężowi? O, nie, nie, postanowiłam pójść za miasto i posłuchać słowików.

– Jak to: za miasto? – zapytał zdetonowany Juda. – Sama?

– Oczywiście, że sama – odpowiedziała Nisa.

– Pozwól sobie towarzyszyć – poprosił Juda. Zapierało mu dech w piersiach. Myśli zmąciły mu się, zapomniał o bożym świecie, patrzył błagalnie w błękitne oczy Nisy, które teraz wydawały się czarne.

Nic na to nie odpowiedziała i przyspieszyła kroku.

– Czemu milczysz, Nisa? – żałośliwie zapytał Juda, dostosowując swój krok do jej kroku.

– A nie będę się z tobą nudziła? – zapytała nagle Nisa i stanęła. Wówczas myśli Judy ostatecznie się już splątały.

– No dobrze – uległa wreszcie Nisa. – Chodźmy.

– Ale dokąd, dokąd?

– Poczekaj... Wejdźmy na podwórko, tam się zastanowimy, bo się boję, że zobaczy mnie ktoś ze znajomych, a potem powiedzą mężowi, że byłam na ulicy z kochankiem.

Nisa i Juda zniknęli z targowiska, szeptali do siebie w bramie jakiegoś podwórza.

– Idź na plantację oliwek – szepnęła Nisa, naciągając czepiec na oczy i odwracając się plecami do jakiegoś człowieka, który wchodził właśnie do bramy, niosąc wiadro. – W Getsemani, za Kedronem, wiesz gdzie?

– Tak, tak, tak...

– Ja pójdę pierwsza – ciągnęła Nisa – ale nie depcz mi po piętach, idź osobno. Ja pójdę pierwsza... Kiedy przejdziesz przez potok... Wiesz, gdzie jest grota?

– Wiem, wiem...

– Miniesz wytłaczarnię oliwek, pójdziesz w górę i skręcisz do groty. Ja już tam będę. Ale nie waż się iść teraz za mną, miej cierpliwość, poczekaj tutaj. – Z tymi słowami Nisa wyszła z bramy, jakby w ogóle nie rozmawiała z Judą.

Juda postał samotnie przez czas pewien, usiłując zebrać rozbiegane myśli. Była wśród nich także myśl o tym, jak wytłumaczy wobec rodziny swoją nieobecność przy świątecznym stole. Stał i wymyślał jakieś łgarstwo, w zdenerwowaniu jednak niczego nie obmyślił, jak należy, ani nie przygotował sobie żadnego wykrętu i wyszedł powoli z bramy.

Zmienił kierunek, nie szedł już ku Dolnemu Miastu, ale zawrócił w stronę pałacu Kajfasza. Teraz Juda niejasno widział otoczenie. W mieście rozpoczęło się już święto. W oknach wokół Judy płonęły światła, słychać już było także modlitwy. Spóźnieni przechodnie pędzili ulicą osiołki, poganiali je batem i okrzykami. Nogi same niosły Judę i nie zauważył nawet, kiedy przesunęły się obok niego straszliwe, omszałe wieże Antoniusza, nie słyszał dobiegającego z twierdzy dźwięku trąb, nie zwrócił uwagi na konny patrol rzymski z pochodnią, której niespokojny blask oświetlił jego pierś.

Minąwszy wieżę, Juda odwrócił się i zobaczył, że niezmiernie wysoko nad świątynią zapłonęły dwa gigantyczne pięcioramienne świeczniki. Ale i to Juda ledwie zauważył. Wydało mu się, że rozjarzyło się nad Jeruszalaim dziesięć niesłychanej wielkości zniczów, których blask konkurował ze światłem tego jednego jedynego, wznoszącego się coraz wyżej nad Jeruszalaim – miesiąca. Nic go teraz nie interesowało, spieszył do bramy Getsemani, chciał jak najszybciej opuścić miasto. Niekiedy wydawało mu się, że dostrzega przed sobą wśród pleców i twarzy przechodniów taneczną postać, która go za sobą prowadzi. Ale było to złudzenie. Wiedział, że Nisa musiała go znacznie wyprzedzić. Przebiegł obok kantorów wymiany i znalazł się wreszcie przy bramie Getsemani. Choć płonął z niecierpliwości, musiał się jednak zatrzymać przed bramą. Do miasta wchodziły wielbłądy, za nimi wjeżdżał patrol syryjskich żołnierzy. Juda przeklął go w myśli...

Ale wszystko ma swój koniec. Niecierpliwy Juda był wreszcie za murami miejskimi. Na lewo od siebie zobaczył niewielki cmentarz, a przy nim kilka pasiastych namiotów pielgrzymów. Przeciął zalaną księżycowym światłem, pełną kurzu drogę, skierował się w stronę potoku kedrońskiego, aby przejść na drugi jego brzeg. Woda bulgotała z cicha pod jego stopami. Przeskakując z kamienia na kamień, znalazł się wreszcie na getsemańskim brzegu i zobaczył z radością, że prowadząca wzdłuż gajów droga jest pusta. Na wpół rozwalona brama plantacji oliwek była już niedaleko.

Judę, który wyszedł z dusznego miasta, odurzył zapach wiosennej nocy. Zza ogrodzenia gaju napływał od getsemańskich łąk zapach mirtów i akacji.

Nikt nie strzegł bramy, nikogo w niej nie było i już w kilka minut później Juda biegł w tajemniczym cieniu wielkich rozłożystych drzew oliwnych. Droga wiodła pod górę. Wspinał się, dysząc ciężko, od czasu do czasu wypadał z mroku na wzorzyste księżycowe dywany, które przypominały mu dywany widywane w sklepie zazdrosnego męża Nisy.

Jeszcze chwilę później na polanie, na lewo od Judy, zamajaczyła wytłaczarnia oliwek z wielkim kamiennym kołem i sterta jakichś beczek. W gaju nie było nikogo, prace przerwano o zachodzie słońca, a teraz nad głową Judy grzmiały kląskające chóry słowicze.

Cel był już niedaleki. Juda wiedział, że w mroku po prawej ręce usłyszy lada chwila cichy szept spadającej w grocie wody. Tak się też stało, usłyszał go. Robiło się coraz chłodniej. Wtedy zwolnił kroku i cicho zawołał:

– Nisa!

Ale zamiast Nisy oderwała się od grubego pnia oliwki i wyskoczyła na drogę krępa męska sylwetka, w ręku mężczyzny coś błysnęło i zaraz zgasło. Juda krzyknął cicho, zawrócił i rzucił się do
ucieczki, ale inny człowiek odcinał mu odwrót.

Ten pierwszy, z przodu, zapytał:

– Ileś dziś dostał? Mów, jeśli ci życie miłe!

Nadzieja zaświtała w sercu Judy i zawołał z rozpaczą:

– Trzydzieści tetradrachm! Trzydzieści tetradrachm! Wszystko, co
dostałem, mam przy sobie! Oto pieniądze! Bierzcie, ale nie zabijajcie!

Człowiek, który stał z przodu, błyskawicznie wydarł Judzie z ręki
sakiewkę. W tej samej chwili za plecami Judy ten drugi wzniósł nóż
i wbił go pod łopatkę zakochanego. Juda zatoczył się do przodu,
wyrzucił w powietrze dłonie o zakrzywionych palcach. Człowiek,
który stał z przodu, przejął Judę na swój nóż – wbił go w serce Judy
aż po rękojeść.

– Ni…sa… – nie swoim, wysokim i czystym młodzieńczym głosem, ale pełnym wyrzutu basem wyrzekł Juda i nie wydał już żadnego dźwięku. Ciało jego uderzyło o ziemię tak mocno, że aż jęknęła.

Wtedy zjawiła się na drodze trzecia postać. Ten trzeci miał na
sobie płaszcz z kapturem.

– Pospieszcie się – rzucił.

Mordercy pospiesznie zawinęli w kawał skóry sakiewkę i karteczkę podaną im przez tego trzeciego, przewiązali zawiniątko sznurkiem. Potem jeden z nich wsunął je sobie w zanadrze i obaj mor-
dercy uskoczyli z drogi, pochłonęła ich ciemność pod oliwkami.
Trzeci zaś przykucnął przy zabitym i zajrzał mu w twarz. W cieniu
twarz ta wydała się patrzącemu biała jak kreda, piękna i jakaś jakby
natchniona.

W kilka sekund później nie było na drodze żywego ducha. Widać
było tylko nieruchome ciało leżące z rozrzuconymi rękami. Lewa
stopa znalazła się w plamie księżycowego światła, widać było wyraźnie każdy rzemyk sandała. Cały gaj Getsemani rozbrzmiewał śpie-
wem słowików.

Nikt nie wie, dokąd poszli ci dwaj, którzy zadźgali Judę, wiadomo jednak, co czynił następnie ów trzeci, człowiek w kapturze.
Zszedł ze ścieżki, dał nura w gęstwinę drzew oliwkowych i ruszył na
południe. Przelazł przez ogrodzenie plantacji w pobliżu głównej

bramy, na południowym krańcu gaju, w miejscu, gdzie wykruszyły się z muru górne kamienie. Wkrótce potem był na brzegu Kedronu. Wszedł wówczas do wody i przez czas jakiś szedł rzeką, dopóki nie zobaczył w oddali sylwetek dwóch koni i pilnującego ich człowieka. Konie również stały w potoku. Woda bulgotała, omywając im kopyta. Człowiek, który pilnował koni, dosiadł jednego z nich, mężczyzna w kapturze wskoczył na drugiego, obaj pojechali potokiem, słychać było, jak zgrzytają pod kopytami wierzchowców kamienie. Potem jeźdźcy wyjechali z wody, wspięli się na jeruszalaimski brzeg i pojechali stępa wzdłuż muru miejskiego. Nagle luzak pocwałował do przodu i zniknął z oczu, mężczyzna w kapturze zaś zatrzymał konia, zsiadł na pustej drodze, zdjął płaszcz, przewrócił go na drugą stronę, wyjął spod płaszcza płytki hełm bez kity i włożył go na głowę. Teraz wskoczył na konia człowiek ubrany w żołnierską chlamidę, z krótkim mieczem na biodrze. Puścił wodze i ognisty koń kawaleryjski ruszył cwałem, podrzucając jeźdźca w siodle. Nie pojechali daleko – jeździec zbliżał się do południowej bramy Jeruszalaim.

Pod łukiem bramy tańczyły i podskakiwały niespokojne odblaski pochodni. Pełniący wartę żołnierze z drugiej centurii legionu Błyskawic siedzieli na kamiennych ławach i grali w kości. Zobaczywszy mundur wjeżdżającego, zerwali się, jeździec skinął im dłonią i wjechał do miasta.

Miasto było świątecznie oświetlone. W każdym oknie pełgało światło szabaśników i zewsząd dobiegały modły zlewające się w nieskładny chór. Z rzadka zaglądając do wychodzących na ulicę okien, jeździec mógł zobaczyć ludzi siedzących za stołami, na których stało mięso koźlęcia i, wśród doprawionych gorzkimi ziołami potraw, puchary napełnione winem. Cicho pogwizdując jakąś piosenkę, jeździec niespiesznym cwałem przemierzył wyludnione ulice Dolnego Miasta, kierując się ku wieży Antoniusza i spoglądając niekiedy na niemające sobie równych na całym świecie pięcioramienne świeczniki gorejące nad świątynią albo na księżyc, który wisiał teraz jeszcze wyżej niż świeczniki.

Pałac Heroda Wielkiego nie uczestniczył w uroczystościach paschalnej nocy. W pośledniejszych, zwróconych ku południowi komnatach pałacowych, w których zakwaterowano starszyznę kohorty rzymskiej oraz legata legionu, paliło się światło, panował tam jeszcze jakiś ruch. Natomiast część frontowa pałacu, jego część reprezentacyjna, w której spał tylko jeden jedyny, przymusowy zresztą, jej mieszkaniec – procurator, cała ta część, wraz ze swymi kolumnadami i posągami ze złota, jak gdyby oślepła w blasku wyjątkowo jasnego księżyca. Tu, w pałacowych wnętrzach, panowały cisza i mrok.

Procurator, jak zresztą sam o tym powiedział Afraniuszowi, nie miał ochoty wchodzić do pałacu. Polecił, aby mu przygotowano posłanie pod kolumnadą, tam gdzie ucztował, gdzie rankiem prowadził śledztwo. Legł na przygotowanym łożu, ale sen nie nadszedł. Nagi księżyc wisiał wysoko na czystym niebie i procurator patrzył weń przez kilka godzin.

Mniej więcej o północy sen użalił się wreszcie nad procuratorem. Ziewnąwszy spazmatycznie, rozpiął i zrzucił płaszcz, zdjął przepasujący tunikę rzemień ze stalowym krótkim sztyletem w pochwie, położył go na stojącym obok łoża tronie, zdjął sandały i wyciągnął się. Banga natychmiast wskoczył na pościel i położył się obok, jego pysk znalazł się przy głowie procuratora, który położył dłoń na karku psa i wreszcie zamknął oczy. Dopiero wtedy zasnął i pies.

Łoże znajdowało się w półmroku, kolumnada osłaniała je przed księżycem, ale od wiodących na taras schodów do posłania ciągnęło się księżycowe pasmo. I procurator, skoro tylko stracił kontakt z otaczającą go rzeczywistością, zaraz ruszył po owej jaśniejącej ścieżce i poszedł nią ku górze, wprost w księżyc. Aż się roześmiał przez sen, uszczęśliwiony, że tak piękne i niepowtarzalne było wszystko na tej przejrzystej niebieskiej drodze. Szedł, towarzyszył mu Banga, a obok kroczył wędrowny filozof. Dyskutowali o czymś nader ważnym i niezmiernie skomplikowanym i żaden z nich nie mógł przekonać drugiego. Nie mieli żadnych wspólnych poglądów, co czyniło ich dyskusję szczególnie interesującą i sprawiało, że mogła się ona ciągnąć w nieskończoność. Dzisiejsza kaźń, oczywista, okazała się jedynie zwykłym nieporozumieniem; filozof, który wymyślił coś tak nieprawdopodobnie niedorzecznego jak to, że wszyscy ludzie są dobrzy, szedł tuż obok, a zatem żył. I, oczywiście, strach nawet pomyśleć, że człowiek taki jak on mógłby zostać stracony. Nie było kaźni! Nie było! Oto w czym tkwił urok tej wędrówki po drabinie księżyca.

Wolnego czasu mieli, ile dusza zapragnie – burza nadciągnie dopiero pod wieczór i tchórzostwo należy bez wątpienia do

najstraszliwszych ułomności człowieka. Dowodził tego Jeszua Ha-
-Nocri. O, nie, mój filozofie, nie zgodzę się z tobą – tchórzostwo
nie jest jedną z najstraszliwszych ułomności, ono jest ułomnością
najstraszliwszą!

Oto na przykład nie stchórzył obecny procurator prowincji Judea,
a ówczesny trybun legionu wtedy, tam, w Dolinie Dziewic, kiedy
tak niewiele brakowało, żeby rozwścieczeni Germanie zagryźli olb-
rzyma Szczurzą Śmierć. Ale zechciej mi wybaczyć, filozofie! Czyżbyś ty, tak rozumny, mógł przypuścić, że z powodu człowieka, który
popełnił przestępstwo przeciw cezarowi, procurator Judei zaprzepa-
ści swoją karierę?

– Tak, tak… – jęczał i szlochał przez sen Piłat. Jasne, że za-
przepaści. Rano by jej jeszcze nie zaprzepaścił, ale teraz, wieczorem, rozważywszy wszystko, zgadza się zaprzepaścić. Nie cofnie się
przed niczym, byle tylko ocalić od śmierci szalonego marzyciela
i lekarza, który doprawdy niczemu nie jest winien.

– Teraz zawsze będziemy razem – mówił doń we śnie obdarty
filozof-włóczęga, który nie wiedzieć w jaki sposób stanął na drodze
Jeźdźca Złotej Włóczni – gdzie jeden, tam i drugi! Kiedy wspomną
mnie, równocześnie wspomną ciebie! Mnie, podrzutka, syna nieznanych rodziców, i ciebie, syna króla-astronoma i młynarzówny,
pięknej Pili.

– Tak, nie zapominaj o mnie, pamiętaj o synu astronoma – prosił
we śnie Piłat. I spostrzegłszy we śnie skinienie idącego obok niego
nędzarza z En Sarid, skinienie, które było zapewnieniem, surowy
procurator Judei z radości śmiał się i płakał przez sen.

Wszystko to było piękne, ale tym żałośniejsze było przebudzenie
hegemona. Banga zawarczał na księżyc i urwała się przed procuratorem śliska, jak gdyby wymoszczona oliwą błękitna droga. Otworzył oczy i pierwszą rzeczą, którą sobie uświadomił, było to, że kaźń
się odbyła. Procurator przede wszystkim odruchowo chwycił obrożę
Bangi, a potem jego zbolałe oczy zaczęły szukać księżyca i spostrzegł, że księżyc odpłynął nieco na bok i stał się srebrzystszy.
Blask miesiąca silniejszy był niż nieprzyjemne, niespokojne światło
igrające na tarasie tuż przed oczyma. W dłoniach centuriona Szczurzej Śmierci pełgała i kopciła pochodnia. Ten, który ją trzymał,
spoglądał ze strachem i z nienawiścią na niebezpieczną bestię, gotu-
jącą się do skoku.

– Nie rusz, Banga – powiedział chorym głosem procurator i zakaszlał. Osłaniając się dłonią przed płomieniem, ciągnął: – I w nocy, i przy księżycu nie zaznam spokoju!... O, bogowie!... Ty, Marku, także masz podłą służbę. Żołnierzy czynisz kalekami...

Marek popatrzył na procuratora z nieopisanym zdumieniem, i procurator się opamiętał. Aby zatrzeć wrażenie niepotrzebnych słów, które wypowiedział, budząc się, procurator rzekł:

– Nie gniewaj się, centurionie. Moja rola, powtarzam, jest jeszcze gorsza. Czego chcesz?

– Przyszedł komendant tajnej służby – spokojnie zakomunikował Marek.

– Proś, proś – powiedział procurator, odkaszlnąwszy, i jego bose stopy zaczęły szukać sandałów. Płomień zatańczył na kolumnach, caligae centuriona zastukotały po mozaice. Centurion wyszedł do ogrodu.

– Nawet przy księżycu nie zaznam spokoju – zgrzytnąwszy zębami, powiedział procurator sam do siebie.

Pod kolumnadą miejsce centuriona zajął człowiek w kapturze.

– Banga, nie rusz – cicho polecił procurator i przygiął do ziemi kark psa.

Afraniusz, zgodnie ze swoim zwyczajem, rozejrzał się, nim zaczął mówić, odszedł w cień i dopiero kiedy się przekonał, że poza nimi dwoma nie ma pod kolumnadą nikogo prócz Bangi, powiedział cicho:

– Proszę, oddaj mnie pod sąd, procuratorze. Miałeś rację. Nie potrafiłem ustrzec Judy z Kiriatu, został zasztyletowany, jak to przeczuwałeś. Proszę o oddanie mnie pod sąd i o dymisję.

Wydało się Afraniuszowi, że patrzy na niego czworo oczu – dwoje psich i dwoje wilczych.

Afraniusz wyjął spod chlamidy sakiewkę zapieczętowaną dwoma pieczęciami, całą w zakrzepłej krwi.

– Ten oto woreczek z pieniędzmi mordercy podrzucili w domu arcykapłana. Krew na tym woreczku to krew Judy z Kiriatu.

– Ciekawe, ile tam jest? – pochylając się nad sakiewką, zapytał Piłat.

– Trzydzieści tetradrachm.

Procurator uśmiechnął się i powiedział:

– Nie jest to wiele.

Afraniusz milczał.

– Gdzie zabity?

– Tego nie wiem – godnie i ze spokojem odpowiedział człowiek, który nigdy nie rozstawał się ze swoim kapturem. – Rano rozpoczniemy poszukiwania.

Procurator drgnął, puścił rzemień sandała, który ani rusz nie chciał się zadzierzgnąć.

– Ale wiesz na pewno, że on nie żyje?

Na to pytanie procurator otrzymał oschłą odpowiedź:

– Pracuję w Judei od piętnastu lat, procuratorze. Wstąpiłem do służby za czasów Waleriusza Gratusa. Nie muszę oglądać zwłok, żeby powiedzieć, czy ktoś został zabity, i oto melduję ci, że ten, którego nazywano Judą z Kiriatu, przed kilkoma godzinami został zasztyletowany.

– Proszę, wybacz mi, Afraniuszu – odparł Piłat – nie rozbudziłem się jeszcze, jak należy, i tylko dlatego to powiedziałem. Źle sypiam – procurator uśmiechnął się – i ciągle mi się śni promień księżyca. To zabawne, wyobraź sobie – jak gdybym spacerował po tym promieniu. A zatem chciałbym się dowiedzieć, jakie są twoje w tej sprawie przypuszczenia. Gdzie zamierzasz go szukać? Siadaj, dowódco tajnej służby.

Afraniusz skłonił się, przysunął tron bliżej łoża i usiadł, podzwaniając mieczem.

– Zamierzam go szukać w pobliżu wytłaczarni oliwek, w ogrodach Getsemani.

– Tak, tak. A dlaczego właśnie tam?

– Hegemonie, według moich przypuszczeń Juda został zabity nie w samym Jeruszalaim, ale też nie gdzieś daleko stąd; zabito go pod Jeruszalaim.

– Uważam cię za jednego z najwybitniejszych specjalistów w twoim zawodzie. Nie wiem zresztą, jak sprawy wyglądają w Rzymie, ale w koloniach nie masz równego sobie... Wytłumacz mi jednakże, dlaczego zamierzasz szukać go właśnie tam?

– Wykluczam przypuszczenie – cicho mówił Afraniusz – by Juda mógł wpaść w ręce jakichś podejrzanych osobników gdzieś w obrębie miasta. Na ulicy nie można nikogo zarżnąć potajemnie. A zatem musieli go zwabić do jakiejś, powiedzmy, piwnicy. Moi ludzie jednak szukali go już w Dolnym Mieście i znaleźliby bez wątpienia.

Ręczę za to, że w mieście go nie ma. Gdyby zamordowali go gdzieś daleko od miasta, zawiniątko z pieniędzmi nie mogłoby zostać podrzucone tak szybko. Zabito go w pobliżu miasta. Udało im się wywabić go za mury.

– Nie wyobrażam sobie, jak im się to udało!

– Tak, procuratorze, to najtrudniejsze pytanie w całej sprawie i nie wiem nawet, czy uda mi się na nie odpowiedzieć.

– To doprawdy zagadkowa historia. Religijny człowiek wychodzi w świąteczny wieczór nie wiadomo po co za miasto, opuszcza paschalną wieczerzę, ginie. Kto i w jaki sposób mógł go wywabić? Czy aby nie zrobiła tego kobieta? – w nagłym natchnieniu zapytał procurator.

Afraniusz odpowiadał spokojnie, dobitnie:

– W żadnym wypadku, procuratorze. Możliwość taka jest absolutnie wykluczona. Należy myśleć logicznie. Kto był zainteresowany śmiercią Judy? Jacyś tam wędrowni fantaści, grupka, w której przede wszystkim nie było żadnych kobiet. Żeby się ożenić, procuratorze, trzeba mieć pieniądze. Żeby wydać na świat nowego człowieka, trzeba ich również. Żeby jednak zamordować człowieka z pomocą kobiety, potrzebne są bardzo wielkie pieniądze, żadni włóczędzy takimi pieniędzmi nie dysponują. W tej sprawie nie ma kobiety, procuratorze. Powiem, co więcej, że taki punkt widzenia na zabójstwo może jedynie zbić z tropu, utrudnić śledztwo, dezorientować mnie.

– Tak! Zapomniałem zapytać – procurator potarł czoło – jaki wymyślono sposób, by podrzucić Kajfaszowi pieniądze?

– Widzisz, procuratorze... Nie było to zbyt skomplikowane. Mściciele poszli na tyły pałacu Kajfasza, tam gdzie zaułek wznosi się nad pałacowym dziedzińcem. Przerzucili paczkę przez mur.

– Z notatką?

– Tak, dokładnie tak, jak to przewidziałeś, procuratorze.

– Widzę, że masz całkowitą rację, Afraniuszu – mówił Piłat. – Pozwoliłem sobie jedynie wyrazić pewien domysł.

– Jest on, niestety, fałszywy, procuratorze.

– Jakże to więc było? – z chciwą ciekawością wpatrując się w twarz Afraniusza, zawołał procurator.

– Sądzę, że w dalszym ciągu szło o wspomniane już pieniądze.

– Doskonała myśl! Ale kto i za co mógłby mu zaproponować pieniądze, w nocy, za murami?

– O, nie, procuratorze, to nie tak. Znajduję jedno jedyne wytłumaczenie i jeśli jest ono mylne, to innych wyjaśnień chyba już nie znajdę. – Afraniusz nachylił się ku procuratorowi i dokończył szeptem: – Juda chciał ukryć otrzymane pieniądze w bezpiecznym i jemu tylko wiadomym miejscu.

– Bardzo sprytne wytłumaczenie. Z pewnością tak właśnie sprawa się miała. Już pojmuję: wywabili go nie ludzie, ale jego własny cel. Tak, tak, tak to musiało być.

– Tak. Juda był nieufny, ukrywał pieniądze przed ludźmi.

– Tak, więc powiadasz, że w Getsemani... Ale przyznam, iż nie pojmuję, dlaczego zamierzasz go szukać właśnie tam?

– O, procuratorze, to już jest najprostsze. Nikt nie będzie chował pieniędzy na drodze, w miejscach, które są na widoku. Juda nie był ani na drodze do Hebronu, ani na drodze do Betanii. Szukał miejsca ustronnego, zadrzewionego, bezpiecznego. To takie proste. Prócz Getsemani nie ma pod Jeruszalaim takiego miejsca. A daleko odejść nie mógł.

– Przekonałeś mnie całkowicie. Cóż więc zrobimy teraz?

– Niezwłocznie rozpocznę poszukiwania zabójców, którzy wyśledzili Judę za miastem, sam zaś tymczasem, jak już zameldowałem, pójdę pod sąd.

– Za co?

– Moi ludzie stracili go z oczu wieczorem, na bazarze, kiedy już wyszedł z pałacu Kajfasza. Nie mam pojęcia, jak to się mogło stać. Nigdy w życiu mi się jeszcze nic podobnego nie zdarzyło. Wzięto go pod obserwację natychmiast po naszej rozmowie. Ale w rejonie targowiska dał gdzieś nura i musiał tak kluczyć, że zniknął bez śladu.

– Tak. Oświadczam ci, że nie uważam za słuszne, abyś stanął przed sądem. Zrobiłeś wszystko, co było w twojej mocy, i nikt na świecie – tu procurator się uśmiechnął – nie zdołałby dokonać więcej. Pociągnij do odpowiedzialności tajniaków, którzy stracili Judę z oczu. Ale uprzedzam, że nie chciałbym, żeby kara była surowa. Ostatecznie zrobiliśmy wszystko, żeby się zatroszczyć o tego łajdaka. Tak, zresztą... – Tu Afraniusz złamał pieczęć na zawiniątku i pokazał Piłatowi jego zawartość.

– Na litość, co robisz, Afraniuszu! To przecież chyba pieczęć świątyni!

– Nie warto, aby procurator martwił się taką błahostką – zawijając pakiet, odparł Afraniusz.

– Czyżbyś miał wszystkie pieczęcie? – roześmiawszy się, zapytał Piłat.

– Inaczej być nie może, procuratorze – bez cienia uśmiechu, niezmiernie surowo odparł Afraniusz.

– Wyobrażam sobie, co się działo u Kajfasza!

– Tak, procuratorze, wywołało to bardzo duże poruszenie. Zaprosili mnie natychmiast.

Nawet w półmroku widać było, jak goreją oczy Piłata.

– To ciekawe, to ciekawe...

– Ośmielam się sądzić inaczej, procuratorze, to nie było ciekawe. Nudna i żmudna sprawa. Kiedy zapytałem, czy w pałacu Kajfasza nie wypłacono komuś pieniędzy, odpowiedziano mi kategorycznie, że nie.

– Ach tak? No cóż, nie wypłacono, to znaczy nie wypłacono. Tym trudniej będzie znaleźć morderców.

– Tak jest, procuratorze.

– Ach, Afraniuszu, wiesz, co mi nagle przyszło do głowy? A może to było samobójstwo?

– O, nie, procuratorze – odpowiedział Afraniusz, aż się odchylił w fotelu ze zdumienia – proszę mi wybaczyć, ale to zupełnie nieprawdopodobne.

– Ach, w tym mieście wszystko jest możliwe. Gotów jestem pójść o zakład, że nie minie wiele czasu, a słuchy o tym rozejdą się po całym Jeruszalaim.

Tu Afraniusz znowu rzucił na procuratora swoje spojrzenie, pomyślał chwilę i odparł:

– To możliwe, procuratorze.

Procurator najwyraźniej ciągle jeszcze nie mógł się rozstać ze sprawą zamordowania człowieka z Kiriatu, choć wszystko było już i tak jasne, i powiedział jakby z niejakim rozmarzeniem:

– A ja chciałbym widzieć, jak go zabijali.

– Zamordowano go nadzwyczaj umiejętnie, procuratorze – spoglądając na procuratora z niejaką ironią, odpowiedział Afraniusz.

– Skąd możesz o tym wiedzieć?

– Niech mi wolno będzie zwrócić uwagę na sakiewkę, procuratorze – odparł Afraniusz. – Mogę zaręczyć, że krew Judy chlusnęła strumieniem. Widziałem w życiu wielu zabitych, procuratorze.

– Możemy więc być pewni, że on nie zmartwychwstanie?

– O, nie, procuratorze – uśmiechając się filozoficznie, odpowiedział Afraniusz. – Powstanie z martwych, kiedy zagrzmi nad nim trąba mesjasza, na którego wszyscy tu czekają. Ale nie wcześniej.

– A zatem, Afraniuszu, ta sprawa jest jasna. Przejdźmy do sprawy pogrzebu.

– Skazańcy zostali pogrzebani, procuratorze.

– O, Afraniuszu, oddanie ciebie pod sąd byłoby przestępstwem. Godzien jesteś najwyższej nagrody. Jak to się odbyło?

Afraniusz zaczął opowiadać. Podczas kiedy zajęty był sprawą Judy, drużyna tajnej służby pod dowództwem jego zastępcy dotarła na wzgórze już po zapadnięciu zmierzchu. Na szczycie brakowało jednego ciała. Piłat drgnął i powiedział ochryple:

– Ach, jakże mogłem nie przewidzieć tego!...

– Nie ma powodu do niepokoju, procuratorze – zapewnił Afraniusz i ciągnął dalej swoją opowieść: – Zabrali ciała Dismasa i Gestasa, którym drapieżne ptaki zdążyły już wyłupić oczy, i natychmiast ruszyli na poszukiwanie trzecich zwłok. Znaleźli je bardzo szybko. Pewien człowiek...

– Mateusz Lewita – powiedział Piłat. Nie pytał, raczej stwierdził.

– Tak, procuratorze... Mateusz Lewita ukrywał się w pieczarze na północnym zboczu Łysej Czaszki, czekał, aż zapadnie ciemność. Obok niego leżało nagie ciało Jeszui Ha-Nocri. Kiedy strażnicy z pochodnią weszli do pieczary, Lewita wpadł w rozpacz i gniew. Krzyczał, że nie popełnił żadnego przestępstwa i że zgodnie z prawem każdemu człowiekowi wolno pochować ciało skazańca, jeśli tylko ma na to ochotę. Mateusz Lewita mówił, że nie chce się rozstać z tym ciałem. Był bardzo podniecony, wykrzykiwał coś bez sensu, to prosił, to znów groził i przeklinał nas...

– Trzeba go było pojmać? – posępnie zapytał Piłat.

– Nie, procuratorze, nie – uspokajająco odpowiedział Afraniusz – udało się uspokoić tego szaleńca, wyjaśniliśmy mu, że ciało zostanie pogrzebane. Zrozumiawszy to, Lewita uspokoił się, ale oświadczył, że nie ruszy się stamtąd i że chce uczestniczyć w pogrzebie. Powiedział, że nie odejdzie, nawet gdyby go miano zamordować, i nawet oferował w tym celu nóż chlebowy, który miał przy sobie.

– Przepędzono go? – zapytał stłumionym głosem Piłat.

– Nie, procuratorze, nie. Mój zastępca pozwolił mu wziąć udział w pogrzebie.

– Który z twoich zastępców kierował tym wszystkim? – zapytał Piłat.

– Tolmaj – odpowiedział Afraniusz i dodał z niepokojem: – Może popełnił jakiś błąd?

– Mów dalej – odparł Piłat. – Nie popełniono żadnego błędu. W ogóle jestem nieco zaniepokojony, Afraniuszu, najwyraźniej mam do czynienia z człowiekiem, który nigdy nie popełnia błędów. Człowiek ów to ty.

– Mateusza Lewitę zabrali na wóz wraz z ciałami skazańców i po dwóch godzinach przyjechali do pustynnego wąwozu na północ od Jeruszalaim. Tam drużyna, pracując na zmianę, w ciągu godziny wykopała głęboki dół i pogrzebała w nim wszystkich trzech skazańców.

– Nagich?

– Nie, procuratorze, drużyna specjalnie zabrała chitony. Na palce włożono trupom pierścienie. Jeszui – z jednym nacięciem, Dismasowi – z dwoma, Gestasowi zaś z trzema. Dół zasypano, przywalono kamieniami. Tolmaj pamięta znak, który pozwoli nam trafić.

– Ach, gdybym mógł to przewidzieć! – krzywiąc się, powiedział Piłat. – Powinienem był przecież zobaczyć tego Mateusza Lewitę…

– On jest tu, procuratorze.

Piłat szeroko otworzył oczy i patrzył przez czas pewien na Afraniusza, po czym powiedział:

– Dziękuję za wszystko, co zostało zrobione w tej sprawie. Proszę, abyś jutro przysłał do mnie Tolmaja, powiedz mu przedtem, że jestem z niego zadowolony, a ciebie, Afraniuszu – procurator wyjął z kieszeni leżącego na stole pasa pierścień i podał go komendantowi tajnej służby – proszę, byś przyjął to na pamiątkę.

Afraniusz skłonił się ze słowami:

– Wielki to dla mnie honor, procuratorze.

– Drużynie, która zajmowała się pochówkiem, wypłać, proszę, nagrody. Wywiadowcom, którzy stracili z oczu Judę, udziel nagany. A teraz przyślij mi Mateusza Lewitę. Potrzebne mi są szczegółowe informacje o sprawie Jeszui.

– Rozkaz, procuratorze – powiedział Afraniusz i zaczął się oddalać wśród ukłonów, procurator zaś klasnął w dłonie i zawołał:

– Do mnie! Świeczniki pod kolumnadę!

Afraniusz odchodził już do ogrodu, a za plecami Piłata w rękach sług migotały ogniki. Na stole przed procuratorem stanęły trzy świeczniki i księżycowa noc natychmiast cofnęła się do ogrodów, jak gdyby Afraniusz zabrał ją ze sobą. Zamiast Afraniusza zjawił się pod kolumnadą nieznany, niski i wychudzony człowiek – obok niego szedł olbrzymi centurion. Centurion złowił spojrzenie procuratora, natychmiast odszedł do ogrodu i zniknął.

Procurator obserwował przybysza oczami chciwymi i nieco wystraszonymi. Tak się patrzy na kogoś, o kim wiele się słyszało, o kim wiele się rozmyślało, gdy ten ktoś wreszcie się zjawia.

Przybysz dobiegał czterdziestki, był czarny, obdarty, pokryty zeschniętym błotem, patrzył spode łba jak wilk. Słowem – wyglądał bardzo nędznie, można by go wziąć za miejskiego żebraka, jakich mnóstwo snuje się po tarasach świątyni albo po targowiskach gwarnego i pełnego błota Dolnego Miasta.

Milczenie trwało długo, a przerwało je dziwne zachowanie tego, którego przyprowadzono do Piłata. Jego twarz przybrała dziwny wyraz, zachwiał się i upadłby, gdyby nie uchwycił się brudną dłonią skraju stołu.

– Co ci jest? – zapytał go Piłat.

– Nic – odpowiedział Mateusz Lewita i uczynił taki ruch, jak gdyby coś połykał. Naga, wychudła, szara jego szyja nabrzmiała i znowu zaklęsła.

– Co ci jest, odpowiadaj – powtórzył Piłat.

– Jestem zmęczony – odpowiedział Lewita i posępnie wpatrzył się w posadzkę.

– Usiądź – powiedział Piłat i wskazał mu tron.

Lewita spojrzał na procuratora z niedowierzaniem, podszedł do tronu, popatrzył z lękiem na złote poręcze i usiadł nie na tronie, ale obok niego, na podłodze.

– Wyjaśnij mi, dlaczego nie usiadłeś na tronie? – zapytał Piłat.

– Jestem brudny, zabrudzę – wyjaśnił Lewita, patrząc w ziemię.

– Zaraz dadzą ci coś do jedzenia.

– Nie chcę jeść – odpowiedział Lewita.

– Po co kłamać? – cicho zapytał Piłat. – Nie jadłeś przecież przez cały dzień, a może nawet dłużej. Ale dobrze, nie jedz. Wezwałem cię, abyś mi pokazał nóż, który miałeś przy sobie.

– Żołnierze zabrali mi go, kiedy mnie tu wprowadzali – odpowiedział Lewita i posępnie dodał: – Każ mi zwrócić ten nóż, hegemonie, muszę go oddać właścicielowi, ja go ukradłem.

– Po co?

– Żeby przeciąć sznury – odpowiedział Lewita.

– Marek! – krzyknął procurator i centurion wszedł pod kolumny. – Dajcie mi jego nóż.

Centurion z jednej z dwóch pochew u pasa wyjął brudny nóż piekarski i podał go procuratorowi, sam zaś się oddalił.

– Komu zabrałeś ten nóż?

– Ze sklepiku piekarza przy bramie Hebronu, jak się wchodzi do miasta, to zaraz w lewo.

Piłat popatrzył na szeroką klingę, mimochodem spróbował palcem, czy nóż jest ostry, i powiedział:

– O nóż się nie niepokój, zostanie zwrócony do sklepiku. A teraz następna sprawa – pokaż mi tę kartkę, którą nosisz przy sobie i na której zapisane są słowa Jeszui.

Lewita z nienawiścią popatrzył na Piłata i uśmiechnął się uśmiechem tak niedobrym, że jego twarz stała się zupełnie odrażająca.

– Chcecie mi zabrać to jedyne, co mam? – zapytał.

– Nie powiedziałem ci: oddaj – odparł Piłat – powiedziałem: pokaż.

Lewita pogrzebał w zanadrzu i wyjął zwitek pergaminu. Piłat wziął go, rozwinął, rozpostarł na stole między światłami i mrużąc oczy, zaczął odczytywać niewyraźne, nabazgrane tuszem znaczki. Trudno było zrozumieć te koślawe linijki, więc Piłat marszczył się i pochylał nad pergaminem, palcem wodząc po wierszach. Zdołał się w końcu zorientować, że ma przed sobą bezładny potok jakichś maksym, jakichś dat, gospodarskich notatek i fragmentów poetyckich. To i owo udało mu się odcyfrować: „... śmierci nie ma..., jedliśmy wczoraj słodki wiosenny chleb świętojański...".

Krzywiąc się z napięcia, Piłat mrużył oczy i czytał: „... zobaczymy czystą rzekę wody życia"... „ludzkość będzie patrzyła w słońce poprzez przezroczysty kryształ...". Tu Piłat drgnął. W ostatnich linijkach pergaminu odczytał słowa „... straszliwszej ułomności... tchórzostwo...".

Piłat zwinął pergamin i gwałtownym ruchem podał go Lewicie.

– Masz – powiedział, zamilkł, potem dodał: – Kochasz księgi, jak widzę, i nie powinieneś chodzić tak samopas w nędzarskim odzieniu, nie mając własnego kąta. Mam w Caesarei wielką bibliotekę, jestem bardzo bogaty i chcę wziąć cię na służbę. Będziesz porządkował papirusy i dbał o nie, będziesz syty i będziesz miał się w co ubrać.

Lewita wstał i odpowiedział:

– Nie, nie chcę.

– Dlaczego? – zapytał procurator i jego twarz pociemniała. – Nie jestem ci miły... obawiasz się mnie?

Ten sam niedobry uśmiech zeszpecił twarz Lewity, który powiedział:

– Nie, nie chcę, ponieważ to ty będziesz się mnie obawiał. Niełatwo ci będzie spojrzeć mi w twarz po tym, jak go zabiłeś.

– Milcz – odpowiedział Piłat. – Masz tu pieniądze.

Lewita odmownie pokręcił głową, procurator zaś ciągnął:

– Wiem, że uważasz się za ucznia Jeszui, ale muszę ci powiedzieć, że nie zrozumiałeś nic z tego, czego cię uczył. Albowiem gdybyś cokolwiek zrozumiał, to z pewnością przyjąłbyś coś ode mnie. Weź pod uwagę, że on powiedział przed śmiercią, iż nikogo nie wini. – Piłat znacząco wzniósł palec, twarz jego drgnęła. – On sam bez wątpienia przyjąłby coś ode mnie. Jesteś nieludzki, a on taki nie był. Dokąd pójdziesz?

Lewita zbliżył się nagle do stołu, wsparł na nim obie ręce i patrząc płonącymi oczyma na procuratora, zaczął szeptać:

– Wiedz o tym, hegemonie, że jest w Jeruszalaim człowiek, którego zabiję. Chcę ci o tym powiedzieć, żebyś wiedział, że krew jeszcze się poleje.

– Ja także wiem, że krew się jeszcze poleje – odparł Piłat. – Twoje słowa mnie nie zdziwiły. Oczywiście, zamierzasz zabić mnie?

– Ciebie zabić mi się nie uda – szczerząc zęby i uśmiechając się, odpowiedział Lewita. – Nie jestem taki głupi, by na to liczyć. Ale poderżnę gardło Judzie z Kiriatu, poświęcę na to ostatek mych dni.

Wtedy w oczach procuratora odmalowała się rozkosz, skinieniem palca zachęcił Mateusza Lewitę, by się zbliżył, i powiedział:

– Tego ci się nie uda zrobić, nie kłopocz się o to. Juda został już zabity tej nocy.

Lewita odskoczył od stołu, rozejrzał się obłędnie i krzyknął:

– Kto to uczynił?

– Nie bądź zazdrosny – szczerząc zęby, odpowiedział Piłat i zatarł ręce – obawiam się, że miał i innych wyznawców poza tobą.

– Kto to uczynił? – powtórzył szeptem Lewita.

Piłat powiedział mu:

– Ja to uczyniłem.

Lewita otworzył usta, zagapił się na procuratora, ten zaś powiedział cicho:

– Uczyniłem oczywiście niewiele, ale bądź co bądź to uczyniłem ja. – I dodał: – No, a teraz – czy przyjmiesz coś ode mnie?

Lewita pomyślał, złagodniał, wreszcie powiedział:

– Rozkaż, ażeby mi dano kawałek czystego pergaminu.

Minęła godzina. Lewity nie było już w pałacu. Teraz ciszę świtu mącił tylko cichy szelest kroków wartowników w ogrodach. Księżyc szybko płowiał, na przeciwległym końcu nieba widać było białą plamę gwiazdy zarannej. Świeczniki dawno już pogasły. Procurator leżał na łożu. Spał, podłożywszy dłoń pod policzek, oddychał bezgłośnie. Obok niego spał Banga.

Tak przywitał świt piętnastego dnia miesiąca nisan piąty procurator Judei, Poncjusz Piłat.

27

Zagłada mieszkania numer pięćdziesiąt

Kiedy Małgorzata doczytała do końca ostatnie słowa rozdziału: „Tak przywitał świt piętnastego dnia miesiąca nisan piąty procurator Judei, Poncjusz Piłat", wstał dzień.

Z podwórka, z koron wierzby i lipy słychać było wesołe poranne rozmowy podnieconych wróbli.

Małgorzata wstała z fotela, przeciągnęła się i dopiero teraz poczuła, jak ogromnie jest znużona i jak bardzo chce jej się spać. Ciekawe, że znajdowała się w stanie całkowitej równowagi duchowej. Myślała sprawnie i precyzyjnie, nie była bynajmniej wstrząśnięta tym, że spędziła noc w sposób nadprzyrodzony. Nie niepokoiło jej wspomnienie pobytu na balu u szatana, to, że jakimś cudem mistrz został jej zwrócony, że powieść odrodziła się z popiołów, że wszystko w zaułku w suterenie, z której przepędzony został oszczerca Alojzy Mogarycz, znowu jest po staremu. Jednym słowem – znajomość z Wolandem nie przyczyniła jej żadnego uszczerbku psychicznego. Wyglądało na to, że wszystko jest tak, jak być powinno.

Poszła do sąsiedniego pokoju, upewniła się, że mistrz śpi snem mocnym i spokojnym, zgasiła niepotrzebną już lampę na stole, sama również wyciągnęła się pod ścianą naprzeciwko niego, na kanapce zasłanej starym, podartym prześcieradłem. Zasnęła w jednej chwili i nic jej się nie śniło tego ranka. Milczały pokoiki w suterenie, milczał maleńki domeczek, cisza panowała także w całym ustronnym zaułku.

Ale w tym czasie, to znaczy w sobotę o świcie, nie spało całe piętro w pewnej moskiewskiej instytucji, a jego okna wychodzące na wielki, zalany asfaltem plac, który specjalnie, powoli i z dudnieniem jeżdżące samochody czyściły szczotkami, jarzyły się pełnią światła, które przebijało się przez blask wschodzącego słońca.

Całe piętro zajęte było śledztwem w sprawie Wolanda i w dziesiątkach gabinetów przez całą noc nie gasły lampy.

Prawdę mówiąc, cała sprawa stała się jasna już od wczoraj, to znaczy od piątku, kiedy to wypadło zamknąć Variétés z powodu zawieruszenia się całej administracji teatralnej oraz za przyczyną szeregu skandali, które miały miejsce w wigilię tego dnia, w czasie osławionego seansu czarnej magii. Rzecz w tym jednak, że nieustannie, bez najmniejszej przerwy, do czuwających gabinetów napływał wciąż nowy materiał.

Teraz ci, którzy prowadzili śledztwo w tej dziwnej sprawie, najwyraźniej zatrącającej diabelstwem, i jakby tego było nie dość, jakimiś hipnotycznymi sztuczkami i wyraźnym kryminałem, starali się te wszystkie różnorakie i splątane wydarzenia skleić w jedną sensowną całość.

Pierwszym, któremu wypadło odwiedzić rozjaśnione elektrycznym światłem bezsenne piętro, był Arkadij Apołłonowicz Siemplejarow, przewodniczący komisji akustycznej.

W piątek po obiedzie w jego mieszkaniu w kamienicy przy Kamiennym Moście rozległ się dzwonek i męski głos poprosił do telefonu Arkadija Apołłonowicza. Małżonka Arkadija Apołłonowicza, która podniosła słuchawkę, odpowiedziała posępnie, że Arkadij Apołłonowicz niedomaga, spoczął właśnie i nie może podejść do telefonu. Ale Arkadij Apołłonowicz musiał mimo wszystko podejść do telefonu. Na pytanie, kto chce rozmawiać z Arkadijem Apołłonowiczem, głos w słuchawce odpowiedział nader zwięźle, kto mianowicie.

– W tej sekundzie... już... za minutę... – wykrztusiła zazwyczaj niezmiernie wyniosła małżonka przewodniczącego komisji akustycznej i pomknęła jak strzała do sypialni, by podnieść Arkadija Apołłonowicza z łoża, na którym spoczywał, cierpiąc męki piekielne na wspomnienie wczorajszego seansu i nocnego skandalu, towarzyszącego wygnaniu z mieszkania jego kuzynki z Saratowa.

Co prawda nie w tej sekundzie, ale też i nie za minutę, tylko dokładnie w ćwierć minuty później Arkadij Apołłonowicz w jednym pantoflu na lewej nodze i w samej bieliźnie był przy telefonie i jąkał w słuchawkę:

– Tak, to ja... słucham, słucham...

Jego małżonka, zapominając w owej chwili o wszystkich wstrętnych zbrodniach przeciwko wierności, które nieszczęsnemu Arkadijowi

Apołłonowiczowi zostały udowodnione, z przerażoną twarzą wyglądała przez drzwi na korytarz, dziurawiła półbutem powietrze i szeptała:

– Włóż pantofel... pantofel... Nogi przeziębisz... – Na co Arkadij Apołłonowicz, opędzając się od żony bosą stopą i robiąc straszne oczy, mamrotał do słuchawki:

– Tak, tak, tak, oczywiście... rozumiem... już jadę...

Cały wieczór Arkadij Apołłonowicz spędził na owym właśnie piętrze, na którym toczyło się śledztwo. Rozmowa to była przygnębiająca, doprawdy wyjątkowo nieprzyjemna rozmowa, ponieważ wypadło szczerze i otwarcie opowiedzieć nie tylko o obrzydliwym seansie i o awanturze w loży, ale też przy okazji – co było niestety naprawdę konieczne – również o Milicy Andriejewnie Pokobat'ko z ulicy Jełochowskiej i o siostrzenicy z Saratowa, i o wielu jeszcze rzeczach. Opowiadanie o tym sprawiało przewodniczącemu niewypowiedziane katusze.

Rozumie się samo przez się, że zeznania Arkadija Apołłonowicza, człowieka inteligentnego i kulturalnego, który był świadkiem skandalicznego seansu, i to świadkiem rozumnym i wykwalifikowanym, który znakomicie opisał zarówno samego zamaskowanego maga, jak i dwóch jego łajdackich pomocników, który bezbłędnie zapamiętał, że nazwisko maga brzmi Woland, znacznie posunęły śledztwo naprzód. Porównanie zaś zeznań Arkadija Apołłonowicza z zeznaniami innych, wśród których znajdowały się również pewne damy poszkodowane na skutek seansu (ta w fioletowej bieliźnie, która tak przeraziła Rimskiego, oraz niestety wiele innych dam) i goniec Karpow, którego posyłano do mieszkania numer pięćdziesiąt na Sadową – właściwie od razu pozwoliło ustalić miejsce, w którym należy poszukiwać winowajcy.

Owszem, ci, do których to należało, odwiedzili mieszkanie numer pięćdziesiąt, i to nie raz. I nie tylko przeszukali je nadzwyczaj starannie, ale opukali również ściany, sprawdzili przewody kominowe nad kominkiem, szukali tajnych skrytek. Jednak wszystko to nie dało najmniejszego rezultatu i ani razu w czasie kolejnych wizyt nikogo pod pięćdziesiątką nie wykryto, choć było oczywiste, że w mieszkaniu ktoś przebywa, niezależnie od faktu, że wszystkie osobistości, które w ten czy inny sposób zajmowały się przyjeżdżającymi do Moskwy artystami z zagranicy, stwierdzały stanowczo i kategorycznie, że żadnego maga Wolanda w Moskwie nie ma i być nie może.

Woland po przyjeździe absolutnie nigdzie się nie zarejestrował, nikomu nie okazywał swojego paszportu, podobnie jak żadnych innych dokumentów, kontraktów czy umów, i nikt nic o nim nie słyszał. Kierownik wydziału repertuarowego Komisji Nadzoru Widowisk, niejaki Kitajcew, przysięgał i zaklinał się na wszystkie świętości, że żadnego programu Wolanda zaginiony Stiopa Lichodiejew nie przysyłał mu do zatwierdzenia ani nie rozmawiał z nim o przyjeździe Wolanda przez telefon. Tak więc on, Kitajcew, nie wie i w ogóle nie rozumie, w jaki sposób Stiopa mógł dopuścić do tego, aby podobny seans odbył się w Variétés. Kiedy zaś mówiono mu, że Arkadij Apołłonowicz na własne oczy widział tego maga na seansie, Kitajcew tylko rozkładał ręce i wznosił oczy do nieba. I patrząc w te oczy, można było śmiało stwierdzić, że Kitajcew jest w tej sprawie czysty jak kryształ.

A znowu przewodniczący Głównej Komisji Nadzoru Widowisk, ten właśnie Prochor Pietrowicz...

Nawiasem mówiąc, odnalazł się z powrotem w swoim garniturze natychmiast po wkroczeniu milicji do jego gabinetu, ku nieprzytomnej radości sekretarki i ku nieopisanemu zdumieniu niepotrzebnie wezwanej milicji.

Należy tu jeszcze dodać, że powróciwszy w swój szary prążkowany garnitur, Prochor Pietrowicz całkowicie zaaprobował wszystkie decyzje, które podpisał garnitur w czasie krótkotrwałej nieobecności właściciela.

... A więc ten właśnie Prochor Pietrowicz stanowczo nie wiedział o żadnym Wolandzie.

Wychodziło coś, za przeproszeniem, bez sensu: tysiące widzów, cały personel Variétés, wreszcie Siemplejarow Arkadij Apołłonowicz, człowiek wyjątkowo wykształcony – wszyscy widzieli tego maga, podobnie jak i jego po trzykroć przeklętych asystentów, a tymczasem w żaden sposób nigdzie go nie można było znaleźć. Cóż więc, jeśli wolno zapytać, pod ziemię się zapadł czy co, natychmiast po swoim odrażającym seansie, czy też może, jak zapewniają niektórzy, w ogóle do Moskwy nie przyjeżdżał? Jeśli przyjąć pierwszą ewentualność, to bez wątpienia zapadając się pod ziemię, zabrał ze sobą całe kierownictwo administracyjne Variétés, jeśli zaś drugą, to czy nie wygląda na to, że sama administracja pechowego teatru, popełniwszy uprzednio jakieś świństwo (przypomnijcie sobie tylko wybitą szybę w gabinecie i zachowanie Askara!), zniknęła z Moskwy bez śladu.

Należy oddać sprawiedliwość temu, który kierował śledztwem. Zaginionego Rimskiego odnaleziono ze zdumiewającą szybkością. Wystarczyło tylko przeanalizować zachowanie Askara na postoju taksówek obok kina oraz ustalić dokładnie godziny niektórych wydarzeń – jak na przykład godzinę zakończenia seansu i czas, w którym mógł zaginąć Rimski – żeby niezwłocznie wysłać depeszę do Leningradu. Po godzinie nadeszła odpowiedź (było to w piątek wieczorem), że Rimski został odnaleziony w hotelu „Astoria", na trzecim piętrze, w pokoju czterysta dwanaście, w sąsiedztwie pokoju, w którym zatrzymał się kierownik artystyczny pewnego moskiewskiego teatru przebywającego na gościnnych występach w Leningradzie. Rimski zatrzymał się w tym właśnie pokoju, w którym, jak wiadomo, jest znakomita łazienka i szaroniebieskie meble ze złoceniami.

Wydobytego z szafy w czterysta dwunastym pokoju hotelu „Astoria" Rimskiego bezzwłocznie aresztowano i przesłuchano od razu w Leningradzie. W wyniku tego do Moskwy została wysłana depesza informująca, że dyrektor finansowy Rimski postradał zmysły, że na zadawane mu pytania sensownych odpowiedzi nie umie udzielić albo też udzielić ich nie chce i błaga tylko o jedno, aby go zamknąć w opancerzonej celi, a przy drzwiach postawić uzbrojonych strażników.

Moskwa telegraficznie poleciła dostarczyć Rimskiego pod konwojem, w wyniku czego Rimski w piątek wieczorem wyjechał pod strażą wieczornym pociągiem.

W piątek wieczorem natrafiono również na ślad Lichodiejewa. W poszukiwaniu Lichodiejewa do wszystkich miast rozesłano telegramy i z Jałty otrzymano odpowiedź, że Lichodiejew znajdował się w Jałcie, obecnie zaś leci samolotem do Moskwy.

Jedynym człowiekiem, na którego ślad wpaść się nie udało, był Warionucha. Znany dosłownie całej Moskwie znakomity administrator teatralny przepadł jak kamień w wodę.

Tymczasem trzeba było się zająć wydarzeniami w innych miejscach Moskwy, poza teatrem Variétés. Należało wyjaśnić niezwykłą historię z urzędnikami śpiewającymi *Morze przesławne* (profesorowi Strawińskiemu w ciągu dwóch godzin udało się ich zresztą doprowadzić do normalnego stanu dzięki jakimś zaaplikowanym podskórnie zastrzykom), należało wyjaśnić afery z osobami wręczającymi innym osobom lub urzędom pozornie pieniądze, a w istocie diabli wiedzą co, jak również kołomyjki z osobami, które ucierpiały na skutek tego rodzaju transakcji.

Jest samo przez się zrozumiałe, że najbardziej skandaliczny, najnieprzyjemniejszy i najbardziej niepojęty był fakt porwania głowy zmarłego literata Berlioza. Głowę ukradziono wprost z trumny, w biały dzień, z sali w Gribojedowie.

Dwunastu ludzi prowadziło śledztwo, łapiąc jak na druty przeklęte oczka tej skomplikowanej, rozproszonej po całej Moskwie sprawy.

Jeden ze śledczych przyjechał do kliniki profesora Strawińskiego i zaczął od tego, że poprosił, aby udostępniono mu spis osób, które przyjęto do lecznicy w ciągu ostatnich trzech dni. W ten sposób natrafiono na Nikanora Bosego i na nieszczęsnego konferansjera z oderwaną głową. Zresztą nimi akurat zajmowano się niewiele. Teraz już bez trudu można było ustalić, że obydwaj byli ofiarami tego samego gangu, na którego czele stał ów tajemniczy mag. Ale za to Iwan Bezdomny nadzwyczajnie zainteresował śledczego.

W piątek pod wieczór otwarły się drzwi pokoju numer sto siedemnaście i wszedł młody, pucołowaty, spokojny i miły w obejściu człowiek, który na śledczego bynajmniej nie wyglądał, niemniej był jednym z najlepszych śledczych w Moskwie. Zobaczył leżącego na łóżku pobladłego i zmizerowanego młodego człowieka o oczach, w których malował się zupełny brak zainteresowania tym, co się dzieje naokoło, o oczach skierowanych gdzieś w dal, w pustą przestrzeń lub do wewnątrz samego siebie. Śledczy serdecznym głosem wymienił swoje nazwisko i powiedział, że wpadł do Iwana, aby pogadać z nim o przedwczorajszych wydarzeniach na Patriarszych Prudach.

O, jak by Iwan triumfował, gdyby śledczy zjawił się u niego nieco wcześniej, powiedzmy choćby w ową czwartkową noc, kiedy poeta tak zapalczywie i gwałtownie wojował o to, by wysłuchano jego opowieści o Patriarszych Prudach! Teraz jego marzenie o schwytaniu konsultanta przybrało realny kształt, nie musiał się już za nikim uganiać, przyszli do niego sami, i przyszli po to właśnie, aby wy-słuchać jego relacji o tym, co wydarzyło się w środę wieczorem.

Lecz, niestety, Iwan całkowicie zmienił się w ciągu czasu, który upłynął od chwili śmierci Berlioza, był gotów uprzejmie i rzeczowo odpowiadać na wszystkie pytania śledczego, ale zarówno w spojrze-niu Iwana, jak i w intonacji jego głosu wyczuwało się obojętność. Poety nie wzruszał już los Michała Aleksandrowicza.

Przed przyjściem śledczego Iwan leżał, drzemał i zwidywały mu się różne majaki. Widział więc miasto, dziwne, niepojęte, nieist-niejące miasto, bryły marmuru, zwietrzałe kolumnady, dachy bły-szczące w słońcu, czarną, posępną i bezlitosną wieżę Antoniusza, pałac na zachodnim wzgórzu, prawie po sam dach zatopiony w tro-pikalnej zieleni ogrodu, a nad tą zielenią spiżowe płomieniejące w promieniach zachodu rzeźby, widział idące pod murami starożyt-nego miasta pancerne rzymskie centurie.

We śnie Iwanowi pojawiał się nieruchomo siedzący na tronie ogolony człowiek o udręczonej, pożółkłej twarzy, człowiek w białym płaszczu z purpurowym podbiciem, który patrzył z nienawiścią na wspaniały i obcy ogród. Widział też Iwan nagie żółte wzgórze i pu-ste już słupy z poprzecznymi belkami.

A to, co się stało na Patriarszych Prudach, poety Iwana Bezdom-nego już nie interesowało.

– Powiedzcie, towarzyszu Bezdomny, jak daleko byliście od tur-nikietu, kiedy Berlioz wpadł pod tramwaj?

Ledwie dostrzegalny obojętny uśmiech nie wiedzieć czemu mus-nął wargi Iwana, kiedy ten odpowiadał:

– Byłem daleko.

– A ten kraciasty był przy samym turnikiecie?

– Nie, siedział nieopodal niego, na ławce.

– Dobrze pamiętacie, że nie podchodził do turnikietu w tym momencie, kiedy Berlioz się przewrócił?

– Pamiętam. Nie podchodził. Rozwalił się na ławce i siedział.

To były ostatnie pytania, jakie zadał Iwanowi śledczy. Otrzyma-wszy na nie odpowiedź, wstał, wyciągnął do Iwana rękę, życzył mu szybkiego powrotu do zdrowia i wyraził nadzieję, że niebawem znów będzie mógł czytać jego wiersze.

– Nie – cicho odpowiedział Iwan – ja już nie będę więcej pisał wierszy.

Śledczy uśmiechnął się grzecznie i pozwolił sobie wyrazić przekonanie, że poeta znajduje się obecnie w stanie pewnej depresji, która niezawodnie szybko przeminie.

– Nie – odpowiedział Iwan, patrząc nie na śledczego, ale gdzieś w dal, na gasnący nieboskłon – to mi już nigdy nie przejdzie. Wiersze, które pisałem, to były niedobre wiersze. Teraz to zrozumiałem.

Śledczy wyszedł od Iwana, zebrawszy bardzo ważny materiał. Idąc po nitce od końca do początku wydarzeń, wreszcie udało się dotrzeć do ich źródła. Śledczy nie miał wątpliwości co do tego, że wszystko wzięło początek od morderstwa na Patriarszych Prudach. Oczywiście ani Iwan, ani ten kraciasty nie wpychali pod tramwaj nieszczęsnego przewodniczącego Massolitu – w sensie fizycznym, jeśli można się tak wyrazić, nikt mu nie dopomógł w dostaniu się pod koła. Ale śledczy był przekonany, że Berlioz rzucił się pod tramwaj (lub też upadł na szyny), ponieważ go zahipnotyzowano.

Tak, zebrało się sporo materiału, było już wiadomo, kogo i gdzie należy łapać. Ale problem polegał na tym, że nie sposób było schwytać podejrzanych. W po trzykroć przeklętym mieszkaniu numer pięćdziesiąt, trzeba to jeszcze raz powtórzyć, niewątpliwie ktoś był. Czasami mieszkanie odpowiadało na telefon, niekiedy skrzypiącym, innym zaś razem nosowym głosem, od czasu do czasu ktoś otwierał okno, więcej nawet, zdarzało się, że z mieszkania dobiegały dźwięki patefonu. A tymczasem za każdym razem, kiedy je dokładnie sprawdzano, nikogo tam nie było. A bywano w nim już nieraz, i to o różnych porach dnia i nocy. Co więcej, przeczesywano mieszkanie, przeszukiwano wszystkie kąty, użyto nawet specjalnej sieci. Mieszkanie to już od dawna było podejrzane. Obstawiono nie tylko schody wiodące na podwórze przez bramę, ale i wejście kuchenne. Co więcej, ustawiono posterunki i na dachu, przy kominach. Tak, mieszkanie numer pięćdziesiąt rozrabiało, i nic na to nie można było poradzić.

Tak sprawa ciągnęła się do północy z piątku na sobotę, kiedy to baron Meigel, w stroju wieczorowym i w lakierkach, uroczyście wkroczył do mieszkania numer pięćdziesiąt w charakterze proszonego gościa.

Było słychać, jak barona wpuszczono do mieszkania. Dokładnie w dziesięć minut później złożono w mieszkaniu wizytę, tym razem już bez żadnych dzwonków, jednak nie dość, że nie znaleziono w nim gospodarzy, ale, co było już zupełnie niepojęte, nie wykryto również żadnych oznak pobytu barona Meigla.

A więc, jak już mówiliśmy, sprawa ciągnęła się tak do soboty rano. Wówczas uzyskano nowe, nader interesujące dane. Na moskiewskim lotnisku wylądował sześcioosobowy samolot pasażerski z Krymu. Prócz innych pasażerów wysiadł z niego również nadzwyczaj dziwny podróżny. Był to niemyty co najmniej od trzech dni młody, potwornie zarośnięty obywatel o zaczerwienionych powiekach i przerażonych oczach. Obywatel ów nie miał żadnego bagażu, ubrany był natomiast nieco ekscentrycznie. Na głowie miał papachę, burkę narzucił na nocną koszulę, szedł w skórkowych, nowiutkich, prosto ze sklepu, nocnych granatowych pantoflach. Kiedy tylko zszedł z trapu, po którym wychodzono z kabiny samolotu, podeszli do niego jacyś ludzie. Oczekiwano już na tego obywatela i po niedługim czasie niezapomniany dyrektor Variétés, Stiepan Bogdanowicz Lichodiejew, stanął przed prowadzącymi śledztwo. Lichodiejew dostarczył nowych danych. Stało się teraz jasne, że Woland, uprzednio zahipnotyzowawszy Stiopę, dostał się do Variétés, udając artystę, a następnie znalazł sposób, aby tegoż Stiopę przenieść o Bóg wie ile kilometrów od Moskwy. W ten sposób ilość materiału obciążającego zwiększyła się, ale wcale lżej od tego nie było, kto wie, może nawet nieco ciężej, ponieważ stawało się już oczywiste, że pokonanie kogoś, kto umiał dokazać takiej sztuki, jak ta, której ofiarą padł Stiopa Lichodiejew, nie będzie takie proste. Lichodiejew na własną zresztą prośbę został zamknięty w bezpiecznej celi i przed śledczymi stanął Warionucha, świeżo aresztowany w swoim własnym mieszkaniu, do którego powrócił po tajemniczej dwudniowej nieobecności.

Nie bacząc na obietnicę, że nigdy więcej nie będzie kłamać, obietnicę, którą wymógł na nim Azazello, administrator zaczął właśnie od kłamstwa. Nie należy go wszakże osądzać za to zbyt surowo. Azazello przecież zabronił mu kłamać i urągać przez telefon, a w przypadku, o którym teraz mowa, administrator rozmawiał, nie korzystając z pośrednictwa aparatu telefonicznego. Błądząc więc oczyma, Iwan Sawieliewicz oświadczył, że w czwartek samotnie zalał się w trupa w swoim gabinecie w Variétés, że potem poszedł gdzieś, a gdzie – tego nie pamięta, potem gdzieś jeszcze pił starkę, gdzie – nie pamięta, a jeszcze później leżał gdzieś pod płotem, a gdzie to było, tego również nie pamięta. Dopiero kiedy powiedziano mu, że swoim głupim i nierozsądnym zachowaniem utrudnia prowadzenie śledztwa w ważnej sprawie, w związku z czym, oczywiście, będzie musiał ponieść konsekwencje, Warionucha zaszlochał i rozglądając się dookoła, wyszeptał drżącym głosem, że kłamie wyłącznie ze strachu przed zemstą szajki Wolanda, która miała go już w swoich rękach, i że on, administrator Warionucha, pragnie, prosi, błaga, aby go zamknięto w opancerzonej celi.

– Tfu, do diabła! Poszaleli na punkcie tej opancerzonej celi! – mruknął jeden z prowadzących śledztwo.

– Ci bandyci okropnie ich nastraszyli – powiedział ten, który był u Iwana.

Uspokoili Warionuchę, jak umieli, powiedzieli mu, że obronią go bez zamykania w celi, i od razu wyjaśniło się, że żadnej starki pod żadnym płotem nie pił, że biło go dwóch, jeden rudy, z kłem, a drugi gruby.

– Ach, ten podobny do kota?

– Tak, tak, tak – szeptał, oglądając się co sekunda i zamierając ze strachu, administrator i dalej zeznawał szczegółowo o tym, jak około dwóch dni przebywał w mieszkaniu numer pięćdziesiąt w charakterze wampira-nawigatora, który omal nie stał się przyczyną śmierci dyrektora Rimskiego.

Tymczasem wprowadzono przywiezionego pociągiem z Leningradu Rimskiego. Ale ten trzęsący się ze strachu, posiwiały i rozbity psychicznie starzec, w którym trudno było poznać dawnego dyrektora, za nic nie chciał mówić prawdy i wykazał w tej mierze niespotykany upór. Utrzymywał, że nie widział żadnej Helli za oknem nocą w swoim gabinecie, podobnie jak nie widział Warionuchy, tylko najzwyczajniej zrobiło mu się słabo i w zamroczeniu wyjechał do Leningradu. Nie trzeba chyba dodawać, że swoje zeznania chory dyrektor finansowy zakończył prośbą o zamknięcie go w opancerzonej celi.

Annuszkę aresztowano w chwili, kiedy usiłowała wręczyć kasjerce w domu towarowym na Arbacie dziesięciodolarowy banknot. Opowieść Annuszki o ludziach wylatujących przez okno z domu na Sadowej i o złotej podkówce, którą ona, Annuszka, jakoby podniosła z tym wyłącznie zamiarem, by okazać ją na milicji, wysłuchana została uważnie.

– Czy podkówka była rzeczywiście złota i wysadzana brylantami? – zapytywano Annuszkę.

– Co to ja brylantów nie widziałam? – odpowiadała Annuszka.

– Ale przecież on dał wam, jak mówicie, czerwońce?

– Co to ja czerwońców nie widziałam? – odpowiadała Annuszka.

– No, a kiedy te czerwońce zamieniły się w dolary?

– Nic nie wiem, jakie znowu dolary, żadnych tam dolarów nie widziałam! – wrzaskliwie odpowiadała Annuszka. – Jesteśmy w swoim prawie! Dali nam nagrodę, a my za nią kupujemy perkal.

– I zaraz, już zupełnie od rzeczy, zaczęła gadać o tym, że ona nie odpowiada za administrację, która zapuściła na czwartym piętrze nieczystą siłę, że już wytrzymać nie można.

Tu śledczy machnął na Annuszkę obsadką, albowiem wszyscy już mieli jej dosyć, wypisał jej przepustkę na zielonym papierku, po czym ku ogólnemu zadowoleniu Annuszka zniknęła z budynku.

Następnie przedefilowało całe mnóstwo innych ludzi. Wśród nich znajdował się również Nikołaj Iwanowicz, aresztowany wyłącznie z powodu głupoty swojej zazdrosnej małżonki, która nad ranem zawiadomiła milicję, że jej mąż zaginął. Nikołaj Iwanowicz niezbyt zadziwił śledczych, kiedy położył na biurku błazeńskie zaświadczenie stwierdzające, że spędził noc na balu u szatana. W swoich opowieściach o tym, jak w powietrzu wiózł na grzbiecie nagą służącą gdzieś nad rzekę, do kąpieli, gdzie diabeł mówi dobranoc, i o poprzedzającej to wszystko historii z pojawieniem się w oknie nagiej Małgorzaty, Nikołaj Iwanowicz nieco rozminął się z prawdą. Tak na przykład nie uznał za stosowne wspomnieć o tym, jak to pojawił się w sypialni z wyrzuconą przez okno koszulką, ani że mówił do Nataszy „Wenero!". Z jego słów wynikało, że Natasza wyleciała przez okno, dosiadła go i wywlokła hen, daleko za Moskwę...

– Zmuszony byłem ustąpić przed przemocą i podporządkować się – zakończył swoje opowiadanie Nikołaj Iwanowicz, po czym poprosił, aby ani jedno słowo z tego, co mówił, nie dotarło do jego małżonki. Przyobiecano mu to.

Zeznanie Nikołaja Iwanowicza pozwoliło ustalić, że zarówno Małgorzata, jak jej służąca Natasza zniknęły bez najmniejszego śladu. Poczyniono odpowiednie kroki w celu odnalezienia obu kobiet.

Tak więc sobotni poranek powitało nieustające ani na sekundę śledztwo. Tymczasem na mieście powstawały i rozprzestrzeniały się zupełnie nieprawdopodobne pogłoski, w których malutkie cząstki prawdy przyozdabiano najwspanialszymi łgarstwami. Opowiadano, że w Variétés odbył się seans, po którym dwa tysiące widzów wyskoczyło na ulicę, jak ich Pan Bóg stworzył, że wykryto na Sadowej drukarnię fałszywych, zaczarowanych banknotów, że jakaś szajka porwała pięciu naczelników z wydziału rozrywek, ale że milicja zaraz ich wszystkich odnalazła, a także wiele jeszcze innych rzeczy, których nie warto nawet powtarzać.

Tymczasem zbliżała się pora obiadowa, kiedy tam, gdzie prowadzono śledztwo, zadzwonił telefon. Dzwoniono z Sadowej, że przeklęte mieszkanie znowu daje oznaki życia. Poinformowano, że w mieszkaniu ktoś otworzył okna, że dobiegają stamtąd dźwięki pianina oraz śpiewy i że widziano w oknie czarnego kota siedzącego na parapecie i wygrzewającego się w słońcu.

Około godziny czwartej owego gorącego popołudnia spora grupa ubranych po cywilnemu mężczyzn wysiadła z trzech samochodów, które zatrzymały się w pewnej odległości od domu 302-A na Sadowej. Ta duża grupa podzieliła się na dwie mniejsze, jedna z nich przez bramę i podwórko skierowała się prosto na klatkę szóstą, druga natomiast otworzyła zabite zwykle gwoździami malutkie drzwi na kuchenne schody, po czym obie grupy różnymi klatkami schodowymi podążyły do mieszkania numer pięćdziesiąt.

Korowiow i Azazello – przy czym Korowiow był w swoim zwykłym stroju, a bynajmniej nie w odświętnym fraku – siedzieli właśnie w jadalni, kończąc śniadanie. Woland swoim zwyczajem znajdował się w sypialni, a gdzie był kocur – nie wiadomo. Ale sądząc po dobiegającym z kuchni brzęku garnków, można było przypuszczać, że Behemot znajduje się właśnie tam, swoim zwyczajem udając głupiego.

– A co to za kroki na schodach? – zapytał Korowiow, zabawiając się łyżeczką w filiżance czarnej kawy.

– Idą nas aresztować – odpowiedział Azazello i wychylił stopkę koniaku.

– Aa... no, no... – odrzekł na to Korowiow.

Tymczasem ci, którzy szli od frontu, znaleźli się na podeście drugiego piętra. Tam jacyś dwaj hydraulicy majstrowali przy żeberkach kaloryfera. Idący zamienili z hydraulikami znaczące spojrzenia.

– Wszyscy w domu – szepnął jeden z hydraulików, stukając młotkiem po rurze.

Wtedy ten, który szedł na czele grupy, niczego przed nikim nie ukrywając, wyjął spod palta czarny mauzer, a drugi idący obok niego – wytrychy. W ogóle ci, którzy zmierzali pod pięćdziesiąty, byli wyposażeni, jak należy. Dwaj mieli w kieszeniach cienkie, jedwabne, łatwo rozwijające się sieci, inny miał arkan, jeszcze inny – maski z gazy i ampułki z chloroformem.

Najwyżej sekundę trwało otwieranie drzwi mieszkania numer pięćdziesiąt i przybysze znaleźli się w przedpokoju, a w tej chwili trzasnęły drzwi w kuchni, co oznaczało, że druga grupa, zabezpieczająca tyły, również przybyła na czas.

Tym razem jeżeli nie całkowity, to pewien sukces był jednak oczywisty. Ludzie w mgnieniu oka rozbiegli się po wszystkich pokojach i nigdzie nikogo nie znaleźli, ale w jadalni na stole wykryto resztki – według wszelkich oznak przed chwilą przerwanego – śniadania, a w salonie na gzymsie kominka obok kryształowej amfory siedział ogromny czarny kot. Trzymał w łapach prymus.

W kompletnym milczeniu przybyli dość długo kontemplowali tego kota.

– Taak... rzeczywiście nieźle... – szepnął jeden z nich.

– Nikomu nie przeszkadzam, nikogo nie ruszam, reperuję prymus – nieżyczliwie powiedział kot i nastroszył się – poza tym uważam za swój obowiązek uprzedzić, że kot to zwierzę starożytne i nietykalne.

– Wyjątkowo czysta robota – szepnął jeden z przybyłych, a drugi powiedział głośno i wyraźnie:

– No to, nietykalny kocie brzuchomówco, pozwól no tutaj!

Sieć rozwinęła się i śmignęła w powietrzu, ale ku zdumieniu wszystkich chybiła i złowiła tylko dzban, który natychmiast rozbił się z brzękiem.

– Pudło! – wrzasnął kot. – Hurra! – I nagle, odstawiwszy prymus, wyszarpnął zza pleców brauning. Błyskawicznie wycelował w najbliżej stojącego, ale nim zdążył wystrzelić, z dłoni tamtego zionęło ogniem i wraz z hukiem wystrzału z mauzera kot, wypuszczając brauning i porzucając prymus, klapnął głową na dół z gzymsu na podłogę.

– Wszystko skończone – słabym głosem powiedział kot i malowniczo ułożył się w czerwonej kałuży – odsuńcie się ode mnie na chwilę, pozwólcie mi pożegnać ten padół. O, przyjacielu mój, Azazello – wyjęczał kot, ociekając krwią – gdzieżeś? – wykręcił gasnące oczy w kierunku drzwi do jadalni – nie przyszedłeś mi z pomocą w chwili nierównej walki, opuściłeś biednego Behemota, zamieniłeś go na setkę – co prawda bardzo dobrego – koniaku! Cóż, niech moja śmierć spadnie na twoje sumienie, zapisuję ci w testamencie mój brauning...

– Sieć, sieć, sieć... – niespokojnie zaczęto szeptać dookoła kota. Ale sieć, diabeł wie dlaczego, o coś się zaczepiła w kieszeni i za nic nie można jej było wyciągnąć.

– Jedyne, co może uratować śmiertelnie rannego kota – odezwał się kot – to maleńki łyczek benzyny. – I wykorzystując zamieszanie, przypiął się do okrągłego otworu w prymusie i napił się benzyny. Krew natychmiast przestała się sączyć spod jego lewej przedniej łapy... Kot poderwał się, żwawy i rześki, porwał prymus pod pachę, śmignął wraz z nim z powrotem na kominek, a stamtąd, rozdzierając tapety, wlazł na ścianę, mniej więcej po dwóch sekundach znalazł się wysoko nad wszystkimi i zasiadł na metalowym karniszu.

Natychmiast dłonie wczepiły się w zasłonę i zerwały ją razem z karniszem, na skutek czego słońce wpadło do mrocznego pokoju. Ale na ziemię nie spadł ani prymus, ani ozdrowiały nagle kot przechera. Nie rozstając się z prymusem, zdołał śmignąć w powietrzu i wskoczyć na wiszący na środku pokoju żyrandol.

– Drabinę! – krzyknęli ci na dole.

– Wyzywam na pojedynek – wydzierał się kot, przelatując nad głowami ludzi na rozhuśtanym żyrandolu, brauning znowu znalazł się w jego łapach, prymus zaś kocur umieścił między ramionami żyrandola. Kot złożył się do strzału i latając jak wahadło nad głowami przybyłych, otworzył do nich ogień. Huk zatrząsł mieszkaniem. Na podłogę posypały się odpryski kryształu z żyrandola, pękło gwiaździście lustro na kominku, wzbiła się chmura tynkowego pyłu, po podłodze skakały wystrzelone łuski, szyby w oknach popękały, a z przestrzelonego prymusa trysnęła benzyna. Teraz już nie mogło być mowy o tym, żeby wziąć kota żywcem, i przybysze odpowiadali mu wściekłym a celnym ogniem z mauzerów, mierząc w łeb i w brzuch, w pierś i w grzbiet. Na asfalcie podwórza strzelanina wywołała panikę.

Ale strzelanina ta trwała niedługo i sama z siebie zaczęła przycichać. Rzecz w tym, że ani kotu, ani przybyłym nie wyrządziła też ona najmniejszej krzywdy. Nikt nie został zabity, nikogo nawet nie zraniono. Wszyscy, w tym również kot, byli cali i zdrowi... Któryś z przybyłych, aby ostatecznie rzecz wyjaśnić, pięć po kolei kul ulokował w głowie przeklętego zwierzaka, kot w odpowiedzi dziarsko wystrzelał cały magazynek, i znowu to samo – żadnego efektu. Kot huśtał się na coraz słabiej się kołyszącym żyrandolu, dmuchając nie wiadomo po co w lufę brauninga i spluwając na łapę.

Na twarzach tych, którzy w milczeniu stali na dole, pojawiło się niebywałe zdumienie. To był jedyny, czy też jeden z jedynych, przypadek, kiedy strzelanina zdawała się zupełnie nie mieć następstw. Można było oczywiście przypuścić, że brauning kota jest po prostu straszakiem, ale o mauzerach gości tego w żadnym już razie nie można było powiedzieć. Pierwsza zaś rana kota – teraz już, rzecz jasna, nie można było mieć co do tego najmniejszych wątpliwości – nie była niczym innym jak tylko wybiegiem, fortelem, obłudnym świństwem, podobnie jak picie benzyny.

Podjęto jeszcze jedną próbę schwytania kota. Ale rzucony arkan zahaczył o jedną z żarówek i żyrandol się urwał. Wydawało się, że uderzenie wstrząsnęło murami całego domu, ale specjalnych korzyści to nie przyniosło. Na obecnych posypał się gruz, kot zaś dał olbrzymiego susa i wylądował wysoko pod sufitem na górnej krawędzi pozłacanej ramy wiszącego nad kominkiem lustra. Nie zamierzał nigdzie uciekać, a nawet przeciwnie, siedząc w miejscu względnie bezpiecznym, przystąpił do jeszcze jednego przemówienia.

– Nie potrafię sobie wytłumaczyć – mówił spod sufitu – dlaczego się mnie tak źle traktuje…

Ale orację kota już po pierwszych słowach przerwał niski, ciężki głos dobiegający nie wiadomo skąd:

– Co się w tym mieszkaniu dzieje? Przeszkadzają mi w pracy…

Drugi głos, nieprzyjemny, nosowy, odrzekł:

– A niech go diabli wezmą, to oczywiście Behemot!

Trzeci, skrzekliwy głos powiedział:

– Messer! Sobota. Słońce zachodzi. Czas na nas.

– Proszę mi wybaczyć, że nie mogę dłużej z wami gawędzić – powiedział kot z lustra. – Na mnie czas. – I cisnął swoim brauningiem w okno, wybijając obie szyby. Następnie chlusnął benzyną i benzyna ta sama się zapaliła, wyrzucając fale płomieni aż pod sufit.

Zapłonęło jakoś nadzwyczaj szybko i gwałtownie, tak nie pali się nawet benzyna. Natychmiast zatliły się tapety, zapłonęła zerwana stora na podłodze, zadymiły futryny powybijanych okien. Kot zwinął się jak sprężyna, miauknął, skoczył z lustra na parapet i zniknął za oknem razem ze swoim prymusem. Na zewnątrz rozległy się strzały. Człowiek siedzący na drabinie przeciwpożarowej, na wysokości okien jubilerowej, ostrzelał kota, kiedy ten przelatywał z parapetu na parapet w kierunku rynny w załomie domu zbudowanego, jak to już było powiedziane, w kształcie otwartego czworoboku. Po tej rynnie kot wdrapał się na dach. Tam, niestety również bez rezultatu, ostrzelali go ci, którzy strzegli kominów, i kot przepadł w zalewającym miasto blasku zachodzącego słońca.

Tymczasem w mieszkaniu zapalił się parkiet pod nogami obecnych i w ogniu, w tym miejscu gdzie z szalbierczą raną leżał kot, ukazał się z minuty na minutę coraz bardziej się materializujący trup byłego barona Meigla z wyostrzonym podbródkiem, ze szklistymi oczyma. Nie było już żadnego sposobu, żeby go wyciągnąć z płomieni.

Skacząc po płonących klepkach parkietu, uderzając rękami po dymiących się plecach i klapach, przybysze wycofali się z salonu do gabinetu, do przedpokoju. Ci, którzy znajdowali się w sypialni i w stołowym, wybiegli przez korytarz. Ci, którzy byli w kuchni, również popędzili do przedpokoju. Salon był już pełen płomieni i dymu. Ktoś zdążył w biegu nakręcić numer straży ogniowej i krzyknął w słuchawkę:

– Sadowa 302-A!

Na dłużej nie można było się zatrzymać. Płomień wychlusnął do przedpokoju, nie było już czym oddychać.

Skoro tylko z wybitych okien przeklętego mieszkania wyskoczyły pierwsze smużki dymu, na podwórzu rozległy się rozpaczliwe okrzyki:

– Pali się! Pali się! Pożar!

W rozmaitych mieszkaniach w całym domu ludzie zaczęli krzyczeć do słuchawek:

– Sadowa! Sadowa 302-A!

W tym samym czasie, kiedy na Sadowej usłyszano mrożące krew bicie dzwonów na długich czerwonych samochodach, pędzących tam ze wszystkich oddziałów miejskich, miotający się po podwórzu ludzie widzieli, jak z okien na czwartym piętrze wyleciały wraz z dymem trzy ciemne, jak się wydawało, męskie sylwetki i jedna sylwetka nagiej kobiety.

28

Ostatnie przygody Korowiowa i Behemota

Czy sylwetki te naprawdę wyleciały przez okno, czy też tak się tylko wydawało sparaliżowanym ze strachu lokatorom nieszczęsnego domu na Sadowej – trudno stwierdzić z całkowitą pewnością. Jeżeli zaś były tam, to również nikt nie wie, dokąd się udały wprost z płonącego mieszkania. Nie możemy też stwierdzić, gdzie się rozdzieliły, wiemy natomiast, że mniej więcej w kwadrans po wybuchu pożaru na Sadowej przed lustrzanymi drzwiami „Torgsinu" na Smoleńskim Rynku zjawił się wysoki obywatel w kraciastym garniturze w towarzystwie ogromnego czarnego kocura.

Zręcznie prześlizgując się między przechodniami, obywatel ów otworzył zewnętrzne drzwi sklepu. Ale malutki, kościsty i wyjątkowo nieżyczliwy portier zastąpił mu natychmiast drogę i oświadczył z rozdrażnieniem:

– Z kotami nie wolno!

– Proszę mi wybaczyć – zaterkotał wysoki i, jakby źle słyszał, przyłożył do ucha kościstą dłoń. – Z kotami, powiada pan? A gdzież pan widzi te koty?

Portier wytrzeszczył oczy i miał zaiste po temu powody – przy nodze obywatela żadnego kota już nie było, natomiast zza jego ramienia wyglądał, rwał się do sklepu grubas w sfatygowanym kaszkiecie, jego pysk rzeczywiście miał w sobie coś kociego. Grubas trzymał oburącz prymus.

Z jakiegoś powodu para ta zrobiła na mizantropie portierze złe wrażenie.

– U nas tylko za walutę – wychrypiał, patrząc z irytacją spod kosmatych i jakby nadgryzionych przez mole siwych brwi.

– Mój drogi – zaterkotał wysoki, łyskając okiem zza stłuczonych binokli – a skąd to pan wie, że ja nie mam waluty? Sądzi pan po ubraniu? Niech pan nigdy tego nie robi, szanowny panie odźwierny! Można się pomylić, i to fatalnie. Niechże pan jeszcze raz przeczyta choćby historię sławnego kalifa Harun ar-Raszida. W tym jednak wypadku, odkładając chwilowo tę historię na stronę, chciałbym oświadczyć, że złożę kierownikowi skargę na pana i opowiem mu o panu takie rzeczy, że, być może, będzie pan musiał opuścić swój posterunek między tymi lśniącymi zwierciadlanymi drzwiami.

– A może ja mam pełen prymus waluty? – zapalczywie wtrącił się do rozmowy kotopodobny grubas, który w dalszym ciągu parł do sklepu.

Z tyłu napierała rozgniewana klientela. Patrząc z nienawiścią i powątpiewaniem na cudaczną parę, portier ustąpił, i nasi znajomi, Korowiow i Behemot, znaleźli się w sklepie. Tu przede wszystkim rozejrzeli się, a następnie Korowiow oświadczył dźwięcznym głosem, który słychać było dosłownie w każdym kącie:

– Wspaniały sklep! Powiedziałbym, że znakomity!

Klientela odwróciła się od lad i nie wiadomo dlaczego ze zdumieniem patrzyła na mówiącego, choć były wszelkie powody, by pochwalić ten sklep.

Na półkach leżały setki bel różnobarwnego perkalu. Dalej spoczywały płótna i szyfony, i sukno na fraki. Uchodziły w dal całe sągi pudełek z butami, kilka obywatelek siedziało na niskich stołeczkach, na prawej nodze każda miała stary, znoszony pantofel, na lewej – nowe lśniące czółenko, frasobliwie przytupywały tymi czółenkami o dywanik. Gdzieś w głębi sklepu, za załomem ściany, śpiewały i grały patefony.

Ale Korowiow i Behemot, mijając wszystkie te wspaniałości, skierowali się wprost na styk działów gastronomicznego i cukierniczego. Było tu nader luźno, obywatelki w chustkach i berecikach nie napierały na lady jak w dziale włókienniczym.

Wygolony aż do siności, niziutki i całkowicie skwadratowany mężczyzna w okularach w rogowej oprawie, w nowiuteńkim, niewymiętym jeszcze kapeluszu bez zacieków na wstążce, w jesionce lila i w rudych rękawiczkach glacé stał przy ladzie i coś myczał rozkazująco. Ekspedient w czystym białym fartuchu i w granatowej czapeczce obsługiwał liliowego klienta. Ostrym nożem, bardzo podobnym do noża, który ukradł Mateusz Lewita, oddzielał jakby wężową, połyskującą srebrzystą skórę od tłustego, płaczącego, różowego mięsa łososia.

– Ten dział jest również wspaniały – uroczyście przyznał Korowiow – i cudzoziemiec jakiś sympatyczny. – Życzliwie wskazał palcem liliowe plecy.

– O, nie, Fagocie, o nie – w zadumie odparł Behemot – mylisz się, przyjacielu, moim zdaniem twarzy dżentelmena lila czegoś brak.

Liliowe plecy drgnęły, ale zapewne przypadkowo, gdyż cudzoziemiec nie mógł przecież zrozumieć tego, o czym mówili po rosyjsku Korowiow i jego towarzysz.

– Śfiesz? – surowo wypytywał lila nabywca.

– Palce lizać! – odpowiadał ekspedient kokieteryjnie, dłubiąc pod skórą ostrzem noża.

– Śfiesz lubię, nieśfiesz nie – surowo mówił cudzoziemiec.

– Ba! – odpowiadał z entuzjazmem ekspedient.

W tym momencie nasi znajomi opuścili cudzoziemca i jego łososia i oddalili się w kierunku działu cukierniczego.

– Gorąco dziś – zwrócił się Korowiow do młodziutkiej rumianolicej sprzedawczyni, aliści nie udzieliła mu ona żadnej odpowiedzi.

– Po czemu mandarynki? – zapytał ją wobec tego.

– Kilo trzydzieści kopiejek – odparła sprzedawczyni.

– Drogo – zauważył z westchnieniem Korowiow – ech... ech...
– Pomedytował jeszcze przez chwilę i zaproponował: – Jedz, Behemot.

Grubas wsadził prymus pod pachę, zawładnął mandarynką z wierzchołka piramidy, błyskawicznie pożarł ją ze skórą i zabrał się do następnej.

Sprzedawczynię ogarnęła śmiertelna zgroza.

– Pan oszalał! – wrzasnęła, a jej rumieniec zniknął jak sen. – Paragon! Gdzie paragon?! – I upuściła szczypce cukiernicze.

– Duszko, serdeńko, ślicznotko – zachrypiał Korowiow, kładąc się na ladzie i robiąc oko do ekspedientki. – Nie jesteśmy dziś przy walucie, co robić! Ale przysięgam, że następnym razem, no, najdalej w poniedziałek, uregulujemy wszystko co do grosza! Mieszkamy niedaleko, na Sadowej, tam gdzie był pożar...

Behemot, pożarłszy trzecią mandarynkę, wsunął łapę w przemyślną konstrukcję wzniesioną z tabliczek czekolady, wyciągnął jedną tabliczkę ze spodu, wskutek czego oczywiście wszystko runęło, po czym połknął czekoladę wraz ze złotą cynfolią.

Ekspedienci z działu rybnego osłupieli z nożami w dłoniach, lila cudzoziemiec odwrócił się w stronę rabusiów i wtedy wyszło na jaw, że Behemot nie miał racji – twarzy liliowego nie tylko nie brakowało niczego, ale raczej czegoś było w niej za dużo – za dużo obwisłych policzków i rozbieganych oczu.

Kompletnie pożółkła sprzedawczyni żałośnie zawołała na cały sklep:

– Pałosicz! Pałosicz!

Publiczność z działu włókienniczego nadbiegła na ów krzyk, Behemot zaś odsunął się od cukierniczych powabów i zanurzył łapę w beczce z napisem „Śledzie kerczeńskie wyborowe", wytaszczył dwa śledzie i pożarł je, wypluwając ogony.

– Pałosicz! – powtórzył się rozpaczliwy krzyk za cukierniczą ladą, za rybną zaś zaryczał ekspedient z hiszpańską bródką:

– Co ty wyprawiasz, bydlaku?!

Paweł Josifowicz już spieszył na miejsce zbrodni. Był to reprezentacyjny mężczyzna w godnym chirurga czystym białym fartuchu, z kieszonki sterczał mu ołówek. Paweł Josifowicz był, jak sądzić należy, człowiekiem doświadczonym. Widząc w paszczy Behemota ogon trzeciego śledzia, ocenił w mig sytuację, doskonale wszystko zrozumiał i nie wdając się w dyskusję z chuliganami, machnął dłonią i zakomenderował:

– Gwiżdż!

Z lustrzanych drzwi wypadł na róg Smoleńskiego portier i zaniósł się złowieszczym gwizdem. Klientela zaczęła otaczać łobuzów, a wówczas do akcji wkroczył Korowiow:

– Obywatele! – krzyknął cienkim wibrującym głosem. – Co to ma być właściwie? Hę? Pozwólcie, że was o to zapytam! Biedny człowiek – tu głos Korowiowa zrobił się całkowicie drżący, a wskazany palcem Behemot niezwłocznie przybrał płaczliwą minę – ten biedny człowiek po całych dniach reperuje prymusy. Chce mu się jeść... a skąd on ma wziąć walutę?

Paweł Josifowicz, zazwyczaj powściągliwy i spokojny, krzyknął na to surowo:

– Bez takich przemówień! – i machnął ręką w dal, niecierpliwie już. I wówczas trele przed drzwiami zabrzmiały jeszcze weselej.

Korowiow wszelako niestropiony ingerencją Pawła Josifowicza kontynuował:

– Skąd? Do was wszystkich kieruję to pytanie! Udręczony jest przez głód i pragnienie, gorąco mu! No, wziął nieborak mandarynkę na spróbowanie. Kosztuje taka mandarynka raptem trzy kopiejki. A ci już gwiżdżą jak słowiki w wiosennym lesie, już zawracają głowę milicji, już ją odrywają od pracy. A tamtemu to wolno? Co – tu Korowiow wskazał palcem liliowego grubasa, co sprawiło, że na twarzy tego ostatniego odmalowało się żywe przerażenie – a kto to taki? Co? Skąd przyjechał? I po co? Nudno nam było bez niego czy co? Może go ktoś zapraszał? Pewnie – sarkastycznie wykrzywiając usta, darł się na cały głos były regent cerkiewnego chóru – nosi odświętny liliowy garnitur, nażarł się łososi do rozpuku, śpi na walucie, a nasz biedak jak się czuje – co? Gorzko! O, gorzko, gorzko! – zawył Korowiow niczym drużba na staroświeckim weselu.

Całe to idiotyczne, nietaktowne i zapewne politycznie szkodliwe przemówienie kazało Pawłowi Josifowiczowi wzdrygnąć się z gniewu, ale, acz to dziwne, z oczu bardzo wielu stłoczonych klientów można było wyczytać, że słowa te trafiły im do przekonania. A gdy Behemot przyłożył do oczu brudny i podarty rękaw, gdy zawołał tragicznie:

– Dziękuję ci, wierny przyjacielu, żeś się ujął za poszkodowanym! – stał się cud. Ubrany ubogo, ale schludnie czcigodny spokojny staruszek, który kupował w dziale cukierniczym trzy ciasteczka migdałowe, nagle się przeobraził. W oczach zabłysnął mu bojowy ogień, staruszek spurpurowiał, rąbnął w podłogę torebką z ciasteczkami i cienkim dziecinnym głosem krzyknął:

– Święta prawda!

Następnie wyrwał tacę, strącił z niej resztki zrujnowanej przez Behemota czekoladowej wieży Eiffla, machnął tacą, lewą ręką zerwał z cudzoziemca kapelusz, a prawą trzasnął z rozmachem cudzoziemca płazem tacy po łysinie. Rozległ się dźwięk, jaki słychać zazwyczaj, kiedy z ciężarówki zrzucają na jezdnię arkusze blachy. Grubas zbladł, zatoczył się do tyłu i usiadł w beczkę z kerczeńskimi śledziami, wzbijając gejzer śledziowego sosu. Jednocześnie zdarzył się drugi cud. Wgnieciony w beczkę liliowy wrzasnął najczystszą ruszczyzną bez cienia jakiegokolwiek obcego akcentu:

– Mordują! Milicja! Bandyci mordują! – Najwidoczniej wskutek szoku cudzoziemiec opanował nagle nieznany sobie dotąd język.

Wówczas umilkł gwizd portiera i wśród tłumu podnieconych klientów mignęły dwa nadciągające hełmy milicyjne. Aliści przewrotny Behemot chlusnął benzyną z prymusa na cukierniczą ladę, jak chlusta się w łaźni na ławę wrzątkiem z szaflika, i benzyna sama z siebie buchnęła ogniem. Płomień wystrzelił w górę i pobiegł po ladzie, pożerając piękne papierowe wstęgi zdobiące kosze owoców. Ekspedientki z piskiem rzuciły się do ucieczki, a skoro tylko wybiegły zza lady, zajęły się płócienne zasłony na oknach, zapaliła się benzyna na podłodze.

Tratując niepotrzebnego już Pawła Josifowicza, klientela z rozpaczliwym wrzaskiem hurmem rzuciła się do panicznej ucieczki z działu cukierniczego, a z działu rybnego ku drzwiom na podwórko wybiegli truchtem ekspedienci z ostrymi nożami w dłoniach.

Lila obywatel wydostał się z beczki i, cały w sosie śledziowym, przelazł przez jesiotry na ladzie i pomknął w ślady sprzedawców. Zadźwięczały i posypały się szyby lustrzanych drzwi wygniecione przez uciekających z pożaru, obaj zaś dranie, zarówno Korowiow, jak i żarłoczny Behemot gdzieś się zapodziali, gdzie mianowicie – tego nie sposób było dociec. Później naoczni świadkowie wybuchu pożaru w „Torgsinie" na Smoleńskim opowiadali, jakoby obaj chuligani wzbili się pod sufit, a tam rzekomo rozpękli się jak dziecięce baloniki. Należy raczej wątpić, czy tak to właśnie było, czego jednak nie wiemy, tego nie wiemy.

Wiemy za to, że dokładnie w minutę po tym, co zaszło na Smoleńskim Rynku, Behemot i Korowiow znaleźli się już na bulwarze, akurat pod domem ciotki Gribojedowa. Korowiow zatrzymał się przy ogrodzeniu i powiedział:

– Ba! Przecież to dom pisarzy! Wiesz, Behemocie, słyszałem o tym domu bardzo wiele dobrego, bardzo wiele pochlebnych opinii. Zwróć na ten dom uwagę, mój przyjacielu. Aż przyjemnie pomyśleć, że pod tym dachem wzbiera i dojrzewa cały ocean talentów.

– Jak ananasy w oranżeriach! – powiedział Behemot i aby dokładniej obejrzeć kremowy dom z kolumienkami, wlazł na betonową podmurówkę żelaznych sztachet.

– Masz całkowitą rację – zgodził się ze swoim nieodłącznym koleżką Korowiow – i słodka zgroza ściska serce, kiedy pomyślisz sobie, że w tym domu dojrzewa teraz przyszły autor *Don Kichota* albo *Fausta*, albo, niech mnie diabli wezmą, *Martwych dusz*! Co?

– Aż strach pomyśleć – potwierdził Behemot.

– Tak – mówił dalej Korowiow – zdumiewających rzeczy można oczekiwać z cieplarni tego domu, jednoczącego pod swoim dachem kilka tysięcy pracowitych straceńców, którzy postanowili całe swoje życie poświęcić służbom Melpomeny, Polihymnii i Talii. Czy wyobrażasz sobie, jaki podniesie się rwetes, kiedy któryś z nich na początek ofiaruje czytelnikom *Rewizora albo*, w najgorszym razie, *Eugeniusza Oniegina*!

– Nic prostszego – znów przytaknął Behemot.

– Tak – ciągnął Korowiow i z troską podniósł palec – ale!... „Ale", mówię, i powtarzam to „ale"!... Jeśli tych delikatnych cieplarnianych roślin nie zaatakuje jakiś mikroorganizm, nie podgryzie im korzeni, jeśli nie zgniją! A z ananasami to się zdarza! Oj-oj-oj, i jeszcze jak się zdarza!

– Ale, ale – zasięgnął informacji Behemot, przesuwając swoją okrągłą głowę przez otwór w ogrodzeniu – co oni tam robią na werandzie?

– Jedzą obiad – wyjaśnił Korowiow. – Do wszystkiego, co już zostało powiedziane, dodam jeszcze, mój drogi, że mieści się tu zupełnie nie najgorsza i niedroga restauracja. A ja, jak każdy turysta przed dalszą podróżą, odczuwam nieprzepartą ochotę, aby coś zjeść i wypić duże zimne piwo.

– I ja również – odpowiedział Behemot, po czym obydwaj szubrawcy pomaszerowali wyasfaltowaną ścieżką wprost na werandę nieprzeczuwającej nieszczęścia restauracji.

Blada i znudzona obywatelka w białych skarpetkach i w równie białym bereciku z pomponem siedziała na giętym fotelu w kącie przy wejściu na werandę, w tym miejscu, gdzie w zieleni żywopłotu widniało wejście. Przed obywatelką na zwyczajnym kuchennym stole leżała gruba księga z gatunku kancelaryjnych, do której obywatelka owa z nieznanego powodu wpisywała wszystkich wchodzących do restauracji. Ta właśnie obywatelka stanęła na drodze Korowiowa i Behemota.

– Proszę okazać legitymacje! – zażądała, patrząc ze zdziwieniem na binokle Korowiowa, jak również na prymus Behemota oraz na rozdarty rękaw tego ostatniego.

– Tysiąckrotnie przepraszam, jakie legitymacje? – zapytał zdziwiony Korowiow.

– Panowie jesteście pisarzami? – zadała teraz z kolei pytanie obywatelka.

– Bez wątpienia – z godnością odpowiedział Korowiow.

– Proszę okazać legitymacje – powtórzyła obywatelka.

– Ślicznotko moja… – zaczął tkliwie Korowiow.

– Nie jestem ślicznotką – przerwała mu obywatelka.

– O, jakże tego żałuję – rozczarowanym głosem powiedział Korowiow, a następnie mówił dalej. – No cóż, jeśli sobie pani tego nie życzy, to nie musi pani być ślicznotką, chociaż byłoby to nader przyjemne. Więc żeby upewnić się, że Dostojewski jest pisarzem, należy od niego żądać okazania legitymacji? Niechże pani weźmie dowolne pięć stron pierwszej lepszej jego powieści, a przekona się pani, że ma pani do czynienia z pisarzem. Zresztą przypuszczam, że Dostojewski w ogóle żadnej legitymacji nie miał! A ty jak myślisz? – zwrócił się Korowiow do Behemota.

– Założę się, że nie miał – odpowiedział tamten, postawił prymus na stole obok księgi i wytarł ręką pot z usmolonego czoła.

– Ale pan nie jest Dostojewskim – powiedziała zbita z tropu przez Korowiowa obywatelka.

– Skąd to można wiedzieć, skąd to można wiedzieć! – odrzekł Korowiow.

– Dostojewski umarł – oświadczyła obywatelka, ale jakoś niezbyt pewnie.

– Protestuję! – gorąco zawołał Behemot. – Dostojewski jest nieśmiertelny!

– Proszę okazać legitymacje, obywatele – powtórzyła obywatelka.

– Na litość, przecież to zaczyna być śmieszne, koniec końców! – nie poddawał się Korowiow. – Pisarz jest pisarzem, ponieważ pisze, a bynajmniej nie dlatego, że ma legitymację. Skąd pani może wiedzieć, jakie wizje rodzą się w mojej głowie? Albo w tej oto głowie? – I wskazał na głowę Behemota, który natychmiast zdjął czapkę, jakby po to, aby ułatwić obywatelce dokładniejsze obejrzenie swego łba.

– Proszę nie stać w przejściu, obywatele – powiedziała już trochę nerwowo.

Korowiow i Behemot odsunęli się i przepuścili jakiegoś pisarza w szarym garniturze i białej letniej koszuli bez krawata, z gazetą pod pachą. Pisarz przyjaźnie skinął głową obywatelce, postawił w podsuniętej mu księdze jakiś zakrętas i pomaszerował na werandę.

– Niestety, nie nam, nie nam – smutnie powiedział Korowiow
– tylko jemu dostanie się ów lodowaty kufel piwa, o którym tak
marzyliśmy my, biedni pielgrzymi. Sytuacja nasza jest niełatwa,
smutna, i nie wiem, co mam począć.

Behemot zaś tylko boleśnie rozłożył ręce i włożył czapkę na okrągłą głowę, porośniętą gęstym włosem, przypominającym kocią sierść.

W tym momencie nad głową obywatelki zabrzmiał niegłośny, lecz
władczy głos.

– Zofio Pawłowna, proszę ich przepuścić.

Obywatelka z księgą zdumiała się. W zieleni żywopłotu pojawił
się śnieżny frakowy gors i przycięta w klin bródka flibustiera. Pirat
życzliwie spoglądał na dwóch podejrzanych oberwańców i, co więcej, wykonywał zapraszające gesty. Autorytet Archibalda Archibaldowicza posiadał swoją wagę na terenie restauracji, którą zarządzał,
więc Zofia Pawłowna pokornie zapytała Korowiowa:

– Pańskie nazwisko?

– Panajew – uprzejmie odpowiedział tamten.

Obywatelka zapisała to nazwisko i podniosła pytające spojrzenie
na Behemota.

– Skabiczewski – zapiszczał Behemot, nie wiadomo dlaczego
wskazując na swój prymus. Zofia Pawłowna zapisała również i to
nazwisko, po czym podsunęła księgę gościom, aby złożyli w niej
swe podpisy. Korowiow naprzeciw nazwiska „Panajew" napisał
„Skabiczewski", a Behemot naprzeciw „Skabiczewskiego" napisał
„Panajew".

Archibald Archibaldowicz wprawił Zofię Pawłównę w kompletne
osłupienie – z uwodzicielskim uśmiechem poprowadził gości do
najlepszego stolika na przeciwległym końcu werandy, w miejsce najbardziej zacienione, gdzie w szparze zieleni wesoło iskrzyło się słońce.

Zofia Pawłowna natomiast, mrugając ze zdumienia, długo stu-
diowała dziwne podpisy, które niespodziewani goście złożyli w jej
księdze.

W nie mniejsze zdumienie niż Zofię Pawłównę Archibald Archibaldowicz wprawił kelnerów. Osobiście bowiem odsunął krzesło
stolika, zapraszając Korowiowa, żeby usiadł, do jednego mrugnął,
do drugiego coś szepnął i dwaj kelnerzy zakrzątnęli się koło nowych
gości, jeden zaś z tych gości postawił swój prymus na podłodze
obok porudziałego buta.

Błyskawicznie znikła ze stolika stara poplamiona czymś żółtym serweta, wzleciała w powietrze z chrzęstem krochmalu inna, biała jak turban Beduina, czysta, a pirat już naszeptywał cicho i z uczuciem w samo ucho Korowiowa:

– Co panowie raczą zamówić? Mamy nadzwyczajnego jesiotra... wydarłem go zjazdowi architektów...

– Niech nam pan... e... da w ogóle zakąski... e... – dobrodusznie zamyczał Korowiow, rozwalając się na krześle.

– Rozumiem – znacząco przymykając oczy, odpowiedział Archibald Archibaldowicz.

Kiedy kelnerzy zobaczyli, jak traktuje nader wątpliwych gości kierownik restauracji, opuściły ich wszelkie podejrzenia i poważnie wzięli się do roboty. Jeden już podawał zapałkę Behemotowi, który wsadził właśnie do ust wyciągnięty z kieszeni niedopałek, drugi podbiegł, podzwaniając zielonym szkłem, i już ustawiał przy nakryciach kieliszki, kieliszeczki i literatki z cieniutkiego szkła, te, z których tak znakomicie pija się narzan pod markizą... nie wybiegając naprzód, powiemy raczej – pijało się narzan pod markizą niezapomnianej werandy w Gribojedowie.

– Mogę polecić pierś jarząbka – melodyjnie pomrukiwał Archibald Archibaldowicz. Gość w pękniętych binoklach całkowicie zaaprobował propozycję dowódcy brygu i spoglądał na niego przychylnie przez bezużyteczne szkiełko.

Spożywający obiad przy sąsiednim stoliku prozaik Pietrakow-Suchowiej wraz z małżonką, która właśnie kończyła wieprzową escalopę, z właściwą wszystkim pisarzom spostrzegawczością zauważył starania Archibalda Archibaldowicza i bardzo, ale to bardzo się zdziwił. A jego żona, dama nad wyraz czcigodna, nawet zrobiła się zazdrosna o pirata i nawet zadzwoniła łyżeczką – cóż to ma znaczyć? Jak długo jeszcze mamy czekać? Kiedyż wreszcie podadzą te lody? Co to za porządki?

Flibustier posłał żonie Pietrakowej uwodzicielski uśmiech i kelnera, sam wszakże nie opuścił swych drogich gości. Ach, jakże mądry był Archibald Archibaldowicz! A jaki spostrzegawczy! Chyba nawet nie mniej niż sami pisarze! Słyszał i o seansie w Variétés, i o wielu innych wydarzeniach ostatnich dni, i w przeciwieństwie do niektórych, nie puścił mimo uszu słowa „kraciasty" ani słowa „kot". Od razu się domyślił, kim są jego goście. A skoro się domyślił, to oczywiście wolał im się nie narażać. A ta Zofia Pawłowna – dobra sobie! Trzeba umieć coś takiego wymyślić – bronić tej dwójce wstępu na werandę! Ale właściwie czego można od niej wymagać!...

Wyniośle grzebiąc łyżeczką w topniejących lodach śmietankowych, Pietrakowa z niezadowoleniem obserwowała, jak stolik przed tymi dwoma przebranymi za strachy na wróble niby na skinienie czarnoksiężnika obrasta smakołykami. Wymyte, skrzące się kropelkami wody liście sałaty już wystawały z salaterki ze świeżutkim kawiorem, jeszcze chwila i na specjalnie przystawionym, oddzielnym stoliku pojawiło się zapotniałe srebrne wiaderko...

Dopiero przekonawszy się, że wszystko zostało wykonane, jak należy, dopiero wówczas, kiedy w dłoniach kelnerów nadleciała przykryta patelnia, na której coś powarkiwało, Archibald Archibaldowicz pozwolił sobie opuścić dwóch zagadkowych gości, i to też dopiero wtedy, kiedy im szepnął:

– Proszę mi wybaczyć! Ja na minutkę! Osobiście przypilnuję jarząbków!

Oddalił się od stolika i zniknął na zapleczu. Jeżeli jakikolwiek obserwator mógłby prześledzić dalsze poczynania pirata, poczynania te niewątpliwie wydałyby mu się nieco zagadkowe.

Szef nie udał się bynajmniej do kuchni, aby dopilnować jarząbków – udał się do restauracyjnej spiżarni. Otworzył ją własnym kluczem, zamknął się w niej od wewnątrz, ostrożnie, żeby nie zabrudzić mankietów, wyjął ze skrzyni z lodem dwa potężne wędzone jesiotry, zawinął je w gazety, pedantycznie przewiązał sznurkiem i odłożył na bok. Następnie w sąsiednim pokoju sprawdził, czy znajduje się na swoim miejscu jego kapelusz oraz letni płaszcz na jedwabnej podszewce, i dopiero wtedy skierował się do kuchni, gdzie kucharz starannie przygotowywał obiecane gościom jarząbki.

Należy tu powiedzieć, że w tym, co robił Archibald Archibaldowicz, nie było nic zagadkowego ani dziwacznego, i tylko nader powierzchowny obserwator mógłby uznać jego poczynania za dziwne. Postępowanie Archibalda Archibaldowicza było logicznym następstwem wszystkiego, co działo się poprzednio. Znajomość ostatnich wydarzeń, a przede wszystkim fenomenalna intuicja podpowiadały kierownikowi restauracji Gribojedowa, że obiad jego dwóch gości będzie być może obfity i wystawny, lecz niezmiernie krótko potrwa.

Intuicja, która jeszcze nigdy nie zawiodła flibustiera, nie zawiodła go również tym razem.

W tej samej chwili, kiedy Korowiow i Behemot trącali się drugim już kieliszkiem wspaniałej, zimnej, podwójnie destylowanej moskiewskiej wódki, na werandzie zjawił się spocony i podniecony reporter Bob Kandałupski, całej Moskwie znany ze swej niesamowitej wszechwiedzy, i przysiadł się natychmiast do Pietrakowów. Bob położył swą pękatą teczkę na stoliku, niezwłocznie wsunął wargi w ucho Pietrakowa i zaczął szeptać jakieś niezmiernie interesujące wiadomości. Madame Pietrakowa, umierając z ciekawości, podstawiła pod obrzmiałe oleiste wargi Boba również i swoje ucho. Ten zaś, od czasu do czasu rozglądając się jak złodziej, szeptał i szeptał, i można było dosłyszeć poszczególne słowa, takie na przykład:

– Daję panu słowo honoru! Na Sadowej, na Sadowej!... – Bob ściszył głos jeszcze bardziej: – Kule się nie imają!... kule... kule... benzyna... pożar... kule...

– Tych łgarzy, co to kolportują obrzydliwe pogłoski – oburzona, nieco głośniej, niż pragnąłby tego Bob, zahuczała kontraltem madame Pietrakowa – oto kogo należałoby wyprowadzić na czystą wodę! Ale to nic, prędzej czy później zrobią z nimi porządek! Co to za niebezpieczne plotki!

– Jakie tam plotki, Antonino Porfiriewna! – zawołał dotknięty takim brakiem zaufania małżonki pisarza Bob i znowu zaświstał: – Powiadam panu, kule się nie imają! A teraz pożar... oni w powietrzu... w powietrzu! – syczał Bob, nie podejrzewając, że ci, o których opowiada, siedzą obok niego i błogo słuchają jego świstu.

Zresztą błogostan ich wkrótce został przerwany: z zaplecza restauracji szybkim krokiem wyszli trzej mężczyźni mocno ściśnięci w talii pasami, w sztylpach, z rewolwerami w dłoniach. Idący na przedzie krzyknął dźwięcznie i przerażająco:

– Nie ruszać się z miejsc! – i wszyscy trzej otworzyli na werandzie ogień, celując w głowy Behemota i Korowiowa. Obaj ostrzeliwani natychmiast rozpłynęli się w powietrzu, a z prymusa trysnął prosto w markizę słup ognia. Jak gdyby rozwarta paszcza o czarnych brzegach pojawiła się w płótnie i zaczęła się rozpełzać na wszystkie strony. Ogień przedarł się przez nią i wzbił się aż do samego dachu domu Gribojedowa. Leżące na oknie w pokoju redakcji na pierwszym piętrze teczki z papierami nagle się zapaliły, od nich zajęła się zasłona, a wtedy ogień, buzując, jak gdyby go ktoś rozdmuchiwał, słupami ruszył w głąb ciotczynego domu.

W kilka sekund później wyasfaltowanymi ścieżkami prowadzącymi do sztachet bulwaru, skąd w środę wieczorem przyszedł przez nikogo niezrozumiany pierwszy zwiastun nieszczęścia, poeta Iwan Bezdomny, biegli oderwani od obiadu pisarze, Zofia Pawłowna, Bob, Pietrakowa, Pietrakow.

Wyszedłszy zawczasu bocznymi drzwiami Archibald Archibaldowicz, nigdzie nie uciekając i nigdzie się nie spiesząc, jak kapitan, który ostatni opuszcza pokład płonącego brygu, stał spokojnie w swoim letnim płaszczu na jedwabnej podszewce, trzymając pod pachą dwa jesiotrowe polana.

29

Przesądzone zostają losy mistrza i Małgorzaty

O zachodzie słońca, wysoko ponad miastem, na tarasie jednego z najpiękniejszych budynków Moskwy, budynku wzniesionego przed stu pięćdziesięcioma mniej więcej laty, znajdowało się ich dwóch – Woland i Azazello. Z dołu, z ulicy, nie można ich było zobaczyć, ponieważ przed niepożądanym spojrzeniem osłaniała ich balustrada ozdobiona gipsowym kwieciem. Ale oni za to widzieli prawie całe miasto.

Woland ubrany w swoją czarną chlamidę siedział na składanym taborecie. Długa i szeroka jego szpada, wetknięta ostrzem w szparę między dwiema obluzowanymi płytami tarasu, sterczała pionowo, tak że powstał zegar słoneczny. Cień szpady wydłużał się powoli, acz nieubłaganie, podpełzał ku czarnym trzewikom na nogach szatana. Wsparłszy na pięści trójkątny podbródek, podwinąwszy nogę, skulony na taborecie Woland nieprzerwanie patrzył na nieograniczone skupisko pałaców, wielopiętrowych domów i malutkich, skazanych na rozbiórkę ruder.

Azazello, który zrzucił swój współczesny strój, czyli marynarkę, melonik i lakierki, podobnie jak Woland odziany w czerń stał bez ruchu nieopodal swego władcy i podobnie jak on nie spuszczał miasta z oczu.

Woland powiedział:

– Jakie interesujące, ciekawe miasto, prawda?

Azazello poruszył się i odparł z szacunkiem:

– Messer, mnie się bardziej podoba Rzym.

– Cóż, kwestia gustu – odpowiedział Woland.

W chwilę później znowu rozległ się jego głos:

– A co to za dym tam, na bulwarze?

– To pali się Gribojedow – odparł Azazello.

– Należy sądzić, że ta nierozłączna para, Korowiow i Behemot, złożyła tam wizytę?

– Nie ma co do tego najmniejszej wątpliwości, messer.

Znów zapadło milczenie i obaj znajdujący się na tarasie patrzyli, jak w zwróconych ku zachodowi oknach na górnych piętrach gmachów zapalało się roztrzaskane, oślepiające słońce. Oko Wolanda płonęło dokładnie tak samo jak jedno z takich okien, choć Woland siedział plecami do zachodu.

Ale nagle coś kazało Wolandowi zwrócić uwagę na okrągłą wieżę, znajdującą się za nim, na dachu. Z muru tej wieży wyszedł obdarty, umazany gliną posępny czarnobrody człowiek w chitonie i w sandałach własnej roboty.

– Ba! – zawołał Woland, patrząc na przybysza z ironicznym uśmieszkiem. – Wszystkiego się mogłem spodziewać, lecz nie ciebie! Co cię sprowadza, nieproszony gościu?

– Przybyłem do ciebie, duchu zła i władco cieni – odparł przybysz, nieprzyjaźnie patrząc spode łba na Wolanda.

– Skoro przybyłeś do mnie, to dlaczego mnie nie pozdrowiłeś, były poborco podatków? – surowo powiedział Woland.

– Bo nie życzę ci dobrze, wcale nie chcę, żeby ci się dobrze wiodło – hardo odpowiedział mu przybysz.

– Będziesz się jednak musiał z tym pogodzić – odparł na to Woland i uśmiech wykrzywił mu twarz. – Zaledwieś się zjawił na dachu, a już palnąłeś głupstwo. Chcesz wiedzieć, na czym ono polega? Na intonacji twego głosu. To, co powiedziałeś, powiedziałeś w sposób zdający się świadczyć, że nie uznajesz cieni ani zła. Bądź tak uprzejmy i spróbuj przemyśleć następujący problem – na co by się zdało twoje dobro, gdyby nie istniało zło i jak by wyglądała ziemia, gdyby z niej znikły cienie? Przecież cienie rzucają przedmioty i ludzie. Oto cień mojej szpady. Ale są również cienie drzew i cienie istot żywych. A może chcesz złupić całą kulę ziemską, usuwając z jej powierzchni wszystkie drzewa i wszystko, co żyje, ponieważ masz taką fantazję, żeby się napawać niezmąconą światłością? Jesteś głupi.

– Nie zamierzam z tobą dyskutować, stary sofisto – odparł Mateusz Lewita.

– Nie możesz ze mną dyskutować z powodu, o którym już wspomniałem, albowiem jesteś głupi – odpowiedział Woland i zapytał:
– No, mów krótko i nie zawracaj mi głowy. Po coś tu przyszedł?
– On mnie przysyła.
– Cóż ci polecił przekazać, niewolniku?
– Nie jestem niewolnikiem – odpowiedział coraz bardziej rozwścieczony Mateusz Lewita. – Jestem jego uczniem.
– Mówimy, jak zawsze, różnymi językami – powiedział Woland. – Ale rzeczy, o których mówimy, nie ulegają od tego zmianie, prawda?
– On przeczytał utwór mistrza – zaczął mówić Mateusz Lewita – i prosi cię, abyś zabrał mistrza do siebie i w nagrodę obdarzył go spokojem. Czyż trudno ci to uczynić, duchu zła?
– Nic dla mnie nie jest trudne – odpowiedział Woland – i ty o tym dobrze wiesz. – Milczał przez chwilę, po czym dodał: – A dlaczego nie weźmiecie go do siebie, w światłość?
– On nie zasłużył na światłość, on zasłużył na spokój – ze smutkiem powiedział Lewita.
– Możesz powiedzieć, że zostanie to zrobione – odpowiedział Woland i dodał, a oko mu przy tym błysnęło: – I opuść mnie natychmiast.
– On prosi, abyście zabrali także tę, która go kochała i która przez niego cierpiała. – Po raz pierwszy Lewita zwrócił się do Wolanda błagalnie.
– Gdyby nie ty, nigdy byśmy na to nie wpadli. Odejdź.
I Mateusz Lewita zniknął, Woland zaś przywołał Azazella i rozkazał mu:
– Leć do nich i załatw wszystko.
Azazello opuścił taras i Woland został sam.
Ale samotność jego nie trwała długo. Dał się słyszeć stukot butów po płytach tarasu i ożywione głosy i przed Wolandem stanęli Korowiow i Behemot. Ale teraz grubas nie miał ze sobą prymusa, obładowany był innymi przedmiotami. A więc pod pachą trzymał nieduży landszafcik w pozłacanej ramie, przez ramię przerzucił na wpół spalony fartuch kucharski, w drugim zaś ręku trzymał całego łososia w skórze i z ogonem. I od Korowiowa, i od Behemota zalatywało spalenizną, fizjonomia Behemota była usmarowana sadzami, czapkę zaś miał mocno nadpaloną.

– *Salute*, messer! – zawrzasnęła niepoprawna parka, a Behemot pomachał łososiem.

– Dobrzyście – powiedział Woland.

– Wyobraź sobie, messer – zawołał z radością i wzburzeniem Behemot – że wzięto mnie za szabrownika!

– Sądząc po tym, co przyniosłeś – spoglądając na landszafcik, odparł Woland – w rzeczy samej jesteś szabrownikiem.

– Czy uwierzysz mi, messer... – pełnym przejęcia głosem zaczął Behemot.

– Nie, nie uwierzę – krótko odpowiedział Woland.

– Messer, przysięgam, podejmowałem rozpaczliwe wysiłki, by ratować, co się da, ale oto wszystko, co udało mi się ocalić.

– Powiedz lepiej, dlaczego Gribojedow się zapalił? – zapytał Woland.

Obaj, zarówno Korowiow, jak i Behemot, rozłożyli ręce, wznieśli oczy ku niebu, Behemot zaś zawołał:

– Pojęcia nie mam! Siedzieliśmy sobie cicho, spokojnie, jedliśmy...

– Aż tu nagle – trach, trach! – podjął Korowiow – strzały! Oszalali ze strachu, uciekliśmy na bulwar, prześladowcy za nami, popędziliśmy w stronę Timiriaziewa!...

– Ale poczucie obowiązku – wtrącił Behemot – zwyciężyło nasz haniebny strach, więc wróciliśmy.

– Ach, wróciliście? – zauważył Woland. – W takim razie dom oczywiście spłonął do fundamentów.

– Do fundamentów! – potwierdził niepocieszony Korowiow.

– Dosłownie, messer, do fundamentów, jak byłeś łaskaw trafnie określić. Garstka popiołów!

– Popędziłem – opowiadał Behemot – na salę posiedzeń, to ta sala kolumnowa, messer, chciałem wynieść z ognia coś cennego. Ach, messer, moja żona, gdybym ją tylko miał, dwadzieścia razy mogła zostać wdową! Ale, na szczęście, messer, nie mam żony i, mówiąc szczerze, szczęśliwy jestem, że jej nie mam. Ach, messer, któż by zamienił kawalerską wolność na nieznośne jarzmo!...

– Znowu zaczął pleść od rzeczy – zauważył Woland.

– Słucham i kontynuuję – odpowiedział kocur. – Więc ten oto landszafcik! Nic więcej nie udało się wynieść z sali, płomień bił prosto w twarz. Pobiegłem do spiżarni, uratowałem łososia. Pobiegłem do kuchni, uratowałem fartuch. Uważam, messer, że uczyniłem wszystko, co było w mojej mocy, i nie rozumiem, czym tłumaczyć ten sceptyczny wyraz na twojej twarzy.

– A co robił Korowiow, podczas gdy ty szabrowałeś? – zapytał Woland.

– Pomagałem strażakom, messer – odparł Korowiow, wskazując rozdarte spodnie.

– Ach, skoro tak, to oczywiście trzeba będzie zbudować nowy dom.

– Zbudują go, messer – powiedział Korowiow – śmiem cię zapewnić.

– No, cóż, pozostaje mieć nadzieję, że będzie on ładniejszy niż dotychczasowy – zauważył Woland.

– Tak też będzie, messer – powiedział Korowiow.

– Możecie mi wierzyć – dodał kot – ja naprawdę jestem niezawodnym prorokiem.

– W każdym razie przybyliśmy, messer – meldował Korowiow – i czekamy na twoje rozkazy.

Woland wstał z taboretu, podszedł do balustrady i długo, w milczeniu, samotnie, odwrócony plecami do swojej świty, patrzył w dal. Potem odwrócił się, znowu zasiadł na taborecie i powiedział:

– Nie mam dla was żadnych poleceń, zrobiliście wszystko, co mogliście zrobić, i na razie nie będziecie mi potrzebni. Możecie odpocząć. Zaraz nadciągnie burza, ostatnia burza, ona dokona wszystkiego, czego jeszcze należy dokonać, i ruszymy w drogę.

– Świetnie, messer – odpowiedziały te dwa błazny i zniknęły kędyś za krągłą wieżyczką znajdującą się na środku tarasu.

Burza, o której mówił Woland, wzbierała już na widnokręgu. Czarna chmura wydźwignęła się na zachodzie i przecięła słońce w połowie. Potem przesłoniła je całkowicie. Na tarasie zrobiło się chłodniej, a nieco później zapadły ciemności.

Ciemność, która nadciągnęła od zachodu, okryła ogromne miasto. Zniknęły mosty, pałace. Wszystko zniknęło, jak gdyby nigdy nie istniało. Przebiegła przez całe niebo jedna ognista nić. Potem miasto zadygotało od grzmotu. Grzmot powtórzył się, zaczęła się burza, Woland przestał być widoczny w kurzawie.

30
Czas już! Czas!

Wiesz – mówiła Małgorzata – wczoraj wieczorem, kiedy zasnąłeś, ja właśnie czytałam o ciemnościach, które nadciągnęły znad Morza Śródziemnego... i te idole, ach, te złote idole! Nie wiem, czemu przez cały czas one mi nie dają spokoju. Wydaje mi się, że i teraz będzie padało. Czujesz, jak się ochłodziło?

– Wszystko to jest bardzo ładne i bardzo miłe – odpowiedział mistrz, paląc i rozganiając dłonią dym – i te idole, Bóg z nimi... ale doprawdy nie wiem, co będzie dalej!

Rozmowa ta odbywała się o zachodzie słońca, wtedy właśnie, kiedy na tarasie u Wolanda pojawił się Mateusz Lewita. Okienko sutereny stało otworem i gdyby ktoś w nie zajrzał, zdumiałby się, że tak dziwnie wyglądali rozmawiający. Małgorzata miała na sobie czarny płaszcz narzucony wprost na gołe ciało, mistrz zaś ubrany był w swoją szpitalną piżamę. Stało się tak dlatego, że Małgorzata dosłownie nie miała co na siebie włożyć, wszystkie jej rzeczy zostały bowiem w willi, i chociaż do willi tej było bardzo blisko, oczywiście nawet nie mogło być mowy o tym, żeby tam iść i zabrać rzeczy. Mistrz zaś, którego wszystkie ubrania były w szafie, jakby nigdzie nie wyjeżdżał, po prostu nie chciał się ubrać, tłumacząc Małgorzacie, że tylko patrzeć, a zacznie się znowu jakieś niepojęte szaleństwo. Co prawda po raz pierwszy od tamtej jesiennej nocy był ogolony (w klinice przystrzygano mu tylko bródkę maszynką).

Pokój także wyglądał dziwnie i trudno się było połapać w panującym tam bałaganie. Na dywaniku leżały rękopisy, rękopisy poniewierały się także na kanapie. Na fotelu leżała grzbietem do góry jakaś otwarta książka, okrągły zaś stół nakryto do obiadu, kilka butelek stało wśród zakąsek. Ani Małgorzata, ani mistrz nie mieli pojęcia, skąd się wzięły te potrawy i napoje. Kiedy się obudzili, zastali już to wszystko na stole.

Pospawszy aż do sobotniego zmierzchu, mistrz i jego przyjaciółka obudzili się zupełnie wypoczęci i jedno tylko przypominało im o wczorajszych przygodach – każde z nich odczuwało lekki ból w lewej skroni. Natomiast wielkie przemiany zaszły w psychice obojga i przekonałby się o tym każdy, kto posłuchałby toczącej się w suterenie rozmowy. Nie było jednak nikogo, kto by ją mógł podsłuchać. Zaletą owego podwórza było właśnie to, że zawsze było puste. Wierzby i lipy za oknem, z dnia na dzień coraz gwałtowniej się zazieleniające, roztaczały zapach wiosny i wietrzyk, który właśnie zaczynał dąć, przynosił ów zapach do sutereny.

– Do diabła! – zawołał nagle mistrz. – Pomyśleć tylko, to przecież... – Rozgniótł niedopałek w popielniczce i chwycił się za głowę. – Słuchaj, jesteś przecież mądrym człowiekiem i nie byłaś obłąkana... Czy naprawdę jesteś pewna, że byliśmy wczoraj u szatana?

– Naprawdę jestem zupełnie pewna – odpowiedziała Małgorzata.

– Oczywiście, oczywiście – powiedział ironicznie mistrz. – Ładna historia... A więc mamy teraz zamiast jednego wariata – dwoje: i męża, i żonę! – Wzniósł dłonie ku niebu i zawołał: – Diabli wiedzą, co to ma znaczyć! Diabli, diabli...

Małgorzata zamiast odpowiedzi opadła na kanapę, zaczęła się śmiać, majtając bosymi nogami, potem dopiero zawołała:

– Oj, nie mogę... oj, nie mogę!... Spójrz tylko, jak ty wyglądasz!...

Naśmiawszy się przez ten czas, kiedy mistrz wstydliwie podciągał szpitalne kalesony, Małgorzata spoważniała.

– Niechcący powiedziałeś teraz prawdę – powiedziała – diabli wiedzą, co to ma znaczyć, i diabli, wierz mi, wszystko załatwią! – Oczy jej zapłonęły nagle, zerwała się, zatańczyła w miejscu, zaczęła wołać: – Jestem szczęśliwa, szczęśliwa, szczęśliwa, że zawarłam z nimi pakt! O, szatanie!... Będziesz musiał, mój miły, żyć z wiedźmą! – Potem podbiegła do mistrza, objęła go za szyję i zaczęła go całować w usta, w nos, w policzki. Tańczyły kosmyki czarnych nieuczesanych włosów, policzki i czoło płonęły mistrzowi od pocałunków.

– A wiesz, że rzeczywiście jesteś teraz podobna do wiedźmy.

– Wcale nie przeczę – odpowiedziała Małgorzata – jestem wiedźmą i bardzo się z tego cieszę.

– No dobrze – mówił mistrz – wiedźma to wiedźma, świetnie, cudownie! Mnie, widzę, wykradli ze szpitala… to też bardzo miło! Wróciłem tutaj, przypuśćmy i to. Przyjmijmy nawet, że o nas zapomną… Ale zaklinam cię na wszystkie świętości, powiedz mi, jak i z czego będziemy żyli? Wierz mi, że mówię to, bo martwię się o ciebie!

W tejże chwili w okienku ukazały się tęponose półbuty i dolne partie spodni z tenisu. Następnie te spodnie załamały się w kolanach i czyjś potężny zad przesłonił światło dzienne.

– Alojzy, jesteś w domu? – zapytał głos za oknem skądś znad spodni.

– No, zaczyna się – powiedział mistrz.

– Alojzy? – zbliżając się do okna, zapytała Małgorzata. – Wczoraj został aresztowany. A kto o niego pyta? Pańskie nazwisko?

W tejże chwili kolana i zad przepadły, słychać było, jak stuknęła furtka, po czym wszystko wróciło do normy. Małgorzata opadła na kanapę, śmiała się tak, że łzy płynęły jej z oczu. Ale kiedy się uspokoiła, twarz miała ogromnie zmienioną, zaczęła mówić poważnie, a mówiąc, zsunęła się z kanapy, przywarła do kolan mistrza i zaglądając mu w oczy, głaskała go po głowie.

– Ile się nacierpiałeś, ile ty się nacierpiałeś, mój biedaku! Tylko ja jedna to wiem. Patrz, masz siwe nitki we włosach i wieczną zmarszczkę wokół ust. Mój jedyny, mój miły, nie myśl o niczym! Za dużo musiałeś myśleć, teraz ja będę myślała za ciebie. Zaręczam ci, zaręczam, że wszystko będzie dobrze, cudownie!

– Ja się przecież niczego nie boję, Margot – odpowiedział jej nagle mistrz i podniósł głowę, i wydał jej się takim, jakim był, kiedy pisał o tym, czego nigdy nie widział, ale o czym wiedział na pewno, że było – a nie boję się, bo doświadczyłem już wszystkiego. Zbyt mnie straszyli i teraz niczym już przestraszyć nie są w stanie. Ale żal mi ciebie, Margot, w tym sęk, oto dlaczego w kółko powtarzam ciągle jedno i to samo. Opamiętaj się! Po co masz łamać sobie życie, wiążąc się z chorym nędzarzem? Wróć do siebie! Żal mi cię, dlatego to mówię.

– Ach, ty, ty… – kiwając rozczochraną głową, szeptała Małgorzata – ach, ty, nieszczęsny człowieku małej wiary!… Przez ciebie przez całą wczorajszą noc dygotałam naga, wyrzekłam się mej natury i zastąpiłam ją nową, przez parę miesięcy siedziałam w ciemnej klitce, rozmyślając tylko o jednym, o burzy nad Jeruszalaim, wypłakałam oczy, a teraz, kiedy spadło na nas to szczęście, chcesz mnie wypędzić! No, cóż, pójdę sobie, pójdę, ale wiedz, że jesteś okrutny! Oni spustoszyli ci serce!

Gorzka tkliwość ogarnęła serce mistrza, nie wiadomo dlaczego zapłakał, wtulając twarz we włosy Małgorzaty. Ta, płacząc, szeptała doń, a jej palce drżały na skroniach mistrza:

– Tak, siwe pasma... Na moich oczach śnieg pokrywa twoją głowę... Ach, moja, moja głowa, która tyle przecierpiała! Spójrz, jakie masz oczy! Jest w nich pustynia... A ramiona, ciężar na barkach... Zmarnowali cię, zmarnowali... – Słowa Małgorzaty traciły sens, Małgorzata trzęsła się od płaczu.

Mistrz otarł wówczas oczy, podniósł Małgorzatę z kolan, sam także wstał i powiedział surowo:

– Dość tego. Zawstydziłaś mnie. Nigdy więcej nie pozwolę sobie na małoduszność i nie wrócę do tego tematu, bądź spokojna. Wiem, że oboje jesteśmy ofiarami choroby psychicznej, możliwe, że to ja cię nią zaraziłem... No cóż, razem będziemy ją dźwigać.

Małgorzata zbliżyła usta do ucha mistrza i szepnęła:

– Przysięgam na twoje życie, przysięgam na przywołanego przez ciebie syna astronoma, że wszystko będzie dobrze!

– Dobrze, już dobrze – powiedział mistrz, roześmiał się i dodał: – Oczywiście, ludzie ograbieni ze wszystkiego jak my oboje szukają ocalenia u sił nadprzyrodzonych! No cóż, godzę się szukać go tam.

– No właśnie, no właśnie, teraz jesteś taki jak dawniej, śmiejesz się – odpowiedziała Małgorzata – i niech diabli wezmą twoje uczone słowa. Przyrodzone czy nadprzyrodzone, czy to nie wszystko jedno? Jestem głodna! – I pociągnęła mistrza za rękaw do stołu.

– Nie dałbym głowy, czy jedzenie nie zapadnie się za chwilę pod ziemię albo czy nie wyfrunie przez okno – mówił całkiem już spokojny mistrz.

I w tejże chwili zza okienka dał się słyszeć nosowy głos:

– Pokój temu domowi!

Mistrz drgnął, a Małgorzata, która zdążyła się już przyzwyczaić do rzeczy niezwykłych, zawołała:

– Przecież to Azazello! Ach, jak to miło, jak to dobrze! – i szepnąwszy do mistrza: – No, widzisz, nie zapominają o nas! – pobiegła otworzyć drzwi.

– Zapnij się przynajmniej! – krzyknął za nią mistrz.

– Mam to w nosie! – krzyknęła mu z korytarza Małgorzata.

I oto Azazello już się kłaniał, już się witał z mistrzem, pobłyskując swoim białym okiem, Małgorzata zaś wołała:

– Ach, jak się cieszę! Nigdy w życiu tak się nie cieszyłam! Ale proszę mi wybaczyć, Azazello, że jestem naga.

Azazello prosił, żeby się tym nie przejmowała, zapewniał, że widział nie tylko nagie kobiety, ale nawet kobiety kompletnie obdarte ze skóry, chętnie usiadł przy stole, odstawiając uprzednio do kąta coś zapakowanego w ciemny złotogłów.

Nalała gościowi koniaku, Azazello zaś wypił go chętnie. Mistrz, nie spuszczając oczu z Azazella, od czasu do czasu leciutko szczypał się pod stołem w lewą dłoń. Ale szczypanie nie pomagało. Azazello nie rozpływał się w powietrzu, zresztą, prawdę mówiąc, nie było to potrzebne. Niziutki, rudawy człowiek nie miał w sobie nic przerażającego, oprócz bodaj przesłoniętego bielmem oka, ale to się przecież zdarza także i bez żadnych czarów. Może tylko jego ubranie było trochę niecodzienne – jakiś habit czy też płaszcz – ale po namyśle trzeba było przyznać, że i takie rzeczy się widuje. Koniak również ciągnął jak każdy porządny człowiek – duszkiem, całymi setkami i bez zagrychy. To właśnie ów koniak sprawił, że mistrzowi zaszumiało w głowie i zaczął rozmyślać:

„Tak, Małgorzata ma rację... Oczywiście, siedzi przede mną wysłannik diabła. Przecież ja sam nie dalej niż przedwczoraj wieczorem dowodziłem Iwanowi, że na Patriarszych Prudach z pewnością zetknął się z szatanem we własnej osobie, więc czemu teraz przestraszyłem się tej myśli i zacząłem wygadywać coś o hipnotyzerach i halucynacjach... Jacy znowu, u diabła, hipnotyzerzy!".

Zaczął się przyglądać gościowi i zauważył, że w spojrzeniu Azazella jest coś nienaturalnego, że przemilcza coś, czego na razie nie chce wypowiedzieć. „To nie jest zwykła wizyta, on przyszedł tu z jakąś misją" – myślał mistrz.

Spostrzegawczość go nie zawiodła. Po trzecim kieliszku koniaku, który nie robił na Azazellu najmniejszego wrażenia, gość tak się odezwał:

– Ależ tu miło w tej piwniczce, niech mnie diabli wezmą! Nasuwa się tylko jedno pytanie – co tu robić w tej piwniczce?

– Z ust mi to wyjąłeś – roześmiawszy się, odpowiedział mistrz.

– Czemu zakłócasz mój spokój, Azazello? – zapytała Małgorzata.

– Damy sobie jakoś radę.

– Ależ, co też!... – zawołał Azazello. – Nawet przez myśl mi nie przeszło, aby was niepokoić. Wszystko się jakoś ułoży, i ja tak myślę. Ach! Mało brakowało, a byłbym zapomniał... Messer przesyła wam pozdrowienia, a także polecił mi powiedzieć, że zaprasza was na niewielką przechadzkę, jeżeli oczywiście nie macie nic przeciwko temu. Co wy na to?

Małgorzata pod stołem trąciła mistrza nogą.

– Z przyjemnością – odparł mistrz, bacznie przyglądając się gościowi, a Azazello ciągnął:

– Mamy nadzieję, że i Małgorzata Nikołajewna nie odmówi naszej prośbie.

– O, z pewnością nie odmówię – powiedziała Małgorzata i jej noga znów dotknęła stopy mistrza.

– To wspaniale! – zawołał Azazello. – To mi się podoba! Raz-dwa i po wszystkim! Nie to co wtedy, w Ogrodzie Aleksandrowskim!

– Ach, Azazello, proszę mi o tym nie przypominać, byłam wtedy głupia. Zresztą trudno mieć mi to za złe, przecież nie co dzień człowiek spotyka się z siłą nieczystą!

– Tego jeszcze brakowało – przytaknął Azazello. – Gdyby się spotykał co dzień, to byłoby za dobrze!

– Mnie też się podoba szybkość – mówiła podniecona Małgorzata – podoba mi się szybkość i nagość... Jak z mauzera – trrrach! Ach, jak on strzela! – zawołała, zwracając się do mistrza. – Siódemka pod jaśkiem, a on w dowolne serduszko!... – Małgorzata była już podchmielona, oczy jej się rozjarzyły.

– Znowu zapomniałem! – zawołał Azazello, uderzając się w czoło. – Głowa do pozłoty! Messer przecież przysłał dla was upominek – i zwrócił się do mistrza – butelkę wina. Proszę zwrócić uwagę, że jest to to samo wino, które pijał procurator Judei, falerno.

Jest rzeczą zupełnie zrozumiałą, że podobny rarytas wywołał wielkie zainteresowanie mistrza i Małgorzaty. Azazello odwinął z kawałka ciemnego trumiennego złotogłowiu niezwykle omszały dzban.

Powąchali, nalali wina do szklanek, patrzyli przez nie pod światło, zamierające już przed burzą.

– Zdrowie Wolanda! – zawołała, wznosząc swoją szklankę, Małgorzata.

Wszyscy troje unieśli szklanki do ust i pociągnęli po dobrym łyku. Wówczas zwiastujące burzę światło dnia zaczęło gasnąć w oczach mistrza, dech mu zaparło, poczuł, że zbliża się koniec. Widział jeszcze, jak śmiertelnie pobladła Małgorzata bezradnie wyciąga doń ręce, jak opuszcza głowę na stół, a potem zsuwa się na podłogę.

– Trucicielu! – zdążył jeszcze krzyknąć mistrz. Chciał chwycić nóż ze stołu, aby przebić nim Azazella, ale jego dłoń bezradnie ześlizgnęła się po obrusie, wszystko, co było w suterenie mistrza, poczerniało, a potem zupełnie zniknęło. Mistrz upadł na wznak, a padając, rozciął sobie o kant sekretarzyka skórę na skroni.

Kiedy otruci znieruchomieli, Azazello przystąpił do działania. Przede wszystkim skoczył w okno i już w chwilę później był w willi, w której mieszkała Małgorzata. Azazello, nieodmiennie staranny i dokładny, chciał osobiście sprawdzić, czy wszystko zostało wykonane, jak należy. Okazało się, że wszystko jest w porządku. Azazello widział, jak zasępiona, oczekująca na powrót męża kobieta wyszła ze swej sypialni, pobladła raptem, złapała się za serce, bezradnie zawołała:

– Natasza... ktokolwiek... na pomoc... – i upadła na podłogę w salonie, nie zdążywszy dojść do gabinetu.

– Wszystko w porządku – powiedział Azazello. W sekundę później był znowu przy powalonych kochankach. Małgorzata leżała z twarzą wtuloną w dywan. Azazello swymi żelaznymi rękami odwrócił ją jak lalkę, twarzą ku sobie, i wpatrzył się w nią. Twarz otrutej zmieniała się w jego oczach. Nawet w zapadającym przed burzą półmroku widać było, jak znika z niej chwilowy zez wiedźmy, jak łagodnieją rysy. Twarz zmarłej rozjaśniła się, złagodniała wreszcie, nie była też drapieżna, była teraz twarzą cierpiącej kobiety. Azazello rozwarł jej białe zęby i wlał do ust kilka kropelek tego samego wina, którym ją otruł. Małgorzata westchnęła, bez pomocy Azazella wstała z podłogi, usiadła i słabym głosem zapytała:

– Za co, Azazello, za co? Coś ty ze mną zrobił?

Zobaczyła leżącego mistrza, wzdrygnęła się, szepnęła:

– Tego się nie spodziewałam... Morderca!...

– Ależ skąd! – odpowiedział Azazello. – On zaraz wstanie. Ach, dlaczego jesteś taka nerwowa?

Ton rudego demona tak bardzo był przekonywający, że Małgorzata uwierzyła mu od razu. Zerwała się, dziarska i pełna sił, pomogła wlać wino do ust leżącego. Mistrz otworzył oczy, spojrzał ponuro i z nienawiścią powtórzył swoje ostatnie słowo:

– Trucicielu!...

– Ach, zniewagi są najczęstszą nagrodą za dobrze wykonaną pracę! – odpowiedział mu na to Azazello. – Czy jesteś ślepy? Jeśli tak, przyjrzyj się jak najprędzej!

Wówczas mistrz wstał, rozejrzał się, a spojrzenie miał już żywe i rozjaśnione, zapytał:

– To coś nowego. Co to ma znaczyć?

– Znaczy to – odpowiedział Azazello – że na nas już czas. Już grzmi, słyszycie? Ściemnia się. Rumaki ryją ziemię kopytami, rozkołysały się drzewa w waszym maleńkim ogródku. Pożegnajcie się, pożegnajcie się co prędzej z waszą piwniczką.

– Ach, rozumiem – powiedział mistrz i obejrzał się – zabiłeś mnie, jesteśmy martwi. Ach, jak to mądrze! W samą porę! Teraz już wszystko zrozumiałem.

– Och, na litość – odpowiedział Azazello. – Co ja słyszę? I któż to mówi? Przecież twoja ukochana nazywa cię mistrzem, przecież potrafisz myśleć, jak więc możesz być martwy? Czy po to, żeby uważać się za żyjącego, trzeba koniecznie siedzieć w suterenie, w jednej koszuli i szpitalnych kalesonach? To śmieszne!...

– Zrozumiałem wszystko, co powiedziałeś – zawołał mistrz. – Nic już nie mów! Masz po stokroć rację!

– Woland jest wielki! – zawtórowała mu Małgorzata. – Woland jest wielki! Wymyślił to znacznie lepiej ode mnie! Ale powieść, powieść – wołała do mistrza – dokądkolwiek polecisz, zabierz powieść!

– Nie trzeba – odparł mistrz. – Znam ją na pamięć.

– Ale ani słowa... ani słowa nie zapomnisz? – pytała Małgorzata, przywierając do kochanka i ocierając krew z jego rozciętej skroni.

– Bądź spokojna. Teraz już nigdy niczego nie zapomnę – odpowiedział jej na to.

– A zatem – ogień! – zawołał Azazello. – Ogień, od którego wszystko wzięło swój początek i którym wszystko zwykliśmy kończyć.

– Ogień! – przeraźliwie krzyknęła Małgorzata. Trzasnęło okienko sutereny, wiatr zdmuchnął na bok zasłonę. Rozległ się w niebie krótki i wesoły grzmot. Azazello wsunął do pieca pazurzastą dłoń, wyciągnął dymiącą głownię i podpalił leżący na stole obrus. Potem podpalił plik starych gazet na kanapie, wreszcie rękopis i zasłonę na oknie.

Mistrz, już odurzony czekającą go galopadą, wyrzucił z półki na stół jakąś książkę, wzburzył jej karty nad płonącym obrusem i książka rozgorzała wesołym płomieniem.

– Płoń, płoń, dotychczasowe życie!

– Spłoń, cierpienie! – wołała Małgorzata.

Cały pokój chwiał się już pełen szkarłatnych jęzorów i wszyscy troje wybiegli wraz z dymem przez drzwi, wspięli się po ceglanych schodkach na górę i znaleźli się w ogródku. Pierwszą osobą, jaką tam zobaczyli, była siedząca na ziemi kucharka właściciela domu. Wokół niej poniewierały się rozsypane ziemniaki i kilka pęczków cebuli. Stan kucharki był zrozumiały. Przy szopie rżały trzy czarne rumaki, wierzgały, wzbijały fontanny ziemi. Małgorzata pierwsza wskoczyła na siodło, za nią Azazello, mistrz na końcu. Kucharka chciała podnieść rękę, aby uczynić znak krzyża świętego, ale Azazello groźnie zawołał z siodła:

– Utnę ci tę rękę! – Gwizdnął i wierzchowce, łamiąc gałązki lip, wzbiły się i zapadły w czarną nawisłą chmurę. Jednocześnie z okienka sutereny buchnął dym. Z dołu dobiegł słaby żałośliwy krzyk kucharki:

– Pali się!...

Konie przelatywały już ponad dachami Moskwy.

– Chcę się pożegnać z miastem! – krzyknął mistrz do Azazella, który cwałował na przedzie. Grzmot zagłuszył dalsze jego słowa. Azazello skinął głową i przynaglił rumaka do galopu. Naprzeciw lecącym pędziła chmura, ale nie chlustała jeszcze deszczem.

Lecieli ponad bulwarem, widzieli postacie ludzi, którzy rozbiegali się, aby schronić się przed deszczem. Spadały już pierwsze krople. Przelecieli nad kłębami dymu – to było wszystko, co zostało z domu Gribojedowa. Przelecieli nad miastem, które ogarniała już ciemność. Rozjarzyły się nad nimi błyskawice. Potem zieleń zajęła miejsce dachów. I dopiero wtedy lunął deszcz i lecący zamienili się w trzy ogromne, zanurzone w wodzie bańki powietrza.

Małgorzata znała już uczucie, jakiego doznaje się w locie, mistrz jeszcze go nie znał, więc zdziwił się, że tak prędko przybyli do celu, czyli do tego, z którym chciał się pożegnać, nie mając prócz niego nikogo, z kim by się żegnać powinien. Przez welon deszczu poznał od razu budynek kliniki Strawińskiego, rzekę i bór na jej przeciwległym brzegu, bór, który tak dobrze zdążył poznać. Wylądowali w zagajniku na polanie, niedaleko od kliniki.

– Poczekam tutaj na was! – zwinąwszy dłonie w trąbkę, krzyczał Azazello. To ginął za szarą przesłoną, to znów oświetlały go błyskawice. – Żegnajcie się, byle prędzej!

Mistrz i Małgorzata zeskoczyli z siodeł i pobiegli przez ogród kliniki, majacząc w ulewie jak wodne cienie. W chwilę później mistrz wprawną dłonią odsunął balkonową kratę w pokoju numer sto siedemnaście. Małgorzata podążała za nim. W łoskocie i wyciu burzy weszli do pokoju Iwana niewidzialni i niezauważeni. Mistrz stanął przy łóżku.

Iwan leżał nieruchomo, jak wówczas kiedy po raz pierwszy obserwował burzę w miejscu swego odpocznienia. Ale nie płakał jak wtedy. Kiedy dokładniej przyjrzał się ciemnej sylwetce, która wtargnęła doń z balkonu, uniósł się na łóżku, wyciągnął ręce i powiedział radośnie:

– Ach, to pan! A ja ciągle czekam, ciągle czekam na pana. Przyszedł pan wreszcie, mój sąsiedzie!

Mistrz odparł na to:

– Przyszedłem, ale, niestety, nie mogę już być sąsiadem pana. Odlatuję na zawsze i przyszedłem po to jedynie, by się pożegnać.

– Wiedziałem, że tak będzie, domyślałem się, że tak będzie – odpowiedział cicho Iwan i zapytał: – Spotkał go pan?

– Tak – powiedział mistrz. – Przyszedłem się z panem pożegnać, ponieważ był pan jedynym człowiekiem, z jakim rozmawiałem ostatnimi czasy.

Iwan rozpromienił się i powiedział:

– To dobrze, że pan tu przyleciał. Ja przecież dotrzymam słowa, nie będę więcej pisywał wierszydeł. Teraz interesuje mnie coś innego – Iwan uśmiechnął się i obłąkanymi oczami popatrzył gdzieś w przestrzeń obok mistrza. – Chcę napisać coś innego. Wie pan, od kiedy tu leżę, wiele stało się dla mnie jasne.

Poruszyły mistrza te słowa. Powiedział, siadając na skraju łóżka Iwana:

– To dobrze, to bardzo dobrze. Niech pan napisze dalszy ciąg o nim.

Oczy Iwana zabłysły.

– To pan nie będzie o tym pisał? – Ale spuścił głowę i dodał w zadumie: – No, tak... po cóż o to pytam. – Kątem oka popatrzył z lękiem na podłogę.

– Tak – powiedział mistrz, a jego głos wydał się Iwanowi nieznany i głuchy. – Nie będę już o nim pisał. Co innego będę miał do roboty.

Szum burzy przeciął daleki gwizd.

– Słyszy pan? – zapytał mistrz.

– Burza szumi...

– Nie, to mnie wołają, czas już na mnie – wyjaśnił mistrz i wstał z łóżka.

– Niech pan zaczeka! Tylko jedno słowo – poprosił Iwan. – Odnalazł ją pan? Czy została panu wierna?

– Oto ona – odpowiedział mistrz i wskazał na ścianę. Od białej ściany oderwała się ciemna Małgorzata, podeszła do łóżka. Patrzyła na leżącego człowieka i w jej oczach malowała się żałość.

– Biedak, biedak... – bezgłośnie wyszeptała Małgorzata i pochyliła się nad łóżkiem.

– Jaka piękna! – bez zawiści, ale ze smutkiem i z jakimś cichym rozczuleniem powiedział Iwan. – Patrzcie no, jak się panu wszystko dobrze ułożyło. Nie tak jak mnie. – Tu zamyślił się i dodał z zadumą: – A zresztą może i tak...

– Tak, tak – wyszeptała Małgorzata i jeszcze niżej pochyliła się nad leżącym. – Teraz cię pocałuję i wszystko będzie tak, jak być powinno... Możesz mi wierzyć, ja już wszystko widziałam, wszystko wiem...

Leżący chłopak objął ją za szyję, pocałowała go.

– Żegnaj, uczniu – ledwo dosłyszalnie powiedział mistrz i zaczął rozpływać się w powietrzu. Zniknął, a wraz z nim zniknęła i Małgorzata. Zamknęła się krata balkonu.

Iwanem owładnął niepokój. Usiadł na łóżku, rozejrzał się lękliwie, jęknął nawet, powiedział coś sam do siebie, wstał. Burza rozhasała się na dobre i najwyraźniej go rozstroiła. Niepokoiło go także to, że jego przyzwyczajony do niezmąconej ciszy słuch wyłowił niespokojne kroki i przygłuszone głosy za drzwiami. Zawołał, zdenerwowany już i drżący:

– Praskowio Fiodorowna!

Praskowia Fiodorowna już wchodziła do pokoju i zaniepokojona spojrzała pytająco na Iwana.

– Co? Co takiego? – rzekła. – Burza przestraszyła? To nic, to nic... Zaraz ci pomożemy... zaraz zawołam doktora...

– Nie, Praskowio Fiodorowna, nie trzeba wołać doktora – powiedział Iwan, niespokojnie patrząc nie na Praskowię Fiodorownę, ale na ścianę – nic mi takiego nie jest. Niech się pani nie boi, ja teraz już rozumiem... Lepiej niech mi pani powie – poprosił Iwan serdecznie – co się stało tam obok w sto osiemnastce?

– W osiemnastce? – odpowiedziała pytaniem na pytanie Praskowia Fiodorowna i spojrzenie jej pobiegło w bok. – Nic się tam nie stało. – Ale jej głos brzmiał nieszczerze, Iwan natychmiast to zauważył i powiedział:

– E, Praskowio Fiodorowna! Pani przecież zawsze mówi prawdę... Myśli pani, że zacznę rozrabiać? Nie, naprawdę, nie zacznę. Niech mi pani lepiej szczerze powie, ja przecież przez ścianę wszystko wyczuję.

– Umarł twój sąsiad przed chwilą – wyszeptała Praskowia Fiodorowna, nie umiejąc się sprzeniewierzyć swojej dobroci i prawdomówności, i popatrzyła z lękiem na Iwana, spłynęło po niej światło błyskawicy. Ale nic złego się nie stało. Iwan tylko wzniósł znacząco palec i powiedział:

– Przecież ja wiedziałem! Może mi pani wierzyć, Praskowio Fiodorowna, że teraz w mieście umarł jeszcze jeden człowiek. Ja nawet wiem kto. – I Iwan uśmiechnął się tajemniczo. – To była kobieta.

31

Na Worobiowych Górach

Burza przeminęła już bez śladu i przerzucona łukiem ponad całą
Moskwę trwała na niebie wielobarwna tęcza, piła wodę z rzeki Moskwy. Wysoko na wzgórzu, między dwiema kępami krzaków, widać
było trzy ciemne sylwetki. Woland, Korowiow i Behemot siedzieli
na czarnych osiodłanych koniach, patrzyli na rozpościerające się za
rzeką miasto, całe w rozpryskach słońca, pobłyskującego w tysią-
cach zwróconych ku zachodowi okien, na piernikowe baszty Nowo-
dziewiczego Monasteru.

Coś zaszumiało w powietrzu i Azazello wylądował w pobliżu całej
grupy – za czarnym trenem jego płaszcza lecieli mistrz i Małgorzata.

– Musiałem przeszkodzić wam, tobie, Małgorzato, i tobie, mistrzu – po chwili milczenia zaczął Woland – ale nie miejcie do mnie
o to żalu. Nie sądzę, byście mieli tego żałować. No cóż – zwracał
się teraz tylko do mistrza – pożegnaj się z tym miastem. Na nas już
czas. – Woland dłonią w czarnej rękawicy z rozciętym mankietem
powiódł w tę stronę, gdzie niezliczone słońca roztapiały za rzeką
szkło, gdzie trwała ponad tymi słońcami mgła, dym i opary roz-
prażonego w ciągu całego dnia miasta.

Mistrz zeskoczył z siodła, opuścił jeźdźców i pobiegł na skraj
wzgórza. Czarny płaszcz wlókł się za nim po ziemi. Mistrz patrzył
na miasto. W pierwszej chwili zakradł się do jego serca smutek i żal,
ale niebawem ustąpiły one miejsca słodkiemu niepokojowi, cygań-
skiemu podnieceniu włóczęgi.

– Na zawsze!… Zrozumże to – wyszeptał mistrz i oblizał suche,
spękane wargi. Zaczął uważnie przysłuchiwać się temu wszystkiemu, co działo się w jego duszy. Wydało mu się, że podniecenie
minęło, przekształciło się w poczucie wielkiej, śmiertelnej krzywdy,

ale i ono było nietrwałe, przeminęło, zastąpiła je nie wiedzieć czemu wyniosła obojętność, a tę z kolei – przeczucie wiekuistego
spokoju.

Grupa jeźdźców oczekiwała na mistrza w milczeniu. Jeźdźcy patrzyli na gestykulującą na krawędzi urwiska wysoką, ciemną sylwetkę, która to wznosiła głowę, jak gdyby starając się sięgnąć spojrzeniem aż za dalekie przedmieścia, to znów zwieszała ją na pierś,
jak gdyby kontemplując wydeptaną mizerną trawę pod nogami.

Milczenie przerwał znudzony Behemot.

– Pozwól mi, maestro, gwizdnąć na pożegnanie przed jazdą.

– Mógłbyś przestraszyć damę – odpowiedział Woland – a poza
tym nie zapominaj, że już koniec wszystkich twoich dzisiejszych
wybryków.

– Ach, nie, nie, messer – powiedziała Małgorzata, która siedziała
w siodle jak amazonka, podpierając się pod bok, a długi tren jej
sukni spływał aż na ziemię – pozwól mu, niech gwizdnie. Ogarnął
mnie smutek przed daleką drogą. Prawda, messer, że taki smutek
jest czymś naturalnym nawet wtedy, kiedy człowiek wie, że u kresu
tej drogi czeka go szczęście? Niech on nas rozśmieszy, bo się
boję, że to się skończy łzami i zepsuję wszystko, zanim jeszcze
wyruszymy.

Woland skinął na Behemota, ten się niezmiernie ożywił, zeskoczył z siodła na ziemię, włożył palec do ust, odął policzki i gwizdnął.
Małgorzacie zadzwoniło w uszach. Jej koń stanął dęba, w zaroślach
osypały się z drzew suche gałązki, wzbiły się w powietrze całe stada
wron i wróbli, w stronę rzeki ruszył słup kurzu i było widać, że kilku
pasażerom tramwaju rzecznego, który przepływał właśnie koło przystani, wiatr zerwał czapki i wrzucił je do wody.

Mistrz drgnął, ale się nie odwrócił, tylko zaczął jeszcze niespokoj-
niej gestykulować – wznosił rękę ku niebu, jak gdyby grożąc miastu.
Behemot rozejrzał się z dumą.

– To był gwizd, nie przeczę – protekcjonalnie powiedział Korowiow – przyznaję, że to był gwizd, ale jeśli mam być obiektywny,
gwizd to był bardzo przeciętny.

– Nie jestem przecież cerkiewnym regentem – godnie odparł
napuszony Behemot i niespodzianie zrobił oko do Małgorzaty.

– Ano, spróbuję i ja, zobaczymy, czy jeszcze umiem – powiedział
Korowiow, zatarł ręce, podmuchał na palce.

– Ale uważaj, uważaj – rozległ się z konia surowy głos Wolanda – bez numerów z uszkodzeniem ciała.

– Messer, proszę mi wierzyć – powiedział Korowiow i położył rękę na sercu – dla żartu, wyłącznie dla żartu... – Nagle wyciągnął się jakby był z gumy, ułożył wymyślnie palce prawej dłoni, skręcił się jak śruba, a potem rozkręcił nagle i gwizdnął.

Tego gwizdu Małgorzata nie usłyszała, ale zobaczyła go w chwili, gdy odrzuciło ją wraz z jej ognistym rumakiem o jakie dziesięć sążni. Obok niej wyrwało z korzeniami dąb, a ziemia popękała aż do samej rzeki. Ogromna połać brzegu, wraz z przystanią i restauracją, odskoczyła na środek rzeki. Woda w rzece zawrzała, spiętrzyła się i na niski, zielony przeciwległy brzeg wychlusnęło cały tramwaj rzeczny wraz z absolutnie nieposzkodowanymi pasażerami. Rumak Małgorzaty parskał, pod jego kopyta spadła zabita przez gwizd Fagota kawka.

Mistrza ten gwizd przeraził. Chwycił się za głowę i pobiegł z powrotem w stronę oczekujących nań towarzyszy podróży.

– No i co – z wysokości swego wierzchowca zwrócił się do mistrza Woland – pożegnałeś się?

– Tak, pożegnałem się – odpowiedział mistrz i, już uspokojony, śmiało i otwarcie popatrzył w twarz Wolanda.

A wówczas przetoczył się ponad wzgórzami straszliwy, podobny dźwiękowi trąb głos Wolanda:

– Czas już! – a także przenikliwy gwizd i śmiech Behemota.

Konie poderwały się do biegu, jeźdźcy unieśli się w siodłach i pocwałowali. Małgorzata czuła, że jej oszalały rumak szarpie i gryzie wędzidło. Pęd wzdął płaszcz Wolanda ponad głowami całej kawalkady, płaszcz ten zaczął przesłaniać cały wieczerniejący nieboskłon. Kiedy na sekundę czarna opończa odrzucona została na bok, Małgorzata, nie zwalniając biegu, odwróciła się i zobaczyła, że nie ma już za nimi różnobarwnych wieżyc z krążącym nad nimi aeroplanem, nie ma już od dawna i miasta. Jakby się pod ziemię zapadło – pozostały tylko dym i mgła...

32

Przebaczenie i wiekuista przystań

O bogowie, o, bogowie moi! Jakże smutna jest wieczorna ziemia! Jakże tajemnicze są opary nad oparzeliskami! Wie o tym ten, kto błądził w takich oparach, kto wiele cierpiał przed śmiercią, kto leciał ponad tą ziemią, dźwigając ciężar ponad siły. Wie o tym ten, kto jest zmęczony. I bez żalu porzuca wtedy mglistą ziemię, jej bagniska i jej rzeki, ze spokojem w sercu powierza się śmierci, wie bowiem, że tylko ona przyniesie mu spokój.

Nawet czarodziejskie czarne konie zmęczyły się, coraz wolniej niosły swoich jeźdźców, zaczęła ich dopędzać nieunikniona noc. Nawet niespożyty Behemot, wyczuwając ją za plecami, zamilkł, rozwichrzył sierść na ogonie, wbił w siodło pazury i pędził milczący i poważny.

Noc jęła okrywać czarną chustą łąki i lasy, noc zapalała gdzieś daleko w dole smutne ogniki, nieinteresujące już teraz ani mistrza, ani Małgorzaty, niepotrzebne im obce ogniki. Noc wyprzedzała kawalkadę, zasnuwała ją z góry i to tu, to tam rzucała na osowiałe niebo białe plamki gwiazd.

Noc gęstniała, pędziła obok nich, chwytała galopujących za płaszcze, zdzierała je z ramion, odsłaniała prawdę. I kiedy owiewana chłodnym wiatrem Małgorzata otworzyła oczy, zobaczyła, jak zmieniają się wszyscy pędzący ku swemu celowi. Kiedy zaś zza skraju lasu wypełznął na ich spotkanie krągły purpurowy księżyc, wszystkie pozory znikły, runęły w moczary i rozpłynęły się we mgłach nietrwałe czarnoksięskie kostiumy.

Należy wątpić, czy ktokolwiek poznałby w tym, który pędził teraz tuż obok Wolanda, po prawej ręce Małgorzaty, Korowiowa-Fagota, samozwańczego tłumacza, tajemniczego i niepotrzebującego bynajmniej żadnych tłumaczy konsultanta. Zamiast tego, który opuścił Worobiowe Góry w podartym stroju cyrkowca jako Korowiow-Fagot, galopował teraz, cicho podzwaniając złotym łańcuchem uździenicy, ciemnofioletowy rycerz o mrocznej twarzy, na której nigdy nie zagościł uśmiech. Wspierał brodę na piersi, nie patrzył na księżyc, nie interesowała go ziemia, pędząc obok Wolanda, rozmyślał o jakowychś swoich sprawach.

– Dlaczego on się tak zmienił? – przy akompaniamencie świszczącego wiatru cicho zapytała Wolanda Małgorzata.

– Rycerz ten zażartował kiedyś niefortunnie – odpowiedział Woland, odwracając ku Małgorzacie twarz i spokojnie płonące oko.
– Kalambur o świetle i ciemności, który wymknął mu się podczas pewnej rozmowy, był nie najlepszej próby. I przyszło rycerzowi żartować więcej i dłużej, niż przypuszczał. Ale dziś jest noc dokonywania rozrachunków. Rycerz swój rachunek spłacił i zamknął.

Także i Behemotowi noc oderwała jego puszysty ogon, odarła go z futra, rozrzuciła strzępy sierści po mokradłach. Ten, który zabawiał księcia ciemności jako kot, objawiał się teraz jako szczuplutki chłopak, demon-paź, najwspanialszy błazen, jakiego znał świat. Teraz i on także zamilkł i pędził bezszelestnie, podstawiając swoją młodą twarz pod napływającą od księżyca poświatę.

Z boku, w pewnej odległości od reszty, leciał, pobłyskując stalową zbroją, Azazello. Znikł bez śladu nieprzystojny kieł i zez również okazał się kamuflażem. Oczy Azazella nie różniły się już teraz od siebie, były jednakowo puste i czarne, twarz zaś blada i zimna. Teraz, lecąc, Azazello przybrał swą prawdziwą postać demona bezwodnej pustyni, demona-mordercy.

Siebie samej Małgorzata nie mogła zobaczyć, za to dobrze widziała zmiany, jakie zaszły w mistrzu. Jego włosy bielały teraz w poświacie księżyca, zbijały się z tyłu w powiewający na wietrze warkocz. Kiedy wiatr odrzucał płaszcz z jego nóg, Małgorzata widziała to zapalające się, to znów gasnące gwiazdeczki ostróg na botfortach. Podobnie jak młodziutki demon, mistrz leciał, nie spuszczając oczu z księżyca, ale uśmiechał się do tego księżyca jak do kogoś dobrze znanego i kochanego i, zgodnie ze zwyczajem, którego nabrał w sto osiemnastce, coś sam do siebie mamrotał.

Woland wreszcie leciał także w swej prawdziwej postaci. Małgorzacie trudno było powiedzieć, z czego była zrobiona uzda jego wierzchowca, sądziła, że są to być może księżycowe promienie, sam zaś wierzchowiec jest tylko bryłą mroku, grzywa rumaka – chmurą, a ostrogi jeźdźca to białe cętki gwiazd.

Długo tak lecieli w milczeniu, aż wreszcie okolica zaczęła się zmieniać. W mroku ziemi zatonęły smutne lasy, a wraz z nimi także zmatowiałe klingi rzek. Pojawiły się w dole połyskliwe głazy, a pomiędzy nimi zaczerniały zapadliska, do których nie docierało księżycowe światło. Woland osadził swego dzianeta na kamienistym, posępnym, płaskim szczycie i odtąd jeźdźcy pojechali stępa, nasłuchując, jak podkowy ich rumaków biją o żwir i kamienie. Zielonkawa, jasna poświata księżycowa zalewała szczyt i wkrótce Małgorzata dostrzegła stojący na tym pustkowiu tron, a na tronie białą postać siedzącego człowieka. Siedzący był może głuchy, a może nazbyt pogrążony w myślach. Nie czuł, że kamienista ziemia dygoce pod ciężarem wierzchowców, i jeźdźcy zbliżyli się doń niezauważeni.

Księżyc bardzo dopomógł Małgorzacie, świecił jaśniej niż najjaśniejsza latarnia elektryczna, dostrzegła więc, że siedzący, którego oczy wydawały się ślepe, nerwowo zaciera ręce i te niewidzące swoje oczy kieruje ku okręgowi księżyca. Widziała już teraz, że obok ciężkiego marmurowego tronu, na którym błyszczały w księżycowej poświacie jakieś iskry, leży olbrzymi czarny pies o spiczastych uszach i podobnie jak jego pan, niespokojnie wpatruje się w księżyc. U stóp siedzącego poniewierają się skorupy rozbitego dzbana i rozpościera się czarnoczerwona niewysychająca kałuża.

Jeźdźcy wstrzymali konie.

– Powieść twoja została przeczytana – zaczął mówić Woland, zwracając się do mistrza – i powiedziano tylko jedno, że nie jest ona, niestety, zakończona. Chciałem ci zatem pokazać twego bohatera. Prawie od dwóch tysięcy lat siedzi on na tym szczycie i śpi, ale kiedy nadchodzi pełnia księżyca, dręczy go, jak widzisz, bezsenność. Cierpi na nią nie tylko on, ale również i jego wierny stróż, pies. Jeżeli prawdą jest, że tchórzostwo to najstraszliwsza z ułomności, to temu psu zarzucić go raczej niepodobna. Jedyne, czego bało się nieustraszone zwierzę, to burza. No cóż, ten, który kocha, powinien dzielić los tego, kogo kocha.

– Co on mówi? – zapytała Małgorzata i jej nieruchomą, spokojną twarz osnuła mgiełka współczucia.

– On mówi – odpowiedział jej Woland – ciągle to samo. Powtarza, że nawet przy księżycu nie może zaznać spokoju i że przyszło mu zagrać niedobrą rolę. Mówi tak zawsze, ilekroć nie śpi, a kiedy śpi, śni mu się ciągle to samo – pasmo księżycowego światła, którym chciałby iść i rozmawiać z więźniem Ha-Nocri, ponieważ, jak utrzymuje, nie zdążył czegoś dopowiedzieć wówczas, dawno temu, czternastego dnia wiosennego miesiąca nisan. Ale niestety nie udaje mu się wejść na tę drogę, nikt też nie przychodzi do niego. Więc cóż robić, musi rozmawiać sam ze sobą. A zresztą, człowiek musi mieć przecież jakieś urozmaicenie, więc swój monolog o księżycu często uzupełnia stwierdzeniem, że nade wszystko w świecie nienawidzi własnej nieśmiertelności i swej niebywałej sławy. Utrzymuje, że chętnie by się zamienił z obdartym włóczęgą Mateuszem Lewitą.

– Dwanaście tysięcy księżyców za jedną księżycową noc sprzed lat, czy to aby nie za dużo? – zapytała Małgorzata.

– Powtarza się historia z Friedą? – zapytał Woland. – Ale o to, Małgorzato, nie musisz się martwić. Wszystko będzie, jak być powinno, tak już jest urządzony świat.

– Uwolnijcie go! – krzyknęła nagle przeraźliwie Małgorzata. Podobnie krzyczała kiedyś, kiedy była wiedźmą. Od tego jej krzyku osunął się gdzieś w górach kamień i z ogłuszającym łoskotem stoczył się po urwisku w przepaść. Ale Małgorzata nie umiałaby powiedzieć, czy był to łoskot padającego kamienia, czy może łoskot szatańskiego śmiechu. Woland w każdym razie śmiał się, spoglądał na Małgorzatę i mówił:

– W górach nie należy krzyczeć, on tak czy owak nawykł do lawin i nie zwróci na nie uwagi. Nie musisz się za nim wstawiać, Małgorzato, albowiem ujął się już za nim ten, z kim tak pragnie rozmawiać. – I Woland znowu zwrócił się do mistrza, mówiąc:
– No cóż, teraz możesz zakończyć swoją powieść jednym zdaniem!

Mistrz, który stał nieporuszony i patrzył na siedzącego procuratora, jakby tylko na to czekał. Zwinął dłonie w trąbkę i krzyknął tak, że echo poniosło się po bezludnych i nagich górach.

– Jesteś wolny! Jesteś wolny! On czeka na ciebie.

Góry przemieniły głos mistrza w grom i ten grom obrócił je w perzynę. Runęły przeklęte ściany skalne. Pozostał tylko szczyt, na którym stał marmurowy tron. Ponad czarną otchłanią, w którą zwaliły się skały, zapłonęły światła bezkresnego miasta, a nad miastem dominowały połyskliwe idole, górujące nad wspaniale rozrosłymi w ciągu wielu tysięcy księżyców ogrodami. Wprost ku tym ogrodom prowadziła tak długo wyczekiwana przez procuratora, uczyniona z księżycowej poświaty ścieżka. Pierwszy pobiegł tą ścieżką spiczastouchy pies. Człowiek w białym płaszczu z podbiciem koloru krwawnika wstał z tronu i krzyknął coś ochrypłym, załamującym się głosem. Nie można było się zorientować, czy płacze, czy też się śmieje, ani też, co krzyczy. Można było tylko zobaczyć, że i on pospieszył księżycową ścieżką za tym, który wiernie pełnił przy nim straż.

– Mam iść tam za nim? – ujmując cugle, niespokojnie zapytał mistrz.

– Nie – odpowiedział mu Woland. – Po cóż iść za tropem tego, co się już skończyło?

– A więc tam? – zapytał mistrz, odwrócił się i wskazał za siebie, tam gdzie znowu zarysowało się za nimi niedawno opuszczone miasto, pełne piernikowych wież monasterów i rozpryśniętego w szkle na drobne kawałeczki słońca.

– Także nie – odparł Woland. Głos jego nabrał mocy i popłynął nad skałami. – Romantyczny mistrzu, ten, którego tak pragnie ujrzeć wymyślony przez ciebie, a przed chwilą również przez ciebie samego uwolniony twój bohater, przeczytał twoją powieść. – I Woland zwrócił się do Małgorzaty: – Małgorzato! Nie sposób nie uwierzyć, że usiłowałaś obmyślić dla mistrza jak najlepszą przyszłość, ale doprawdy to, co wam proponuję, to, o co prosił dla was Jeszua, jest jeszcze lepsze! Zostawcie ich samych – mówił Woland, nachylając się ze swego siodła ku siodłu mistrza i wskazując w ślad za procuratorem, który zniknął im już z oczu. – Nie przeszkadzajmy im. Niech rozmawiają, kto wie, może dojdą do czegoś? – Woland skinął teraz dłonią w kierunku Jeruszalaim i Jeruszalaim zgasło.

– A i tam – Woland wskazał za siebie – czegóż miałbyś szukać w swojej suterenie? – Teraz zagasło rozpryśnięte w szkle słońce. – Po co ci to? – łagodnie i przekonywająco ciągnął Woland. – O, po trzykroć romantyczny mistrzu, czyż nie chcesz we dnie przechadzać się ze swoją przyjaciółką pod drzewami wiśni, które właśnie zaczynają okrywać się kwiatem, a wieczorami słuchać muzyki Schuberta? Czyż nie będzie ci miło pisać gęsim piórem przy świecach? Czyż nie chcesz jak Faust zasiąść nad retortą i żywić nadzieję, że uda ci się stworzyć nowego homunculusa? Tam, tylko tam! Tam czeka już na was dom i stary sługa, goreją świece, które wkrótce pogasną, ponieważ już niebawem powitacie świt. Tą drogą, mistrzu, tylko tą drogą! Żegnajcie, na mnie czas!

– Żegnaj! – chóralnie odkrzyknęli Wolandowi Małgorzata i mistrz.

A wówczas czarny Woland na oślep, nie wybierając drogi, rzucił się w otchłań, a za nim z poszumem runęła jego świta. Wokół mistrza i Małgorzaty nie było już ani skał, ani płaskiego szczytu, ani Jeruszalaim. Zniknęły również czarne konie. I oto zobaczyli oboje przyobiecany świt. Zaczęło świtać natychmiast, przy północnym księżycu. Mistrz przechodził ze swą umiłowaną w blasku pierwszych promieni poranka przez omszały kamienny mostek. Przeszli przezeń. Strumień został za plecami wiernych kochanków, szli piaszczystą drogą.

– Posłuchaj, jak cicho – mówiła do mistrza Małgorzata, a piasek szeleścił pod jej bosymi stopami. – Słuchaj i napawaj się tym, czego nie dane ci było zaznać w życiu – spokojem. Popatrz, oto jest już przed tobą twój wieczysty dom, który otrzymałeś w nagrodę. Widzę już okno weneckie i dzikie wino, które wspina się aż pod sam dach. Oto twój dom, oto twój wieczysty dom. Wiem, że wieczorem odwiedzą cię ci, których kochasz, którzy cię interesują, ci, co nie zakłócą twojego spokoju. Będą ci grali, będą ci śpiewali, zobaczysz, jak jasno jest w pokoju, kiedy palą się świece. Będziesz zasypiał, wdziawszy swoją przybrudzoną wieczystą szlafmycę, będziesz zasypiał z uśmiechem na ustach. Sen cię wzmocni, przyjdą ci po nim do głowy mądre myśli. I już nie będziesz umiał mnie wypędzić. Ja zaś będę strzegła twego snu.

Tak mówiła Małgorzata, idąc z mistrzem w kierunku ich wieczystego domu, i wydawało się mistrzowi, że słowa Małgorzaty szemrzą tak samo, jak szemrał i szeptał strumień, od którego się oddalali, i świadomość mistrza, niespokojna, pokłuta igłami świadomość, gasła. Ktoś uwalniał mistrza, tak jak on sam dopiero co uwolnił stworzonego przez siebie bohatera. Bohater ten odszedł w otchłań, odszedł bezpowrotnie, ułaskawiony w nocy z soboty na niedzielę syn króla-astronoma, okrutny piąty procurator Judei, *eques Romanus*, Poncjusz Piłat.

Epilog

A swoją drogą – co się działo w Moskwie po owym sobotnim
wieczorze, kiedy to Woland o zachodzie słońca opuścił stolicę, znik-
nąwszy wraz ze swą świtą z Worobiowych Gór?

O tym, że długo jeszcze w całym mieście huczało od najniewiary-
godniejszych pogłosek, które nader szybko dotarły także do najdal-
szej, zabitej deskami prowincji, nie trzeba chyba nawet wspominać.
Człowieka aż mdli na samą myśl, że miałby te pogłoski powtarzać.

Spisujący tę rzetelną relację na własne uszy słyszał w pociągu,
którym jechał do Teodozji, opowieść o tym, jak to w Moskwie dwa
tysiące ludzi wyszło z teatru na golasa i w takim stanie taksówkami
rozjechało się do domów.

Szept „siła nieczysta" można było usłyszeć w kolejkach przed mle-
czarniami, w tramwajach, w sklepach, w mieszkaniach, we wspólnych
kuchniach, w pociągach podmiejskich i dalekobieżnych, na stacjach
i na przystankach, na letniskach i na plażach.

Ludzie wyrobieni i kulturalni nie brali oczywiście udziału w tych
dyskusjach o nieczystej sile, która nawiedziła stolicę, szydzili z nich
nawet i usiłowali apelować do rozsądku opowiadających. Ale, jak to
się mówi, fakt pozostaje faktem i zostawić go bez wyjaśnienia nie
sposób – ktoś niewątpliwie był w stolicy. Świadczyły o tym wymow-
nie choćby zgliszcza, które pozostały z Gribojedowa, a także wiele
innych rzeczy.

Ludzie kulturalni podzielali pogląd prowadzących śledztwo – była to robota szajki hipnotyzerów i brzuchomówców, którzy doszli
w swoim rzemiośle do perfekcji.

Zarówno w Moskwie, jak poza jej granicami podjęto oczywiście
natychmiast energiczną akcję mającą na celu schwytanie bandy, ale

niestety, niestety, nie dała ona spodziewanych rezultatów. Ten, który przybrał imię Wolanda, zniknął wraz ze wszystkimi swymi kompanami i do Moskwy już nie powrócił ani nie pojawił się nigdzie indziej, w ogóle nie dawał znaku życia. Nic dziwnego, że powzięto podejrzenie, iż uciekł za granicę, ale i za granicą się nie ujawnił.

Śledztwo w jego sprawie trwało długo. Bo doprawdy była to sprawa potworna! Pomijając już cztery spalone domy i setki doprowadzonych do obłędu ludzi, byli również zabici. O dwóch można to powiedzieć z całą pewnością: o Berliozie i o nieszczęsnym pracowniku komisji do spraw oprowadzania cudzoziemców po godnych uwagi miejscach w Moskwie, byłym baronie Meiglu. Oni przecież z pewnością zostali zabici. Zwęglone kości tego ostatniego znaleziono po ugaszeniu pożaru wśród zgliszcz mieszkania numer pięćdziesiąt na Sadowej. Tak, były ofiary i te ofiary wymagały śledztwa.

Były jednak również i inne ofiary, i to nawet wtedy, kiedy Woland już opuścił stolicę. Ofiarą, jakkolwiek to bardzo smutne, padły czarne koty.

Ze sto tych łagodnych, przywiązanych do ludzi i pożytecznych stworzeń zastrzelono albo wytępiono w inny sposób, w rozmaitych zakątkach kraju. Piętnaście – niekiedy mocno zmaltretowanych – kotów dostarczono do komisariatów milicji w różnych miastach. W Armawirze na przykład jedno takie Bogu ducha winne zwierzę, doprowadzone na milicję przez jakiegoś obywatela, miało związane przednie łapy.

Obywatel ów przydybał kota w chwili, gdy zwierzę o wyglądzie rzezimieszka (cóż na to poradzić, że koty zawsze tak wyglądają? Nie bierze się to bynajmniej stąd, że są fałszywe, lecz stąd, że obawiają się, by ktoś potężniejszy od nich – pies albo człowiek – nie uczynił im krzywdy. Skrzywdzić kota jest bardzo łatwo, ale, wierzcie mi, żaden to honor, żaden!), a więc gdy zwierzę o wyglądzie rzezimieszka w niewyjaśnionych zamiarach usiłowało udać się w łopuchy.

Obywatel ów runął na kota i, ściągając krawat, by związać stworzenie, odgrażał się jadowicie:

– Aha! A więc zawitało się teraz do nas, do Armawiru, panie hipnotyzerze? No, aleśmy się tu pana nie przestraszyli. Niech pan nie udaje niemowy! Dobrze wiemy, co z pana za ptaszek!

Obywatel prowadził kota na milicję, ciągnąc biednego zwierzaka za przednie łapy, związane zielonym krawatem, i lekkimi kopniakami zmuszając go, by koniecznie szedł na tylnych.

– Panie! – krzyczał oblegany przez gwiżdżących chłopaczków. – Niech pan przestanie strugać wariata! To się nie uda! Niech pan będzie łaskaw iść jak człowiek!

Czarny kot tylko toczył umęczonymi ślepiami. Natura poskąpiła mu daru wymowy, ani rusz nie mógł więc dowieść swej niewinności. Ocalenie biedne zwierzę zawdzięcza przede wszystkim milicji, a także swojej właścicielce, czcigodnej wiekowej wdowie. Skoro tylko kot doprowadzony został do komisariatu, stwierdzono tam, że rzeczony obywatel intensywnie wonieje spirytusem, w związku z czym jego zeznań nie przyjęto za dobrą monetę. Tymczasem staruszka, dowiedziawszy się od sąsiadów, że jej kota przymknęli, popędziła do komisariatu i zdążyła na czas. Wystawiła kotu jak najpochlebniejsze świadectwo, zeznała, że zna go od pięciu lat, od małego kociaka, że ręczy za niego jak za samą siebie, udowodniła, że nigdy jeszcze się nie zdarzyło, by przyłapano go na czymś zdrożnym, oraz że nigdy nie wyjeżdżał do Moskwy. W Armawirze się urodził, tu się wychował, tu się kształcił w łowach na myszy.

Kot został uwolniony z więzów i zwrócony właścicielce, acz, co prawda, ciężko doświadczony przez los – przekonał się bowiem na własnej skórze, co to znaczy fałszywe posądzenie i oszczerstwo.

Oprócz kotów pewne drobne nieprzyjemności spotkały również tego i owego spośród ludzi. W Leningradzie zatrzymano do wyjaśnienia obywateli Wolmana i Wolpera, w Saratowie, w Kijowie i w Charkowie – trzech Wołodinów, w Kazaniu – Wołocha, a w Penzie – doprawdy zupełnie nie wiadomo dlaczego – adiunkta chemii Wietczynkiewicza. Co prawda był to niezwykle smagły brunet olbrzymiego wzrostu.

Poza tym w różnych miejscowościach ujęto dziewięciu Korowinów, czterech Korowkinów i dwóch Karawajewów.

Z pociągu jadącego do Sewastopola pewnego obywatela wyprowadzono związanego na stacji Biełgorod. Obywatelowi owemu strzeliło do głowy, by zabawiać współpasażerów pokazywaniem sztuczek z kartami.

W Jarosławiu, akurat w porze obiadowej, wszedł do restauracji obywatel, który trzymał w ręku odebrany właśnie z naprawy prymus.

Dwóch portierów porzuciło na jego widok swoje posterunki w szatni i uciekło, a za nimi uciekli z restauracji wszyscy goście i kelnerzy. Przy tej okazji niezwykłym zbiegiem okoliczności kasjerce zginął cały utarg. Działo się jeszcze niejedno, ale nie można przecież wszystkiego zapamiętać.

Jeszcze raz – podkreślam to z naciskiem – należy oddać sprawiedliwość tym, którzy prowadzili śledztwo. Nie dość, że uczynili wszystko, co w ludzkiej mocy, by ująć przestępców, zrobili także wszystko, by racjonalnie wyjaśnić ich rozróby. I wszystko zostało racjonalnie wyjaśnione, a wyjaśnienia te były niewątpliwie rzeczowe i nie do obalenia.

Prowadzący śledztwo oraz doświadczeni psychiatrzy ustalili, że członkowie zbrodniczego gangu, czy też być może jeden z nich (podejrzenie padało przede wszystkim na Korowiowa), byli hipnotyzerami o niespotykanej sile oddziaływania i potrafili ukazywać się nie w tym miejscu, w którym naprawdę się znajdowali, ale gdzie indziej, tam gdzie ich wcale nie było. Poza tym umieli bez trudu przekonać tych, którzy się z nimi stykali, że określone przedmioty i osoby znajdują się tam, gdzie w rzeczywistości wcale ich nie było, i na odwrót – usuwali z pola widzenia przedmioty lub osoby, które w rzeczywistości znajdowały się w polu widzenia danego człowieka.

W świetle tych wyjaśnień wszystko stawało się zupełnie zrozumiałe, nawet ten najbardziej niepokojący społeczeństwo fakt, że kota ostrzeliwanego w mieszkaniu numer pięćdziesiąt w czasie nieudanej próby aresztowania nie imały się kule.

Oczywiście nie było na żyrandolu żadnego kota, nikt nie odpowiedział ogniem na strzały, strzelano do czegoś, czego w ogóle nie było, a w tym czasie Korowiow, który zasugerował wszystkim, że kot rozrabia na żyrandolu, mógł się swobodnie poruszać, najpewniej znajdując się za plecami strzelających, mógł szydzić z nich i rozkoszować się swym ogromnym, aczkolwiek wykorzystywanym do celów przestępczych darem sugestii. Jasne, że to on podpalił mieszkanie, rozlawszy benzynę.

Stiopa Lichodiejew nie latał, oczywiście, do żadnej Jałty (taki numer przekraczałby możliwości nawet Korowiowa) ani też nie wysyłał stamtąd depesz. Kiedy – przestraszony sztuczkami Korowiowa, który ukazał mu kota, trzymającego na widelcu marynowany grzyb – stracił przytomność w mieszkaniu wdowy po jubilerze, leżał tam, dopóki Korowiow, natrząsając się zeń, nie wcisnął mu na głowę filcowego kapelusza i nie wysłał go na moskiewskie lotnisko, uprzednio zasugerowawszy oczekującym tam na Stiopę przedstawicielom wydziału śledczego, że Stiopa wysiądzie z samolotu, który przyleciał z Sewastopola.

Co prawda, jałtańska milicja utrzymywała, że gościła bosego Stiopę i że wysyłała do Moskwy depesze o nim, ale w aktach nie zdołano odnaleźć kopii żadnej z tych depesz, z czego wyciągnięto smutny, lecz absolutnie niepodważalny wniosek, że banda hipnotyzerów jest w stanie hipnotyzować ludzi na wielką odległość, i to nie tylko pojedyncze osoby, ale nawet całe grupy.

W tych warunkach przestępcy mogli przyprawiać o obłęd nawet ludzi o wyjątkowo odpornej konstytucji psychicznej. Cóż tu więc mówić o takich głupstwach jak talia kart, która nagle znajduje się na parterze w cudzej kieszeni, albo znikające damskie sukienki czy miauczący beret i inne rzeczy w tym guście! Takie numery potrafi odstawić każdy zawodowy hipnotyzer średniej klasy na byle estradzie, dotyczy to również prostego triku z odrywaniem głowy konferansjerowi. Kot, który mówi, to też zupełny drobiazg. By zademonstrować widzom takiego kota, wystarczy opanować elementarne zasady brzuchomówstwa, a nikt chyba nie wątpi, że umiejętności Korowiowa w tej mierze sięgały znacznie dalej.

Nie, nie chodzi tu bynajmniej o talię kart ani o fałszywe listy w teczce Nikanora Bosego. To wszystko są głupstwa! To on, Korowiow, posłał Berlioza pod tramwaj na pewną śmierć. To on wpędził w obłęd biednego poetę Iwana Bezdomnego, to on był sprawcą majaczeń Iwana, to on był winien temu, że Iwanowi w męczących snach jawiło się starożytne Jeruszalaim i trzej powieszeni na słupach na spalonej słońcem pustynnej Nagiej Górze. To Korowiow i jego gang byli sprawcami zniknięcia z Moskwy Małgorzaty i Nataszy, jej służącej. Nawiasem mówiąc, tą sprawą organa śledcze zajmowały się ze szczególną pieczołowitością. Należało wyjaśnić, czy kobiety te zostały uprowadzone przez bandę morderców i podpalaczy, czy też dobrowolnie zbiegły wraz ze zbrodniarzami. Opierając się na mętnych i absurdalnych zeznaniach Nikołaja Iwanowicza, a także biorąc pod uwagę pozostawiony przez Małgorzatę dziwaczny, szalony list do męża, list, w którym pisze, że zostaje wiedźmą i odchodzi na zawsze, mając też na względzie tę okoliczność, że Natasza zniknęła, pozostawiając wszystkie swoje rzeczy osobiste, organa śledcze ostatecznie uznały, że zarówno pani domu, jak i słu- żąca zostały, podobnie jak tyle innych osób, zahipnotyzowane, po czym bezwolne ofiary uprowadziła banda. Powstała też bardzo prawdopodobna wersja, że zbrodniarzy znęciła uroda obu kobiet.

Niewyjaśnioną jednak zagadką pozostały dla organów śledczych pobudki, którymi banda się kierowała, uprowadzając z kliniki psy- chiatrycznej chorego umysłowo, mianującego się mistrzem. Pobu- dek tych nie udało się wykryć, podobnie jak nie udało się ustalić nazwiska uprowadzonego pacjenta. Chory ów zaginął więc na za- wsze pod martwym kryptonimem – numer sto osiemnasty z pierw- szego oddziału.

Tak więc prawie wszystko zostało wyjaśnione i śledztwo skoń- czyło się, ponieważ wszystko na tym świecie ma swój koniec.

Minęło kilka lat i obywatele powoli zapominali o Wolandzie, Ko- rowiowie i całej reszcie. W życiu tych, którzy ucierpieli przez Wo- landa i jego kumpli, zaszło wiele zmian i choć były to zmiany drob- ne i nieistotne, należy przecież o nich napomknąć.

Żorż Bengalski, na przykład, spędził w szpitalu trzy miesiące, po czym uznano go za wyleczonego i wypisano, ale musiał porzucić pracę w Variétés, chociaż był to najgorętszy okres i publiczność waliła drzwiami i oknami – żywe było jeszcze wspomnienie o czar- nej magii i o tym, jak ją zdemaskowano. Bengalski porzucił Varié- tés, zdał sobie bowiem sprawę, że zbyt męczące będą dlań codzien- ne występy przed dwutysięcznym audytorium, które go rozpozna i w nieskończoność będzie zadawało szydercze pytanie: jak mu się lepiej pracuje – z głową czy bez?

Tak, konferansjer utracił poza tym wiele ze swego humoru, tak niezbędnego przecież w jego zawodzie. Pozostał mu niemiły, przygnę- biający ślad po tej przygodzie – każdej wiosny przy pełni księżyca ogarniał go niepokój, Bengalski znienacka chwytał się za kark, rozglą- dał się lękliwie i szlochał. Ataki te mijały, ale ponieważ je miewał, nie mógł już pracować w swoim dotychczasowym zawodzie. Konferansjer porzucił więc pracę i zaczął żyć z własnych oszczędności, które według jego skromnych obliczeń powinny mu wystarczyć na lat piętnaście.

Odszedł więc i nigdy już się nie spotkał z Warionuchą, który zyskał sobie ogromną popularność i powszechną sympatię za uprzejmość i życzliwość dla ludzi, rzadko spotykaną nawet wśród administratorów teatralnych. Na przykład amatorzy wejściówek nie mówili o nim inaczej niż: „Nasz ojczulek i dobrodziej". Każdy, kto zadzwonił do Variétés o dowolnej godzinie, słyszał w słuchawce łagodny, acz smutny głos: „Słucham", na prośbę zaś, by zawołać do telefonu Warionuchę, tenże głos odpowiadał spiesznie: „Do usług, jestem przy aparacie!". Ale ileż to Iwan Sawieliewicz wycierpiał przez tę swoją uprzejmość!

Stiopa Lichodiejew nie korzysta już z telefonów Variétés. Skoro tylko po ośmiu dniach pobytu opuścił klinikę, wysłano go do Rostowa, gdzie został mianowany kierownikiem wielkiego sklepu spożywczego. Podobno nie pije już portwajnu, tylko wódkę, nalewkę na pączkach czarnych porzeczek, co mu wyszło na zdrowie. Mówią, że zrobił się teraz milczący i że unika kobiet.

Usunięcie Stiopy z Variétés nie sprawiło Rimskiemu takiej satysfakcji, jaka mu się marzyła od paru lat. Po wyjściu z kliniki, po powrocie z Kisłowodzka, staruszek dyrektor finansowy z trzęsącą się głową złożył podanie o zwolnienie z pracy w Variétés. Ciekawe, że podanie przywiozła do Variétés żona Rimskiego. On sam nie znalazł w sobie dość siły, by choćby za dnia odwiedzić ów dom, w którym widział zalaną księżycową poświatą popękaną szybę w oknie i długą, sięgającą ku dolnej zasuwce rękę.

Zwolniwszy się z Variétés, dyrektor finansowy objął posadę w teatrze lalek na Zamoskworieczu. W teatrze tym już nie musiał wykłócać się o akustykę z wielce szanownym Arkadijem Siemplejarowem. Arkadij Apołłonowicz został bowiem momentalnie przeniesiony do Briańska na stanowisko kierownika punktu skupu runa leśnego. Mieszkańcy Moskwy jedzą teraz solone rydzyki i marynowane prawdziwki, nie mogą się ich nachwalić i są rozentuzjazmowani tym, że Arkadij Apołłonowicz zmienił posadę. Dawna to sprawa i teraz można już powiedzieć, że nie radził on sobie z akustyką, i choć wiele robił, by ją udoskonalić, nie poprawiła się ani na jotę.

Do osób, które zerwały z teatrem, należy prócz Arkadija Apołłonowicza zaliczyć również Nikanora Iwanowicza Bosego, choć tego nie wiązało z teatrem nic prócz umiłowania darmowych wejściówek. Nikanor Iwanowicz nie tylko nie chadza do żadnego teatru ani za pieniądze, ani za darmo, ale nawet zmienia się na twarzy, ilekroć rozmowa zejdzie na teatr. Bardziej jeszcze niż teatr znienawidził poetę Puszkina oraz utalentowanego artystę Sawwę Potapowicza Kurolesowa. Tego ostatniego do tego stopnia, że w zeszłym roku, widząc w gazecie w czarnych ramkach zawiadomienie o tym, że Sawwę Potapowicza w samym rozkwicie jego kariery trafiła apopleksja, Nikanor Iwanowicz spurpurowiał tak bardzo, że sam o mało co nie poszedł w ślady Sawwy Potapowicza, i ryknął: „Dobrze mu tak!". Co więcej, tego samego wieczora Nikanor Iwanowicz, któremu śmierć popularnego artysty przywołała masę koszmarnych wspomnień, sam, w towarzystwie tylko oświetlającego Sadową księżyca w pełni, spił się jak nieboskie stworzenie. Z każdym kieliszkiem wydłużał się przed nim szereg znienawidzonych postaci, a był w tym szeregu i Sergiusz Gerardowicz Dunhill, i ślicznotka Ida Herkulesowna, i rudy właściciel bojowych gęsi, i prawdomówny Kanawkin Nikołaj.

No a cóż się stało z nimi? Na litość boską! Nic, absolutnie nic się z nimi nie stało i stać się nie może, ponieważ w rzeczywistości nigdy nie istnieli, podobnie jak nie istniał ani sympatyczny konferansjer, ani sam teatr, ani stara kutwa ciotka Pochownikowa, która chomikowała dewizy w wilgotnej piwnicy, nie było oczywiście złotych trąb ani natrętnych kucharzy. Wszystko to Nikanorowi Iwanowiczowi jedynie się śniło za sprawą tego paskudnika Korowiowa. Jedynym żyjącym człowiekiem, który zabłąkał się do tego snu, był właśnie Sawwa Potapowicz, aktor, a trafił on tam tylko dlatego, że wrył się w pamięć Nikanora Iwanowicza dzięki swym częstym występom w radiu. On istniał, ale pozostali nie istnieli.

A więc nie istniał może i Alojzy Mogarycz? O, nie! Mogarycz nie tylko istniał, ale działa do dziś na stanowisku, którego zrzekł się Rimski, to znaczy na etacie dyrektora finansowego Variétés.

W dobę mniej więcej po wizycie u Wolanda, oprzytomniawszy w pociągu gdzieś pod Wiatką, Alojzy stwierdził, że wyjeżdżając w zaćmieniu umysłu z Moskwy, zapomniał włożyć spodnie, ale za to – nie wiadomo dlaczego – ukradł zupełnie mu niepotrzebną księgę meldunkową właściciela domku. Za olbrzymie pieniądze Alojzy nabył od konduktora stare, zaplamione portki i z Wiatki zawrócił do Moskwy. Ale już niestety nie zastał malowniczego domku. Płomień strawił doszczętnie i domek, i stare rupiecie. Alojzy był jednak człowiekiem niezmiernie przedsiębiorczym. W dwa tygodnie później mieszkał już w pięknym pokoju w zaułku Briusowa, a po kilku miesiącach zasiadał już w gabinecie Rimskiego. I tak jak przedtem Rimski cierpiał przez Stiopę, tak teraz Warionucha cierpi przez

Alojzego. Iwan Sawieliewicz marzy tylko o jednym – o tym, żeby tego Alojzego zabrano z Variétés dokądkolwiek, byle jak najdalej, ponieważ – jak Warionucha czasem mówił o tym szeptem w zaufanym towarzystwie – „takiego ścierwa jak ten Alojzy nie spotkał chyba jeszcze nigdy w życiu i że, zobaczycie, wszystkiego się po tym Alojzym można spodziewać".

Być może zresztą, że administrator nie jest bezstronny. Nigdy nie zauważono, żeby Alojzy robił coś złego, nie zauważono zresztą, żeby w ogóle robił cokolwiek, jeśli oczywiście nie liczyć zaangażowania na miejsce bufetowego Sokowa kogoś innego. Andriej Fokicz zmarł na raka wątroby w klinice Pierwszego Moskiewskiego Uniwersytetu Państwowego w dziesięć miesięcy po pobycie Wolanda w Moskwie...

Tak więc minęło lat kilka i wydarzenia zgodnie z prawdą opisane w tej książce zblakły, zatarły się w pamięci. Ale nie wszyscy o nich zapomnieli, nie wszyscy.

Co roku na wiosnę, skoro się tylko zacznie świąteczna pełnia księżyca, pod lipami na Patriarszych Prudach zjawia się przed wieczorem człowiek może trzydziestoletni, może nieco po trzydziestce. Rudawy, zielonooki, skromnie ubrany. Jest to pracownik Instytutu Historii i Filozofii, profesor Iwan Nikołajewicz Ponyriow.

Przyszedłszy pod lipy, zasiada zawsze na tej samej ławeczce, na której siedział owego wieczora, kiedy to dawno już przez wszystkich zapomniany Berlioz po raz ostatni w swym życiu ujrzał rozpryskujący się na kawałki księżyc. Teraz księżyc, nieuszkodzony, o zmierzchu biały, później złoty, płynie nad byłym poetą Iwanem Bezdomnym, a jednocześnie tkwi bez ruchu na wysokościach, a na powierzchni księżyca siedzi ni to koń, ni to smok.

Profesor Ponyriow wie o wszystkim, wszystko wie, wszystko rozumie. Wie, że za młodu padł ofiarą zbrodniczych hipnotyzerów, że potem leczył się i wyleczył. Ale wie również, że z pewnymi sprawami nie może sobie poradzić. Nie może sobie poradzić z tą wiosenną pełnią księżyca. Skoro tylko zbliży się jej czas, skoro tylko zacznie rosnąć i wyzłacać się ów satelita, który niegdyś wisiał wyżej niż dwa pięcioramienne świeczniki, Iwan staje się niespokojny, nerwowy, traci sen i apetyt, czeka, aż księżyc się wyokrągli. A kiedy nadchodzi pełnia, nikt nie jest w stanie zatrzymać go w domu. Pod wieczór Ponyriow wychodzi i idzie na Patriarsze Prudy.

Siedząc na ławce, już otwarcie rozmawia sam ze sobą, pali, zmrużonymi oczyma przygląda się to księżycowi, to pamiętnemu turnikietowi. Spędza w ten sposób godzinę lub dwie. Potem wstaje i zawsze tą samą trasą, przez Spirydonowkę, idzie w uliczki Arbatu, a oczy ma puste, niewidzące.

Mija mydlarnię, skręca tam, gdzie wisi przekrzywiona stara latarnia gazowa, i skrada się ku kracie, za którą widzi piękny, choć jeszcze nagi ogród, a w ogrodzie – zacienioną gotycką willę, pomalowaną księżycowym blaskiem od strony, na którą wychodzi weneckie okno w wykuszu.

Profesor nie wie, co go ciągnie do owej kraty ani kto mieszka w willi, ale wie, że daremnie by ze sobą walczył w czasie pełni księżyca. Wie także, że w ogrodzie za kratą nieodmiennie zobaczy zawsze to samo.

Zobaczy siedzącego na ławce starszego, solidnie wyglądającego mężczyznę z bródką, w binoklach, mężczyznę o nieco prosiakowatej twarzy. Profesor zastaje mieszkańca willi zawsze w tej samej marzycielskiej pozie, zapatrzonego w księżyc. Profesor wie, że siedzący, kiedy napatrzy się już na księżyc, z pewnością spojrzy w okno w wykuszu i będzie w nie patrzył, jak gdyby oczekując, że okno to zaraz się otworzy i coś niezwykłego ukaże się na parapecie.

Wszystko, co będzie potem, profesor zna na pamięć. Należy się wtedy niezwłocznie ukryć głębiej za ogrodzeniem, bo siedzący zacznie teraz niespokojnie kręcić głową, wypatrywać czegoś błądzącymi po powietrzu oczyma, uśmiechać się z zachwytem, potem nagle z tęskną błogością plaśnie w dłonie, a wreszcie już całkiem zwyczajnie i to dość głośno zacznie mamrotać:

– Wenera! Wenera! Ech, jakiż ze mnie głupiec!...

– O, bogowie, bogowie! – będzie szeptał profesor, kryjąc się za kratą i nie spuszczając rozpłomienionych oczu z tajemniczego nieznajomego. – Oto jeszcze jedna ofiara księżyca... tak, jeszcze jedna ofiara, zupełnie jak ja...

Siedzący zaś będzie przemawiał dalej:

– Ech, jaki ze mnie głupiec! Dlaczego, dlaczego nie odleciałem z nią? Czego się, stary osioł, przestraszyłem? Zaświadczenie wziąłem!... Ech, męcz się teraz, stary kretynie!...

I będzie to trwało dopóty, dopóki w ciemnej części willi nie stuknie okno, nie ukaże się w nim coś białawego, nie rozlegnie się nieprzyjemny kobiecy głos:

– Nikołaju, gdzie jesteś? Co to za fanaberie? Chcesz złapać malarię? Chodź na herbatę!

Wtedy siedzący ocknie się, oczywista, i kłamliwym głosem odpowie:

– Chciałem odetchnąć świeżym powietrzem, serdeńko! Wyjątkowo przyjemne dziś mamy powietrze!...

Wstanie z ławki, ukradkiem pogrozi pięścią zamykającemu się oknu na parterze i powlecze się do domu.

– Kłamie, kłamie! O, bogowie, jak on kłamie! – mruczy Iwan Nikołajewicz, odchodząc od ogrodzenia. – To wcale nie powietrze wyciąga go do ogrodów, w czasie tej wiosennej pełni on coś widzi na księżycu i tu wysoko, w ogrodzie! Ach, dużo bym dał, żeby poznać jego tajemnicę, żeby wiedzieć, co to za Wenerę utracił, a teraz daremnie chwyta rękami powietrze, usiłując ją odnaleźć?...

I profesor wraca do domu całkiem już chory. Jego żona udaje, że nie dostrzega, w jakim profesor jest stanie, zapędza go do łóżka. Ale sama się nie kładzie, siedzi z książką przy lampie, patrzy ze zgryzotą na śpiącego. Wie, że o świcie mąż obudzi się z przeraźliwym krzykiem, że zacznie się rzucać na łóżku i płakać. Dlatego na obrusie przy lampie leży w spirytusie zawczasu przygotowana strzykawka i ampułka z płynem koloru mocnej esencji herbacianej.

Biedna kobieta, która związała się z ciężko chorym, może już teraz zasnąć bez obawy. Profesor po zastrzyku aż do rana będzie spał z uszczęśliwioną twarzą i choć żona nie wie, co będzie mu się śniło, będą to sny szczęśliwe i natchnione.

Budzi zaś uczonego w noc pełni księżyca zawsze to samo, zawsze to samo sprawia, że krzyczy żałośnie. Śni mu się niesamowity beznosy oprawca, który podskakuje ze stęknięciem i przebija włócznią serce przywiązanego do słupa obłąkanego Gestasa. Ale oprawca nie jest tak straszny jak nienaturalne światło rozświetlające sen, światło wysyłane przez jakąś chmurę, która wre i zwala się na ziemię, jak to się zdarza tylko podczas najstraszliwszych światowych kataklizmów.

Po zastrzyku wszystko się zmienia przed oczyma śpiącego. Od posłania do okna zalega szeroka droga z księżycowej poświaty, wstępuje na nią człowiek w białym płaszczu z podbiciem koloru krwawnika i zaczyna iść w kierunku księżyca. Obok niego idzie jakiś młody człowiek w podartym chitonie, o zmasakrowanej twarzy. Idący z zapałem o czymś rozprawiają, spierają się, chcą się wreszcie porozumieć.

– O, bogowie, o, bogowie moi – mówi ów człowiek w płaszczu, zwracając wyniosłą twarz ku swemu towarzyszowi podróży. – Cóż za wulgarna kaźń! Ale powiedz mi, proszę – na twarzy nie ma już wyniosłości, jest raczej błaganie – przecież ta kaźń się nie odbyła? Błagam, powiedz mi – nie było jej, prawda?

– Oczywiście, że nie było – ochrypłym głosem odpowiada mu współtowarzysz. – To ci się tylko przywidziało.

– Możesz przysiąc? – prosi człowiek w płaszczu.

– Przysięgam ci! – mówi ten, który mu towarzyszy, i nie wiadomo dlaczego jego oczy się uśmiechają.

– To mi wystarczy! – zdartym głosem woła człowiek w płaszczu i pociągając za sobą swego towarzysza, wspina się coraz wyżej, ku księżycowi. Podąża za nimi spokojny i majestatyczny olbrzymi pies o spiczastych uszach.

Wtedy księżycowy promień zaczyna wrzeć, chlusta zeń księżycowa rzeka, rozlewa się na wszystkie strony. Księżyc panoszy się, igra, księżyc tańczy i figluje. Wówczas ucieleśnia się w owym strumieniu kobieta niezwykłej piękności i za rękę podprowadza do Iwana obrośniętego człowieka, który lękliwie rozgląda się wokół. Iwan poznaje go od razu. To numer sto osiemnasty, jego nocny gość. Iwan we śnie wyciąga do niego ręce i chciwie pyta:

– A zatem tak to się skończyło?

– Tak to się skończyło, uczniu mój – odpowiada numer sto osiemnasty, kobieta zaś podchodzi do Iwana i mówi:

– Oczywiście, że tak. Wszystko się skończyło, wszystko się kiedyś kończy... Ucałuję cię w czoło i wszystko będzie tak, jak być powinno...

Pochyla się nad Iwanem i całuje go w czoło, a Iwan lgnie do niej i wpatruje się w jej oczy, ale ona cofa się, cofa i wraz ze swym towarzyszem odchodzi ku księżycowi...

Wówczas księżyc zaczyna szaleć, zwala potoki światła wprost na Iwana, rozbryzguje to światło na wszystkie strony, w pokoju wzbiera księżycowa powódź, blask faluje, wznosi się coraz to wyżej, zatapia łóżko.

To właśnie wtedy Iwan ma we śnie taką szczęśliwą twarz.

Nazajutrz budzi się milczący, ale zupełnie spokojny i zdrów. Przygasa jego zmaltretowana pamięć i aż do następnej pełni nikt profesora nie niepokoi – ani beznosy morderca Gestasa, ani okrutny piąty procurator Judei, *eques Romanus*, Poncjusz Piłat.

Moskwa, 1928–1940

Spis treści